# Дмитрий Вересов

# ПОЛЕТ ВОРОНА

*сериал «Черный ворон»*

## КНИГА ВТОРАЯ

Санкт-Петербург
Издательский Дом «Нева»
Москва
Издательство «ОЛМА-ПРЕСС»
2002

ББК 84. (2Рос-Рус)6
В 31

*Текст переработанный и дополненный*

Кадры из телевизионного сериала «Черный Ворон», производство ООО «„Новый русский сериал“, 2001 год» предоставлены обладателем исключительных прав на использование сериала — ООО «Новый русский сериал».

**Вересов Д.**
В 31    Полет ворона. Сериал «Черный ворон». Книга вторая. — СПб.: «Издательский Дом „Нева“»; М.: «ОЛМА-ПРЕСС», 2002. — 479 с. — («Огни большого города»).
        ISBN 5-7654-1709-4
        ISBN 5-224-02660-1

Вторая книга сериала «Черный Ворон». Обе Татьяны переживают стремительный взлет и катастрофическое падение — и выходят из испытаний сильно изменившимися.

ББК 84. (2Рос-Рус) 6

ISBN 5-7654-1709-4
ISBN 5-224-02660-1

*Но иные все же умирают*
*Там, внизу, под плеск тяжелых весел...*
*А другие у руля, высоко,*
*Знают птиц полет и звездные страны.*

*Гуго фон Гофмансталь*

## От автора

«Полет ворона», вторая книга сериала, — это, главным образом, история трех замужеств. Поскольку платить нужно даже за правильный выбор, а выбор каждой из героинь по-своему ошибочен, то и расплата оказалась серьезной. Пережитое очень изменило наших Татьян. В то, что они обе откровенно и не щадя себя поведали мне о не самых лучших временах своей жизни и не возражали против публикации этих глав, явно свидетельствует в их пользу. Во всяком случае, автор в этом убежден.

## 27 июня 1995

— *Теперь направо, пожалуйста. И через Кировский мост, — сказал мужчина водителю. — Или он теперь снова Троицкий?*

— *Троицкий, — подтвердил немногословный шофер и повернул направо.*

— *Куда мы? — спросила женщина. — Нас же ждут...*

— *Подождут. А я хочу еще раз к своим заглянуть, напоследок. Это быстро.*

*Женщина кивнула и прикрыла своей ладонью сжавшуюся в кулак руку мужчины. Рука медленно разжалась...*

# Глава первая

# ЦВЕТ ПАПОРОТНИКА
## (27 июня 1995)

*Люсьен Шоколадов ловко подцепил лопаткой блинчик и перевернул его на другую, еще неподогретую сторону. Ту же операцию он повторил со вторым и третьим блинами. В образовавшуюся после этого паузу он снял с полки свой блестящий медный кофейник и наполнил водой из-под крана. Светлана Денисовна, бдительно следившая за каждым его движением, тут же подскочила к раковине и протерла кран, которого касались пальцы Люсьена, заранее заготовленным раствором хлорки. В ответ Люсьен как бы невзначай колыхнул полой короткого халатика и приоткрыл бледную, тощую ягодицу. Соседка сказала: «Тьфу!» — и отвернулась.*

*Быдло. Что за планида, в самом деле, — обреченность на существование в окружении быдла? Ну ничего — теперь надо забыть спустить за собой воду в туалете. Пусть обоняют! Вылезла Катька и что-то зашептала Светлане Денисовне. Люсьен попытался шумно испортить воздух, но что-то не получилось. Он опустил глаза, пробормотал привычно: «Святый Боже, святый крепкий, святый бессмертный...», перекинул блинчики со сковородки на тарелку и, покачивая бедрами, направился в свою обитель.*

*Дверь из темного, обшарпанного коридора вела словно в другой мир. На фоне рельефных, под холстинку, розовых обоев особенно эффектно смотрелась мебель, которую Люсьен подбирал по принципу контрастности — белый диван и такие же кресла в стиле модерн соседствовали с резной, старинной работы кабинетной «тройкой» из шкафа, стеллажа и письменного столика с бюро. В красном углу стоял потемневший от времени киот, любовно отреставрированный Люсьеном, а у противоположной стены под бархатным балдахином громоздилась кровать на четырех столбах, почти достигавших потолка. Верх шкафа, застекленная часть стеллажных полок, крышка высокого трюмо сбоку от кровати и верх пианино были уставлены разными милыми сердцу безделушками — фарфоровыми пейзанами, пейзанками и зверьками, вазочками с мелкой икебаной, слониками и прочим в том же духе. Почти все свободное пространство стен занимали картинки преимущественно эротического содержания, иконы и разного рода меморабилия: фотографии в рамках, плакаты и афиши под стеклом, вымпелочки и расписные тарелочки.*

*Люсьен поставил блинчики на журнальный столик, достал из стеллажа льняные салфетки, две тарелки с золотой каймой, витые ложки и вилки и две кофейные чашечки костяного фарфора. Потом он вышел в коридор и через минуту вернулся с кофейником, который опустил на тот же столик, на деревянную подставку.*

*— Ку-ку! — сказал он, закончив все приготовления. Не получив ответа, он подошел к кровати и чуть отогнул занавеску. — Подъем, сладкий мой. Репетицию проспишь.*

*— А ну ее в жопу! — раздался из-за занавески юношеский басок.*

*— Фи! Кель выражанс! — Люсьен поморщился. — Смотри, Гусиков не одобрит...*

*Занавеска отлетела в сторону, и взору Люсьена предстал стриженый молодой человек атлетического сложения.*

*— Одолжи тогда мне халатик, пойду хоть морду сполосну.*

*Люсьен с готовностью скинул с себя халат и набросил его на широкие плечи молодого человека, задержав там руки несколько дольше положенного.*

*— Люська, кончай обжиматься, — проворчал молодой человек. — Я еще зубы не чистил. И вообще, не люблю нежностей натощак.*

*Он хлопнул дверью. Люсьен сладко потянулся и налил себе кофейку. Славное знакомство, славное... Мальчика* он заприметил давно — тот выступал в «Орфее» с труппой атлетического балета, — но снял только вчера. Пришлось после номера угостить коньячком... ну, и так далее... Хороший мальчик, «белый» или, как нынче стали выражаться, «свингующий» — то есть может и с девочками, и так. Люсьен и сам в молодости был такой, а теперь вот... Впрочем, «Орфей» — заведение демократическое, туда не зазорно заглянуть и «белым», и чисто «голубым», и «фиолетовым» — это которые ходят в бабском прикиде, называют себя Катями и Машами и все поголовно копят деньги на транссекс. Бывают, конечно, и «черные» — это просто бандиты, которые косят под своих для каких-то уголовных делишек. Ну и, конечно, плебеи из новых русских заруливают со своими телками — кто по дури, но больше для остроты ощущений.

Сам Люсьен трудился в «Золотом Орфее» с первого дня, можно сказать, стоял у истоков. В клубе он конферировал, бренчал на рояле, хриплым тенорком пел всякие полублатные песенки, милые сердцу подвыпившего русского человека, будь то быдло или свой брат масон. Там был его истинный дом, и там же завязывались любови, иногда переходящие в дружбу.

— Зачем, зачем на белом свете есть однополая любовь? — пропел он, обнимая возвратившегося нового друга, благоухающего соседкиным одеколоном...

# (1977)

## I

...Острые когти впились ему в спину. Он вскрикнул от боли и неожиданности и в то же мгновение ощутил, что его вскрик — лишь слабое эхо другого, пронзительного, страшного.

— Т-таня? — прохрипел он. — Таня, что...

Волшебные золотые глаза закрыты, как запечатаны. Прекрасное лицо налилось алебастровой бледностью. Алые губы разомкнуты в страдальческой улыбке. Дыхание? Слышно, но еле-еле.

Он поспешно скатился на пол, поднялся, откинул с нее одеяло. Нижняя часть белоснежной простыни залита густой, почти черной кровью. И край одеяла. И ее живот, бедра... И капелька упала на ковер.

Павел посмотрел вниз, на свои ноги. Тоже кровь.

— Танечка, милая, ну что же ты... Ну?

Она не шелохнулась. Павел, ничего не соображая, рванулся в ванную, намочил под краном белое махровое полотенце и принялся нежными, как бы увещевательными движениями стирать с нее эту страшную кровь, приговаривая:

— Танечка, Танечка. Ну очнись, а?

Она лежала на окровавленной простыне, застыв в своей нестерпимой красоте, чуждая всему, чуждая его усилиям...

— Тьфу! — сказал Павел сам себе и вновь побежал в ванную. Обморок. Нужен нашатырь! Где нашатырь? Где?!

В аптечном шкафчике второй ванной он отыскал ампулу, на которой было написано: «Раствор аммиака. 5%». Нашатырь, аммиак — вроде бы одно и то же?

Он отломил горлышко ампулы, порезав при этом палец, вылил содержимое на кусок ваты и побежал назад, дурея от специфического запаха.

— Вот, — сказал он, положив вату ей на нос. — Вот и все, сейчас.

Она дернулась и резко подняла голову, больно ударив его по носу.

— Вот и все, — повторил он и автоматически схватился за нос рукой, в которой была вата с аммиаком. Вдохнув, он затряс головой и отшвырнул вату в сторону.

Таня смотрела на него с улыбкой. Взглянув на нее, он тоже ошалело улыбнулся и кинулся к ней.

— Как ты?

— Уже почти нормально, — сказала Таня, нежно, но решительно отстраняя его. — А ты?

— Да что я? С тобой-то что было?

— Со мной? Знаешь, с барышнями это случается, особенно когда кавалеры на них кидаются, как тигр на антилопу. Правда, с каждой такое может быть только один раз...

Павел недоуменно посмотрел на нее. И, тут же все поняв, положил голову ей на грудь.

— Прости, прости меня... — лепетал он. — Прости, это я, я виноват...

— Ну нет, медвежонок мой, — сказала Таня, гладя его волосы. — Разве твоя вина, что в нашем отечестве не выпускают учебных пособий по дефлорации?

— Но я... Понимаешь, я и вообразить не мог, что ты...

— Ну, извини за обманчивое впечатление... А я, как выяснилось, берегла себя, берегла. И сберегла вот...

— Танечка! — Павел кинулся осыпать поцелуями ее щеки, глаза, лоб, губы, не замечая, что плачет.

— Это потом, — сказала Таня, отвернув от него лицо. — Буду тебе очень благодарна, если поможешь мне добраться до ванной. Пока я там приведу себя в порядок, не худо было бы сменить бельишко... Вот так. Теперь возьмись другой рукой вот здесь и разгибайся, только не очень быстро, я не успеваю... И не смотри на меня — я сейчас некрасивая.

— Красивая, — возразил Павел, поддерживая ее свободной рукой за талию.

— Не спорь. И дверь за собой закрой. Дальше я сама справлюсь.

Под шум воды Павел принялся лихорадочно наводить порядок. Смахнул на пол окровавленную простыню, потом подумал, поднял и стер ею остатки Таниной крови с себя. Снял запачканный пододеяльник. Сдернул ворсистую подстилку, на которую тоже попала кровь. Пятно было и на белой атласной поверхности матраса. Павел помчался вниз, откопал в материном чулане флакон с каким-то импортным универсальным пятновыводителем и чуть ли не половину флакона вылил на пятно. Не дожидаясь результата, он достал из шкафа свежее белье и перестелил постель.

В ванной стих шум воды и послышался голос Тани:

— Ну, ты все?

— Да.

— Тогда выйди, пожалуйста.

— Зачем?

— Павлуша, ты хоть и гений наук, а глупый, как милиционер. У меня же походочка будет, как у старой бабы с геморроем. Мне неприятно так выхаживать перед тобой.

Павел вздохнул, накинул халат и пошел к двери.

— Заодно дойди до холодильничка и принеси сюда шампанского, — распорядилась Таня.

— А это еще зачем?

— Отметим кульминацию бракосочетания. Какая-никакая, а состоялась. Могло быть и хуже.

Смысла последней фразы Павел не понял, но переспрашивать не стал, а поплелся вниз за шампанским.

Когда же он поднялся с бутылкой и стаканами, Таня уже крепко спала. Он постоял, прислушиваясь к ее тихому, ровному дыханию, на цыпочках подошел к кровати, поставил шампанское на столик, выключил торшер и осторожно лег на свободную половину. Он лежал, закрыв глаза, никакие мысли в голову не шли, но заснуть никак не мог — так не спится на новом месте. А если подумать, оно и есть новое. Место мужа.

Он тихо встал, впотьмах надел халат и спустился вниз, в отцовский кабинет. Достал с полки «Мастера и Маргариту», уселся в кресло, закурил и наугад раскрыл любимую книгу.

Есть такой шуточный обычай (а для особо впечатлительных и не шуточный) — гадать по любимой книге. Задают вопрос типа: «А что будет...», не глядя раскрывают книгу на какой попало странице, тыкают пальцем в любую строчку — вот вам и ответ оракула. Неизвестно почему Павлу в эту минуту пришла в голову мысль таким вот образом «погадать» — понятно, на что.

— Нуте-с, — развалившись в кресле, вымолвил Павел, — что скажете, Михаил Афанасьевич?

И, отвернувшись, отметил пальцем строчку.

«Тут кот выпил водки, и Степина рука поползла по притолоке вниз.

— И свита эта требует места, — продолжил Воланд, — так что кое-кто из нас здесь лишний в квартире. И мне кажется, что этот лишний — именно вы!»

М-да! И как такое прикажете понимать? Должно быть, господин Булгаков не понял вопроса.

— Михаил Афанасьевич, я ведь спрашиваю о нас. О Тане и о себе. Как у нас сложится жизнь? — несколько более серьезно, чем того требовала ситуация, произнес Павел. — Ответьте же.

«Варенуха понял, что это-то и есть самое страшное из того, что приключилось с ним, и, застонав, отпрянул к стене. А девица подошла вплотную к администратору и положила ладони рук ему на плечи. Волосы Варенухи поднялись дыбом, потому что даже сквозь холодную, пропитанную водой ткань толстовки он почувствовал, что ладони эти еще холоднее, что они холодны ледяным холодом.

— Дай-ка я тебя поцелую, — нежно сказала девица, и у самых его глаз оказались сияющие глаза. Тогда Варенуха лишился чувств и поцелуя не ощутил».

Тьфу ты, еще того не легче! Это уже чистое издевательство. Павел остервенело ткнул в книгу в третий раз:

«— Какая зеленая? — машинально спросила Маргарита.

— Очаровательнейшая и солиднейшая дама, — шептал Коровьев, — рекомендую вам: госпожа Тофана, была чрезвычайно популярна среди молодых очаровательных неаполитанок, а также жительниц Палермо, и в особенности тех, которым надоели их мужья. Ведь бывает же так, королева, чтобы надоел муж».

— Моб твою ять! — крикнул Павел, и книга полетела через всю комнату, плашмя приземлившись у радиатора. Он поднялся, сделал несколько глубоких вдохов, чтобы успокоиться, и решительно лег на диван. Возможно, удастся уснуть.

Естественно, не удалось. Несколько раз он пил на кухне кофе. Несколько раз, поддаваясь непреодолимой тяге, поднимался в спальню и любовался спящей женой. Ему очень хотелось включить розовый торшер, но он боялся потревожить Танин сон. Ему хватало и луны, заливавшей спальню неярким голубоватым светом.

«Господи, как же хороша она в этой лунной дорожке! Необыкновенно... А Никитку-гада встречу — убью!»

Павел снова спустился в кабинет. Посмотрел на брошенного «Мастера», нахмурился, поднял книгу, поставил на место и вытянул с той же полки первую попавшуюся. Это оказался «Белый Бим — Черное ухо», любимое произведение Лидии Тарасовны. Павел поражался, как его мать, в жизни не умевшая сопереживать не то что собаке — самому близкому человеку, часто перечитывая эту книгу, всякий раз проникалась жалостью к несчастному Биму и даже плакала. Прочитав несколько знакомых страниц, Павел задремал.

— Ну и местечко для новобрачного! Ну и ну!

Он проснулся от резкого, до тошноты знакомого голоса. Мамаша. Черти принесли.

— Вот заехали с тещенькой твоей проведать, как полагается, молодых, а они вот что! Где твое место, идол?

— Да я так, проснулся рано, не хотел Таню будить, спустился, поел...

— Ну, веди, показывай...

Не совсем поняв, что ему следует показывать, Павел поднялся и пошел впереди матери в спальню.

— Т-с-с! — сказал он, приоткрыв дверь. Таня еще спала.

— Адочка! — повернувшись в коридор, крикнула мать. Таня зевнула и перевернулась на другой бок. Павел с ненавистью посмотрел в затылок матери. — Иди-ка посмотри на нашу красавицу!

Ада проплыла мимо Лидии Тарасовны с легкой полуулыбкой и остановилась возле Павла. От нее пахло вербеной и утренней свежестью. Она встала на цыпочки и поцеловала Павла в лоб.

— Здравствуй, милый. Извини за вторжение, но твоя мама сказала, что есть такой обычай...

— Спасибо, что заехали, — искренне сказал Павел. Смысл этой фразы был в том, что если бы приехала одна мать, это было бы вовсе непереносимо.

— Адка! — раздался даже не голос, а какой-то базарно-звериный рык из ванной. Павел и Ада дружно поморщились. — Нет, ну ты посмотри, а?

Из ванной вырулила сияющая Лидия Тарасовна, как трофей выставив перед собой окровавленную простыню.

— Во какие они у нас с тобой! Спасибо тебе за дочку!

И ткнула Аде простыню под нос.

— И вам за сына спасибо, — тихо отступая, проговорила Ада.

Павел отвернулся.

— Эй! — послышался из спальни сонный голосок. — Кто это у нас?

— Ой, лапушка наша проснулась, молодаечка! — совсем по-деревенски взвизгнула Лидия Тарасовна и, подхватив Аду под локоток, устремилась к спальне. Павлу, направившемуся было следом за ними, она сказала: — А тебе там пока делать нечего. Сходи лучше чайник поставь.

Весь этот день и следующий Таня провела в постели. Павел неотлучно находился при ней. Они болтали, целовались, осторожно обнимались, по очереди читали вслух места из любимых книг, имевшихся в наличии (по настоянию Тани был реабилитирован столь расстроивший Павла Булгаков). Павел извлек из своей комнаты гитару и, наскоро настроив ее, стал исполнять разные вещи — песни походные и лирические, Окуджаву, Визбора, «Битлз». Она подпевала как могла, но, застеснявшись, умолкла.

— Что затихла? — спросил Павел.

— Слов не знаю, да и не получается...

— А братца твоего это никогда не останавливало, — кривя губы, заметил Павел. Проклятое письмо никак не выходило из головы. — Расстроилась, что он не приехал?

— Вот еще! Даже обрадовалась. Гнида малахольная! До самого института по ночам под себя ходил... А вот что Елки не было — это жалко.

— Болеет…

Потом Таня выставила его из спальни готовить обед. Снизу он слышал ее ритмичные шаги, подскоки, размеренный скрип половиц. «Гимнастику делает, — с уважением подумал он. — Сильная, красивая, волевая».

— Иди же сюда, — сказала она вечером, решительно отложив томик Блока и откинув одеяло.

— А тебе… разве уже можно?

— Конечно, можно. Все, что мог порвать, ты уже порвал, слоник мой ненаглядный.

Павел опустился перед ней на колени и дотронулся языком до ее темного тугого соска…

Новая квартира оказалась на втором этаже со вкусом и размахом отреставрированного трехэтажного дома восемнадцатого века. Павла поразила уличная дверь с цифровым замком, абсолютно несоветская чистота на лестнице, изящные неоновые шарики вместо стандартных люминесцентных палок, обшитые темной лакированной вагонкой двери в квартиры.

— Вот и наша, — сказала Таня, остановившись у правой двери. — Номер семь. Счастливое число. Сейчас проверим ключики.

Оба ключа подошли. Таня приоткрыла дверь и, прежде чем зайти, быстро достала из сумочки что-то черное и с размаху бросила внутрь квартиры.

— Теперь пошли!

— А что это было? — спросил Павел, войдя в просторную прихожую.

— Это? Да, видишь ли, по традиции в новую квартиру полагается первой запускать кошку. Пришлось по этому поводу купить плюшевого котеночка. — Она подняла игрушку с пола и прижала к груди. — Его зовут Диккенс.

— Почему Диккенс?

— Черный фрак с белой грудкой, как у героев Диккенса. Тебе нравится?

— Что, имя?

— Да нет, квартира. Ты хоть посмотри, куда попал.

Прихожая была под самый потолок отделана той же мореной вагонкой, что и дверь. В том же стиле были выполнены вешалка, полочка для обуви, тумба под телефон (на ней уже красовался жемчужный японский кнопочный аппарат и большая записная книжка в целлофане), большой стенной шкаф. Напротив входа оказалось встроенное высокое зеркало.

— Класс! — растерянно сказал Павел.

— Бросаем сумки здесь и начинаем экскурсию, — распорядилась Таня.

На кухне сочетание все той же мореной вагонки на стенах, навесных шкафчиках, стульях и столе (поверхность, правда, была предусмотрительно сделана не рифленой, а гладкой) с сияющими никелированными поверхностями мойки, плиты, разделочного столика и даже высоченного холодильника с надписью «HITACHI» производило сильное впечатление. Особенно поразил Павла холодильник — он бывал во многих хороших домах, но такое чудо видел впервые.

— Дальше, дальше, — тянула его Таня. — Еще успеешь насмотреться.

Просторная гостиная была оклеена желтыми обоями. Желтой же была буклированная обивка на мягкой мебели — широком пухлом диване овальной формы, глубоких креслах с отлогими спинками, шестерке стульев, расставленных вокруг черного овального стола, посреди которого лежала белая кружевная салфеточка, а на ней — хрустальная ваза с тремя алыми розами. Вся «твердая» мебель и деревянные части мягкой были черными, матовыми — сверкающий зеркальными стеклами сервант, малый сервант с крышкой из черного мрамора, журнальный столик, тумба под телевизор, да и сам стоящий на ней телевизор — с огромным экраном, неизвестной Павлу марки. Все металлические части, включая дверные ручки, были бронзовые. На этом цветовом фоне смело, даже вызывающе смотрелись алый, в тон розам, ковер на полу и алые же тяжелые портьеры.

Павел молча созерцал это великолепие, не вполне понимая, что он чувствует. Скорее всего — что по ошибке попал в чей-то чужой дом.

А Таня тянула его дальше, в смежную с гостиной комнату.

— Сначала я хотела устроить здесь нашу спальню, но потом решила, что лучше пусть это будет кабинет, твой и мой.

Мебель в кабинете тоже была черной, но обои, обивка на рабочих креслах, ковер, портьеры и лампа на огромном письменном столе, развернутом к окну, были зеленые.

— Успокаивает и полезно для глаз, — сказала Таня. Павел молча кивнул.

Боже! Какие объемы — шкафы до потолка, стеллажи, полочки для папок и даже специальный шкафчик для картотеки. А вот тут можно хранить не только книги и рукописи, но и часть минералогической коллекции. А вот сюда можно поставить микроскоп.

— С этой стороны чур не занимать, — вторглась в его размышления Таня. — Этот шкаф, секретер и кресло — мои. Буду уроки делать, курсовик писать. Кстати, совсем горю с курсовиком. Завтра перевезу бумажки, словари и засяду.

— Два ученых в доме, — улыбнулся Павел. — Про что курсовик-то?

— «Способы перевода существительных со значением „конец, край“».

— Предел, грань, граница, черта...

— Аминь и шиздец. Вот именно.

— И это что — наука?

— В твоем смысле — нет, но, согласись, неплохая подготовка к науке. Учишься работать со словарем, с источниками, систематизировать... Так что прошу не издеваться, а главное — не старайся вызвать во мне комплекс неполноценности. Ни в чем. Я его не принимаю. Договорились?

— Да, — тихо сказал Павел... Необыкновенная, неожиданная, загадочная...

— Но это еще не все, — Таня потянула за рукав. — Пошли досматривать.

Через коридор, оформленный так же, как прихожая и кухня, они вошли в третью комнату.

— Спальня! — гордо объявила Таня.

Здесь обивка, портьеры, ковер и обои были голубые, а мебель белая. Детали попросту прошли мимо внимания Павла, обалдевшего и даже несколько поникшего от впечатлений. Была ли там кровать? Была, наверное. Единственное, на что он обратил внимание, — на противоположную стену, совершенно пустую. Вместо обоев на ней была изображена картинка большого английского парка с прудом, где дети в шапочках и коротких штанишках с лямоч-ками под присмотром строгих гувернанток прямо с рук кормят лебедей, а в отдалении чинно прогуливаются пары под белыми кисейными зонтиками.

— А это что? — спросил Павел.

— Это?

Таня улыбнулась, подошла с самому краешку картины и, взявшись за что-то, резко потянула вбок. Картина отъ-ехала, и перед ними открылась еще одна комнатка, тоже вся голубая, залитая солнечным светом — и совершенно пустая. Таня тут же закрыла комнатку картиной.

— Этому мы найдем применение в нужное время, — с шутливой строгостью сказала она.

Когда закрылся вид на эту светлую комнатку, Павлу отчего-то сделалось грустно. Таня показывала ему ван-ную — в черном итальянском кафеле, сама ванна голубая, просторная, красивые стеклянные полочки со всякой вся-чиной, напротив голубой раковины-лепестка белая стираль-ная машина с иллюминатором посередине, — а мысли его приобретали все более невеселую окраску.

Осмотрев и туалет, в том же духе, что и ванная, они вернулись на кухню и сели за стол темного дерева.

Павел закурил. Руки его дрожали. Таня налила воды в новешенький красный чайник со свистком, поставила его на плиту и обернулась к мужу. Внимательно посмотрев на него, она села на другой стул и сказала:

— Дай и мне тоже.

Они курили и молчали. Павел несколько раз поднимал голову и открывал рот, но так ничего и не произнес.

— Ты что-то хотел сказать? — спросила Таня.

— Да! Да, хотел... Понимаешь, в Москве меня прини-мал у себя дома Рамзин. Нобелевский лауреат, на него весь ученый мир молится. Так вот, у него роскошная, великолепная квартира в престижном доме недалеко от университета. Я тогда подумал еще — вот стану я Рамзи-ным, будет и у меня такая же. И это будет честно, по заслугам. Но наша, эта вот квартира... Понимаешь, она *не хуже*, чем у Рамзина, только, может быть, поменьше... Ты была у нас дома, была на отцовской даче. Тоже не-плохо, согласись. Но там дело другое. Отец — человек служилый, и в тот день, когда он уйдет на пенсию, нам будет предписано в двадцать четыре часа освободить дачу, и в те же двадцать четыре часа тихие люди в сером перещупают в нашем доме каждую вещь, отбирая и увозя все, на чем есть казенный инвентарный номер, — отцовский письменный стол, красный телефон-вертушку, сейф, так полюбившийся тебе ковер в гостиной. И это тоже будет честно, потому что таковы правила, которые он принял. Но я... я не заслужил... я не могу принять незаслуженного. Тем более принять от отца, который сам всю жизнь учил нас не стремиться жить на дармовщинку и не желать незаработанного. А теперь он поступил, как какой-нибудь среднеазиатский партийный бай, отгрохавший своему сыночку дворец на казенные деньги... Я не могу принять, и не могу простить...

— Все не так, — сказала Таня настолько спокойно, что Павел в изумлении поднял на нее глаза. — Сюда не вложено ни копейки казенных денег, и ни копейки денег Дмитрия Дормидонтовича.

— Тогда как?..

— А вот так. Видишь ли, я из очень благоустроенной семьи. Еще при Сталине благоустроенной. У отца были огромные деньги, ценности, дача под Москвой, домик в Крыму. Когда он уже сильно болел, но был еще в относительно здравом рассудке, он оставил официальную бумагу, по которой поделил свое имущество между Адой, братом и мною. И вот так я предпочла распорядиться частью своей доли. К тому же не забывай, что я три с половиной года работала на прилично оплачиваемой работе с хорошими премиями, а тратиться почти не было надобности. Так что первый взнос за квартиру уплачен не просто с моих денег, а с лично мной заработанных. Остальное пошло на мебель, отделку. Николай Николаевич — ты его знаешь, это фактический муж Ады — помог мне оформиться в этот кооператив. Потом мы с ним и Адой все просчитали, и я решила не вкладывать все деньги до конца, а взять часть у Николая Николаевича. Это, как ты говоришь, справедливо.

— Почему?

— Я же выписываюсь из Адиной квартиры и оставляю их там вдвоем. Моя комната — это, как минимум, эквивалент здешней кухни со всеми причиндалами.

— Но для меня-то все равно получается на дармовщинку.

— Э нет, скорее в кредит. Во-первых, эту квартиру надо выкупать еще десять лет, платить ежемесячно взносы. Это будет твоя забота. Во-вторых, ты будешь расплачиваться очень тяжким трудом.

— Каким?

— А быть моим мужем — это, по-твоему, легко?

Павел рассмеялся, и всякое напряжение покинуло его.

— По-моему, это божественно!

— Не говори «гоп», пока не перепрыгнешь. — Таня привстала, перегнулась через стол и поцеловала Павла в щеку. — Давай-ка по кофейку и собираться по-быстрому. Сегодня в Доме Кино «Крестного отца» показывают. С Марлоном Брандо.


## II

Таня уверенно вела «Жигули» по запруженным городским улицам и время от времени бросала пытливый взгляд в сторону мужа. Похоже, озвученная ею версия приобретения квартиры никаких подозрений у него не вызвала. И не должна была — Таня знала, что великолепие их нового жилища не могло не породить вопросов, и заранее подготовила на эти вопросы убедительные ответы. Для каждого — свои.

Ее удивляло безоговорочное доверие Павла. Но все же тонкая душа чувствительна ко лжи. Собственно, лжи как таковой и не было. Скорее умолчание и некоторое смещение акцентов... Ну, не готов он знать всю правду, и никогда не будет готов.

Матери, правда, соврать пришлось. Правдоподобие должно было усыпить всякие страхи, убедить Аду. Вот тут и пришлись кстати неопознанные трупы на ранчо. Согласовала версию с дядей Кокой, тот все гражданской своей жене и разъяснил. Ну, зависла хата конспиративная для нужд Шерова, куда покойник по своим каналам вроде бы когда-то и прописал Танюшу. (Прописку она оформила без труда и задним числом: благо начальник домоуправления сам в том был немало заинтересован). Дядя Кока все понял правильно, изложил без проколов, а Адочка только порадовалась... И много говорить о новом жилье Ада ни с кем и не будет. Чай не дура. Прикроет заслугами отца перед отечеством.

Что вполне вписывается в объяснения, данные ей Павлу, так что со стороны Адочки сюрпризов ждать не приходится. Со стороны дяди Коки — тем более, поскольку сам он с этого дела тоже поимел неплохо, за что, кстати, должен быть ей весьма благодарен.

А начало квартирной эпопеи совпало с завершающей стадией осады крепости по имени Павел. Таня занялась обустройством совместного будущего, когда он об этом будущем еще не ведал ни сном, ни духом...

На выезде с Адмиралтейского наметилась основательная пробка. Таня перестроилась в правый ряд и приготовилась терпеливо ждать, когда наконец удастся свернуть на Невский. Глаза ее следили за огнями светофора, а мысли уносились на полгода назад, когда она забежала в гости к Анджеле, даже не догадываясь, во что выльется этот визит.

— А-а, это ты? — глядя на Таню расфокусированным взглядом, сказала Анджела. — Проходи.

Она сделала шажок назад, покачнулась и уцепилась за стену.

— А вы все торчите? — осведомилась Таня, разматывая шарф.

— Торчим. А ты — ик! — курнешь?

Таня задумалась.

— А что, сегодня можно. Есть повод.

— Ага. И у нас повод. У тебя какой?

— Личный, — коротко ответила Таня.

Что толку говорить этой обкурившейся стерляди, любовнице и лучшей подруге, что Павлик, блестяще защитившись в Москве, сегодня с триумфом вернулся оттуда и тем самым дал ей идеальный по обстоятельствам и психологии момента случай усугубить знакомство? Или не врубится, или начнет доставать ревностями и нежностями.

— И у нас личный. Якубчик влетел очень некрасиво. Сидит весь в расстроенных чувствах, не знает, что делать.

Анджела бросилась Тане на шею и разрыдалась. Таня с некоторой брезгливостью стряхнула с себя белые дрябловатые руки и решительно прошла в комнату, откуда тянулся знакомый дымок и доносился педерастически-сладкий голосок Бюль-Бюль-оглы. За захламленным столом сидел Якуб, подперев руками черноусую голову и тупо глядя в стену. Появление Тани он заметил только тогда, когда она, шумно двинув стулом, села напротив него и спросила:

— Что это там Анджелка бухтит, будто ты влетел во что-то?

Якуб посмотрел на Таню налитыми кровью глазами и криво улыбнулся.

— А, это ты? — вторя Анджеле, сказал он.

Таня перегнулась через стол и отвесила ему звонкую плюху.

— Ты что, а?

Он схватился за щеку, в темных глазах блеснула злость.

— Я спрашиваю, во что вляпался. Ну-ка соберись и отвечай на вопрос. Внятно, четко.

Якуб смотрел на нее, не решаясь начать.

С этим Якубом, аспирантом Торгового института, целевым порядком направленным туда из Азербайджана, Анджелка сошлась еще весной. Потом, когда так резко и неприятно оборвалась хлебная работенка у Шерова, позволила этому пылкому охотнику до блондиночек в теле взять себя на содержание и переехала к нему, в двухкомнатную квартирку на Софийской, которую он снимал за стольник в месяц. Таня время от времени заезжала к ним передохнуть, выпить бокал хорошего винца, которое Якубу привозили земляки, иногда забить косячок, а то и оставалась на ночь. Таня не знала, что Анджелка наплела Якубу про их отношения, только в первую же из таких ночей он с некоторым даже облегчением уступил Тане свое место на широкой кровати и устроился в гостиной на раскладушке. Видно, притомился каждую ночь доказывать Анджелке и себе самому непревзойденность своих мужских достоинств.

Жили Якуб с Анджелой широко, не по-аспирантски — рестораны по большому счету, дорогие импортные шмотки, дубленки, золотишко. Таня знала, что Анджела, с молчаливого согласия Якуба, продолжает понемногу заниматься «гостиничным бизнесом», но одних Анджелкиных заработков на все это великолепие и за десять лет не хватило бы — да и не та она баба, чтобы посадить себе на шею «жениха». Это так, на мелкие прихоти. Таня не сомневалась, что у Якуба свои доходы, и даже догадывалась, в какой именно сфере, но влезать в эти дела не хотела нисколько. Ей это было неинтересно.

Глядя на его скорбное лицо, Таня ощущала приятное пощипывание в висках и в ладонях. Как прежде, когда смотрела, как кодла молотит Игоря в темном дворике, когда вешала лапшу на уши сторожу, а ребята бомбили склад, когда брала слепки с ключиков в квартире Лильки... Когда опускала монтировку на голову Афто, когда обговаривала с Ариком варианты, как кинуть Максимилиана. Когда письмишко Черновым левой рукой писала. Да, застоялась она за последнее время, размяться хочется. И Анджелку будет жалко, если тут что-то серьезное заварилось — она-то тут совсем не при делах... Кстати о птичках: прикандехала из прихожей, села, смотрит то на нее, то на Якуба.

— Ай, иди отсюда, да? — Якуб раздраженно взмахнул рукой перед самым носом Анджелы. — С тобой потом говорить будем.

Анджела вышла, надув губы, а Якуб подался вперед, нависая физиономией над столом, и начал:

— Накололся я, брат, сильно накололся...

— На сколько? — деловито спросила Таня, решив пропустить «брата» мимо ушей. Ну, нерусский, бывает.

— На пятнадцать кусков пока.

— Неслабо... Ну, ничего, поднимешь как-нибудь. — Она обвела рукой богатую обстановку гостиной.

— Поднять-то подниму, да только теперь всю жизнь поднимать придется, шакалов этих кормить. Прижали они меня, Таня, хорошо, обложили, а я ничего с ними сделать не могу.

— Что-то с любым человеком сделать можно, — задумчиво проговорила Таня.

— Какие они человеки — твари, честное слово! Голыми руками зарежу, мамой клянусь!..

— А если поконкретней? Давай-ка выкладывай все. Может, на пару что-нибудь сообразим. Конечно, если тебе, гордому сыну Кавказа, в лом у бабы совета просить...

— Ну что ты, зачем так говоришь, слушай? — поспешно сказал Якуб. — Какая же ты баба? Бабы все дуры, а ты... Анджелка столько про тебя нарассказала...

— Значит, выходит, что я мужик? Ну, спасибо, милый, за комплимент.

— Какой мужик, слушай!

Якуб окончательно запутался и покраснел.

— Ладно, мою половую принадлежность потом обсудим. Говори давай по делу.

Он вздохнул и трагическим полушепотом начал:

— Понимаешь, Таня, была у меня раньше одна... женщина. Ах, какая женщина! Красивая, зажиточная, вдова торгового работника... Мы весной расстались, вышла она за немца замуж и уехала в Германию. Ай, как я тосковал, пока Анджелу не встретил...

— Без лирики, если можно, — сказала Таня и по-хозяйски развалилась в кресле.

— Я про Нору уже и забыл почти. Только три дня назад звонит мне ее брат, которому она здесь квартиру оставила, и говорит, что только что вернулся из Германии и привез мне от Норы письмо и посылочку. Я говорю, давай встретимся где-нибудь, а он говорит, приезжай лучше ко мне, я тебе расскажу, как она теперь, фотографии покажу. Я, как гондон, ушами хлопаю...

Таня рассмеялась, буквально представив себе, как названный Якубом предмет хлопает ушами. Якуб с обидой посмотрел на нее и продолжил:

— В общем, поехал я по известному адресу. Он, гнида, дверь распахивает, мордой улыбается, в комнату зовет, про Нору базарит, кофеем угощает. Конвертик вынимает, пакет достает — а в нем костюмчик джинсовый, фирменный, с лейблами, с заклепочками. Я, как положено, спасибо говорю, конвертик, не раскрывая, в карман, пакет в сумку...

— Ну, что замолчал?

— Тут и открылась дискотека, слушай! За спиной крик: «Встать! Руки в гору, лицом к стене!» Я встаю, начинаю оборачиваться, тут мне по затылку тяжелым — хрясть! Отрубиться я не отрубился, но ослабел сильно. В глазах все поплыло. Дал себя к стенке прислонить, обшмонать... Проморгался — сижу на диване, рука браслетом к батарее пристегнута, а в том кресле, где только что был я, развалился мент и пушкой поигрывает. Здравствуйте, говорит, гражданин Зейналов. Это ваше? И показывает конверт. Я прикинулся чайником, конечно, говорю, знать не знаю, что за вещь. А он: свидетель, подтвердите, что данный конверт изъят из внутреннего кармана гражданина Зейналова при обыске. И Норин брат, собака, кивает, да, дескать, подтверждаю. Мент на сумку: ваша? И все по новой...

А брат Норин знай поддакивает и объясняет, что, мол, бывший знакомый его сестры, Зейналов, позвонил ему и предложил приобрести джинсы и валюту. Он, как честный советский человек — честный, ха! — обратился к представителю правопорядка, полковнику Кидяеву... Я тут пригляделся — а мент-то действительно полковник, блин!.. Он лыбится и говорит: я сейчас при свидетеле вскрываю конверт, изъятый у гражданина Зейналова. Я кричу, эй, погоди, не мой это! А он раскрывает, падла, конверт, и оттуда сыплются бумажки зеленые, доллары! Ну, и в джинсах, конечно, в кармане пакетик полиэтиленовый с порошком. Это, говорит, что такое, Зейналов?

Я молчу, а Норин братец тут же тявкает: он мне, товарищ полковник, уже здесь, в доме, кокаин купить предлагал. Тут я совсем рассердился, погоди, кричу, я тебя, свидетель сучий, закопаю. А мент посмеивается и ручкой шкрябает: угроза свидетелю в присутствии представителя власти... Ну, говорит, Зейналов, лет десять ты себе уже намотал. Протокол подписывать будем? Утрись ты, говорю, своим протоколом, жопа. А он спокойненько так: добавим оскорбление работника при исполнении. Свидетель, подпишите. Тот, конечно, тут же бумагу подписывает. А мент вздыхает, говорит, ну все, вызываю наряд для доставки задержанного... И на меня смотрит. Я говорю: стоп, это провокация и задержание незаконное, где понятые, где санкция прокурора, почему один меня брать пришел. Мент смеется: это, говорит, не арест, а задержание пока. Для ареста, говорит, нужны формальности, а задержать я самолично любого гражданина могу до трех суток. Этого тебе, говорит, за глаза хватит. Мои ребята с тобой воспитательную работу проведут, так ты через трое суток не только в этой наркоте и в зелененьких сознаешься, но и что в восемнадцатом году в Ильича стрелял. Тут я совсем башку потерял и понес его — по матушке, по бабушке...

Он подошел и р-раз мне по уху. Я кричу, при свидетеле меня ударил! А этот свидетель долбаный тут же — ничего не знаю, он ко мне уже с распухшим ухом пришел. А мент опять за телефон и на меня опять смотрит. Что, говорю, пялишься, гад, или рука не поднимается невиноватого хомутать? Насчет невиноватого — это ты, говорит, кому другому заливай, а смотрю я на тебя, говорит, потому, что не решил пока — сразу тебя сдать куда следует или сначала попробовать договориться по-хорошему. Я ведь, говорит, потому и один за тобой пришел, что не ты, черножопый... так и сказал, сука, «черножопый», представляешь, да?!

— Врет, — серьезно сказала Таня. — Врет как Троцкий. Никакой ты не черножопый, я видела.

— Вот-вот! — Якуб тряхнул головой. — Не ты, говорит, мне нужен, а вся цепочка ваша преступная, которая отравой весь город наводнила... И давай прямо как по списку выдавать: имена, фамилии, клички. И про мои дела... Видишь, говорит, мы и без тебя достаточно знаем. А ты нам всю систему расколоть поможешь, Гамлета нам сдашь...

— Принца датского? — Таня рассмеялась.

— Какого принца, слушай?! — вскипел Якуб. — Экспедитора от поставщика. Страшный человек, а ты смеешься.

— Извини. Просто имя смешное.

— Ничего смешного. Имя как имя. Гамлет Колхозоглы, по-вашему Гамлет Колхозович.

Таня расхохоталась вовсю. Якуб стукнул кулаком по столу. Таня замолчала, смахнула набежавшие слезы рукавом и сказала:

— Все, больше не буду... Рассказывай дальше.

— Я тогда им говорю: а мне все равно, не вы, так подельники меня кончат. Это, говорит, они тебя кончат, если с нами работать не будешь, или к братве своей побежишь на нас, ментов неправильных, управу искать. Мы тогда им через своих людей маячок кинем, что ты Вагифа с Семен Марковичем заложил. Так что нет тебе, Зейналов, другого выхода. Я говорю: раз уж у нас разговор такой завязался, хотелось бы на документы ваши взглянуть, а то форму напялить каждый может. Он улыбается, пожалуйста, раскрывает красную книжечку, подносит ко мне: городское УВД, Кидяев Петр Петрович, полковник. Ну как, говорит, убедился? Чувствую, со всех сторон обложили, говорю: вам, как понимаю, и без меня все про нас известно, на что вам еще один стукач, может, как-нибудь по-другому договоримся. А он: отчего ж не договориться, договориться всегда можно, вижу, вы, Зейналов, все поняли и осознали, и раз уж сами такой разговор начали, вот вам мое слово: пятнадцать тысяч в течение недели, и каждый месяц еще по пять. А мы, со своей стороны, гарантируем, что никаких препятствий в вашей деятельности чинить не будем. Или это, или пиши расписку о добровольном сотрудничестве, или мы сейчас пустим в дело этот протокол, и хорошо тебе не будет, это я тебе тоже гарантирую. Ну как, на что соглашаешься? А на что было соглашаться, да? Ладно, говорю, уж лучше деньгами. А сам думаю: ну, гады, погодите, я вас еще сделаю. А полковник этот смотрит на меня, скалится и говорит, ласково так: только фокусничать не вздумай, Зейналов. У нас все схвачено и везде свои. И давай объяснять, чего мне делать не надо. Все охватил, что мне в голову прийти могло. По полочкам разложил, с примерами...

— Да, — сказала Таня. — Приятного мало. Как решил — платить, не платить?

— Думаю, придется платить. Жить-то хочется.

— Слушай, а они тебе чернуху не прогнали?

Мозг Тани нащупывал нужную нить. Она начала тасовать возможные комбинации.

— Я долго думал. Не похоже. Удостоверение настоящее, форма тоже, знают много — про меня, про всех... Нет, все солидно.

— Разберемся... Значит так — когда ты должен отдать первые деньги?

— Завтра или послезавтра. Велено с утра позвонить, сказать, во сколько буду, и подъезжать.

— Куда? К метро, в парк, на перекресток?

— Нет. Только на квартиру. На их территорию. Не хотят светиться.

— Деньги у тебя есть?

— Есть. — Якуб вздохнул. — Отдавать жалко.

— Жалко, — согласилась Таня. — Ну ничего, может быть, еще вернем. С процентом.

— Это как? — заинтересованно спросил Якуб.

— Пока рано говорить. Есть кое-какие соображения, но надо все проверить. — Она поднялась и сладко потянулась. — Ноги затекли, пока тебя слушала, да и есть хочется. Скажи Анджеле, чтобы чего-нибудь быстренько спроворила. И кофе. Перекушу по-быстрому и домой.

— Как домой? А-а я? А мы? — с некоторой растерянностью спросил Якуб.

— А вы тоже поешьте. Голодные, наверное.

— Да я не про то. Что делать будем?

— Ты насчет этой истории с данью?.. Ладно, я согласна помочь тебе. Пока не знаю, получится из этого что-нибудь или нет. А ты готов довериться мне?

Якуб пощелкал пальцами, несколько раз вздохнул.

— Готов.

— Тогда обещай делать все, что я скажу, и не задавать вопросов. Обещаешь?

— А что остается, слушай? — он темпераментно взмахнул руками.

— Тогда завтра с утра жди моего звонка. Я назову время. Потом позвонишь туда, скажешь, что деньги готовы, но что ты тоже не хочешь лишний раз светиться в ментовской хате, а потому вместо тебя придет курьер, шестерка тупая.

— Асланчик, да?.. Слушай, откуда про Асланчика знаешь?

— Это твой предпоследний вопрос, договорились? Никаких Асланчиков не будет. Пойду я.

— Ты? Зачем?

— А это последний вопрос, на все последующие отвечать отказываюсь. Я пойду, потому что мне надо на месте проверить кое-какие догадки.

Анджела постучала в дверь, просунула голову и сказала:

— Идите жрать, пожалуйста.

Весь путь до дома Таня напряженно обдумывала ситуацию с Якубом. Ну хоть убейте, не видела она здесь организованного чиновничьего вымогательства (в отличие от подавляющего большинства сограждан Таня прекрасно знала слова «рэкет» и «коррупция» и имела довольно четкое представление о том, что творится в отечественных коридорах власти, но как-то не подумала связать американские слова с советским явлением). Интуиция подсказывала ей, что Якуб нарвался на частную инициативу, на фармазон. Но для выработки правильной линии действий совершенно необходимо было понять, какого уровня. Одно дело, если здесь орудует просто группа мошенников, пусть даже прекрасно информированных — информация могла, в частности, исходить от той же заграничной Норы, посвященной в дела Якуба. И совсем другое, если настоящий — и осведомленный — полковник милиции решил немного поработать на свой карман... Тогда пойдет совсем другая игра.

А мужику помочь надо. Да и к Анджелке прикипела душой. Та ради Тани глотку перегрызет. А многим ли она могла быть за такое благодарной? Случись что с Якубом, Анджелке тоже немало достанется. Нет. Так не пойдет.

— Что так вырядилась? — изумленно спросила Анджела, впуская Таню в квартиру.

— На охоту собралась, — ответила Таня. — Якуб дома?

Одета она была действительно довольно странно: зимний офицерский тулупчик со споротыми погонами, огромная бесформенная кроличья ушанка, широкие черные шаровары, заправленные под голенища длинных шерстяных носков, туристские ботинки размером не меньше сорокового. В руках Таня держала большую клеенчатую сумку.

— А-а, Таня, дорогая! — из кухни выскочил, нервно потирая руки, Якуб. Увидев ее, он остолбенел. Таня улыбнулась.

— Молодец, усвоил: вопросов не задавать. В порядке поощрения скажу — для маскировки... Деньги готовы? — Он кивнул. — Неси сюда.

Якуб зашел в комнату, вышел с небольшим газетным св/ёрточком и отдал Тане. Она небрежно кинула его в сумку и спросила:

— Пересчитал? Чтобы мне перед людьми не краснеть.

— Ай, какие это люди?! — Якуб взмахнул руками.

— Ладно, шакалы, ты говорил уже... Ну, я пошла. Пожелайте ни пуха, ни пера.

— Стой, куда ты? Я отвезу.

— Не надо... Хотя, впрочем, до метро подбросить можешь. Дальше я сама.

Ни в метро, ни в трамвае, куда она пересела на площади Мира, ее наряд не вызвал никакого удивления. Ну, едет студенточка — а если не приглядываться, то и студентик — с овощебазы или с субботника, перенесенного на среду. Все там будем, аж до самой пенсии. Интересно, что сказали бы попутчики, узнав, что в объемистой авоське, еще не переименованной народом в «нифигаську», студенточка везет не грязные рабочие рукавицы и десяток ворованных яблочек, а примерно годовую зарплату дюжины молодых специалистов.

Дом напротив Никольского собора, чистенький отреставрированный особнячок восемнадцатого века, от внимания Тани не ускользнул. Если внутри там так же, как и снаружи, то можно сказать, что товарищ... как его там?.. Волков Илья Соломонович устроился очень даже неплохо. Пока.

По удивительно чистой, ухоженной лестнице Таня поднялась на второй этаж, посмотрела на медные номера квартир на обшитых темной вагонкой дверях и позвонила в правую, под номером семь.

В темном глазке на мгновение показался и исчез свет. Таня отступила на полшага и повернулась боком, демонстрируя себя невидимому зрителю.

— Кто? — спросил из-за двери молодой, но гнусавый и удивительно неприятный голос.

— От Якуба, — простуженно пробасила Таня.

В глазке опять показался свет, потом дверь стремительно распахнулась, сильные руки схватили Таню, втащили в прихожую, вырвали сумку, ткнули лицом в стену и принялись довольно бесцеремонно ощупывать. Таня сложила руки на затылке, одновременно демонстрируя покорность и не давая залезть под шапку и обнаружить свою самую особую примету — неподражаемую медно-рыжую копну волос.

— Ого, да это же девка! — сказал за спиной басовитый голос.

— Я балдею! Слышь, Ген... Петр Петрович («Так!» — отметила про себя Таня), может, махнемся? Я пошарюсь, а ты пушку подержишь? — предложил гнусавый.

— Я те пошарюсь, — пообещал басовитый и взял Таню за плечо. — Повернись.

Она послушно повернулась. В вытянутой вглубь прихожей стояли двое. Ближе к ней — крепкий, очень упитанный мужичок за сорок в расстегнутом милицейском мундире, очевидно «Ген-Петр», а в паре шагов за ним, спиной к уходящему вбок коридору — молодой и удивительно уродливый парень в очках, какой-то щербатый и искривленный, с кривой ухмылкой на длинной, прыщавой и сильно асимметричной роже. В костлявой руке он держал наведенный на Таню пистолет. «Так, — еще раз сказала себе Таня. — Не табельный „макаров", рама узковата. ТТ, что ли?» Оба стояли и смотрели на нее.

— Ну чего, сеанс окончен, или как? — сварливо сказала Таня и обернулась к первому. — Помацал и атандэ! — И ко второму: — А ты, сатирик, козырь-то загаси! — Очкарик растерянно глянул на напарника, тот чуть заметно пожал плечами. — Ну, ствол-то спрячь. Чай, не мочить вас пришла. — Тот понял наконец и заткнул пистолет за широкий модный ремень. Таня обратилась к первому: — Ну что, начальник, псов на лапу возьмешь?

Здоровяк тупо смотрел на нее и не шевелился. Проверочка, слава Богу, получилась: Таня могла бы попасть в дурацкое положение, если бы эти двое поняли ее речи и стали бы отвечать в том же ключе. Теперь же можно дать девять против одного, что ни к легавке, ни к уголовному миру они никакого отношения не имеют. Это упрощает дело. Таня задрала подбородок, сузила глаза и снисходительно пояснила:

— Пиастры получите.

— А что, Петр Петрович, раз уж к нам такая вострушка пожаловала, может, оприходуем? — быстро придя в себя, предложил очкарик, и его кривая физиономия осклабилась, то ли глумливо, то ли похотливо. — Мордашка-то вроде ничего.

— Ты жену себе заведи, ее и приходуй, — мрачно посоветовал Ген-Петр и, застегивая мундир, сказал Тане: — Пройдемте в комнату.

Комната была богатая, светлая, хорошо обставленная. Особенно поразили Таню безделушки, расставленные вперемежку с книгами на полках старинного резного стеллажа, на антикварном письменном столе.

— Садитесь, — отрывисто сказал здоровяк и выдвинул высокий стул из-под овального стола.

Таня села и продолжала без всякого стеснения оглядывать комнату. Это вполне вписывалось в образ, а потому было можно. Здоровяк достал из Таниной сумки сверток с деньгами, раскрыл и занялся пересчетом. Прыщавый очкарик стоял в дверях и неотрывно, жадно смотрел на деньги. Это тоже не ускользнуло от Таниного внимания. Закончив, здоровяк разложил деньги в три стопочки, стянул каждую аптекарской резинкой и разложил по карманам. Верхний заметно оттопырился.

— Все верно, — сказал он. — Спасибо, вы свободны.

— А расписку? — недовольно сказала Таня.

— Еще чего! Скажешь, что передала, и все.

— Щас, разбежалась! А вы скажете, что я ничего не передала, или не приходила вовсе, и велите еще принести, а Якуб мне путевку выпишет. У них это быстро, чик! — Она провела большим пальцем по горлу. — Хотя бы звякните ему, что ли.

Ген-Петр протянул руку в направлении прыщавого и покрутил пальцем. Тот исчез.

— Сейчас позвонит, — сказал он Тане. — А ты у Якуба курьером?

— Подельник я, — гордо сказала Таня, прислушиваясь. Очкарик действительно говорил в прихожей по телефону. Таня четко расслышала слова «все пятнадцать». — Он мне полстакана сухты обещал.

— Ты что, на игле?

— Ну уж на фиг! Толкаю помаленьку.

— Ясно.

Он встал из-за стола. Поднялась и Таня.

Из коридора появился очкарик.

— Есть, — сказал он и вновь похабно уставился на Таню. — Может, теперь это самое... отдохнем лежа? — Он зыркнул в сторону напарника и уточнил: — Я ведь в смысле добровольно...

Таня зевнула и подкинула еще один пробный шарик:

— Цветную-трехсистемную захотел?

— Чего? — вылупился очкарик.

— Теку я, милый, вот чего, — пояснила Таня и, отодвинув его плечом, вышла в коридор. — Чао, бамбино, сорри!

Она как бы по ошибке ткнулась не в ту дверь и на секунду оказалась в темной, судя по всему, спальне. Никого там она не заметила.

— Пар-рдон! — громко произнесла она, выйдя в коридор. Туда уже вышел, блистая полковничьими звездами,

Ген-Петр. — Мне б оправиться на дорожку, гражданин начальник.

В туалете она встала на унитаз и через фрамугу осмотрела ванную. Красивая.

— Ты заходи еще, — сказал на прощание прыщавый и оскалился неровными, гнилыми зубами.

— Куда я денусь с подводной лодки?

Ген-Петр молча закрыл за ней дверь.

Направляясь сюда, Таня держала в голове несколько вариантов дальнейших действий. В их число входили и остро-криминальные, и даже мокрый; она знала, где взять необходимый в этом случае «глухой» пистолет. Именно возможностью последнего и объяснялся этот дурацкий маскарад, предназначенный не столько для той парочки вымогателей, сколько для случайных свидетелей — соседей, прохожих и тому подобное, — чтобы они потом не смогли опознать ее. Теперь Таня узнала все, что хотела узнать на этом этапе. Через месяц этот походно-трудовой прикид ей понадобится лишь для того, чтобы выдержать созданный сегодня образ. Никакого мочилова не предвидится. Наоборот, все будет чисто, эстетично и практично в высшей степени. Что очень кстати, особенно сейчас, в видах нынешнего малоденежья и предстоящих приятных, но существенных расходов. Что ж, план выработан, и надо претворять его в жизнь.

Дома, после ужина, она пришла в гостиную, где сидели старшие, и прямо сказала:

— Дядя Кока, пошли покурим. Надо поговорить.

Он пожал плечами и вышел вслед за ней. Ада осталась сидеть у телевизора.

— Ну-с, — сказал он, глядя, как она достает из кармана бархатной домашней курточки «Мальборо». — Я слушаю.

— Дядя Кока, мне нужно несколько толковых, надежных, неболтливых ребят из органов — из милиции, угрозыска, прокуратуры, это все равно, — которые хотели бы тихо подработать на стороне. Работа чистенькая, для них несложная, никакой уголовщины, а заработать можно очень прилично.

Переяславлев присвистнул, уселся на табуретку и показал Тане на другую.

— Рассказывай.

И Таня рассказала — во всех нюансах и сопутствующих обстоятельствах.

— Это точно? — спросил он. — Ты уверена, что за ними никто не стоит?

— За этими клоунами? Не смеши меня. Во всяком случае, из начальства никто, это однозначно. Не исключено, что кто-то из криминала, но это пусть ребята раскрутят — в крайнем случае, только больше заработают.

— Да-а... Я потрясен. Сколько лет тебя знаю — не перестаю поражаться...

— Да, я такая, и лучше тебя об этом знает только Вадим Ахметович... Кстати, будете общаться, от меня поклон.

Николай Николаевич вздрогнул.

— Кто тебе сказал, что он?..

— Сама догадалась. Шеровы — народ живучий.

— Хм-м. Да, Вадим, угадал ты тогда даже больше, чем думал... Ладно. Будут тебе ребята.

Таня чмокнула Переяславлева в ухо.

Через два дня Переяславлев представил ей следователя городской прокуратуры по особо важным делам Никитенко, круглощекого и довольно молодого человека обманчиво-наивного вида, начальника временной группы. Втроем они несколько часов обсуждали детальный план кампании. После этого работа закипела полным ходом. Хотя Таня не принимала в ней практически никакого участия, она была в курсе происходящего.

На телефоне Ильи Волкова было установлено круглосуточное прослушивание. В квартире побывали сантехники из районного котлонадзора, обстоятельно проверили стояки и батареи и ушли, оставив после себя двух абсолютно незаметных «жукаускасов», после чего соответствующие люди могли беспрепятственно слушать все разговоры, которые велись в гостиной и на кухне. Очень скоро установили личность Ген-Петра, псевдополковника милиции, и наладили за ним плотное наблюдение. В соответствующем ключе активизировалась работа с осведомителями и «внедренкой» в нарко-деловых кругах. Организовывались встречи и тихие доверительные беседы с некоторыми дельцами, в том числе и с Гамлетом Колхозовичем. Гражданину Кочуре, он же Дэшка, основному и практически единственному стукачу

Ген-Петра, ссыпался сенсационный компромат на средних и даже крупных дельцов и делались на удивление заманчивые предложения, так что он совсем запарился, и пришлось Ген-Петру вербовать ему в помощь девочку Еву и мальчика Мишу. Помимо сбора информации и разнообразного заманивания «созревших», по мнению Ген-Петра, дельцов на квартиру Волкова для первичной обработки, они оба стучали на сторону: девочка Ева работала на Никитенко, а мальчик Миша — на Гамлета. Дела у Ген-Петра и Ильи Волкова круто пошли в гору, почти не бывало дня, чтобы какой-нибудь наркобарон районного масштаба не валялся у них в ногах, моля о пощаде, не доставлял им, лично или через курьера, оговоренного «барашка в бумажке» или не закладывал кого-нибудь из коллег. Едва ли не все жертвы были предварительно проинструктированы Никитенко, кем-то из его команды или собственными корешами, поэтому все проходило гладко, но не слишком — как раз в той степени, чтобы не вызвать подозрений у Ген-Петра (Илью можно было в расчет не принимать).

За пару дней до срока второго взноса Якуба штаб кампании в лице Тани, Переяславлева и Никитенко произвел примерный подсчет финансового состояния предприятия «Лже-Кидяев и Якобы-Волков» (в детстве гражданин Волков носил двойную фамилию Якоби-Вольфсон), после чего было принято решение продлить срок операции еще на месяц. Таня взяла у страдающего Якуба, ни хрена, кстати, о проводимой операции не знавшего, пять тысяч рубликов в крупных купюрах и, одевшись чуть более элегантно, чем месяц назад, посетила жилище Волкова, куда на время делового бума переселился и фальшивый полковник. На этот раз она позволила уроду Илье уговорить ее выпить на кухне по рюмочке ликеру и даже дала немножко полапать себя. Дома она без малого час отмывалась под душем, а ковбойку, которой касались скрюченные, липкие пальцы неудавшегося братца хитрой заграничной Норы, и вовсе выкинула в мусорное ведро. Но зато, в награду за свои страдания, она смогла очень хорошо рассмотреть кухню и чуть-чуть заглянуть в третью, пустующую комнату. Ей понравилось.

Каждый шаг компаньонов бдительно отслеживался орлами Никитенко, а их стремительно растущие капиталы тщательно оберегались. Так, под Новый год была очень изящно пресечена авантюрная попытка Ген-Петра самостоятельно внедриться на городской рынок наркоты, а с очень дорогой и небрезгливой путаной, которой растаявший от благодарности за счастливую ночь Илья предложил долю в деле, было проведено вдумчивое собеседование...

А на Новый год в дом Захаржевских примчался Павел, и именно здесь, танцуя с Таней под пушистой, горящей разноцветными огнями елкой, радостный, опьяненный шампанским и близостью прекрасной юной женщины, он сделал ей предложение. Она приняла его.

И Ада, и родители Павла, особенно мать, отнеслись к такому решению детей в высшей степени благосклонно...

В ночь на Старый Новый год состоялась третья генеральная ассамблея штаба. Поначалу и Переяславлев, и Никитенко были настроены еще раз продлить операцию, но Тане удалось их разубедить. В рядах плательщиков появились признаки недовольства и нетерпения, пренебрегать которыми было опасно — народ горячий, был риск вместо ожидаемого навара получить в финале два трупа и пустые закрома. Кроме того, в ситуацию с каждым днем оказывалось так или иначе впутано все больше народу, а следовательно, она в любой день могла стать неуправляемой. А в-третьих, Ген-Петр и Илья окончательно зарвались и утратили чувство реальности: наряду с наркодельцами пытаются уже трогать за вымя цеховиков и торговую мафию, а у тех совсем другие завязки, и кто-то сверху вполне может подмять все дело под себя и оставить нас, в лучшем случае, с носом, а в худшем и без оного. Ее аргументы были приняты, и операция вступила в завершающую фазу.

Пятнадцатого января Таня в очередной раз поднялась по шикарной лестнице дома на площади Коммунаров, позвонила в дверь, привычно повертелась перед глазком, чтобы ее узнали и впустили.

— Что ты ходишь-то, как чмо? — приветствовал ее Ген-Петр. — Ладная вроде девка, и при деньгах теперь.

— Ай, не вяжись, начальник, — Таня махнула рукой. — А бабули твои я в дело приспособила.

— Деловая нашлась, — хмыкнул Илья, выпустив при этом соплю на рукав своего замшевого пиджачка.

— Утрись и марш на кухню, — велел ему Ген-Петр.

— Якуб прислал как всегда, — сказала Таня, усевшись перед столом и выгрузив на него объемистый пакет, — но просил передать, что больше ему столько отстегивать не в дугу...

Ген-Петр насупился. Таня достала из сумки большой коричневый конверт, крест-накрест заклеенный крепким скотчем.

— Это еще что? — хмуро спросил Ген-Петр.

Сегодня он был в штатском: производить впечатление было не на кого. Все свои.

— Без понятия. — Таня пожала плечами. — Якуб сказал, вам интересно будет. У него еще есть. Если, значит, согласитесь вместо башлей принимать...

Ген-Петр прощупал конверт, подергал за тугую ленточку, положил на стол и развернул пакет.

— А что же разнобой такой? — недовольно спросил он.

В стопочке были и пятистенки, и четвертные, и червонцы, и даже пятерки с трешками попадались.

— Что было, — ответила Таня. — Да тут все точно. Пять рублей. Мы пересчитывали. — И отвела взгляд в сторону.

— А мы еще пересчитаем, — с недобрым лукавством сказал Ген-Петр. — Эй, Илья, где ты там? Иди помогать.

— Ну, считайте, коль охота. — Таня зевнула. — А я отолью пока.

Она вышла в коридор, где столкнулась с Ильей. Тот как бы невзначай провел рукой по ее бедру и облизнулся.

— Иди уж, красавчик, — сказала ему Таня. — А то хозяин сердиться будет.

— Это еще кто кому хозяин, — пробурчал Якобы-Волков, но послушно поплелся в гостиную.

Таня вышла в прихожую, на цыпочках подошла ко входной двери и отворила ее. В квартиру бесшумно втекли несколько крепких молодцов. Двое из них были в милицейской форме. Таня проскользнула мимо них на площадку. Там стоял Никитенко, еще двое мужчин самого серьезного вида и две перепуганные бабки, которых загодя определили в понятые за непроходимую тупость.

— Ну как они там? — шепотом спросил Никитенко.

— Гужуются. — Таня усмехнулась. — Капусту считают. Ты своим сказал, в какую дверь?

Никитенко кивнул.

— Начнем, пожалуй... Посмотришь комедию? — Таня покачала головой. Никитенко обернулся к стоящим рядом и шепотом скомандовал: — Приготовились, товарищи.

И дал отмашку в раскрытую дверь.

Таня быстро спустилась на улицу. Тот процесс, который начался сейчас наверху, интересовал ее крайне мало. Ее волновал результат. А результат будет лишь через несколько часов: Никитенко — профессионал, и колоть этих умников будет постепенно, обстоятельно, убедительно и психологично.

К тому же Таня торопилась. Нужно было успеть заехать домой, переодеться, прихорошиться, прихватить несколько страничек, которые она утром перепечатала для Павла, и ровно в четверть восьмого быть у Мариинки — сегодня они идут на «Жизель».

Все прошло блестяще. Незадачливые вымогатели (Сильванский Геннадий Афанасьевич, сорока шести лет, бывший артист областного драмтеатра, уволенный за систематические нарушения трудовой дисциплины, и Волков Илья Соломонович, двадцати четырех лет, не работающий, инвалид третьей группы по общему заболеванию) сами попали в яму, которую вырыли для других. Правда, с рытьем, без их ведома, очень неплохо помогли, и яма получилась глубокой-глубокой. Прямо на месте им предъявили обвинение по восьми статьям: от мошенничества до хранения порнографии и антисоветской литературы (в конверте, взятом при понятых со стола в гостиной, оказались не только доллары и пакетик с морфином, но и номер «Плейбоя» со статьей о Солженицыне). Очухавшись от обморока, Илья тут же кинулся во всем сознаваться и активно топить компаньона. Ген-Петр проявил больше выдержки и поплыл только после того, как его ознакомили с постановлением прокурора об аресте и обыске, предъявили найденные в квартире форму полковника милиции, удостоверение на имя скончавшегося два года назад полковника Петра Петровича Кидяева с фотографией Сильванского и пистолет ТТ со сточенным бойком. Он попросил воды и возможности переговорить со следователем с глазу на глаз. Такая возможность была ему предоставлена. Сначала Сильванский заявил, что оказался жертвой хорошо спланированной провокации. Никитенко без особого труда доказал ему неконструктивность такой позиции. Тогда Сильванский принялся всячески выгораживать себя и валить всю вину на Волкова, потом встал в позу Робин-Гуда и начал распинаться о необходимости искоренения наркотической заразы и своей готовности внести посильный вклад в это благородное дело. Никитенко сухо поблагодарил его и заверил, что помощь следствию будет учтена на суде. И тут последовало то, ради чего, собственно, и затевалась вся операция: Сильванский понизил голос и предложил уважаемому Федору Устиновичу договориться.

После бурной преамбулы, в ходе дознания следователь виртуозно бросал Сильванского то в жар, то в холод, вознося из пучины отчаяния и страха к вершинам надежды и опуская обратно. В конце концов была названа сумма. Сильванский чуть со стула не упал: эта сумма значительно превышала капиталы его предприятия на сегодняшнее число. Он бухнулся Никитенко в ноги и принялся уверять, что таких денег ему в жизни не собрать.

В ответ ему была предъявлена скрупулезная летопись всех деяний фирмы «Лже-Кидяев и Якобы-Волков» за последние два месяца с точным указанием дат, лиц и сумм и очень точно названы величина и местонахождение капиталов в настоящее время. Конечно, эти капиталы до названной суммы не дотягивают, но есть же еще личное имущество: дача, «Москвич», однокомнатная квартира и наследственный антиквариат у Сильванского; а у Волкова великолепный трехкомнатный кооператив с богатой обстановкой. Движимое имущество и дачу можно ликвидировать путем прямой продажи (кстати, имеется эксперт, который готов устроить это дело без комиссионных), а квартиры — путем фиктивного обмена на выморочные комнаты в коммуналках (с этим тоже проблем не будет). И пусть Геннадий Афанасьевич, прежде чем вопить, что их грабят до нитки, подумает о единственно возможной альтернативе, при которой имущество все равно будет конфисковано полностью, а жилье окажется куда менее комфортабельным, чем самая задрипанная коммуналка, не говоря уже об удаленности от благ цивилизации. Геннадий Афанасьевич подумал и печально согласился.

Никитенко распорядился пригласить Волкова, которого помощники Никитенко уже основательно подготовили к этой беседе. Но когда Илья услышал, что придется расстаться с квартирой и всем ее содержимым, с ним случилась форменная истерика. Он рыдал, катался по полу и орал, что все это на самом деле принадлежит сестре, что он здесь только хранитель, что у Норы свои виды на квартиру и обстановку. Никитенко был готов и к этому. Он предложил Илье несложный выбор — или гнев мачехи (а ни на что более весомое она будет не способна, поскольку формально владельцем квартиры является он) и жизнь на свободе, в условиях, в которых живут миллионы честных советских тружеников, — или колония усиленного режима (а учитывая особенности личности и состояние здоровья уважаемого Ильи Соломоновича, можно не сомневаться, что он там и месяца не протянет, причем месяц этот будет для него неприятен во всех отношениях). Но и при втором варианте квартира со всем содержимым мачехе не достанется, а будет конфискована в пользу государства.

Илья скис и сделался ко всему безучастен. Никитенко взял с него липовую подписку о невыезде и под присмотром двух сотрудников оставил в уже не принадлежащей ему квартире, где продолжал работать «эксперт», в миру — директор элитарного комиссионного магазина на Невском, добрый знакомый Николая Николаевича. Все обнаруженные при обыске деньги и ценности лежали в большом опечатанном чемодане, помещенном покамест в запертую и тоже опечатанную кладовку. Никитенко и двое других сотрудников выехали вместе с Сильванским на его квартиру, где предстояло забрать остальное.

Через три недели ликвидация предприятия Сильванского и Волкова была завершена, и пришло время делить доходы. Реально эти доходы оказались несколько выше суммы, названной Никитенко Сильванскому, но на заключительном заседании штаба было решено передать этот излишек «экспертам», осуществлявшим распродажу имущества, — ведь именно благодаря их профессионализму этот излишек и возник. Распределение же основного дохода прошло в полном соответствии с давно уже согласованным планом.

Таня получила квартиру (тянувшую по «рыночному курсу» на пятьдесят тысяч), пятнадцать тысяч деньгами и кое-какие дорогие безделушки, в том числе и пасхальное яичко работы Фаберже. От остальной обстановки она решительно отказалась (многие вещи и вещички ей нравились, но все их перетрогали поганые руки Ильи), и все отошло в распоряжение Переяславлева, который кое-что продал, наварив тысяч тридцать, а кое-что перевез домой — то есть к Аде и в свою двухкомнатную холостяцкую «берлогу», в которой почти не жил, но вел приемы и размещал иногородних гостей и богатых клиентов. Вместо двадцати пяти тысяч Якубу вернули тридцать пять, и теперь он буквально боготворил Таню. Остальное взял Никитенко: ему нужно было расплатиться со своей бригадой и кое с кем наверху и частично компенсировать затраты «пострадавшим», которым отныне предстояло отстегивать уже не самозванцам, а реальным властям, под реальные гарантии и не с потолка, а по взаимно согласованному тарифу. В целом это очень устраивало обе стороны.

Дэшку-Качуру, стукача Сильванского, прирезали в темном параднике возле Апрашки. Убийц не нашли.

Через день после получения ордера на новое жилье Илья Волков напился до бесчувствия и поплелся в таком виде в мастерскую к знакомому художнику, но на пятом этаже свалился в лестничный проем и разбился насмерть.

Сильванский исчез из города.

Цены на порцию любого зелья — от анаши до самых экзотических синтетиков — резко подскочили, как и число уголовных дел, связанных с наркотиками. Но на девяносто процентов на самью подсудимых попадали рядовые наркоманы, на девять мелкие толкачи, и лишь на один — относительно серьезные персонажи, красиво сданные конкурентами. Время от времени различные органы — угрозыск, КГБ, транспортная милиция, таможня — перехватывали крупные партии, которые всякий раз оказывались как бы бесхозными. Рассыпалось несколько мелких группировок. Все это давало основания гордо рапортовать в центр, что «в этой сфере у нас наведен порядок».

И действительно, в каком-то смысле порядок был наведен: наркомафия получила в городе надежную крышу. Серый обыватель разницы не почувствовал. Людям, Тане небезразличным, жить стало лучше и веселей. Сама она сумела несколько упорядочить грядущее, заработав дом и приданое, достойные ее. Не то чтобы она придавала комфорту или деньгам особое значение, но без них было довольно сыро. Покоя не давала только Ада. Не то не верила самой Татьяне, не то в ее счастье...

## III

По периметру треугольного скверика на Манежной площади и у въезда на Зимний стадион бампер к бамперу стояли солидные, ухоженные машины, и Тане с трудом удалось втиснуться между двумя черными «Волгами».

Хотя о сегодняшнем показе «Крестного отца» ни в газетах, ни по радио, ни по телевидению не сообщали ни слова, жаждущих лишнего билетика набралось изрядно. Впрочем, многие уже уходили, потеряв надежду. Сегодня впускали по особо отпечатанным приглашениям, и случайной публики среди приглашенных не было. Неслучайные же своей неслучайностью не поступались.

Миновав усиленный контроль, Таня и Павел оказались в фойе, где на всеобщее обозрение была выставлена красиво нарисованная программа сегодняшнего мероприятия:

НОВИНКИ МИРОВОГО КИНЕМАТОГРАФА. ФРЕНСИС ФОРД КОППОЛА (США). «КРЕСТНЫЙ ОТЕЦ». ПО РОМАНУ МАРИО ПУЗО (тут Таня не удержалась и хихикнула, подтолкнув Павла локтем).

1. ЛЕКЦИЯ «ГОЛЛИВУД СЕГОДНЯ» (ЛЕКТОР — ТОВ. ПОГАНЬКОВ В. Н.).

2. ПРОСМОТР КИНОФИЛЬМА «КРЕСТНЫЙ ОТЕЦ».

— Отдел культуры обкома, — сказал Павел, указывая на фамилию «Поганьков». — Специалист по разоблачению «их нравов». Минут на сорок. Послушаем?

— Уж лучше в буфет, — сокрушенно вздохнув, сказала Таня.

Столики были забиты, а к стойке тянулась средних размеров очередь из хорошо одетых людей. Таня и Павел встали в хвост. Тут же из-за дальнего столика поднялся представительный мужчина и, улыбаясь, стал оживленно махать рукой, явно Тане. Это заметил Павел. Таня же смотрела в другую сторону. Павел тронул ее за руку.

— Посмотри. По-моему, тебя.

Таня обернулась. Мужчина, лавируя между посетителями и не снимая с лица улыбки, приближался к ним. Таня ответила ему не менее лучезарной улыбкой.

— О, милая Танечка! — с чуть заметным акцентом произнес, подойдя к ним, мужчина и склонился, целуя ее руку.

— Антон Ольгердович Дубкевич, из министерства культуры Латвии, — быстро сказала Таня Павлу. На лице мужчины возникло секундное замешательство, которое, кажется, заметила только Таня. — А это Павел Дмитриевич Чернов, мой муж.

— Очень приятно, — выпрямившись, сказал Дубкевич и крепко пожал Павлу руку.

Внешне Дубкевич был чрезвычайно привлекателен: короткие светлые волосы на косой пробор, аккуратная щеточка усиков, прямой короткий нос, крепкие скулы, неизменная приветливая улыбка. Он необычайно напоминал актера на амплуа заграничных дипломатов, высокопоставленных цэрэушников, культурных, подтянутых акул империализма и прочих миллионеров.

— Тоже предпочли не слушать товарища Поганькова? Давайте не слушать вместе, — предложил Дубкевич.

— Ой, Павлик, — раскрыв сумочку, спохватилась вдруг Таня. — Я, кажется, сигареты в бардачке забыла. Будь другом, сгоняй, а? Вот тебе ключи, а вот пригласительный, чтобы назад пустили. А мы пока возьмем тут чего-нибудь.

— Не вижу проблемы, — сказал Дубкевич, отработанным жестом извлекая из кармана замшевой куртки пачку с изображением дромадера.

— «Кэмел» для меня крепковат. Предпочитаю «Мальборо».

Когда Павел вернулся с сигаретами, на столике, за которым его ждали Таня и Дубкевич, стояли бутылка шампанского, стакан сока для Тани и две вазочки — одна с виноградом и грушами, другая с пирожными.

— За приятное знакомство, — провозгласил Дубкевич, разлив по бокалам вино. — Таня успела кое-что рассказать про вас. Счастлив, что судьба свела меня с таким выдающимся человеком.

— Да какое там выдающимся, — смутился Павел. — Работаем. Может быть, что-то и получится.

— Сфера вашей деятельности от меня далека, но человека незаурядного я узнаю с первого взгляда, — возразил Дубкевич.

— Вы психолог? — поинтересовался Павел.

— И это немножко тоже. В нашем деле без этого нельзя.

— Простите, в каком деле?

— Я... э-э-э... Страна у нас большая, культура разнообразная. Надо, так сказать, согласовывать, наводить мосты, способствовать взаимопониманию между народами...

— Ну, а в мировом масштабе как? — лукаво спросила Таня. — Можете?

— Могу, если начальство разрешит, — ответил Дубкевич, улыбкой давая понять, что не оставил без внимания Танину шпильку в свой адрес. — В отличие от вашего национального героя Василия Ивановича в наклейках не запутаюсь. Этому научен.

Из фойе донесся гул, покашливание, шорох шагов.

— Сяо-ляо, — сказала Таня. — В переводе с китайского «кончил трепаться». Допивайте и пошли в зал. Желаю видеть моего Марлона.

— Есть такое предложение, — сказал Дубкевич. — Давайте после сеанса посидим в «Европе», я там остановился, поужинаем...

— А что... — начал Павел, но Таня покачала головой.

— Как-нибудь в другой раз. Извините, Антон Ольгердович, завтра переезжаем на новую квартиру.

— Жаль, — растянув губы, сказал Дубкевич. — Я завтра уезжаю. Впрочем, поздравляю и надеюсь на скорую встречу. Кстати, вот моя карточка.

— Спасибо, — сказала Таня. — Может быть.

Они пошли в зал.


На другой день, рано утром, Павел собрал книги, записи, одежку. Подумав, добавил старую, но дорогую гитару ручной работы, подаренную ему отцом еще в десятом классе. Все это он подбросил по пути на работу на свою новую квартиру — для этой цели Дмитрий Дормидонтович выделил свою служебную машину. Павел не возражал — некогда было. Он наспех покидал вещи в прихожей и помчался в институт. Время было горячее, и его почти недельное отсутствие проблем не убавило.

Все, что касалось Павловых чудо-камешков, подтверждало и даже превосходило его самые оптимистические ожидания. Но уже вплотную приближалось время всерьез задуматься о том, ради чего, собственно, и был создан его отдел: о практическом применении волшебных свойств голубых минералов. Павел нередко ловил себя на том, что стремится растянуть подготовительный период, отодвинуть начало работ. Он понимал, что тогда уже объективно потеряет право лидерства, что первые роли в проектах должны будут занять другие — конструкторы, электронщики, а ему останется лишь то, что полагается по должности начальника: контроль, координация. И самое неприятное — что нередко придется контролировать и координировать то, в чем он ни черта не смыслит, а следовательно, ставить результат в зависимость от обстоятельств, на которые он лично повлиять не сможет, хотя будет требовать этого от себя, как от него будут требовать другие.

В обязанности начальника его, надо отдать должное, вводили в мягком режиме, но и необходимый минимум администрирования, которым ему приходилось заниматься, ввергал в скрываемое даже от самого себя отчаяние.

Тем с бо́льшим желанием ждал он лета, когда сможет вновь окунуться в родную стихию, вновь ощутить на своей коже ветер «поля» (хотя его «поле» — высокие горы Памира), со всех сторон обходить, обстучать, обмерить, обчертить месторождения, лишь нащупанные в прошлом году. К экспедиции этой он готовился загодя и включение ее в план работы института, хотя она совсем не вписывалась в профиль этого учреждения, поставил непременным условием своей работы. Организационных проблем было много, но самым больным вопросом оказались кадры. Все разработки режимного института были режимны по определению, и Павел был бессилен пригласить в отряд кого-то из коллег, поскольку никто из них не располагал надлежащей формой допуска и в институте не работал. В результате в состав экспедиции Чернова вошли два геолога-радиоактивщика, физик-атомщик, два инженера и бухгалтер, она же повариха. Короче, в научном плане он здесь мог рассчитывать только на себя.

Судя по тому, что он увидел прошлым летом, есть хорошая возможность собрать богатейший материал. Это было ему очень нужно. Нужно во многих отношениях и не в последнюю очередь потому, что это даст ему моральное право еще какое-то время заниматься *своим* делом и, посвятив себя обработке полученного материала, не уходить с головой в прочие тяготы новой пока еще должности и службы, впечатление от которых было у него не очень определенным и сильно двойственным.

С работы Павел пришел усталым, издерганным — он там сразу оказался нужен всем, включая начальника военного стола и председателя месткома. И с каждым нужно было разговаривать на темы малоинтересные и малопонятные, а то и вовсе дикие (организация собрания в поддержку героической борьбы ангольского народа), что-то записывать, подписывать, раскладывать по папочкам, отвечать на звонки и урывками решать собственные проблемы — экспедиция, проекты и расчеты экспериментальных схем с его кристаллами... Поднимаясь по чистой лестнице, он с тоской думал о куче барахла, дожидающегося его в прихожей.

Он открыл дверь. Никакого барахла не было, только на вешалке аккуратно висели его светлая летняя куртка и кепка. Внизу, на полочке, стояли его клетчатые тапочки. Он заглянул в шкаф: плащ, пальто, зимняя куртка. Рядом Танины полушубок, дубленка, бархатное пальтецо. Внизу рядочками обувь. Павел переоделся в тапочки и заглянул в гостиную — никого, только из кабинета стрекотание пишущей машинки. Павел пошел на этот звук.

Таня сидела за открытым секретером и проворно печатала, заглядывая в разложенные рядом бумажки. Папки с рукописями Павла лежали на его солидном столе у окна. Книги расставлены по полкам.

— Целуй сюда, — сказала Таня, не поворачивая головы, а только выставив вверх левую щеку. — Извини, зашиваюсь. Послезавтра сдавать. Твои бумаги я положила тебе на стол, сам разберешься. На кухне найдешь, что поесть. Я готовить не люблю, да и некогда было, так что пришлось заехать в «Метрополь», взять цыплят, салату и торт.

Павел наклонил голову Тани в другую сторону и поцеловал заодно и в правую щеку.

— Ну иди же, — сказала она и вставила в машинку очередной лист.

Таня подошла к рабочему креслу Павла, обняла его обеими руками сзади и поцеловала в темечко.

— Привет-привет! — сказал он, поднялся, развернулся и сжал ее в объятиях. — Ну как?

— Пять баллов, естественно. Краю пришли кранты, а концу настал абзац.

— Теперь полагалось бы и новоселье справить, — говорила она через пять минут на кухне за чашкой кофе. — В субботу удобно будет.

— Ну, раз полагается... — Павел полушутя вздохнул. — Давай, действительно. Родных позовем. А ты подруг пригласи.

Таня гордо повела рукой.

— У меня нет таких подруг, которых я желала бы видеть в данном интерьере, — произнесла она с интонацией королевы Виктории и тут же хихикнула. — Лучше ты своих друзей позови.

— У меня нет таких друзей, которых *я* желал бы видеть в данном интерьере, — скопировал ее Павел.

Действительно, нет, но отнюдь не по той причине, что у Тани. Она, видимо, считала, что ее подруги не совсем хороши для «данного интерьера». Ему же, напротив, было чуточку стыдно приглашать сюда своих друзей. Они все жили, можно сказать, сообразно возрасту и положению. Кто в кооперативном бараке у черта на рогах, кто в коммуналке с десятком соседей, кто в одной квартире с родителями, братьями, женой и детьми. Кто как. Приглашать их в родительский дом и на дачу Павел не стеснялся: там все тоже было сообразно возрасту и положению — отца. Пышная свадьба была как бы делом не его, Павла, рук и вообще, по правде говоря, застигла его врасплох. Его чуткие друзья это поняли, и никакого охлаждения не произошло. Здесь же было совсем другое. Придя сюда, они бы почувствовали запашок халявы, блата, всего того, что их система ценностей не принимала — иначе они бы не были друзьями Павла. А объяснять каждому, что все совсем не так, что тут не «папаша подсуетился», оправдываться было бы в высшей степени унизительно. Друзей надо вводить сюда постепенно, с подготовочкой, по одному...

— Тогда и остановимся на скромном семейном варианте. Значит, Ада, Николай Николаевич. Брат...

Павел резко вскинул голову, но ничего не сказал, потому что Таня без паузы продолжила:

— Его не будет. Он в Москве, разбирается с какими-то неприятностями, похоже, крупными. Говорят, что его из Вены турнули со скандалом.

Павел промолчал, скрывая несказанное удовольствие, вызванное словами жены.

— Из твоих — Дмитрий Дормидонтович, Лидия Тарасовна...

— И Елка.

— Конечно, и Елка. Кстати, как она?

— Получше. Работает, хотя и устает сильно. На инвалидность идти отказывается. Дома почти не разговаривает — или читает, или чистоту наводит. У нее сложилась какая-то мания порядка.

— А врачи что говорят?

— А что они могут сказать? Социальной адаптацией довольны, а состоянием нервов — не очень. Через пару недель едет в Карловы Вары лечиться. Будем надеяться. Время покажет.

— Может, мне ее немного растормошить? По театрам поводить, по компаниям? У меня получится.

— Вряд ли. Сама увидишь.

И действительно, Елка весь вечер сидела как замороженная. Интерес ее вызвали лишь всякие моющие средства, которыми был забит шкафчик в ванной. И то интерес этот проявлялся как-то странно. Она молча и безучастно снимала с полки очередную баночку или флакончик, вертела в руках, ставила на место. В разговоре она участия не принимала и только односложно отвечала на вопросы. Самая длинная ее реплика звучала примерно так:

— Работа у меня интересная. Коллектив хороший. Я довольна.

Старшее поколение вело светскую беседу. Мужчины вспоминали общих знакомых и разные случаи, с ними связанные. Женщины все больше нахваливали детей, точнее Таню с Павлом, при этом и своему чаду, и чужому доставалось примерно поровну. Таня весело и ловко исполняла обязанности хозяйки дома.

— Ну что, сын, доволен? Что ж молодежь-то не позвали? — спросил Дмитрий Дормидонтович, выходя на кухню, где курил Павел. — Веселей бы было.

— Да, понимаешь, батя, как-то... неловко, что ли.

Дмитрий Дормидонтович нахмурился.

— А что ж неловко-то?

— Ну, как будто это все... не совсем наше, не по праву, не заработано.

— Ты свои интеллигентские штучки брось! Не по праву! — рассердился Дмитрий Дормидонтович. — Эта роскошь что, на ворованные, что ли, деньги куплена? Отец ее, академик, что ли, воровал? Или, может, Николай Николаевич? Так он адвокат высшего класса, артист своего дела, ему люди сами деньги несут, и все, заметь, по закону. Или, может, Таня твоя на все это хозяйство наворовала? — Чернов-старший даже фыркнул от абсурдности такого предположения. — Она у тебя девка толковая, трудяга, с головой. Не пустышка какая-нибудь. Ты у меня тоже вроде вьюноша достойный, хоть и с придурью. Если уж говорить, что по справедливости, а что не по справедливости, так таким, как вы, и надо жить в таких хоромах.

— Но ты... ты бы мог приказать дать нам такую квартиру?

— Нет, — с железом в голосе произнес Дмитрий Дормидонтович. — Это было бы не по-партийному. А если бы кто из моих распорядился, желая мне услужить, я бы того взашей! Поганой метлой!.. Кстати, я долго думал, как бы вас жильем обеспечить, не подавая, как говорится, повода. Заготовил было распоряжение, чтобы вашему ящику несколько квартир выделило ЛОМО. Все же смежники, в какой-то степени. Блочная многоэтажка у станции Девяткино. А тут как раз подвернулся Николай Николаевич со своим вариантиком. Лучше и не придумаешь.

— А наши ребята без квартир остались... — грустно произнес Павел.

— Ничего, потерпят, не баре! — злобно сказал Дмитрий Дормидонтович. — А ты дурак! Развел тут, понимаешь, демагогию. Дают — бери! Совсем зажрались! Да мне бы в твои годы...

Он, не договорив, вышел, хлопнув дверью.

«Вот так, — подумал Павел. — Поговорили».

Из гостиной раздался взрыв смеха — Ада вспомнила какую-то смешную историю из Таниного детства. Павел раздавил окурок в пепельнице и пошел к гостям. На душе у него было неспокойно.

— Все, — сказал Павел. — Завтра вылетаю. Надо встретить машину, организовать все на месте. На одного Милькевича надежды мало... Ты не сердишься?

— Я? Конечно, мне обидно немножко, что мы так толком и не успели побыть вместе, а приходится расставаться почти на три месяца. Но я переживу. Я ведь понимаю, что́ для тебя твоя работа.

Она отрезала последний кусок ветчины, уложила его на блюдо, сверху добавила петрушки и еще какой-то зелени. Павел разложил на другом блюде хлеб.

— Знаешь что? — сказала вдруг Таня. — Раз уж так получилось, что это последний наш ужин перед разлукой, пойдем в гостиную, зажжем свечи, поставим красивую музыку, выпьем по рюмочке. У меня ведь ликер припасен. Хороший, французский. Ты открой по этому поводу баночку икры, а я пойду постелю скатерть, накрою...

Наевшись, наговорившись, они сидели и расслабленно-влюбленно смотрели друг на друга. Портьеры были задернуты, и полумрак гостиной освещало лишь неровное пламя свечей.

— Это что играет? — лениво спросил Павел.

— «Спейс». Музыка настроения. Если в правильную минутку поставить, можно улететь.

— Это как это — улететь?

— А вот смотри. Видишь, как свет играет на хрустале? — Она подняла рюмку и стала ее медленно покачивать. Павел следил глазами за плывущими в полутьме искорками, не в силах, да и не желая отвести взгляда. — А там, в глубине, за хрусталем, сверкает и переливается золото. Теперь ты видишь только его. — Танина рука чуть заметно сменила ритм, и в глазах Павла хрустальные искорки сменились золотыми. — А еще глубже, за золотом, ты видишь... — Что-то еще закачалось в ее руке, золотые искры перемешались с голубоватыми, зовущими, уводящими. Потом остались только они.

Таня поставила рюмку, и в руке ее на золотой цепочке гипнотически медленно раскачивался голубой алмаз, играя гранями в неярком свете свечи. На глаза Павла набежала какая-то пелена, он видел только эти искры и уже раскачивался всем телом в такт движениям Таниной руки. Таня что-то говорила нараспев, но он уже не слышал ее слов.

— Я назвала его Сардион. В Сардионе сила твоя, и жизнь твоя, а воля моя, ибо я — хозяйка Сардиона... И да будет воля моя!

Она резко закинула за левое плечо руку с камнем. Павел закатил глаза и рухнул со стула на желтый ковер.

Таня обошла вокруг стола, включила электричество, задула свечи и, взяв Павла под мышки, перетащила его на диван. Уложив его поудобнее, она расстегнула на нем воротник рубашки, пощупала пульс.

— Я сейчас, — сказала она бесчувственному Павлу и вышла в прихожую.

— Алло, скорая? У меня муж без сознания, кажется, сердце... Возраст? Двадцать шесть лет... Адрес? Записывайте...

В большом светлом кабинете заведующего кардиологическим отделением Свердловки — врачи со «скорой» мгновенно разобрались, какого рода больной им достался, и доставили Павла именно сюда — сидели Лидия Тарасовна, Ада и Таня. Заведующий, высокий атлетического вида мужчина, расхаживал перед ними, растерянно теребя седую эспаньолку.

— Ничего не понимаю, — говорил он. — Первый случай подобного рода в моей практике. Острая сердечная недостаточность, асистолия, почти клиническая смерть — а всего через сорок минут идеальная, пионерская кардиограмма, оптимальные показатели по всем анализам и обследованиям, ни малейшего поражения органов, кровь как у здорового младенца. Прямо хоть допуск в космос давай. Отчего, как, почему?

— Вы хотите сказать, что мой сын здоров? — спросила Лидия Тарасовна.

— На данный момент абсолютно. Это как раз и смущает. Надо провести дополнительные обследования. Коронарный спазм — если это был он — не мог взяться ниоткуда и так быстро исчезнуть без малейших последствий. А если было что-то другое — тоже надо разобраться. Скажите, он в последнее время ни на что не жаловался?

— Нет, — сказала Таня. — Он вообще редко жалуется.

— Он не выглядел усталым, удрученным, озабоченным?

— Нет. То есть приходил с работы несколько уставшим, но быстро восстанавливался.

— Скажите, у него были неприятности по работе? — Врач покосился на Таню. — В личной жизни?

— Никаких! — категорически заявила Лидия Тарасовна. — У него прекрасная, творческая, руководящая работа, в которую он влюблен, замечательная новая квартира и, я не побоюсь сказать прямо, великолепная молодая жена.

Врач посмотрел на Таню.

— Простите, — сказал он. — Возможно, были какие-то излишества, злоупотребления?..

— Мне трудно судить, — не смущаясь, сказала Таня. — В день мы с мужем выкуриваем одну пачку сигарет на двоих, примерно поровну, спиртного почти не пьем, а что до всего прочего, то, как я слышала, мужской организм сам знает меру.

— Скажите, — врач вновь обратился к Лидии Тарасовне, — у него раньше, в детстве, были какие-нибудь серьезные болезни, осложнения после инфекций?

— Была свинка лет в пять. Потом коклюш, уже в школе, классе во втором. А вообще он у меня ничем не болел — спортсмен, закаленный. Не простужался ни разу.

— А травмы какие-нибудь?

— Да, — сказала Таня. — В прошлом году, в экспедиции.

И коротко, четко рассказала всю историю с автокатастрофой.

— М-да, — врач снова затеребил бородку. — Не вижу связи, не вижу... Хотя... Вы говорите, он снова туда собирался?

— Да, уже был куплен билет. На сегодня.

— А он не говорил вам про какие-то страхи, опасения, связанные с экспедицией? Может быть, вы сами что-то такое в нем чувствовали?

— Нет. Наоборот, он рвался в эту экспедицию, мечтал о ней, строил большие планы.

— Знаете, — врач внимательно оглядел всех трех сидящих перед ним женщин и заговорил, обращаясь почему-то преимущественно к Аде. — Наша официальная медицина не то чтобы отрицает подсознание, но как-то умаляет его значение при образовании болезней... и вообще. Возможно, сознательно он и стремился в эту поездку, но у него внутри все это время могла неосознанно прокручиваться картина ужасной прошлогодней аварии, организм, как бы опасаясь повторения этого травматического опыта, начал вырабатывать способ защиты — отсюда и приступ.

Ада кивнула, задумчиво и согласно. Лидия Тарасовна хмыкнула: «Ничего себе защита! Чуть парень на тот свет не отправился!» Таня же сидела молча и смотрела на доктора доверчиво открытыми золотистыми глазами.

— Как он сейчас? — спросила Лидия Тарасовна.

— Буянит, — сказал доктор заметно повеселевшим голосом. — Требует, чтобы его немедленно выписали отсюда и доставили в аэропорт. Наши увещевания срабатывают весьма слабо. Похоже, то, что с ним случилось, не произвело на него должного впечатления.

— А что вы намерены с ним делать? — спросила Таня.

— Обследовать. Серьезно и всесторонне. Для его же пользы и для пользы науки. Случай-то уникальный.

— И сколько это займет времени?

— Неделю, возможно, дней десять.

— А потом?

— В зависимости. Хотя я почти на сто процентов убежден, что все обследования, включая и психотерапию, покажут, что ваш муж здоров как бык — насколько это вообще возможно. Но в любом случае я рекомендовал бы перемену обстановки, отдых, покой.

— Я его знаю, — вставила Лидия Тарасовна. — Тут он ни себе, ни вам покоя не даст. Либо сбежит, либо потребует открыть здесь филиал его лаборатории. А как только вы его выпустите — тут же усвистит на свой Памир чертов!

— Надо его как-то убедить, уговорить... У нас не очень получается.

— У меня получится, — сказала Таня. — Только мне надо быть при нем.

— А что? — оживился врач. — Оснований держать его в интенсивной терапии не вижу никаких. Тотчас перевожу его в обычную палату.

— Давайте сразу в двухместную, — сказала Таня. — Для пользы науки.

— На двенадцатый круг пошли, — чуть запыхавшись, сказала Таня. — Может, в марафонцы переквалифицируемся?

— Передохнуть не хочешь?

— Пока нет. А ты?

Они бежали в ярких тренировочных костюмах по аллеям большого больничного парка под удивленными взглядами прогуливающихся и отдыхающих на скамейках больных.

— Я бы дал еще кружочков пять, только на ужин опоздать боюсь. Кушать зверски хочется.

— Ты здорово окреп здесь, Большой Брат.

— Да. Сам чувствую. Закис как-то за последний год. Работа, нервотрепки вечные, о здоровье подумать некогда.

— Теперь будем думать вместе... Значит так — еще два кружка, быстренько под душ, потом ужин, телевизор и в койку.

— А без телевизора прямо в койку нельзя?

— Так ведь рановато будет.

— А я не в смысле поспать.

Таня рассмеялась.

— Посмотрим на твое поведение. Ну, кто быстрей до того столба?

Ужинали они у себя в палате, не выходя в общую столовую — не хотелось ловить на себе завистливые и недобрые взгляды «настоящих» больных.

— Еще два дня осталось, — сказала Таня, обглодав куриную ножку. — Скажи честно, на работу хочется?

— Да ну ее, — пробубнил Павел с набитым ртом. — Сейчас там делать нечего. Половина народу в отпусках, половина — на объектах, в командировках. Старые проекты продолжать некому, новые начинать — тем более. Экспедиция все равно накрылась...

Да, без Павла памирская экспедиция потеряла всякий смысл. Как только институтское руководство узнало о его сердечном приступе, оно немедленно закрыло командировки своим сотрудникам, собиравшимся на Памир. Машину через систему военной связи удалось остановить на полдороге, возле Магнитогорска, и развернуть назад. Коллеги, приходившие навестить Павла с минералкой и апельсинами в портфелях, утешали его тем, что все вполне можно повторить через год, что материала для работы и так хватает за глаза и за уши и выглядит он, тьфу-тьфу, прекрасно. Павел улыбался, благодарил, расспрашивал, как там, в институте, а сам думал: «Поскорее бы они ушли, что ли». Видеть ему хотелось только Таню.

— А я тут кое-что для нас организовала, — говорила между тем Таня. — Ты Дубкевича помнишь?

— Это который в Доме Кино? Помню. Ничего, приятный вроде мужик.

— Так вот, я позвонила ему в Ригу. Он ждет нас через недельку.

— А удобно ли?

— Удобно. В Риге мы будем жить не у него, а в гостинице, у них так принято. Гостиницу он, как ты понимаешь, сделает хорошую. На знакомство с достопримечательностями нам с лихвой хватит двух дней. Потом недельку в Юрмале, на взморье, а когда надоест — переберемся к нему на его хваленый хутор. А уж там будет совсем как доктор прописал — покой, природа, рыбалка, парное молочко и смазливые хуторянки.

— Советуешь от добра добра искать? — Павел погладил Таню по щеке.

— Тебе же рекомендовали перемену обстановки.

— Ха! А ты?

— А я не ревнивая. Может, тоже подыщу себе какого-нибудь пастушка на недельку.

— Я те счас дам пастушка! На недельку вперед! — Павел поднялся и недвусмысленно посмотрел сначала на Таню, потом на широкую больничную кровать.

— Хоть руки помыть можно? — с лукавой покорностью спросила она.

## IV

Дубкевич встретил их на вокзале, церемонно поцеловал руку Тане, обменялся с Павлом крепким рукопожатием и тут же повез их в гостиницу «Рига», где он снял для них полулюкс. Маршрут он выбрал не самый близкий, но самый живописный, и по дороге много показывал и рассказывал.

— Вы, пожалуйста, устраивайтесь, отдохните с дороги. Можете пообедать — в гостинице вполне сносный ресторан. Я заеду за вами в половине седьмого. Поедем в наш Домский Собор. Там сегодня неплохой органный вечер. Потом съездим в одно местечко поужинать.

Поблагодарив Дубкевича, они поднялись в свой номер, оказавшийся без преувеличения полулюксом, до люкса не дотянувшим лишь размерами. Таня тут же помчалась в душ, а Павел включил кондиционер, блаженно растянулся на широкой кровати и тут же провалился в царство Морфея. Сюда они ехали, естественно, в двухместном купе, но Павел, вообще плохо спавший в поездах, совсем измучился от бессонницы и духоты и страшно хотел спать...

— Вставай, соня! — Таня трясла его за плечо. — Давай скоренько приведи себя в кондицию. Через десять минут Дубкевич приедет.

— А... а ты?

— Я уже во всеоружии. Пока ты тут почивать изволил, я успела пообедать, пройтись по ближайшим квартальчикам, попила кофейку в миленькой «еднице-кофейнице», заглянула в магазинчики, но не нашла ничего достойного внимания, кроме одной мелочишки.

— Какой?

— Вот мордочку сполоснешь, костюмчик наденешь — тогда и покажу.

Через три минуты, придирчиво рассмотрев Павла, запакованного в новый темно-синий костюм и блестящие черные полуботинки и благоухающего лосьоном «Уилкинсон», она вручила ему красиво обернутый пакетик, в котором оказался коричневый бумажник мягкой свиной кожи с золотым тиснением «RIGA». В бумажнике он обнаружил зеленую бумажку с овальным портретом Джорджа Вашингтона.

— Это что? — недоуменно спросил Павел.

— А то ты не знаешь? Сувенир — и на размножение.

— Откуда у тебя? — спросил он настороженным голосом советского человека, непривычного к валюте.

— От прошлогодней командировки остался. Потратить не успела.

Удовлетворенный ответом Павел положил бумажник в карман.

Домский орган оглушил Павла. Он не замечал величественного нефа собора, не слышал шуршания и покашливания публики, даже не ощущал рядом присутствия Тани. Полтора часа его как бы не было, была только музыка, квинтэссенция музыки, Песнь Величия, вобравшая в себя мир. Первая мысль пришла к нему уже на площади, и мысль была такая: как давно я не слушал настоящей музыки.

— Да, удачная программа, — светским тоном сказал Дубкевич. — Бах, Глюк, Гендель. Как правило, они стараются добавить что-то из современного. Но оно здесь не канает... я хотел сказать, не воспринимается. Не те интерьеры.

— А ваше обещанное местечко далеко? — спросила Таня. — Конечно, хотелось бы пройтись по ночной Риге, но Павел сегодня не обедал.

Дальше пошли впечатления иного рода, но тоже отчасти эстетические. Старинными двориками Дубкевич вывел их к подозрительного вида сараю, где кавказский человек по имени Сергей Миронович, хищно улыбаясь, накормил их умопомрачительными шашлыками. Потом был сон без задних ног, прогулки по дневной и ночной Риге с заходами в особые уголки, недоступные обычным туристам...

На третий день, проводив их до гостиницы, Дубкевич сказал:

— Извините, друзья, завтра у меня начинается тяжелая неделя, поэтому с утра я отвезу вас в мое бунгало на побережье, а на уик-энде заеду, и тогда мы переберемся на хутор.

Выписываясь, Павел узнал, что их проживание уже оплачено.

— Нет, это уж слишком, нельзя так злоупотреблять чужим гостеприимством, — сказал Павел Тане. — Я непременно отдам ему деньги хотя бы за гостиницу.

— Попробуй, — спокойно ответила Таня. — Только он не возьмет. А если будешь настаивать, очень его обидишь. На самом деле он нам очень благодарен за то, что мы дали ему возможность проявить щедрость.

— Но почему он выбрал нас? Мы-то в состоянии и сами заплатить за все эти удовольствия. В отличие от большинства.

— Ах, ты ничего не понял! Большинство ему, как и всякому нормальному человеку, совершенно безразлично. Быть щедрым к безразличным тебе людям — это уже не радость души, а долг, чаще всего тягостный и надуманный. Это бремя.

Павел задумался. Наверное, Таня права.

Он не уставал восхищаться и удивляться ей и в Юрмале, где располагалось двухэтажное, утопающее в зелени «бунгало» Дубкевича. Как смело вбегала она в ледяную июньскую воду залива, как лихо, едва ли хуже Елки и всяко лучше Павла орудовала ракеткой на ровных ухоженных кортах. Один эпизод и вовсе потряс его: вечером на выходе из «Дзинтарс-Бара» к Тане стала клеиться троица хамоватых юнцов, и пока Павел соображал, что к чему, Таня уже успела наглухо вырубить всех троих. Дар речи он обрел только на полпути к дому:

— Как это ты? Что было?

— Да поучила маленько нахалов.

— Ничего себе маленько! Ты что, восточными единоборствами занималась?

— Было дело. Система «Джабраил».

— Что-то я про такую не слышал.

— Они тоже не слышали.

Остаток недели прошел без приключений. Потом приехал Дубкевич и повез их на хутор. Ехали они довольно долго, по шоссе, по ровным песчаным проселкам, снова по шоссе — мимо чистеньких рощиц без подлеска, холмов, поросших лещиной, живописных деревень и не столь живописных городков. Перекусить остановились в придорожном кафе, на которое жестом Ильича указывал стоящий у дороги деревянный леший.

— Правильной дорогой идете, товарищи! — прокомментировал Дубкевич.

Вторая сучковатая рука лешего была полусогнута, ладошка кокетливо растопырена, большой и указательный пальцы, вытянутые параллельно, показывали, очевидно, ту дозу, которую рекомендовалось в данном кафе принять в свое удовольствие. Доза получалась умеренная.

— Русский леший показал бы иначе, — заметила Таня и изобразила, выставив большой палец вверх и оттопырив мизинец.

— Каждому свое, — философски сказал Дубкевич. — Впрочем, у нас тоже своих пьяниц хватает.

После великолепных горячих булочек и кофе со сливками стало совсем весело.

— Листья желтые над городом кружатся, — запел вдруг, сидя за рулем, Дубкевич. Голос у него оказался чистый, приятный. — Подхватывайте, мадам.

Хутор Дубкевича представлял собой настоящую барскую усадьбу, с подъездной аллеей, широченной лужайкой перед домом, портиком с двумя деревянными колоннами, внешней галереей во весь второй этаж и желтым резным фронтоном, на котором был изображен стоящий на задних лапах медведь на фоне солнца с лучами. По обе стороны тянулись боковые пристройки — потом Таня с Павлом узнали, что в левой, примыкавшей к дому, располагалось жилище «экономок», некое подобие музейной горницы, заставленной разного рода традиционной утварью, от прялок до колыбелек, и вполне современные жилые комнаты со всеми удобствами. В пристройках справа, расположенных чуть в отдалении, находились действующие маслобойня, пивоварня и коптильня. Позади них виднелись деревенские домики. Покупая в свое время «хутор», Дубкевич купил и эти давно заброшенные постройки, отремонтировал их и теперь сдавал крестьянам в аренду, которую они платили произведенными продуктами. За домиком «экономок» раскинулся фруктовый сад.

Сами «экономки» — две льноволосые белозубые красавицы в длинных белых платьях с цветными поясами — поджидали гостей на широком крыльце. Они поклонились в пояс сначала Дубкевичу, а потом Тане с Павлом и поднесли каравай на расшитом рушнике. Каждый отломил по кусочку.

— Какая прелесть! — сказала Таня.

— Мы здесь чтим традиции, — ответил гордо Дубкевич. — К сожалению, завтра рано утром я уеду, но через
три дня буду обязательно.

— Почему именно через три?

— Праздник, — лаконично сказал Дубкевич.

По случаю приезда дорогих гостей Мирдза и Валда —
так звали «экономок» — быстренько затопили баню и от
души напарили их, сначала Таню, а потом и Дубкевича
с Павлом.

Тому было страшно неловко, что его хлещут веником,
разминают, мылят и поливают водой почти незнакомые и
совершенно обнаженные красавицы. Дубкевич же, привычный к таким процедурам, только покрякивал довольно
и размягченным голосом давал короткие указания по-ла-
тышски.

— Сейчас квасом парку поддадут, — сказал он лежав-
шему на соседнем полке Павлу. — Хорошо, да?

— Да, — сказал Павел и прикрыл глаза: в этот момент
над ним склонилась Мирдза, почти касаясь его своей пышной розовой грудью. Дубкевич хохотнул и шлепнул Мирдзу пониже спины.

— Нравится? — спросил он Павла. — Выбирай любую. Мне не жалко.

— Спасибо, у меня уже есть, — легко ответил Павел,
но при этом ощутил внутри, несмотря на весь банный жар,
какой-то холодок.

— Смотри. Жизнь — она одна. Всего попробовать
надо.

Наутро Дубкевич уехал в Ригу, и молодые супруги
оказались предоставлены сами себе. Утром Таня догова-
ривалась с кем-нибудь из «экономок», к какому времени подавать обед, а потом они шли купаться, кататься
на лодочке, гуляли по лесам, собирая щавель и первую
землянику. Побывали они и в деревне, жители которой
приветливо им улыбались, с радостью показывали свое
хозяйство, норовили угостить чем-нибудь вкусненьким.
По-русски все они, включая и молодежь, почти не говорили. Даже Мирдза и Валда понимали сказанное Таней
и Павлом с трудом. Поначалу он даже принял их странную русскую речь за латышскую. Исключение составлял

только Гирт, сын пасечника, с которым они побывали на ночной рыбалке.

Покой и отрада этих мест бальзамом вливались в душу Павла. «Наверное, именно здесь и именно так надо жить, как живут эти люди, — бесхитростно, благостно, в чистых трудах, среди чистой природы... Эх, бросить бы все к чертовой матери, купить домик в этой деревеньке, поселиться здесь с Таней, завести корову, лодку, несколько ульев. Язык выучить». Несколько раз на дню он ловил себя на подобных мыслях, но с Таней ими не делился — она не любила пустых мечтаний, а он прекрасно отдавал себе отчет, что в реальность претворять эти мечты не станет. И не хочет. Через три дня, как и обещал, вернулся Дубкевич.

— Что у нас по программе? — спросил его за обедом Павел.

— Лиго, — ответил Дубкевич. — Янов день сегодня.

— Ой ли? — хитро прищурилась Таня. — День Купалы завтра, а сегодня — ночь купальская.

— Правильно, — удивился Дубкевич.

— Обряды везде одинаковы, — пожала плечами Таня.

Она вдруг вспомнила свой ночной сон. Бежит это она сквозь заросли кустарника, лес гудит, хвощом по бедрам лапает. Только бы не свернуть с дороги, но и дороги-то нет. Все залито лунным сиянием. Где-то впереди заросли осоки, а за ними — прохладная вода: нырни, умойся — и вернешь себе потерянное. Что потерянное — неясно, но так сладко и свободно Тане, что не замечает, как вышла на поляну: словно перевернутый блин луны. Надо быть там в самой середине. Затаив дыхание и мягко ступая босыми ногами по травам, Таня пошла к центру поляны, подняла голову к небу. Огромное белое светило, улыбаясь, оглядывало Таню. Одна щека луны подернулась красноватым бликом, как румянцем, и Таниной щеки коснулось дыхание ветра. Вдруг в зарослях ослиным ревом раздался голос Дубкевича. Он гнался за Таней. «Рви и беги», — что-то сказало ей, и луна превратилась в тоненький серп, да и Таня уже совсем другая — на лице маска ужаса, за плечами хвосты, козлиные рога. Убегая от Дубкевича, Таня срывает с себя вонючие шкуры и ныряет. Но смотрит на нее похотливый взгляд, тревожит ее обнаженную девственность. Таня хватает отражение лунного серпа в воде и спокойно идет к Дубкевичу. Убить или яйца отрезать? Так и не решив, она проснулась...

С вечера чувствовалась суета и радостное возбуждение в лицах. Дубкевич устроил Таню и Павла в моторке, и они покатили через озеро на какой-то островок далеко за устьем впадающей в озеро реки. Островок порос обильными травами, тростником и перелесками. Там их ожидала компания в меру шумная, сдержанная балтийским немногословием. Мужчины по-деловому направились за хворостом для купальского костра. Женщины с бесцветными холодными глазами вовлекли Таню в собирание цветов.

— Потом сумрак будет, — пояснила Инга Саблиустене, родственница Валды, специально приехавшая сегодня из Резекне.

Полевые цветы собирались на венки, и Таня быстро вошла в раж.

— А это что? — спрашивала она у Инги.

— Это не надо. У нас его зовут ведьмин глазок.

Но Тане стало жаль бросать этот желтенький пятилистник, и она решила вплести его в свой венок, никому не показывая.

Мужчины разжигали костер. Крупный, с рыжими волосами на загорелых руках Гирт рассказывал про цвет папоротника, который, по легенде, надо найти в грядущую ночь. Если найдется счастливчик и выпадет удача, это еще полдела.

— Надо донести до дома, — говорил он с сильным акцентом, — но так, чтобы не оглянуться. В дороге все черти и злые духи будут звать да останавливать. Нельзя. Даже если голосом ребенка родного позовут или бабушки. Не обернись.

— А то что будет? — зачарованно спросил Павел. Ему ответил Дубкевич:

— Превратят в пень трухлявый.

Все рассмеялись. Только Таня серьезно спросила:

— А зачем?

— Что зачем?

— Цвет папоротника. Что будет, если донести до дома?

— Будешь язык птиц и зверей земных понимать. Может, и другие тайны, — задумчиво и пристально глядя в глаза собеседнице, сказал Дубкевич.

«Сорву», — решила Таня и знала, что сорвет.

Потом водили хоровод вокруг костра. Пели заунывные песни. А к полуночи заметно поднялось возбуждение. Прыгали через костер. Павел, перепрыгнув, тут же вспоминал, что не успел загадать желание, а Таня умудрилась на лету подпалить край юбки, даже не обжегшись. Казалось, что она могла бы и на углях танцевать голыми ногами. В золотистых глазах светились искры костра, вспыхивая и зажигаясь снова и снова. Она хохотала как безумная, и когда изрядно подвыпившие мужчины начали обливать женщин и друг друга водой из котелка, фляг, ладоней, она первой скинула начисто одежку и под одобрительные вопли, будто всю жизнь знала обряд, кинулась нагая в воду.

Когда собрались у костра, Дубкевич достал новые пивные литры, и по кругу двинулась кружка. Руки тянулись за вяленой рыбехой.

— Я в лесок, — произнесла Таня.

— За папоротником? — уже осоловело спросил Павел. — Чушь это. Ботаникам давно известно, что папоротник не цветет.

— А это посмотрим, — сказала Таня и двинулась к темному перелеску.

В свете луны она слабо разбирала тропу. Шла больше по наитию, чутьем выделяя лохматый хвощ и ушастый папоротник. Вдруг она задохнулась от открывшейся ей залитой лунным светом мерцающей и бьющей горькими пряными запахами поляны. Она вошла в тот лунный круг, медленно легла и вдохнула полной грудью. Ее томило. Слабый ветерок закрыл ее травами и запахами. Томительная боль, сладкая как эти ароматы, сдавила где-то в животе.

— Ветры вы ветрующие, — шепотом произнесла она и медленно поднялась.

Ветер пробежал по травам. По краю поляны заколосилась белая, серебристо-белая волна. Таня пошла туда. И тут, на стыке травного цветения и лесочка, она увидела папоротниковые заросли. Вдруг колыхнулась лапа, и Таня заметила в ней цветок. Она тихо, на цыпочках, подошла, осторожно ухватила всей пятерней папоротник с цветком и резким движением рванула на себя.

Из леса она шла, ничего не слыша, кроме коростеля. Только лунный свет и ветерок ласкали ее. В руке был крепко зажат цветок бессмертника, застрявший между папоротниковыми лепестками, и она знала, что это — тот самый цвет.

— Таня, я... я давно ждал этой минуты... я видел тебя сегодня и окончательно понял, что... что не могу без тебя.

Таня опалила его блеском золотистых глаз. Грудь ее медленно вздымалась.

— Прочь с моей дороги, Дубкевич! Прочь, а то пожалеешь.

Он опустился на колени, ловя подол ее сарафана.

— Я не могу без тебя, — повторил он. — Я отдам тебе все, все, что захочешь. Только будь моей.

— Глупец, ты сам не понимаешь, чего просишь!

Он поднял глаза и увидел, что по подбородку у Тани течет струйка крови — она закусила губу.

— Я разведусь с Кристиной. Мой дом в Риге, дом в Юрмале, этот хутор — все будет твое!

— То, что дашь мне ты, будет мне не нужно. То, что дам тебе я, погубит тебя! — крикнула Таня. — Пойми, идиот! Изменить что-то потом будет мне не под силу.

— Умоляю тебя! Ты так прекрасна.

Она улыбнулась. В глазах ее зажегся безумный огонек.

— Хорошо. Ты сам это выбрал. Запомни, не я хотела твоей погибели, а сила, которая идет через меня и над которой я не властна! Ну, беги со всех ног! Даю тебе последний шанс.

— Я хочу тебя! — прохрипел Дубкевич, хватая ее за ноги и покрывая их влажными поцелуями.

— Так получай же! — Отпихнув от себя Дубкевича, она стала срывать с себя сарафан. Открывающееся тело светилось нездешним светом. Дубкевич охнул, зажмурился и рванул на себе рубашку. На траву посыпались пуговицы.

Таня подбежала к нему, схватила его за ноги и буквально вытряхнула из брюк. Голый Дубкевич шлепнулся на траву.

— Бери, бери же! — Таня навалилась на него, обжигая его своим телом. Горячие губы властно припали к его губам. Горячая ладонь зацепила его между ног.

— О-о-о! — застонал Дубкевич, взмывая к вершинам блаженства и муки. — О-о-о!

— Мой! — вскрикнула Таня...

Потом она поднялась с травы, огненным взглядом скользнула по лежащему в беспамятстве Дубкевичу, подхватила сарафан и, размахивая им, как знаменем, нагая, легко побежала вниз, к реке, откуда вновь доносились всплески, повизгивания, серебристый смех. Она с размаху кинулась в черную воду, и та, казалось, зашипела в этот миг.


Павлу виделось, что он — старая, волглая, мертвая коряга на дне черного болота. Ощущение полной гармонии со вселенной, состоящей, оказывается, из ряски, черной стоячей воды, мягко сосущего ила и редких, никуда не спешащих пузырей болотного газа. И еще чего-то там, за краями, неведомого, а стало быть, ненужного... Покой и отрада.

Его взяли за крепкий еще сучок и потянули туда, за край, к неведомому и ненужному. Он сопротивлялся, но много ли силы у мертвой коряги? Не хочу...

— Не хочу! — промычал он.

Сучок вдруг оказался его рукой, а тянула за него Таня. Павел поднял голову, посмотрел, смаргивая болотную пелену. Позади Тани стоял Гирт.

— Поднимайся, поднимайся! — категорично сказала Таня. — Нашел где валяться, алконавт заслуженный! Ты посмотри, на кого ты только похож!

— Это ребята пошутили, — пояснил Гирт. — Ночь такая.

Ночью кто-то не поленился переодеть спящего, как полено, Павла в костюм огородного пугала, нахлобучить дырявую шляпу с рваными полями и пририсовать углем громадные бармалеевские усы. Утром выпала роса, все это хозяйство намокло, отяжелело.

— Скидывай с себя эту дрянь, вытирайся и переодевайся в сухое. Я тебя полночи ищу, хорошо Гирт догадался на Лысую гору подняться, нашел тебя, рассказал, где ты и в каком виде.

Она кинула лязгающему зубами Павлу полотенце, трусы и тренировочный костюм. Павел быстро вытерся и переоделся, хотя в голове продолжал стоять туман. Как он попал сюда? Что с ним было и отчего ему так холодно?

— На вот, приложись, — сказала Таня, протягивая ему фляжку. — А то продрог совсем.

— Что это? — спросил Павел.

— Яблочная водка, — сказала Таня. — Кальвадос покурземски. Гирт говорит — незаменимо в подобных случаях.

— Это у нас часто бывает, — добавил Гирт.

Павел хлебнул, закашлялся, продышался и хлебнул снова. Водка была резковатой, но действовала быстро. Через мгновение по телу пошла теплая волна...

— Надо же, — сказал он, отдавая фляжку Тане. — И как это меня угораздило?

— Это Юзик, — сказал Гирт. — Нехорошая шутка. Нельзя так, особенно с гостями, не знающими наше пиво. Опозорил деревню. Я с ним уже поговорил. Дня три не встанет.

— А пугалом тоже он нарядил? — спросила Таня.

— Может, он, а может, не он. Ночь такая. Нечистая сила гуляет. Сейчас в деревне очень интересно...

— Оклемался? — спросила Таня Павла.

— Вполне. Даже аппетит прорезался. Только в голове еще немного...

— Это пройдет, — успокоил Гирт.

— Может, тогда пойдем вкруговую, через деревню? Посмотрим, что там.

В деревне нечистая сила повеселилась изрядно. Старый Юргис, проснувшись, не обнаружил вокруг своего дома забора. Стояли одни ворота с намалеванной на них чертовой харей. Забор этот нашел сосед его Айзиньш — у себя в гараже, сложенным по жердочке. Зато не нашел там своего старого «Москвича», который неизвестно как оказался в чистом поле, разукрашенный длинными стеблями камыша. У старой Евы переодели пугало — в ее же кружевную ночную сорочку и чепец, — а корову загнали на крышу сарая, где бедное животное стояло и орало, как писали в старинных романах, нечеловеческим голосом. У куркулихи Смилдыни две грядки свеклы и грядка моркови вдруг стали расти корешками вверх, а полудурок Янис, известный больше под кличкой Наркоша, ходил по деревне и орал почище Евиной коровы — кто-то выкопал у него на делянке весь мак и аккуратно заменил его еловыми веточками. Равнодушных и спокойных в это утро не было. Все бегали, суетились, ругались, подсчитывали убытки, хохотали. Полюбовавшись на это зрелище, Таня, Гирт и Павел заглянули на пасеку, к Гиртову отцу, попили молочка с медом, посидели, посмеялись байкам пасечника в переводе Гирта. Павел еще пару раз приложился к фляжке и ожил совсем. Ближе к полудню Таня с Павлом поднялись, поблагодарили хозяина и его сына и отправились на хутор, пожелать доброго утра Дубкевичу и «экономкам».

На крыльце их ждала зареванная, трясущаяся Валда. Увидев Таню, она подбежала к ней, бросилась на грудь и принялась что-то лопотать, мешая русские и латышские слова. Павел, озадаченный и встревоженный, стоял в сторонке.

— Погоди, родная моя. Я что-то не пойму. Пойдем-ка в дом, ты мне все спокойненько расскажешь, — сказала Таня, обняв Валду за плечи и уводя ее в направлении «экономского» флигеля.

Павел нервно закурил. Через три сигареты из флигеля вышла Таня и решительно направилась к нему.

— Собирайся, — сказала она. — Мы уезжаем. Валду я напоила валерьянкой на спирту и уложила, а Мирдзу отправила в деревню, договориться, чтобы довезли нас до станции.

— Да что такое? Что случилось? Где Дубкевич?

— Дубкевич уехал. У него беда. Ночью его дом в Юрмале сгорел дотла. Жена погибла. Сын в больнице, в критическом состоянии.

— Но, погоди, может, мы можем помочь... как-нибудь?

— Как тут поможешь? Это судьба. А огонь — стихия беспощадная.

Уже в поезде Таню потянуло на солененькое. В городе она первым делом сходила в консультацию, и там подтвердили — да. Приблизительно пятая неделя. Радости Павла не было предела.

# V

После «медового месяца» в Прибалтике, прожитого на ноте высочайшего счастья и лишь на самом краешке зацепленного чужой трагедией, Павел вернулся в полупустой институт. Летом, как того и следовало ожидать, дела шли ни шатко ни валко. С осени начались сплошные провалы.

Из десяти печатных схем, изготовленных в экспериментальной мастерской с применением Павловых алмазов, восемь было забраковано самими изготовителями. Девятая сгорела, проработав секунды полторы. Десятая вне цепи из себе подобных ни на что серьезное не годилась. В руках тех же умельцев из мастерской она стала частью какого-то небольшого прибора типа упрощенного электрогенератора. Прибор хранился в холодильной камере и оттуда, через трансформатор, питал два осциллографа. Сама камера съедала энергии в три с половиной раза больше.

Вторую партию схем заказали в специализированном цехе одного крупного предприятия, оснащенного самым современным оборудованием. В нормальных условиях схемы работали прекрасно. Через час работы в низкотемпературном режиме они стали лететь одна за другой: специалисты завода поставили на контакты новейший композитный материал, оказавшийся нестойким в условиях низких температур.

На третью партию не хватило материала. Павел засадил весь отдел за теорию. Идеи выдавались самые бредовые, подчас довольно интересные, но проверить их на практике было невозможно. Павел создал отдельную группу, которая занялась разработкой тех деталей и узлов предложенных схем, для которых голубых алмазов не требовалось. Кое-что уже имелось, но с проверкой разработок приходилось подождать — до следующей осени.

На совещании, посвященном итогам года, директор института дал сдержанную, но вполне нелестную оценку трудам отдела, возглавляемого Павлом, и предложил в будущем году переключить отдел на другую тематику, никак не связанную с разработками Павла. Павлу удалось отстоять свою тему еще на год, но вторую тему — по природным радионуклидам — ему все же навесили. Правда, непосредственно вести эту тему поручили не ему, а его заму, специалисту по этому вопросу, но в число ответственных исполнителей включили и его.

После работы Павел возвращался домой вконец умотанный, уставший не столько от самой работы, сколько от череды неудач. И с каждым днем его возвращения становились все менее радостными.

Беременность резко изменила характер и внешность Тани. Она стала вспыльчивой, раздражительной, капризной. Настойчивые рекомендации врачей и Павла она игнорировала совершенно: курить не бросила, почти совсем перестала ходить на прогулки, ела много сладкого и жирного, пристрастилась к шампанскому. Только по выходным у Павла хватало сил вытаскивать ее хотя бы прогуляться по набережной Фонтанки и Крюкова канала. Во время этих прогулок Таня постоянно дулась, на что-то жаловалась, требовала идти помедленнее и поскорее возвращаться домой. За собой она следить перестала, ходила по дому нечесаная, в засаленном халате. Она очень растолстела, ее прежде безупречно белая, матовая кожа покрылась желтыми пятнами, прыщами. Павел смотрел на нее и не узнавал — неужели на *этой* женщине он женился так недавно, неужели это с ней за совсем короткий срок было пережито и перечувствовано столько, что иным хватило бы на несколько жизней. Он тешил себя мыслью, что все эти перемены временны, что после родов он вновь увидит и обнимет прежнюю Таню — сильную и женственную, волнующую, чистую, загадочную... Он не вполне доверял этим мыслям — беременность беременностью, но что-то в этой дьявольской метаморфозе было еще, подспудное, необъяснимое одной лишь беременностью. Или это ложные, пустые мысли, навеянные безумной усталостью и депрессией?

Какое-то время все домашние дела — магазины, готовку, уборку — пришлось взять на себя Павлу. Скоро он понял, что не справляется, никак не справляется. Дом зарастал грязью, в холодильнике все чаще не оказывалось ничего кроме пельменей, несвежих полуфабрикатов, остатков тортов и пирожных, которые Таня требовала в большом количестве, но почти никогда не доедала. Павел настолько не привык обращаться к кому-либо за помощью, что даже растерялся. Пригласить домработницу? Таня об этом и слышать не хотела — придет невесть кто, еще обворует. Воров она стала бояться патологически: все время запиралась на крюк и три замка, постоянно перепрятывала шкатулки с ценностями, делала тайнички, заначки. По ее требованию Павел поставил квартиру на охрану. Обратиться к отцу? У него и без этого дел по горло, да и не по его это части. К матери? Павел слишком хорошо знал мать и понимал, что ничего хорошего не выйдет. Скрепя сердце он позвонил Аде.

Придя на другой день домой усталый и издерганный, как обычно в последнее время, он мгновенно заметил, что квартира преобразилась. Полы блистали чистотой, вещи аккуратно развешаны и расставлены по местам. Он заглянул в гостиную — там все было так, как в тот майский день, когда он впервые переступил порог этого дома. То же было и в кабинете. Павел, в последнее время практически живший в кабинете, предоставив спальню Тане, и постепенно перетащивший сюда свои вещи, переоделся в домашнее и пошел на кухню разогреть себе чайку и съесть что-нибудь. На кухне было темно. Он включил свет и только тогда заметил Аду. Она тихо-тихо сидела за столом и смотрела в окно. При щелчке выключателя она вздрогнула, повернула голову и увидела Павла. В глазах ее стояли слезы.

— А, Павлик, — сказала она. — Устал, наверное? Садись поешь. Курица еще не остыла.

Она встала, подошла к латке на плите, положила на блюдо чуть ли не половину жареной курицы, добавив картошки и какой-то белой подливки, и поставила блюдо перед Павлом.

— Спасибо, — сказал Павел, принимаясь за еду.

— Я не все прибрала, извини. Окна остались грязными. Теперь уж до весны. Холодно, я боялась напустить сквозняков, простудить Таню. И в детскую она меня не пустила, а ведь там наверняка полно пыли...

— Спасибо, — повторил Павел. — Вы тоже устали?

— Нет. — Она грустно улыбнулась. — Я не устала.

— Но вы плакали, когда я вошел, — сказал он. — Почему?

— Так, — ответила она. — Не обращай внимания. Просто у нас был трудный разговор с Таней.

— О чем?

— О своем.

Павел замолчал, понимая, что Ада больше ничего о разговоре не скажет, а допытываться было неловко.

— Как она?

— Спит. Павлик, я знаю, ты сильный, прояви мужество, терпение. Я понимаю, она сильно изменилась, но это пройдет, скоро пройдет. Ей очень плохо сейчас, она изводит себя ужасными мыслями. Не обращай внимания, поддержи ее. Я прошу как мать... — Ада отвернулась и всхлипнула. — Она сейчас некрасивая, гадкая, не похожая на себя. Не отталкивай ее, даже если она будет отталкивать тебя. Ты же мужчина.

— Хорошо, — сказал Павел. — Я обещаю.

— Я понимаю, вам сейчас трудно. Я буду приходить, прибирать, готовить. А ты... ты береги ее. Ты же знаешь, она не такая.

— Знаю, — тихо произнес Павел.

— Там в холодильнике еще продукты на завтра. Я постирала белье и развесила в ванной досыхать. Так что не пугайтесь.

— Ясно. Спасибо.

— Я послезавтра еще приду. Ты звони, если что.

Последнюю фразу она произнесла уже в прихожей. Пока он сообразил, что надо бы выйти, проводить тещу, входная дверь уже хлопнула. Павел доел, прибрался, включил телевизор в гостиной, повертел переключатель каналов, выключил, взял какой-то журнал, прилег на диван и незаметно заснул.

Проснулся он внезапно, будто кто-то резко тряхнул его, хотя никакого толчка не было. Он открыл глаза. В комнате было темно, только из открытой двери в коридор лился неяркий свет. Над ним стояла Таня, глаза ее в полутьме блестели золотом. Он с удивлением заметил, что от нее пахнет чем-то приятным.

— Извини, если разбудила, — сказала она. — Просто пришла взглянуть на тебя. — В ее голосе столь отчетливо слышались интонации той, прежней, настоящей Тани, что у Павла радостно защемило сердце. — Если не собираешься дальше спать, может, пойдем на кухню, выпьем кофейку.

— Да, да! — воскликнул он, поднялся с дивана и, одергивая домашний свитерок, пошел за ней следом. Он с удовлетворением заметил, что она надела чистый новый халат, а волосы ее вымыты и уложены. Проходя в прихожей мимо зеркала, Таня взглянула в него и поморщилась.

— Свинья свиньей.

— Не говори так! Ты сегодня удивительно хороша!

— Не ври, Большой Брат, все равно не умеешь... Только чур кофе готовлю я.

Она сварила кофе в сверкающей металлической кофеварке, которой в последние месяцы никто не пользовался, обходясь растворимым. Кофе получился крепкий, горький, с густым ароматом. Таня налила чашку Павлу, себе, села, достала сигарету.

— Ты не курила бы, — осторожно сказал Павел.

Он давно уже перестал заговаривать с ней на эту и подобные темы, но сегодняшний вид и состояние Тани настолько его обнадеживали, что он решил попытаться. А вдруг наконец-то прислушается.

— Опять воспитываешь, Большой Брат? Брось. Пустое это дело. Я не внушаема и до всего дохожу только своим умом. Пей лучше кофе. Коньячку плеснуть?

— Господи, откуда ты берешь эту дрянь?

— Заначки, милый, заначки. Так плеснуть?

— Нет уж, спасибо!

— Тогда и я не буду... Что, удивлен? Ожидал истерики, визгу, качания прав? Нет, Павлуша, истерик больше не будет. Этот этап мы миновали. — Она погасила сигарету и бросила пачку ему. — Теперь это все твое. Завязываю.

— Умница. Давно пора.

— Сегодняшний разговор с Адой многое прояснил. Все эти месяцы я была мерзкая, капризная, опустилась, махнула на себя рукой. Я была отвратительна, да?

— Ну что ты, — неуверенно произнес Павел. — Когда женщина в положении...

— Вот именно, в положении. Ты нашел самое подходящее слово. Я оказалась в положении, которого не понимала, мучительном, неопределенном...

— Что ж тут неопределенного?

— Погоди, не перебивай... Я менялась, а значит, менялся весь мир вокруг меня. И в этом меняющемся мире я потеряла точку опоры, потеряла себя. И только сегодня определилась, осознала саму себя и свое состояние... Понимаешь, это болезнь, подлая, постыдная болезнь, которой наградил меня, сам того не желая, ты, муж мой любимый.

— Стой-стой, я не понимаю тебя...

— Болезнь, которая, к счастью, излечима... Ты запустил в меня микроба, и из него растет паразит, вроде солитера, сосет из меня соки, превращает в уродину, в заурядную тупую брюхатую бабищу с капризами и «настроениями». Остается это пережить, перетерпеть.

— О чем ты?

— Об этом. — Она показала на свой выпирающий живот. — О маленьком вампире, который пожирает меня изнутри.

— Но это... это же наш с тобой ребенок! Помнишь, как мы радовались...

— Это ты радовался. А я только старалась, пыталась любить это маленькое чудовище. Теряла себя и тем самым доставляла страдания тебе и ему. — Она снова показала на живот. — Но теперь я во всем разобралась.

— В чем?

— В том, как должна понимать создавшееся положение и как действовать. Во-первых, я поняла, что ненавижу то, что ношу в себе, и ненавидела с самого начала.

Таня говорила спокойно, отрешенно. Павел с ужасом смотрел на нее и с еще бо́льшим ужасом осознавал, что именно сейчас происходит стремительное возвращение прежней Тани, прекрасной и таинственной, но только в новой, зловещей ипостаси, как бы с обратным знаком. Или это ему только кажется?

— Тогда я не понимала своей ненависти и всеми своими действиями — обжорством, питьем спиртного, ленью, неопрятностью физической и эмоциональной — неосознанно старалась уничтожить его и тем самым уничтожить и себя. При этом я была убеждена, что люблю его и себя. Теперь, когда я разобралась в своих чувствах, я буду его холить и лелеять, потому что так уж вышло, что мы с ним временно составляем одно целое. Как знать, может быть, я стану любить этого человечка, похожего на тебя — и на меня. Но пока, извини, не могу.

— И все это тебе наговорила Ада?

— Нет. Мы говорили совсем о другом. Тебя это не касается. Просто наш разговор помог мне разобраться в самой себе.

«Стоп, — приказал себе Павел. — Не спеши принимать ее слова за чистую монету. Откуда тебе знать, что управляет психикой беременной женщины. Да, то, что она говорит, чудовищно. Но вспомни все ее закидоны последних месяцев. И прими это за очередной закидон. Посмотри, как она преобразилась сегодня, как похорошела в одночасье. Может быть, это мудрая природа таким вот странным образом выправляет ситуацию, дает ей силы справиться со страданиями, вынести бремя... Бремя... беременна. Почему мне раньше в голову не приходило, что это слова одного корня».

Он поднял голову и с улыбкой посмотрел на свою красавицу-жену. Она улыбнулась ему в ответ и подмигнула, как в прежние времена.

— И спать бы надо, да не хочется. Кофе-то крепковат оказался, — сказал он. — Пойти поработать, что ли?

— Не поспать всегда успеешь, — сказала Таня. — Если не спится, есть у меня одно средство...

— Таблетки? — Он настороженно посмотрел на нее.

— Зачем таблетки? Кое-что другое, многократно нами испытанное. Ты после него всегда засыпал как сурок.

Он понял, улыбнулся и покачал головой.

— Нельзя нам сейчас. Повредим там что-нибудь...

— Не повредим. Я знаю одну такую позу.

Она обняла его, и они направились в спальню.

— Только свет погаси, — сказала Таня. — Не хочу, чтобы ты меня видел такой.

...Кровать ходила ходуном. Павел мгновенно проснулся. Таня металась, ударяя Павла то головой, то рукой, стонала, выкрикивала чужим, низким голосом:

— ...Детей, значит, отторговала, старая сволочь? Дочку мою украсть хочешь? Не дам! Еще поглядим...

Павел схватил ее за плечи, встряхнул. Она открыла глаза.

— Ты что? — сонно спросила она обычным своим голосом.

— Ты кричала, бредила...

— Ничего не помню... Спи.

Она закрыла глаза и повернулась на бок. Через несколько минут Павел услышал ее шепот:

— Эй... Ты не спишь?

— Нет.

— Знаешь, если у нас будет девочка, назовем ее Анной.

— Почему Анной?

— Так.

— Я вообще-то Митьку намечал... Можно и Анной. Красивое имя. Только путаница будет. Таня-Аня, Аня-Таня...

— Будем звать Нюктой... то есть Нютой.

— Нюта... Анюта... Хорошо, спи.

## VI

Таня менялась и расцветала на глазах. От неряшливости, неопрятности, лени не осталось и следа. Былая тяга к сладостям, табаку, алкоголю сменилась полнейшим отвращением. Павла она гоняла курить на лестницу и подарила ему специальный дезодорант для рта «Эол», чтобы он после каждой сигареты обязательно освежал рот. Каждое утро она делала предписанную беременным гимнастику, по много часов гуляла, даже взялась вести хозяйство, как умела, — правда, умела она немного. В последнем, однако, здорово выручала Ада, нередко теперь бывавшая у них. Они стали выбираться в люди, навестили родителей Павла, побывали и в Танином отчем доме, у Ады с Николаем Николаевичем, навестили нескольких друзей Павла и даже сходили на концерт знаменитого Клиффа Ричарда в «Октябрьском» — Павел очень боялся, чтобы в давке Тане не намяли живот. Ничего, обошлось.

Но в поведении Тани появились новые странности, сильно тревожившие Павла. О них в основном рассказывали соседки, и у Павла не было оснований им не верить — такого эти достойные старые дамы (а в этом доме жили только достойные) сами в жизни бы не придумали. Они говорили, что во время прогулок Таня подолгу стоит возле пивных ларьков и разливух, наблюдая за пьяницами, жадно слушая их матерные речи; без всякого стеснения заглядывает в окна первых этажей жилых домов; часто заходит в Никольский собор во время отпеваний и откровенно глазеет на лица мертвецов. Однажды вечером, когда она гуляла вместе с Павлом, из вагона подъехавшего трамвая вывалилась толпа подростков. Разбившись на две группы, они принялись избивать друг друга, пуская в ход кулаки, ремни, тяжелые ботинки-«говнодавы» и велосипедные цепи. Таня вцепилась в Павла, застыла и упоенно смотрела на это омерзительное зрелище, к счастью быстро закончившееся: заревели милицейские сирены, и подростки бросились врассыпную. На слякотной мостовой остались ремень, свинчатка и несколько стонущих жертв.

В доме появились странные книги на английском языке, толстые, в ярких обложках, с названиями типа «Сексуальные преступления и извращения», «Наркотики и яды», «История оргий на Востоке и Западе», «Массовые безумия». Таня подолгу лежала в кровати или на диване в гостиной и читала не отрываясь.

Павлу неловко было разговаривать с женой на тему ее пристрастий, странных, если не сказать извращенных. Тем более что во всех других отношениях она была выше всяких похвал. Иногда он собирался с силами и уже готов был к серьезному разговору на эту щекотливую тему, но тут, словно предугадывая его намерения, Таня делалась особенно улыбчива, ласкова, очаровательна, и все заканчивалось любовью в темной спальне.

Наконец Павел нашел решение, причем оно оказалось настолько очевидным, что он даже обругал себя — нет чтобы раньше сообразить! Он позвонил профессору Сутееву, известному психиатру из института Бехтерева, который «вел» Елку с самого начала ее болезни и хорошо знал семью Черновых. Он рассказал профессору о странностях в поведении Тани, о том, что им предшествовало, о разговоре про «маленького вампира». Они договорились так, что Павел, как бы случайно встретив Сутеева, пригласит его в дом как старинного друга семьи и даст профессору возможность в домашней обстановке хорошенько побеседовать с Таней, незаметно провести некоторые профессиональные тесты, а потом, когда Павел пойдет провожать его до метро, высказать свое мнение и дать соответствующие рекомендации.

Кругленькая, чистенькая, пышущая здоровьем Таня встретила их радостно, даже несколько попеняв Павлу, что он так редко приводит в дом гостей, да еще таких интересных. Усевшись в гостиной, они какое-то время вели светскую беседу. Потом Таня всплеснула руками и с озабоченным видом сказала Павлу:

— Павлик, дорогой, у нас же совсем ничего нет к чаю. Будь другом, сходи, купи какой-нибудь тортик или пирожные, а то перед гостем неудобно... Василий Николаевич, вы что предпочитаете на десерт?

Павел намеренно долго мотался по булочным и кондитерским, дошел чуть ли не до Невского и под самое закрытие купил в «Метрополе» фирменных сухариков с изюмом и торт «Наполеон». Когда он вернулся, Таня, открыв ему дверь, прошептала:

— Слушай, накрой стол сам, пожалуйста. И не особенно торопись. Василий Николаевич любезно согласился дать мне профессиональную консультацию. Мы в процессе. Ты не встревай еще полчасика, будь другом.

Беседовали они в кабинете. Павел, чтобы вовсе пресечь желание подслушать, о чем идет разговор, засел на кухне и включил радио. Через некоторое время пришла Таня, поставила на газ чайник, и они вдвоем стали накрывать на стол. Сутеев в охотку попил индийского чайку, не отказался и от рюмочки коньяка, предложенного Таней, рассказал несколько любопытных случаев из практики и в начале двенадцатого откланялся.

Павел не успел еще раскрыть рот, как Таня сказала:

— Павлик, я понимаю, что ты устал, но надо бы проводить Василия Николаевича. До метро. Я бы охотно прошлась с вами, но утомилась и хочу спать.

Выйдя из парадной, Сутеев сказал Павлу:

— Огромное вам спасибо, молодой человек, за исключительно интересный вечер.

Павел посмотрел на него озадаченно.

— Я впервые воочию увидел в лице вашей жены невероятно редко встречающийся психологический тип. Классический сангвинический темперамент — сильный, подвижный, уравновешенный, с равно выраженными тенденциями к логическому и образно-эмоциональному мышлению, с полным отсутствием инфантилизма и развитой склонностью к построению системных и причинно-следственных связей. Поразительная целеустремленность и цельность личности. Полное отсутствие так называемых комплексов. Великолепный, извините за выражение, экземпляр.

— Но... но ее странности последнего времени...

— Она первая поставила передо мной этот вопрос. Четко, без утайки рассказала о своих симптомах, ощущениях, разбила на периоды, предложила несколько вариантов толкования собственных состояний, включая и самые для себя неприятные. Я был поражен убедительностью ее анализа, а некоторые вещи мне самому бы просто в голову не пришли. Она у вас по образованию кто?

— Заканчивает филологический.

— Жаль.

— Почему?

— Жаль, что не медицинский. Нам в институте такие специалисты ой как пригодились бы.

— И все-таки: каково ваше профессиональное мнение?

— Дорогой мой, к моей профессии это непосредственного отношения не имеет. Конечно, при желании у каждого жителя Земли можно отыскать сколько угодно «тараканов» в голове. Как говорит одна моя уважаемая коллега, все мы пограничники. Но даже с этой точки зрения, в очаровательной головке вашей супруги этих самых насекомых на удивление мало. Намного меньше, чем у нас с вами. Особенности личности — это дело другое, а поскольку личность сильная и нестандартная, то и особенности эти сильны и нестандартны. До беременности у нее сложилась весьма четкая установка на гармоничные отношения с миром и соответствующая самооценка, очень высокая, но совершенно трезвая и, по моим представлениям, вполне адекватная. Кстати, большая редкость, особенно в нашей стране. И вот, вместе с естественными физиологическими изменениями, стали утрачиваться самые основы этой самооценки, на которой держался весь ее мир. Отсюда внезапная ненависть к себе. Она принялась безудержно уничтожать себя, но при этом постоянно искала приемлемый для себя выход из ситуации. Сначала ее ненависть переходит на плод, потом на мир, в котором она подсознательно ищет и находит самое темное, неприятное, злое. Но она не живет этим — скорее изживает, сознательно и планомерно. Вот увидите: через месяц-другой она и думать забудет обо всех этих мертвецах, пьяницах, книжки свои дурацкие выбросит.

— Через месяц-другой ей рожать уже, — мрачно сказал Павел.

— Вот к тому моменту она как раз полностью очистит свое сознание от негативных эмоций, связанных со временной утратой гармонии, чтобы обрести ее на новом уровне...

— И что же делать?

— Ничего. Терпеть. Поддерживать ее, помогать. Это трудный этап, но, к счастью, скоротечный. Все будет хорошо.

— Понятно, — сказал Павел.

Ах, как хотелось верить профессору, как хотелось! Но неопределенные мрачные предчувствия не оставляли Павла.

Недели через две после визита профессора Сутеева Павла вызвали на стендовые испытания, которые проходили в Гатчине, на профильном предприятии. Предполагалось уложиться в два дня. Однако настроение у народа было предновогоднее, и, подписав нужные бумаги, участвующие в испытаниях лица освободились в тот же вечер. Павел сел на ближайшую электричку и уже в одиннадцатом часу был дома.

Войдя в квартиру, он оцепенел. В воздухе пластами стоял дым — и не только табачный. На столе в гостиной стояли и лежали бренные останки изобильного пиршества. Из спальни доносились недвусмысленные похотливые стоны, взвизги, ритмичный скрип кровати и смех. Павел, ошалев, устремился туда и замер на пороге. На их широком белом супружеском ложе извивался в любовном экстазе совершенно незнакомый усатый брюнет южного типа, оседланный пышной блондинкой — по голой спине Павел узнал Анджелу, «начинающую актрису», свидетельницу на их свадьбе. Таню он сначала не увидел, только слышал, как она звонко смеется и приговаривает:

— Вот, Нюточка, смотри, вот так, вот так. Оп-па!..

Таня сидела в дальнем углу на мягком стуле и была настолько поглощена бесстыдным зрелищем, что не сразу заметила появление Павла. Участникам же, ввиду приближения оргазма, было и вовсе не до него. Лишь когда Павел решительно шагнул в комнату, она подняла на него ясные глаза и спокойно сказала:

— Привет, Большой Брат! Садись, посмотри, это любопытно.

Павел сразу вышел. Видимо, включился автопилот, потому что в следующее мгновение он осознал себя сидящим на заснеженной скамейке между Балтийским и Варшавским вокзалом, курящим сигарету и замерзающим.

— Эй, дядя, закурить есть? — услышал он совсем рядом нетрезвый голос и вскочил, обрадованный: вот и подвернулся, на ком разрядиться, стряхнуть оцепенение, отвести душу. «Вот сейчас как заеду в харю, а там — будь что будет...» Он изготовился.

— Господи, Пашка, никак ты? Откуда?

Павел протер глаза. Из-под драной кроличьей шапки поблескивают очки, торчит заиндевевшая борода... Шурка. Шурка Неприятных. Выпил, видно, капитально, но на морозе временно пришел в чувство.

— А мы, понимаешь, того, ну и мало показалось... Меня Наташка на вокзал командировала. Там у носильщиков круглосуточно... — объяснял Шурка. — А ты тоже это самое? Или как?.. Вот что, пошли к нам! К нам!

Он ухватил Павла за рукав и с силой потащил за собой, хотя Павел и не думал сопротивляться.

Жил Шурка неподалеку, на Лермонтовском, вдвоем с матерью, в почти полуподвальной, зато двухкомнатной квартире. Дотопали они довольно быстро, хотя Шурка падал пару раз и вставал только с помощью Павла. В Шуркиной комнате, возле стола с объедками, окурками, грязными стаканами и бутылками, на диване кто-то крепко спал.

— Отрубилась! — прокомментировал Шурка. — Ладно. Нам больше достанется. Ща балдометр принесу.

Он вышел относительно твердо, но вернулся уже на четвереньках, зажав обещанный стакан между шеей и подбородком. Таким манером он добрался до стола и толчком выкатил стакан на поверхность.

— Ловко, — сказал Павел.

— Могем, — удовлетворенно сказал Шурка и боком повалился на пол.

— Вставай, простудишься, — сказал Павел.

В ответ раздался богатырский храп.

Павел открыл бутылку, принесенную Шуркой, понюхал, налил в стакан. И вправду, может, выпить, надраться как свинья, забыться — и забыть дикую, не укладывающуюся в голове сцену дома? А дальше?

Он закурил, взял в руки стакан, задумчиво повертел, поставил на место. «Где я? Зачем? Что я здесь делаю? Докурю и уйду. Докурю, отогреюсь и уйду. Куда?»

Фигура на диване зашевелилась, подняла кудлатую голову.

— Шурка, принес?.. Не, это не Шурка... А Шурка где? А, вот он где... А ты кто?.. — Женщина протерла глаза и вдруг усмехнулась. — Готово. Допилась. Глюки пошли. Тени прошлой жизни... Ну, здорово, призрак Павла Чернова!

Павел вздрогнул от неожиданности и пригляделся к женщине. Натали. Наташка Бурихина, сокурсница.

— Здорово-то здорово, только я не призрак...

> Не надо печалиться,
> Вся жизнь впереди,
> Вся жизнь впереди,
> Надейся и жди!

«И кто это в такую рань радио врубил?» — беззлобно полюбопытствовал Павел и потянулся, упершись ладонями в чужую стенку. Он нехотя приоткрыл глаза. Аккуратная старушечья комната, всюду салфеточки, тканые коврики, фотографии в рамках. За стеной гремели посудой, что-то шумно жарилось. Все это сразу же напомнило, что он не дома.

Не надо печалиться...

Да это ж вовсе не радио. Это поет его внутренний голос. «Господи, отчего мне так хорошо, когда все так плохо!» Усилием воли он заглушил в себе песню, сдержал бодрые ноги, готовые выкинуть его тело из чужой постели и чуть ли не пуститься в пляс, и поднялся нарочито медленно, сосредоточенно. Столь же медленно надел брюки, рубашку, вышел...

Наташка, хоть и пьяная, сообразила уложить его в комнате Шуркиной матери, которая уехала погостить к сестре в Тихвин. Там-то Павел и проснулся под оптимистическую песнь собственного внутреннего голоса...

На кухне сидела растрепанная Наташка в тренировочных брюках и хлопковой рубахе навыпуск и жадно трескала яичницу. Перед ней стояла пиала с огурчиками, ополовиненный стакан красного вина и темная бутылка без этикетки.

— Привет! — весело сказала она. — Проснулся уже? Примешь? — Она показала глазами на бутылку.

— Нет, — сказал Павел.

Она изумленно посмотрела на него, потом кивнула.

— Ну да, ты ж не с бодуна. Ночью пришел... А я вот возьму еще грех на душу. — Она залпом выпила недопитый стакан и налила другой. — Не могу по утрам без этого дела. Затемно еще на вокзал сбегала, разжилась. Теперь ничего уже. И жрать сразу захотелось.

Павел взял из пиалы огурец, отрезал хлеба. Ел он на ходу — подошел к раковине, забитой грязной посудой, открыл кран, бочком приспособил под струю чайник, поискал спички, зажег конфорку, поставил чайник на газ.

— Зачем тебе все это надо? — спросил он.

— Что? — не поняла Наташка.

— Ну это, — он обвел рукой кухню. — Бардак весь этот, водочка по вечерам, бормотуха по утрам?

— Не учите меня жить, — хихикая, отозвалась Наташка, а потом ответила уже серьезно. — А вы можете предложить что-то другое? Перевыполнять план, копить на «Запорожец», по досточке возводить скворечник на дарованном начальством куске болота? Или в парторги податься?.. Впрочем, ты ведь у нас, Пашка, элита, не понять тебе нашей безнадеги.

— Элита! — Павел усмехнулся. — Скажешь тоже! На работе ничего хорошего, кроме плохого, а дома... — Он замолчал и добавил невесело: — Вот и прибился я к вашему бережочку.

— А дома-то что? — Наташка смотрела на него выжидательно.

— Ладно, проехали. — Не хотелось травить душу жалостью к себе, плакаться в чужую жилетку. — Ты лучше о себе расскажи. Я вчера, когда Шурка меня сюда приволок...

— Кто кого приволок — это еще вопрос, — вставила Наташка.

— В общем, когда мы пришли и я увидел здесь тебя, так просто обалдел. Тебя-то каким ветром сюда занесло?

— Долго рассказывать. А с другой стороны, куда спешить, суббота на дворе, — философически изрекла Наташка и налила себе еще стакан.

— Шурке оставь, — сказал Павел. — Проснется — тоже захочет.

— Захочет — сбегает, — резонно заметила Наташка и, выпив, продолжила: — У меня после окончания все наперекосяк. В картографии тоска, пылища, глаза портятся, зарплата — кошку не прокормишь. Замуж с тоски пошла. Муж сволочь оказался.

— Пил, бил тебя? — спросил Павел.

— Сволочь — и все тут. — Наташка подперла голову рукой. — В общем, с картографии я уволилась, мужу ручкой сделала. И вот живу, как пташка небесная. Не жну, не сею... Все жду чего-то. Подруга одна обещала по торговой части устроить, да не больно торопится... Зацепиться бы за что стоящее...

— А Шурка? Он-то парень стоящий, я знаю.

— Стоящий, да не стойкий. И бедный.

— А тебе обязательно богатого?

— Обязательно. Надоело нищету хлебать. — Она занесла бутылку над стаканом, вылила все до последней капельки и залпом выпила.

Павел с грустью смотрел на нее. Лучшая студентка на курсе, красный диплом, аспирантура не состоялась только из-за отсутствия в том году мест по ее специальности. Русская красавица с косой до пояса. А теперь вот... И косы сменила на космы. Вылитая росомаха. Счастья ждет. Жалко...

Жалко Наташку, которая задремала, положив кудлатую голову на стол. Жалко Шурку, который вот-вот очнется в ужасе нечеловеческом — а здоровье-то поправить нечем, и придется ему, потному, дрожащему, бежать на вокзал или на ближайший «пьяный угол», считая и пересчитывая на ходу рваные рубли в кармане. Если, конечно, к тому времени магазины не откроются.

Себя Павел жалеть отказывался категорически. Надо трезво, спокойно разобраться в ситуации, понять, что с ним происходит и почему, принять решение...

Наташка дремала, положив голову на стол. На плите кипел чайник. Павел пошукал на полках, нашел полбанки закаменелого растворимого кофе и ножом отколол кусочек в кружку. Туда же налил кипятку — а вдруг и вправду растворится? Растворился, и даже дал некий запах. Не совсем кофе, но все-таки...

— Я тоже хочу. — Наташка подняла голову, подперла ее кулаком и пристально смотрела на Павла.

Он протянул ей кружку, себе налил воды из-под крана, сел напротив и вдруг, изумляясь самому себе, начал рассказывать ей всю историю своего брака. Слова лились сами собой, он не сдерживал их и не подгонял, он как будто вообще не участвовал в процессе произнесения слов, а только слушал, слушал вместе с притихшей Наташкой. Закончив событиями прошлого вечера и встречей с Шуркой около вокзала, он замолчал и жадно выпил воду.

— Умный ты, Чернов, а дурак редкостный, — помолчав, сказала Наташка. — Впрочем, откуда вам, мужикам, понять? Я вот хоть и не рожала, по абортам все больше специализировалась, и то понимаю... С бабами в это время такое происходит... Одна подруга моя, Надька такая, так она специально ночью выходила, чтобы никто не видел, как она землю ест. Прямо так, присядет, земли горсточку наскребет и ест. Не могу, говорит, без этого, хоть режь. А другая и вправду резать стала — мужа своего, показалось ей, что от него другой женщиной пахнет. Насилу убежал... И ничего, пережили, трое детей у них теперь, и все здоровенькие. А ты трагедию на пустом месте разводишь — ах, она ребенка моего будущего не любит, ложе мое брачное осквернила! Так не она же на нем трахалась, и будь доволен... Вот что, Чернов, чеши-ка ты отсюда домой, да купи по пути цацку какую-нибудь, елочку — Новый год на носу... Придешь — обними, приласкай, прощения попроси — ей знаешь как тяжело сейчас...

Павел встал и начал надевать пальто, висевшее тут же, на кухне — прихожей у Шурки не было.

— Эй, Чернов, — сказала Наташка. Он обернулся. — Слушай, оставил бы рублика три на опохмелку, а? В другой раз увидимся — отдам.

Он сунул руку в карман, вытащил бумажку, положил на стол. Бумажка оказалась червонцем. Наташка посмотрела на червонец и вдруг обхватила голову руками и зарыдала. Павел, не прощаясь, вышел.

В третий раз ему говорят практически одно и то же. Сначала сама Таня, потом Сутеев, теперь вот Наташка, по-своему... Верь, Чернов, верь, надо верить, что все именно так, как они говорят, что все будет хорошо.

Но что-то не верилось, и ноги не хотели идти в направлении дома.

Он остановился, пересчитал деньги и пошел искать ближайший елочный базар.

Надо верить, Чернов. Надо.

# Глава вторая
## НЕМНОГО О ЗВЕЗДАХ
### (27 июня 1995)

*И ту же песнь, спустя полчаса, Люсьен нашептывал про себя совсем иным тоном, лихорадочно выворачивая на стол содержимое всех ящиков бюро. Пропали! Пропали четыре сотни баксов, которые как раз сегодня нести в «Монолит» — очередной взнос, очередной квадратный метр в грядущей квартире, очередной шажок к свободе! Но каков мальчик! Как его там — Витя, Слава? Вычислил, где лежит, выбрал момент и... И главное, не уличить его, гаденыша, не ужучить. Я скажу — брал, он скажет — не брал... Можно, конечно, попросить Гусикова как-нибудь наехать на засранца. А тот кого попросит наехать на меня? Хватит, играли в такие игры, через это и очутились в гнусной плебейской коммуналке, через это и хлебаем честную бедность, хотя могли бы...*

*Впрочем, может, и не он взял? В последний раз Люсьен открывал бюро назад примерно неделю. А за это времечко кто тут только не перебывал. В основном, конечно, проверенные товарищи, старые боевые кони-кобылы — но кому теперь вообще можно верить? А может, Светка или там Катька ключики подобрали и в его отсутствие... Эх!*

*В «Монолит» ехать теперь было бессмысленно, в «Орфей» тем более — там до восьми делать нечего. А кушать захочется намного раньше. По идее, можно было бы заскочить к мамаше с ее Николашей, но при последней встрече как-то так оно... поднасралось само собой, что теперь не то что денег в долг, а вместо* тарелки супчика будет сплошное ХПЖ — «холодком по жопе». Короче — ситуация, мда-с...

Люсьен рассеянно запихивал в ящик бюро высыпавшиеся оттуда случайные бумажки. Визитные карточки непонятно кого, какие-то квитанции, билеты. Сколько набралось всякого хлама. Надо бы почистить, выкинуть лишнее — но только на свежую голову, не в таких расстроенных чувствах, как сейчас.

## I

Таня бухнула сумки на бетонный пол и нажала кнопку лифта. Никакой реакции. Она нажала еще раз, посильнее. Без толку. Опять лифт сломался. Опять переться с тяжеленными сумками на пятый. И отпыхиваться на каждом этаже. А ведь так хотелось донести такое редкое нынче хорошее настроение до дверей дома!..

За год Таня Ларина сильно изменилась. Похудела, на лбу пролегла вертикальная складка, у краев губ стали намечаться жесткие морщинки. В начале весны она перенесла тяжелую бронхопневмонию, и до сих пор иногда ее мучили приступы кашля, ей тяжело было дышать, поднимаясь по лестнице, а лицо ее сохраняло болезненную бледность. Чудные зеленые глаза утратили блеск и живость, осанка — былую царственность. Даже восхитительные черные локоны будто припорошились пылью... Да, незнакомые по-прежнему смотрели ей вслед, но знакомые при встрече покачивали головами, и в их глазах она читала: «Что-то ты сдала, мать моя!»

Сдала, конечно, и не столько от болезни, сколько от жизни, серой, блеклой, бездарной. Иван проявлял к ней какие-то чувства преимущественно за обеденным столом, причем чувства эти почти не имели прямой зависимости от качества ее стряпни. Когда он был в духе, он нахваливал все подряд, смотрел на нее добрыми любящими глазами, говорил что-нибудь ласковое. Когда же был чем-то расстроен или раздражен, дулся, ругался, жаловался, что пересолено или недожарено. Лопал, правда, все равно до донышка, подчистую. Только когда она заболела, он перепугался, часами просиживал в больнице, таскал вкусненькое, говорил хорошие слова. Но как только ее выписали, все пошло старым обычаем. И хоть спали они по-прежнему в одной кровати, с тем же успехом могли спать и в разных городах. Завел он себе кого-то, что ли? Нет, не похоже, она бы почувствовала.

Теперь, когда не нужно было отсылать денег Лизавете, стали они жить побогаче, купили стиральную машину, ковер на стену и на пол, вазу хрустальную, завели сберкнижку. Только все это выходило без радости. Домашние дела сил много не отнимали, особенно до болезни — необходимый минимум держался как бы сам собой, по усвоенной с детства привычке, а как-то изощряться Тане не хотелось: самой не в радость, а еще кто оценит?

Иван потолстел еще больше, приобрел некую вальяжность, барственность. Но это не столько от изменения габаритов, сколько от того, что нашел он для себя новую дорожку в жизни, почти самостоятельную, почувствовал себя добытчиком, принося домой помимо грошовой зарплаты дополнительные деньги, и на первых порах очень этим фактом гордился. Тане же новое занятие Ивана не нравилось до тошноты, и это отдаляло их друг от друга.

Началось это еще осенью, когда к Ивану, спустившемуся в издательский буфет перекусить кофе с булочкой, подсел невысокий старичок в бордовом бархатном пиджачке, с ярко-желтой «бабочкой» поверх воротничка синей рубашки и с густыми седыми волосами до плеч.

— Вы тут служите? — спросил старичок несколько сурово.

— Да, — с набитым ртом отвечал Иван.

— Я вас не виню, молодой человек! — патетически подняв руку, заявил старичок. — Я понимаю, что вы не властны ничего изменить!

— А в чем дело-то, собственно? — озираясь, спросил Иван.

Ему уже несколько раз приходилось общаться с проникавшими сюда, несмотря на пропускной режим, графоманами, и общение это никакого удовольствия ему не доставило. А старичок явно тянул на графомана, причем застарелого.

— Понимаете, еле-еле добился встречи с вашим Коноваловым, и что же — отказ. После стольких проволочек — опять отказ! И знаете, чем на этот раз мотивировали? Дефицит бумаги! Как всякую ерунду печатать, Сименона какого-нибудь, так на это у них бумаги хватает. А на Пандалевского, видите ли, не хватает! Вот он, ваш паршивый Лениздат!

Иван понятия не имел, кто такой Коновалов — в Лениздате было множество редакций, — зато теперь нисколько не сомневался, что перед ним сидит классический графоман.

— Стихи? — опасливо спросил он. — Или роман?

Старичок горько усмехнулся.

— Какие там стихи? Хотелось бы, конечно, только Бог не дал. С грехом пополам рифмую «райком» и «горком», но дальше этого — увы! А романы писать надо время иметь. У меня же времени в обрез. Я хоть и пенсионер, но человек занятой, очень занятой... М-да, а со стихами, конечно, жаль. Очень бы мне талант стихотворца пригодился...

— Так что же у вас не взяли?

— Не взяли? Мемуары у меня не взяли, вот что не взяли! А там такие факты, такие материалы! Целый пласт советской культуры, никем до меня не поднимавшийся! А они — дефицит бумаги! Это что, в «Искусстве» и вовсе сказали: «Неактуально». Неактуально! Движение культуры в массы, в самую толщу трудового народа, с тридцатых годов по сей день — неактуально!

Иван с тоской посмотрел на дверь, путь к которой преграждал стул со старичком.

— Извините... — начал он. Старичок посмотрел на него, лукаво прищурясь.

— Вы, конечно, решили, что перед вами старый, выживший из ума графоман. Признайтесь, решили?

Иван смущенно кивнул головой.

— А между тем в своей области я, скажу без ложной скромности, величина крупнейшая. И тот досадный факт, что мне приходится ходить по издательствам безвестным просителем, объясняется исключительно тем, что литературный жанр, в котором я несколько десятилетий успешно работаю, почти никогда не удостаивается попасть на книжные страницы.

— Почему? — не понял Иван. — У нас довольно много печатают мемуаров.

— А я говорю вовсе не о мемуарах! — взвизгнул старичок. — Я сценарист массовых культурных мероприятий. Древнейшее, достойнейшее занятие, у истоков которого стояли жрецы Древнего Египта и Эллады! А мемуары — это так, побочный продукт, зов души, стремление оставить свой след в вечности...

— Это какие массовые мероприятия? — спросил Иван. — Елки новогодние?

Старичок усмехнулся неосведомленности юного собеседника.

— Конечно, и елки тоже. Спрос на них большой, но это ведь одна, ну, две недели в году. Одними елками не проживешь. Главная моя специализация — профессиональные праздники и юбилеи. Вот где простор для творчества! А главное — это весьма хлебное дело!

Иван с сомнением посмотрел на старичка. Тот перехватил его взгляд.

— Не верите? Смущает мой богемный вид? Это так, профессиональная униформа. Подобрана на основе многолетнего опыта. Людям, далеким от искусства, приятно видеть, что они имеют дело не с обычным советским служащим, а с настоящим художником. Это облегчает ведение переговоров, хотя и требует известного навыка... И все-таки не верите? Хорошо, смотрите...

Старичок залез в портфель, который держал на коленях, и извлек оттуда потертую папку с замусоленными завязками.

— Вот здесь, — сказал он, с гордостью раскрывая папку, — договора и заказы только на ближайшие два месяца. Сталепрокатный завод, ПТУ номер 17, трест озеленения, ПТУ 128, райпищеторг, завод слоистых пластиков... Есть и частные заказы. Юбилей тестя товарища Казаряна... кто бы это такой, что-то не припомню... Ну, и так далее... Вот, взгляните. Особенно интересна графа «сумма».

Это была действительно интересная графа. За два неполных месяца старичку причиталось под полторы тысячи рублей.

— Нравится? — спросил старичок, убирая папку.

— Да, вообще-то, — признался Иван.

— Одна беда, староват я стал, нет былой прыти, не успеваю. Да и со стихами у меня выходит слабо, я уже говорил. А народ стихов требует, песен. Композитор-то у меня надежный, многолетний проверенный товарищ, а вот с поэтами — проблема. Подряжаю молодежь, а из них кто запьет и подведет, кто начнет такие цены заламывать, что и самому ничего не остается, кто вдруг заартачится и начнет вопить про измену идеалам высокого искусства... Тяжело, тяжело с молодыми!

— Я вообще-то тоже пишу стихи, — смущенно сказал Иван и шепотом уточнил: — Писал.

Старичок всплеснул руками:

— Замечательно! Гениально! Нет, все же не зря я зашел сюда! Я предчувствовал...

Он встал и протянул Ивану руку. Иван, поднявшись, пожал ее.

— Самое время представиться, коллега, — сказал старичок. — Пандалевский Одиссей Авенирович, заслуженный деятель искусств Коми АССР.

— Ларин, — пробормотал Иван. — Иван Павлович.

— Очень, очень рад знакомству, Иван Павлович. При себе что-нибудь есть?

— Что? — не понял Иван.

— Что-нибудь из вашего, естественно. Мне надо посмотреть, вы же понимаете.

— Нет. Ничего нет. Все дома.

— Тогда не будем тратить время. Вам с работы — ни под каким предлогом?

— В принципе можно. Скажу, поехал в библиотеку данные сверять.

— Отлично. Бегите, а я жду вас внизу, на улице. «Волга» малинового цвета.

«Однако! — подумал Иван. — Ничего себе Одиссей!»

Одиссей Авенирович припахал Ивана не по-шуточному. Дав ему для образца несколько типовых сценариев, он потребовал от Ивана уже через три дня поэтического обеспечения или, как он выразился, «опоэчивания» юбилея ПТУ при заводе «Коммунар» и праздника, посвященного отбытию на героическую трассу БАМ очередного контингента перевоспитывающейся молодежи. Эти дни были для Ивана мучительны. Выгнав Таню на кухню, он принялся расхаживать по гостиной — кабинетик был для этих целей явно маловат, — держа в руках странички с фактическим материалом, который нужно было преобразовать в поэтические строки. Поминутно он бросался к столу, набрасывал что-то на разложенных там листочках, снова ходил, шевелил губами, заглядывал в промеморийки, снова кидался к столу, вымарывал уже написанное, вставлял новое, перечитывал, комкал листочек, швырял на пол... Вскоре он уже расхаживал по сплошному ковру скомканной бумаги. Таня позвала его обедать — он так на нее рыкнул, что она ахнула и убежала. К вечеру он сам выбежал на кухню, схватил бутерброд и велел Тане принести в комнату кофе. Царящий там беспорядок изумил ее, но она не решилась предложить прибраться: Иван творил. Дело святое. Даже когда настала ночь и Танины глаза стали слипаться, она не рискнула войти в комнату. Помаявшись минут пятнадцать, она разложила в кабинетике Ивана кресло-кровать и прикорнула там. Только она легла, ворвался Иван и потребовал, чтобы она перешла на кровать, а сам зажег лампу, лихорадочными движениями сложил кресло, чтобы можно было пробраться к столу, уселся и, подперев голову левой рукой, застрочил. Далеко за полночь Таню разбудил стрекот пишущей машинки: Иван набело перепечатывал сочиненное.

После всех треволнений этой ночи Таня проснулась, по своим понятиям, поздно — в половине десятого. Иван куда-то убежал. По субботам в этом семестре занятий не было, и Таня занялась приборкой. Вынесла полное ведро скомканной бумаги, пропылесосила ковер, стерла пыль. Потом зашла прибрать в кабинетик. На столе Ивана стояла расчехленная машинка, лежали исписанные листки. Таня не удержалась, заглянула. Интересно все-таки: что же так интенсивно день и ночь творил муж? Это были стихи, которые перемежались непонятными ремарками типа: «Тут марш. Знамена справа. Далее см. Пандалевский. Танец». Таня пробежалась глазами по стихотворным строчкам и нахмурилась. Она ничего не понимала.

> На трассе БАМ лежит ночная мгла...
> О, стройка века, наше поле боя!
> Мне радостно, легко, судьба моя светла —
> Она навеки связана с тобою.

Дальше шло в том же духе. Это к какому-нибудь капустнику, что ли? Конкурс пародистов? Она вспомнила вчерашнее лицо Ивана и от этой гипотезы отказалась. Чего-чего, а веселья в лице мужа не было. Тогда что?

На другом листке было крупными буквами выведено: «БАЛЛАДА О КАМЕРНОЙ МУЗЫКЕ». Кривые, сбегающие вниз строчки повествовали о беспризорниках, которые сначала стучали на зубах, как в фильме «Республика ШКИД», и пели про свою несчастную долю, а потом появился какой-то большевик и начал вещать про грядущую светлую жизнь. Были там такие строки:

> Революция заботится о детях.
> Кто б ты ни был раньше — жулик, вор,
> Для тебя построим дом наш светлый,
> Выведем на жизненный простор.
> Для начала мы вас сводим в баню,
> Подстрижем и выдадим штаны.
> Все вы — Васи, Пети, Коли, Вани —
> Очень революции нужны.

Потом началась обещанная светлая жизнь в трудовой коммуне.

> Их читать учили, дали книги,
> Чтобы сделать грамотных людей —
> И произошли большие сдвиги
> В темной психологии детей.

От этих «сдвигов в психологии» Таню разобрал неудержимый хохот. Отдышавшись, она дочитала балладу. Кончалась она тем, что чистые, «окультуренные» дети сидят в светлом и прекрасном зале филармонии и, затаив дыхание, слушают концерт камерной музыки. Это, по крайней мере, объясняло название Ванькиного шедевра: от «музыки» на зубах в сырой камере до камерного оркестра в царственном зале. Ловко.

На следующем листочке было что-то про стальных коней, надежных, как верные друзья, и верных друзей, крепких, как стальные кони. Дальше Таня читать не стала и положила листочки на место с каким-то непонятным ей чувством. Ей было не по себе. Она заварила кофе. Лишь выпив две чашки, поняла, что за чувство переполняло ее — это брезгливость и неловкость за Ивана, словно она застала мужа за каким-то постыдным, непристойным занятием. Ей очень хотелось выяснить, во что это он ввязался, но она не хотела первой заводить этот разговор. Неудобно как-то. Захочет — сам расскажет.

Вернулся он в приподнятом настроении, с букетом гвоздик, расцеловал жену, умял три четверти курицы и целую сковородку картошки и, поблескивая довольными, замаслившимися глазами, повлек Таню в комнату, на кровать — исключительное событие, достойное занесения в анналы семейной истории. Ей бы, дуре, лежать да молча радоваться, но радости что-то не было.

— С чего это ты вдруг? — спросила она, когда Иван, слезши с нее и немного отдышавшись, потянулся за «Беломором».

— Это тайна! — весело ответил Иван. — Ничего, скоро узнаешь.

В четверг, спихнув тяжелейший зачет по высшей математике, к которому она готовилась неделю, Таня приползла домой, еле-еле найдя в себе силы переодеться и помыть руки, свалилась в постель и заснула мертвым сном.

Но отоспаться не удалось. Разбудили ее настойчивые толчки. Она открыла глаза и увидела над собой разрумянившегося, возбужденного Ивана в выходном костюме. Он тряс ее за плечо и приговаривал:

— Вставай, вставай, нашла время!

— Да что такое? — спросила она, протирая глаза.

— Увидишь. Давай быстро, умойся, подмажься, оденься понарядней и поехали... Опаздываем!

— Куда?

— Вопросы потом! — крикнул Иван и убежал.

Направляясь в ванную, Таня увидела его через распахнутую дверь кухни. Он шарил в холодильнике и что-то торопливо запихивал в рот.

На лестничной площадке Иван судорожно нажал кнопку лифта. Никакого движения не последовало — лифт не работал. Иван плюнул, выругался, что было для него совсем необычно, подхватил Таню под руку и помчался по лестнице.

До метро они бежали под низким, прыскающим моросью октябрьским небом и домчались под своды «Приморской» совсем мокрые.

— Ничего, внизу обсохнем! — сказал Иван запыхавшейся Тане. Сам он ничуть не устал от пробежки, его подпитывала буквально струившаяся из него нервная энергия.

Ехали они через весь город, до «Ленинского проспекта», потом еще тряслись в набитом автобусе, причем Иван поминутно взглядывал на часы.

— ПТУ «Коммунара» на следующей? — нетерпеливо спросил он вжатую в них бабку.

— На следующей, да, — рассеянно ответила бабка.

— Выходите?

— Я-то... Не, мне через одну...

Иван подхватил Таню, протиснулся мимо бабки, расплющив ее о чью-то спину, бабка заохала, а Иван, не оборачиваясь, продолжал пробиваться к дверям.

— Да выпустим, не дергайся! — сказал ему стоящий впереди мужик, и Иван затих.

Они вырвались из автобуса, и Иван устремился к бетонному зданию со шпилем, возвышавшемуся среди унылых и серых жилых коробок.

— Нам туда! — кричал он, увлекая за собой Таню.

Редкие прохожие смотрели на них удивленно. Иван взбежал по широким бетонным ступеням и толкнул широкую стеклянную дверь. Внутри путь им перегородил металлический барьер, заканчивающийся вертушкой и стеклянной будкой вахтерши.

— Актовый зал там? — крикнул Иван, показывая вперед и напирая животом на неподвижную вертушку.

— А пропуск? — подозрительно спросила толстая, сердитая вахтерша.

— У нас пригласительные... — Иван принялся суетливо рыться по карманам, извлекая множество самых разных бумажек. Наконец он облегченно вздохнул и протянул вахтерше какой-то листочек с красной каемочкой. — Вот. На два лица.

Вахтерша внимательно рассмотрела бумажку и с явным сожалением пробурчала:

— Проходите.

Вертушка в тот же момент подалась, и Иван буквально влетел в коридор, освещенный мертвенным сиянием множества люминесцентных ламп.

— За мной! — скомандовал он Тане и побежал к дверям в торце коридора.

Они оказались в большом, заполненном на три четверти амфитеатре. Впереди, с краешку пустой сцены с краснознаменным задником, возвышалась трибуна, тоже обтянутая красным. С трибуны вещал крупных размеров мужчина, лица которого отсюда было не разглядеть:

— ...и поэтому разрешите, дорогие товарищи, еще раз поздравить всех вас и нас в том числе со славным юбилеем нашего славного училища, прошедшего славный трудовой и боевой путь, и пожелать нынешнему поколению учащихся продолжить славные традиции и с честью нести трудовое знамя нашего славного коллектива...

— Что это? — спросила шепотом Таня.

— Тс-с, — сердито прошипел Иван. — Так и знал, опоздали...

— Сядем? — Таня показала на свободные места в последнем ряду.

— Нам туда, — Иван показал вперед.

Дождавшись конца речи, снискавшей средней силы аплодисменты, они двинулись по проходу вперед, минуя ряды кресел, заполненных явно скучающими подростками в темно-синей форме. Между подростками сидели люди постарше и злобно поглядывали вокруг. Какой-то подросток ловко подставил Ивану ножку, и тот пролетел вперед на два-три шага, но не упал, а только обернулся, недоумевая. Ближайший к нашкодившему пацану взрослый перегнулся к нему через два кресла и что-то прошипел. Подросток явно сник. В спину Тане, приостановившейся понаблюдать за этой сценой, полетел скомканный листок бумаги. Обернуться она не успела: Иван снова схватил ее за руку и потащил к первому ряду, пробиваясь к колоритному старичку в ярко-малиновой куртке, с седыми кудрями до плеч. Старичок заметил их, привстал, замахал, подзывая к себе — рядом с ним было два свободных кресла.

— Вот и мы! — сказал Иван, плюхнувшись в кресло слева от старичка. Таня села рядом.

— Опаздываете, молодые люди, — прошептал старичок, показывая глазами на сцену. На трибуну поднимался следующий оратор. — Ну, ничего, *нас* еще не начали. — Он наклонился к Тане. — Пандалевский Одиссей Авенирович, — представился он и протянул сухонькую руку. Таня взялась за нее, подержала и отпустила.

— Это Таня, моя жена, — прошептал Иван.

— Очень приятно, — шепотом ответил Пандалевский и отвернул голову к сцене, откуда вновь неслись слова о героическом трудовом пути, славных традициях и достойной смене.

Таня послушала-послушала и невольно задремала, опершись об Иваново плечо.

Через неизвестно сколько времени она вдруг ощутила резкий толчок — это Иван дернул плечом. Таня непроснувшимися глазами посмотрела на него. Он сделал ужасное лицо и прошипел:

— Ты что?! Сейчас мой номер!

И, больше не обращая не нее никакого внимания, воззрился на сцену.

А там полукругом стояла группа юнцов в темно-синих форменных костюмах. Среди них выделялась внушительная фигура дядьки с аккордеоном. Один мальчишка, бледный, прыщавый, робко шагнул вперед и дрожащим голосом провозгласил:

— Баллада о камерной музыке. Посвящается славной истории нашего училища.

Он начал декламировать уже знакомые Тане строки. Таня отвернулась и оглядела зал. Часть публики осоловело смотрела на сцену, другие, отвернувшись, шептались о чем-то. Большинство же лиц, повернутых к сцене, выражали скуку, и даже «сдвиги в психологии» нисколько их не расшевелили — не дошло, должно быть.

Декламатор закончил, проглотив два последних слова, и с явным облегчением отступил обратно в полукруг. Тут же дядька с аккордеоном прохрипел: «И р-раз!» — и прошелся по клавишам. Юнцы недружным хором грянули:

— Любовь, комсомол и весна!..

Потом им на смену выскочила другая группа учеников, одетых в ковбойки и синие комбинезоны. У каждого

в руках было по мастерку. В динамиках зашуршала магнитофонная лента, и послышались первые аккорды какой-то бравой мелодии. Ученики растерянно переглянулись, из-за кулис раздался чей-то сдавленный шепот, и
тогда стоящие на сцене принялись подпрыгивать и разма-
хивать мастерками, видимо изображая трудовой энтузи-
азм. Таня подтолкнула Ивана локтем. Он обернулся.

— Это училище строительное, что ли?

— Да вроде нет, — зашептал он в ответ. — Кажется,
готовит токарей, фрезеровщиков, всякое такое.

— Так что же они с мастерками выплясывают?

— А что им, с токарными станками плясать, по-твоему? И вообще, не мешай смотреть...

Иван вновь уставился на сцену. Таня тоже посмотрела
туда, но ничего достойного внимания не увидела. Она порылась в сумочке, нашла там карамельку и положила ее в
рот, чтобы хоть как-то подсластить скуку. Только дососав
карамельку, она поняла, насколько голодна. Утром, перед
зачетом, наспех перехватила бутерброд — и все. Она снова
подтолкнула Ивана.

— Слушай, буфет здесь есть?

— Не знаю. Одиссей Авенирович говорил, что после
торжественной части кормить будут. Голодная?

— Ага. А ты?

— Я тоже. Придется потерпеть.

Терпеть, к счастью пришлось недолго. После «Танца девушки с гранатой», исполненной учащейся из Вьет-
нама, на сцену вышла совершенно неправдоподобных габаритов тетка и без всяких микрофонов гаркнула на
весь зал:

— Торжественная часть закончена. В двадцать тридцать — дискотека. — По залу пронесся радостный гул.
Народ потянулся к выходу. — И чтоб мне там без никаких! Не мусорить, не материться, а если кого пьяным
поймают или с водкой — то вообще!.. — продолжала тетка
в затылки уходящим.

Пандалевский провел Таню с Иваном через боковую
дверь в длинную и узкую комнату с единственным окном
в торце. Там был накрыт неплохой стол для педагогичес-
кого состава. Иван тут же втянулся в разговор с Пандалевским, а Таню принялся обхаживать носатый и не впол-

не трезвый дяденька со странной фамилией Тржескул — подкладывал ей на тарелку салат, огурцы, бутерброды, норовил плеснуть водки, приговаривая: «Угощайтесь, не стесняйтесь, за все заплочено, ха-ха-ха!» От водки Таня отказалась. Тржескул принялся довольно навязчиво настаивать, и выручила Таню директриса, та самая слонопотамная тетка с громовым голосом:

— Вы, Геннадий Вольфович, чем на водочку налегать, лучше сходили бы посмотрели, что там наши подонки учиняют на дискотеке своей поганой.

Засиживаться Таня не стала.

Домой возвращались на такси. Иван гордо шуршал купюрами, пересчитывая гонорар, начал было что-то излагать Тане, но посмотрел на ее лицо и надолго замолчал.

Они не разговаривали неделю. Потом отношения потихоньку наладились, но он уже никогда не брал ее с собой на юбилеи и производственные праздники. И о поэзии они больше не говорили, как в доме повешенного не говорят о веревке.

От тоски и неудовлетворенности Таня с головой ушла в учебу — фрейдисты назвали бы это сублимацией, — и по итогам осеннего семестра и зимней сессии выдвинулась в явные претендентки на красный диплом. Даже в марте, лежа в больнице под капельницей, она коротала время за чтением учебников и конспектов.

Иван же все больше отдавался новому делу. Своей работой в издательстве он манкировал — ровно до той степени, чтобы не нарываться на скандалы. Приходил всегда вовремя, честно уделял редакционной работе часа полтора, а потом занимался уже исключительно очередным заказом Пандалевского. За свою «Трассу БАМ» он получил аж девяносто три рубля, на которые, мучимый непонятными угрызениями, купил Тане добротные зимние сапоги.

Потом настал новогодний бум. В этом году Пандалевский взял один заказ, зато какой! Дворец Пионеров, с почти гарантированным показом по телевидению. В начале ноября Одиссей Авенирович вручил Ивану свою, как он выражался, «наработку» и дал неделю сроку на «опоэтизацию» и общую доводку, поскольку необходимо было еще время на подбор музыки, прохождение худсовета, репетиции.

«Наработка» была душераздирающая. Компания злодеев, состоящая из бабы-яги, волка, американского шпиона и примкнувшего к ним хулигана Коли, затеяла украсть у деда Мороза мешок с подарками, чтобы и самим попользоваться, и лишить детишек законной радости. На стороне добра выступали пионеры Петя и Маша и храбрый зайчик Еврашка, первым узнавший о злодейском заговоре и известивший о нем храбрых пионеров. После нескольких хитрых маневров с обеих сторон добро получает неожиданное, но сильное подкрепление в лице деда Мороза и Снегурочки и, ко всеобщей радости, побеждает.

С елкой у них получился первый в практике Ивана прокол — худсовет их сценарий не принял. Придирок было много — к тексту, к музыке, к самой идее. Особенно много нареканий вызвало имя храброго зайчишки, и не потому, что «еврашка», если верить Далю, — это суслик и, следовательно, зайчиком быть не может никак, а потому что в имени этом усмотрели намек на определенную национальность, выводить которую на новогоднюю сцену, тем более в положительном виде, не рекомендовалось категорически. Авторы получили только предусмотренный договором аванс. Но тертый калач Пандалевский не растерялся, поменял Еврашку на Фунтяшку и продал шедевр в ДК Пищевиков, так что творческий коллектив в лице Одиссея Авенировича, Ивана и композитора Крукса в денежном выражении даже выиграл против ожидаемого. Они немножечко отметили это дело в Доме Журналиста, Иван пришел домой поздно и не вполне трезвый. Таня уже спала и ничего не заметила.

Следующую большую победу — поэтико-музыкальную композицию «Весна по имени Любовь», посвященную дню Восьмого Марта и показанную в предпраздничные дни аж на четырех предприятиях легкой промышленности подряд, — отметили более капитально, из ресторана поехали догуливать к Пандалевскому домой. Иван проснулся в этом богатом доме, завернутый в пушистый коврик. Таня лежала в больнице и ничего не знала, тем более что у Ивана хватило духу отказаться от опохмелки, к вечеру привести себя в пристойный вид и перед самым закрытием отделения примчаться к жене с конфетами и цветами.

Засветился он после Дня Космонавтики — крепко и по полной программе. Он не пришел домой ночевать, и отвыкшая от этого Таня глаз не могла сомкнуть, а с утра кинулась, как бывало, обзванивать знакомых, больницы и морги. Хорошо еще, что крепкий на голову Пандалевский, которому явно надоел загостившийся соавтор, вечером лично привез Ивана домой на такси.

Иван был невменяем. Он взобрался на стул посреди гостиной и начал декламировать с ужасом наблюдавшей за ним Тане:

> Ракета летит, как конь, не подковываясь,
> Сквозь ураганы и метеоритов ненастье,
> Со звездами и с планетами состыковываясь —
> А может быть, в этом и есть наше счастье?..

Дальше Таня слушать не стала, а решительно стащила Ивана со стула, отвела его, брыкающегося, в ванну и насильно влила в глотку три литра чуть розового раствора марганцовки.

Утром все пошло по старой, почти забытой схеме. Иван забегал по треугольнику кухня-туалет-кровать. Выпить чаю, проблеваться — и на Таню. Два захода Таня выдержала, на третий решительно прогнала его, оделась и пошла к техникумовской подруге. Под вечер она вдруг спохватилась, что Иван за это время мог успеть сбегать за бутылкой. Когда она, запыхавшись и надсадно кашляя, вбежала в квартиру, Иван мирно спал.

Уже заполночь у них состоялся крупный разговор. Таня припомнила Ивану все: в каком виде притащил его сюда два года назад Рафалович, как его привезли из колхоза, больницу, сеансы у нарколога. Иван клялся, божился, бухался на колени, плакал. Под конец Таня тоже не удержалась от слез. Так они и заснули, обнявшись, зареванные.

И хотя после этого Иван, в общем и целом, держался, приходил всегда крепко стоя на ногах и лишь немного припахивая коньяком, Таня решила твердо: надо что-то менять. Обстановку, образ жизни... Вкрадчивую мысль, что правильней всего было бы поменять мужа, она с негодованием гнала от себя. Назад пути нет. Но мысль все возвращалась... Нет, на лето надо ехать туда, где она еще могла ощущать себя прежней Таней — живой, энергичной, притягательной. В Хмелицы, к Лизавете. И непременно с Иваном.

Решение придало бодрости и сил. В июне Тане торжественно вручили диплом с отличием и предложили продолжить обучение на подготовительном отделении Инженерно-строительного института. Она согласилась. От вступительных экзаменов ее освободили, и в середине июня она вновь была студенткой.

## II

Таня положила косу на камень, утерла лоб и поправила платок. Солнце стояло уже над головой, значит, пора на дневную дойку. Забежав в дом за подойником, она застала в накуренной горнице Ивана. Он лежал на кровати и со страдальческим видом смотрел в потолок.

— Сходил бы хоть искупался! Чего лежать-то? — на ходу бросила Таня.

— Голова болит...

— Вот бы и проветрился заодно. А то в лес пошел бы — бабы морошку ведрами таскают.

— Там комары... И вообще. Домой хочу.

Они жили в Хмелицах уже две недели. Таня моментально втянулась в деревенскую жизнь, будто и не уезжала никуда. Сенокос, корова, огород, в свободную минутку купание, по субботам — баня. Иван же как приехал, так и залег. Воды принести — и то чуть не палкой гнать приходилось. Про дрова и говорить нечего: раз поколол с полчасика, потом весь день отлеживался. И все жаловался: в доме скучно, на озере слепни заедают, в лесу комарье жрет, от работы спина болит, от молока парного живот пучит, голова раскалывается постоянно. Последнее он объяснял «кислородным отравлением» — дескать, организм к свежему воздуху не привык — и лечился двойной дозой «Беломора». Один раз собрался с духом, вылез на огород грядку прополоть — и выдергал Лизавете половину свеклы и рядок картошки. На сенокос они его и не думали звать — от греха подальше.

Лизавета при нем покамест сдерживалась, только косо смотрела на зятя, но Таня видела, что дается сестре эта сдержанность нелегко и назревает скандал. Тем более что наедине с Таней Лизавета в выражениях не стеснялась:

— Ну и нашла ты себе соколика! Ни мужик, ни баба! Чисто боров!

— Городской он, Лизка, непривычный, — пыталась оправдать мужа Таня.

— Мало у нас летом таких городских-непривычных бывает? И все при деле оказываются. Один дом пристраивает, другой в сарае с утра до ночи скребет, сверлит, пилит — механику какую-то ладит, третий вон на горушке с кисточкой сидит, природу нашу зарисовывает. Четвертого из лесу не вытащить — травы всякие собирает, изучает, старух расспрашивает. И никто про них слова плохого не скажет, все правильно: каждый к своему делу приспособлен. А твой знай лежит да стонет, и то ему не так, и это не эдак! Как старик столетний, честное слово! А на ряху посмотришь — да на нем пахать бы!..

— Погоди, Лизка, отдохнет, пообвыкнет...

— Сколько обвыкаться-то можно? Вон, целый чемодан бумаг с собой приволок, писать, говорил, буду. Так давай пиши, кто ж мешает? А ты скажи мне, он хоть раз тут открыл этот чемодан-то?

Чемоданом Лизка называла большой дипломат, в который Иван перед отъездом сложил рукописи. Тогда он с гордостью сообщил Тане, что решил возобновить работу над одной большой вещью, которую начал еще в студенчестве и над которой припадками работал до знакомства с Пандалевским. Что за вещь — это пока тайна. Вот закончит, подчистит, перепечатает, тогда и даст почитать. Таня тогда ахнет. И не она одна.

Конечно, прихватил он с собой и кое-что от Пандалевского, но так, мелочевку, несрочные заготовочки на осень. Лето в этом смысле сезон мертвый.

Вопреки словам Лизаветы, «чемодан» он все-таки пару раз открывал, перебирал листочки, перечитывал, перекладывал, убирал назад. Не получается. Не было мыслей, вдохновения. Может, не хватает привычного стола, машинки? В город бы, тогда все пойдет.

Он решился в начале третьей недели, когда все здесь обрыдло окончательно.

— Уезжаю, — сказал он Тане за вечерним чаем. — Ты как хочешь, а я завтра же уезжаю.

— Ну и вали! — ответила Таня, которой фокусы мужа надоели сверх всякой меры. — Только готовить себе сам будешь. Я остаюсь.

Ей действительно очень не хотелось в город. Лето выдалось жаркое, сухое. В городе сейчас духота, скука, занятия начнутся только в сентябре. А здесь так хорошо — воздух целебный, леса и луга благодатные... Только теперь Таня поняла, как стосковалась по Хмелицам, по всему родному, с детства привычному. За эти две недели она распрямилась, обрела здоровый румянец, похорошела несказанно. И по мужниным ласкам не томилась совершенно. Здесь она без них хоть весь век проживет! И без него. Нужен он ей очень!

Лизавета промолчала, лишь одобрительно посмотрела на Таню.

— Вы, Иван, утренний-то автобус, наверное, проспите, — вежливо сказала она. — А вот к вечернему подстатитесь в самый раз. Отсюда в полшестого выедете, к семичасовому из Валдая как раз и успеете. И ждать на вокзале не придется.

Проснувшись, как всегда, к полудню и с больной головой, Иван принялся, ворча, собирать вещички. И хоть бы одна сука помогла! Все у них сенокосы, дойки чертовы, нет чтоб мужа родного в дорожку собрать!

За окном послышался шум мотора, стихший где-то возле их калитки. Стукнула дверца, послышались оживленные, радостные голоса и еще какой-то гул, возбужденный и нарастающий. Мимо окна в сторону невидной отсюда машины бежали девчонки, бабы... Кто же это пожаловал, интересно?

Иван кинул брюки, которые держал в руках, на кровать, потянулся и вышел на крыльцо посмотреть.

На дороге у самой калитки их дома стояла новенькая оранжевая «Нива». Возле раскрытой дверцы стояла Таня и, весело улыбаясь, разговаривала с... Батюшки, да это же Ник Захаржевский! Откуда черти принесли? Рядом с Ником стоял невысокий субтильный молодой человек, лицо которого показалось Ивану смутно знакомым. Машину широким полукругом обступила гудевшая толпа, все внимание которой было обращено как раз на этого, второго, невысокого. Где же он его видел?

Тут Ник повернул голову, увидел Ивана, замахал руками.

— Эй, Вано, что стоишь как статуя? Иди помогай дорогим гостям разгружаться!

Иван ссыпался по ступенькам крыльца, как моряк по трапу. Обнялся с Ником, посмотрел на незнакомца.

— Давай познакомлю, коли не узнал! — усмехнулся Ник. — Разрешите, сударь мой, представить вам Огнева Юрия Сергеевича, звезду экрана, моего друга, товарища и духовного брата! — Юрик, — он обернулся к Огневу, — а это тот самый Вано Ларин, будущий Пушкин и Толстой в одном лице, мой друг, товарищ и духовный... кузен!

Огнев протянул Ивану сухую, горячую ладошку, и Иван с трепетом пожал ее.

Юрий Огнев! То-то бабы всполошились — неудивительно. Сам Огнев в Хмелицы пожаловал! Они-то, в отличие от Ивана, все фильмы с Огневым взахлеб смотрели.

Юрий Огнев не так давно начал сниматься в кино, но был уже знаменитостью всесоюзной. Своеобразные внешние данные предопределили его амплуа — герои-романтики, слабые телом, но крепкие духом. Молодые комиссары, революционеры-подпольщики, пламенные вожаки на комсомольских стройках. Массовый зритель запомнил его больше всего по длинному телесериалу «Чтобы не было больно и стыдно...», где он исполнил двойную главную роль — писателя Николая Островского и его прославленного героя, Павла Корчагина. Оригинальный сценарий сомкнул в одно целое реальную биографию писателя с биографией его героя, свел их лицом к лицу и в нескольких особо отмеченных критикой эпизодах даже заставил вести друг с другом диалог, что лишь усилило внутреннюю шизофреничность фильма, созданную и многочисленными режиссерскими «находками», и полубезумной, на грани постоянного нервного срыва, игрой самого Огнева.

Зритель элитарный выделил этого актера в другом его фильме, вышедшем на экраны почти одновременно с телесериалом. Фильм этот назывался «В пяти шагах от Победы» и посвящен был штурму Берлина. Огнев сыграл в нем небольшую, но необычайно яркую роль рейхскомиссара Йозефа Геббельса в последние дни его жизни. То ли потому, что снимались оба фильма практически одновременно, то ли из-за ограниченности творческого арсенала Огнева, эти два героя — Островский-Корчагин и Геббельс — получились у него поразительно схожими.

Соответствующее начальство заметило этот конфузный факт слишком поздно — «В пяти шагах от Победы» уже победно шагал по киноэкранам страны. Фильм срочно сняли с проката, отчего его популярность в кругах интеллигенции резко возросла. Закрытые и полузакрытые просмотры в киноклубах собирали полные залы, и Юрий Огнев попал в число тех актеров, не знать которых считалось дурным тоном. Кинематографическое начальство же сделало из этого казуса свои выводы и с тех пор больше не рисковало, доверяя Огневу играть лишь персонажей сугубо положительных. Помимо комиссаров, Юрий Огнев сыграл поручика Лермонтова в одноименном телеспектакле и Артура-Овода в незавершенном и не вышедшем на экраны телефильме «Овод». Артура Огнев сыграл в своей привычной манере. Те немногие, кто видел фрагменты незаконченного фильма, говорили, что Огнев там больше похож не на героя-революционера, а на маньяка из классического фильма ужасов. Впрочем, «Овод» не увидел свет отнюдь не из-за огневской трактовки образа — просто в процессе работы режиссер-постановщик отъехал в очередную загранпоездку и, как говорится, «выбрал свободу». Имя его было тут же навеки вычеркнуто из списка деятелей отечественной культуры и предано забвению, а многочисленные работы объявлены как бы несуществующими. Огнев же продолжал интенсивно играть комиссаров и подпольщиков.

— Опять застыл, изваяние ты мое! — крикнул Ник Ивану. — Давай, помогай разгружаться.

Тут на дороге показалась Лизавета — видно, кто-то уже рассказал ей, что за важная птица залетела в ее дом. Бабы почтительно расступились, и Лизавета оказалась лицом к лицу с гостями.

— А-а, это, должно быть, хозяюшка, — сказал Ник, сделал полшага в сторону и отвесил Лизавете земной поклон. — Почтенная Лизавета свет-Валентиновна, дозвольте двум молодцам заезжим, Никитке с Егоркою, в тереме вашем светлом передохнуть с дороги дальней...

Лизавета, словно не замечая ерничания Ника, вылупив глаза, смотрела на Огнева. Он не выдержал ее взгляда, опустил глаза, опушенные густыми и длинными ресницами, и тихо, смущенно сказал:

— Да, будьте добры...

Слова эти вывели Лизавету из оцепенения, и она сразу засуетилась:

— Да, да, проходите, проходите, гости дорогие! Устали поди, а вот я сейчас чайку с дороги, молочка!.. Танька, беги чайник ставь, на стол накрой, мечи все, что есть в доме...

— У нас тут с собой кой-чего тоже имеется, — сказал Ник.

Иван уже извлек из «Нивы» яркий клетчатый чемодан, длинную дорожную сумку и большой пакет. Ник проворно захлопнул дверцу «Нивы», закрыл на ключ, ключ положил в карман, подхватил сумку и пакет и направился вслед за Лизаветой с Огневым в дом, куда еще раньше убежала Таня. Ивану ничего не оставалось, как взять тяжеленный чемодан и потащиться за остальными.

В горнице Таня ставила на чистую скатерть ложки, чашки, тарелки. Ник раскрыл пакет и доставал из него свертки явно с чем-то съедобным.

— Вот, рекомендую, буженинка, вполне годная к употреблению. А это охотничьи колбаски и сыр прямо из гастронома «Арбат». Очень рекомендую. Полено сливочное к чаю...

Лизавета таскала из сеней миски с солеными огурчиками, грибами, салом, прошлогодней моченой брусникой.

Юрий Огнев ходил по комнате и с непонятным любопытством разглядывал самые обыденные предметы.

Иван поставил чемодан у дверей и, помаявшись с минутку, вышел в сени помочь Лизавете.

— Идите уж, садитесь с гостями, — сердито сказала она. — Я сама управлюсь.

Иван сел за стол. Там все уже было расставлено. Появилась Лизавета, гордо неся перед собой бутылку водки. Ник как раз в этот момент достал из пакета бутылку и выпрямился со столь же гордым видом. Они посмотрели друг на друга и одновременно рассмеялись. Вместе с ними рассмеялась и Таня.

— «Столичная», — сказала сквозь смех Лизавета. — По случаю, стало быть, знакомства.

— «Охотничья», — сказал Ник. — По тому же, стало быть, случаю.

Оба вновь рассмеялись. Чувствовалось, что отношения между ними налаживаются самые хорошие.

— Танька, стопочки там из буфета давай, — распорядилась Лизавета. — Ну, садитесь, гости дорогие, чем Бог послал!

Юрий Огнев наклонился к Нику и что-то прошептал ему на ухо.

— Лизавета Валентиновна, нам бы руки помыть, — обратился Ник к Лизавете, а потом к Ивану. — А ты, Вано, познакомь Юрочку с местами общего пользования.

Огнев почему-то покраснел. Иван встал из-за стола.

— Пойдемте. Это там, во дворе, из сеней налево.

Когда они вернулись и сели, возле каждого места уже стояла стопочка водки, налитая Ником. Таня, занятая раскладыванием еды по тарелкам, заметила это только сейчас.

— Иван не будет, — сказала она. — Ему нельзя.

— Буду, — упрямо надув губы, сказал он. — Сколько можно?!

— И правда, Танька, — сказала Лизавета, видевшая Ивана только трезвым. — Что-то ты строга больно. Понемножечку всем можно.

— А помножечку и не выйдет, — подмигнув Ивану, сказал Ник. — Что такое две поллитры на пятерых? Да еще под такую закусочку. — Он довольно оглядел стол. — Ну-с, первый тост предлагаю выпить за хозяйку этого гостеприимного дома!

— Да ну что вы... — смущенно сказала Лизавета.

— Нет-нет, дорогая Лизавета Валентиновна, за вас! До дна!

Выпили и закусили. Потом по второй. Таня как-то отвлеклась на гостей и забыла следить за Иваном. А он уже, не в очередь, тихонько наливал себе третью.

— А вы надолго в наши края? — спрашивала Лизавета Ника.

— А это уж как позволите, дорогая Лизавета Валентиновна. Вообще-то у нас неделя свободная есть. Совершаем, так сказать, путешествие из Москвы в Петербург…

— У меня там съемки через неделю, — сказал молчавший доселе Огнев.

— Да, а заодно обкатываем Юрочкино приобретение. — Он показал за окошко, куда на всякий случай отогнал «Ниву». — Ехали себе, ехали, дай, думаем, заедем.

— А адрес-то откуда узнали? — спросил Иван.

— Проще простого, любезный друг Вано. Матушке твоей перед отъездом позвонили, узнать, в городе ли ты. Хотелось, понимаешь, друга детства повидать. Она и сказала, где ты пребываешь.

— Это хорошо, что успели, — сказал Иван. — Я сегодня уезжать хотел. Надоело мне тут до чертиков.

— Но теперь-то, надеюсь, останешься?

— Теперь останусь, — тряхнув головой, заявил Иван. — С вами поеду.

— Тогда вы уж тут всю недельку-то и поживите, — сказала Лизавета. — Места у нас хорошие, вольготные. Порыбачите, по ягодку сходите. Морошки видимо-невидимо. Говорят, уже малина пошла, черника. А там и колосовички вылезут… Только вот в доме у нас непросторно. На печке разве располагайтесь или на веранде. Диван там у меня поставлен, ничего диван, широкий.

— Вот на веранде и устроимся, — сказал Ник.

— Вдвоем?

— Вы же сами говорите — диван широкий. А мы, наоборот, узкие. Так, Юрочка?

— Так, — подтвердил Огнев, глядя в тарелку.

После обеда сытый и чуть пьяный Иван завалился спать. Таня с Лизаветой отправились по хозяйству, а гости, покидав вещи на веранде, пошли обозревать окрестности. За ними на почтительном расстоянии следовал хвост из наиболее любопытных баб и девок. Добрели они до луга, где Лизавета и Таня граблями шевелили скошенное сено.

— Бог в помощь! — крикнул им Ник издалека, а приблизившись, спросил: — Много еще косить осталось?

— Да уж скирдовать только, — ответила Лизавета. — Разве только в сухой болотине за дорогой по второму разу пройтись. Отава там уже высокая поднялась.

— Это как скажете — косить так косить, скирдовать так скирдовать. Разомнемся, товарищ комиссар? — Ник скинул с себя рубаху. — Где стожок будем ставить, хозяйка?

К удивлению сестер и оказавшихся поблизости местных, гости работали ловко, споро. К закату в восемь рук наметали четыре здоровенных стога.

— Вот спасибо-то! — сказала Лизавета. — И где это вы так навострились?

— Просто у меня тело ловкое, переимчивое, — сказал Ник, улыбаясь почему-то Тане. — Раз увижу — и любое движение могу без труда повторить. Вполне мог бы выучиться на Марселя Марсо. А Юрочка — тот вообще из деревенских.

— Деревня Малая Контюховка Саратовской области, — тихим голосом уточнил Огнев.

— Видите, и Малая Контюховка рождает больших артистов. — Ник рассмеялся. — А что, сударыни, не пойти ли нам искупнуться после трудов праведных?

Лизавета замахала руками.

— Да что вы! Мне еще по хозяйству дела делать: корову встречать, варево поросю ставить, курей кормить, ужин готовить... А Танька пусть идет, она молодая.

По пути на озеро они зашли домой за полотенцами и купальными принадлежностями. Иван сидел на крыльце и мрачно смолил «Беломор».

— Сидишь, кисляй? — проходя мимо, спросил Ник. — Пошел бы хоть окунулся. За компанию.

— Голова болит, — сказал Иван. — Похоже, отходняк начинается. Недопил.

— Тем более надо освежиться, — сказал Ник, подумал и заговорщицки подмигнул Ивану. — А отходнячком твоим мы попозже займемся. Под первую звезду.

Иван воодушевился и побежал за плавками.

Ужинали так же славно, как и обедали, только без спиртного. За едой разговорился доселе молчаливый Огнев и рассказал столько интересного про кино, про знаменитых актеров и съемки, что сестры совсем заслушались и даже не замечали, что Иван время от времени встает и отлучается куда-то, по пути подмигнув Нику. После ужина Лизавета отправилась спать, а молодежь пошла на горушку на краю Хмелиц, где раньше стояла церковь, взорванная во время войны. Было прохладно, Таня с Иваном надели свитера, Ник — джинсовую куртку, а Юрий — кожаную. Перед уходом Ник накидал в полиэтиленовый мешок картошки, завернул в бумажку немного соли и положил все это в сумку через плечо.

— Испечем в золе картошечки, вспомним детство пионерское!

Быстро натаскали сучьев на старое кострище, и вскоре, озаряя полнеба, на вершине горки полыхал яркий костер.

— Я в детстве боялась ходить сюда. Подружки пугали, говорили, здесь по ночам бродит призрак старого попа, — сказала Таня сидевшему рядом с ней Нику.

— Чушь, — буркнул Иван, быстро пришедший в обычное свое мрачное настроение.

— Вы, сударь мой, излишне категоричны, — сказал Ник. — Если по Европе бродит призрак коммунизма, то почему здесь не побродить призраку попа?

— Призрак коммунизма — это из другой оперы, — сказал Иван. — Это метафора.

— Эх, Вано, не бывал ты в Европе! Видел бы, как там боятся этой метафоры... Есть, кстати, такая теория, что именно наши страхи и порождают призраки, дают им объективное существование. Небеспочвенная, между прочим, теория.

— Да ну вас! — сказала Таня. — Вы лучше посмотрите, какие звезды!

Звезды действительно были поразительные — огромные, чистые, они сверкающими гроздьями висели в бездонном черном небе. Луна была на ущербе, но и света звезд оказалось достаточно, чтобы высветить силуэты холмов, домиков, деревьев, стелющегося над озером ночного тумана.

— Пойду ноги разомну, — сказал Иван. — Затекли что-то. Ник, ты как?

— Предпочту любоваться звездами, — ответил Ник.

— Я тоже пройдусь, — Огнев встал, и они с Иваном исчезли за кустами.

Подложив в уголья догорающего костра несколько картофелин, Ник обернулся к Тане, которая сидела молча и смотрела в небо.

— Господи, как их много! — сказала она, почувствовав его взгляд. — А там, смотри, между ними как будто паутинки протянуты. И это ведь тоже звезды. Только очень далекие.

— Да и эти неблизкие, — добавил Ник. — Недосягаемые миры. Я в детстве очень жалел, что до них так далеко, что жизни не хватит, чтобы добраться туда, посмотреть на обитателей их планет. А теперь иногда смешно делается: представляю, как я, силой мечты или какой-то там сверхсовременной техники, оказался на каком-нибудь Альдебаране и увидел, как из тамошней альдебаранской хибары вылезает местный житель о трех головах и о пяти хвостах и смотрит на меня, как на нелепую игру природы. Что он скажет мне, что я ему скажу? И своим-то не всегда знаешь что сказать.

— И все равно хочется. Хоть бы краешком глаза взглянуть, как оно там...

— Хочется, — согласился Ник, снял с себя куртку и накинул на плечи Тане.

— Эй, ты что? — удивилась она.

— Прохладно становится, а свитерок у тебя тоненький.

— А ты как же?

— У меня кровь горячая... Как Полярную звезду найти, знаешь?

— Нет.

— Смотри сюда. Ковш Большой Медведицы видишь? Отсчитай четвертую. И от нее вон туда. Та, одинокая, и есть Полярная звезда. Весь звездный купол вращается, меняет положение, а она нет. Всегда указывает на север.

— Какая невзрачная! Мне всегда казалось, что Полярная звезда должна быть яркая, большая...

Послышалось пение, хруст веток, шаги. На полянку выкатились Иван и Огнев. Пел Огнев. У него был мелодичный, но несколько дрожащий высокий тенор. Песня была иностранная, красивая, Тане незнакомая. Иван топал молча, чуть в стороне. Потом, отклонившись от курса, исчез в темноте. Огнев остановился у краснеющих угольев костра, зажмурившись, допел последний куплет и поклонился.

Ник и Таня захлопали в ладоши.

— Нравится? — самодовольно спросил Огнев.

— Очень, — призналась Таня.

— Это «Джованеза», любимая песня итальянских фашистов.

Таня промолчала.

— У них много прекрасных песен, — сказал Огнев. — Я их собираю. И другую их символику тоже.

— Юрочка, в другой раз расскажешь, давай лучше картошечки, — предложил Ник.

— Дуче Муссолини был великий человек! — крикнул Огнев. — Величайший лидер двадцатого века, непонятый при жизни и оболганный после мученической смерти!

Только тут Таня поняла, что известный артист в стельку пьян. А Иван, что же тогда Иван? Таня встревожилась не на шутку и пошла разыскивать мужа. Он оказался совсем недалеко — стоял, согнувшись, обнимая толстый ствол дерева, и смачно травил прямо на свои спортивные тапочки.

Ей захотелось подойти, врезать ему хорошенько, а потом схватить за грудки и отволочь домой. Потом расхотелось. Эта волшебная летняя ночь, осиянная вечным светом звезд, — и черная, скрюченная, содрогающаяся, издающая утробные звуки фигура. Обитатель Солнечной системы. Представитель человечества. Ее муж. Сволочь поганая.

Таня отвернулась и поднялась на полянку, где снова горел костер. Огнев угомонился и тупо жевал печеную картошку, пачкая лицо золой. Ник стоял рядом и ловко жонглировал тремя картофелинами. Ему хватало света костра и звезд.

— Одновременно тренировка и охлаждение продукта, — пояснил он, не прекращая своего занятия. — Нашла благоверного?

— Нашла. Зря ты снова костер запалил. Домой пора.

— Ничего, это сухой ельник, сучья. Мигом прогорит. Сядь пока, поешь картошечки.

Он кинул ей картофелину, остальные поймал в ладонь и сел рядом с Таней, пододвинув развернутый пакетик с солью.

— Не жжется? — спросил он.

— Нет, — ответила Таня, разламывая картофелину. — И пропеклась отлично, в самый раз.

Пока доели картошку, костер прогорел. Таня поднялась.

— Пошли. Поздно уже.

— Так поздно, что даже рано, — неожиданно изрек Огнев и тоже поднялся, почти не пошатываясь. — Пошли, красавица.

— Стойте, — сказал Ник. — А где Вано?

— А там! — Таня махнула в сторону кустов. — Закуску показывает. Проблюется — сам придет, дорогу знает.

— Танечка, может, не стоит так-то уж? — Ник без улыбки заглянул ей в глаза.

— А как стоит, как?! Ох-х, надоело все! — Она бросилась вниз с горушки, споткнулась о кочку, упала. Ник кинулся вслед за ней, наклонился, подал руку. Она подняла лицо. В темноте было не видно слез.

— Извини, — сказала она, опираясь на руку Ника. — Я сорвалась. Пойдем, возьмем Ивана. Поможешь его довести.

— Сама-то не ушиблась?

— Вроде нет.

Домой они двигались следующим порядком: Таня и Ник шли в шеренгу. Иван болтался между ними, волоча ноги. Одна его рука покоилась на плече Тани, другая — на плече Ника. Шествие замыкал Огнев, который то и дело спотыкался и шепотом матерился.

Сестры, вставшие, как всегда, на рассвете, пили чай перед началом трудового дня. За перегородкой храпел Иван. В горницу на цыпочках прошел Огнев и остановился в двух шагах от стола.

— Юра, садитесь с нами, — предложила Таня.

Огнев остался стоять.

— Таня, — тихо произнес он. — Я пришел сказать, что мне неловко и стыдно за мое вчерашнее поведение.

Мне уже здорово досталось от Никиты. Я сам ничего не помню, но он сказал, что я пытался петь, говорил какие-то недостойные речи, кричал...

— Пели вы очень хорошо, — сказала Таня, — а вот речи были действительно того...

Огнев смущенно опустил глаза.

— Да вы садитесь, садитесь.

Он скромно присел на краешек стула, принял протянутую ему чашку чая, взял сушку.

— Я вот думаю на озеро сходить, освежиться, — допив чай, сказал он. — Составите компанию?

— Лизавете на работу надо, к цыплятам своим, а я, если хотите, попозже подойду. Задам только скотине корму...

Часа через полтора, вернувшись с озера, они еще с крыльца услышали в доме шум, возню, вскрики. Обменявшись недоуменными взглядами, они вбежали в горницу и увидели дикую сцену: Никита и Иван катались по полу, вцепившись друг в друга. Свободной рукой Ник с короткого размаха молотил Ивана по ребрам. Тот орал. На столе лежал раскрытый Иванов дипломат. Рядом валялись разбросанные листки бумаги.

Таня, не задумываясь, кинулась к дерущимся. Огнев застыл у дверей.

— Вы что, белены объелись! — кричала она, схватив и того, и другого за волосы и стараясь растащить их. — Ну-ка прекратите сейчас же!

Они продолжали тузить друг друга.

— Ах так! — крикнула Таня и с размаху ударила ногой в живот сначала Ника, потом Ивана.

Оба отвалились в разные стороны и сидели на полу, держась за животы, хватая воздух и ошалело глядя на Таню. Тут, запоздало прореагировав, к Ивану подлетел Огнев и занес руку для удара. Таня с такой силой перехватила его руку, что он не удержался на ногах и повалился прямо на Никиту.

— Так и убить можно... — простонал Иван.

— Да, сударыня, с вами шутки плохи, — сказал Ник, с трудом выбираясь из-под Огнева.

— Ну-ка объясните, что тут происходит! — потребовала Таня.

— Он первый начал! — капризно заявил Иван, не вставая.

— Фигушки! — потирая живот, Ник поднял лежащий стул и уселся. — Я сижу здесь спокойно, читаю, и вдруг этот псих без всякого предупреждения кидается на меня и начинает метелить, как боксерскую грушу...

— Читал он! — завопил Иван. — Ты, жопа, расскажи, что именно ты читал!

Он вскочил с пола и рванулся было к Нику, но, перехватив решительный взгляд Тани, остановился и встал, тяжело дыша и уничтожая Ника глазами.

— Тебе, любезный, еще повезло, что я не успел принять боевую стойку, — сказал Ник уже намного спокойнее. — Иначе твоим родственникам пришлось бы гробик заказывать... Он напал на меня, сидячего, сзади. А в честном поединке от него осталось бы мокрое место, — пояснил он Тане и Огневу.

— Не тебе бы о честности говорить, пидор сраный! — заорал Иван.

Глаза Ника потемнели.

— За пидора получишь, — пообещал он и, с видимым усилием овладев собой, продолжил: — Короче, просыпаюсь я в полном одиночестве, совершаю утренний туалет и захожу сюда в соображении чего пожрать и выпить кофеечку. Ну, пожрать я нахожу на столе, а вот кофейку не вижу. Не знаю, водится он у вас в хозяйстве или нет, зато отчетливо помню, что в моей сумке завалялась баночка бразильского. Все бы хорошо, да вот незадача — начисто не помню, куда запрятали мою сумку. Начинаю розыски, открываю шкаф, который у вас в сенях. И вот она, моя сумочка, на нижней полке. А рядом с ней — этот самый Ванечкин дипломат, улыбается мне зазывно, будто говорит: «Открой меня, родной!» Ну, я не удержался и вместе с баночкой вожделенного кофе прихватываю его с собой, устраиваюсь поудобнее, пью кофеек, закусываю, потом раскрываю это самое кожгалантерейное изделие, — Ник показал на дипломат, — развязываю папочки и погружаюсь в чтение. Оно настолько меня захватило, что я не замечаю коварных шагов сзади, и...

— Но это же непорядочно, — возмущенно сказала Таня. — Все равно, что читать чужие письма.

Иван с благодарностью посмотрел на нее.

— Непорядочно перебивать старших! — сказал Ник с такой суровой ноткой в голосе, что все опешили. — Ну-ка, садитесь. Будем говорить серьезно.

Перемена тона была столь неожиданна, что никому и в голову не пришло возражать. Все сели. Иван достал «беломорину», нервно закурил.

— Итак, вы пребываете в убеждении, что я заехал сюда просто так — пообщаться со старым приятелем, возобновить знакомство с его очаровательной женой, — эти слова Ник произнес без малейшей иронии, — отдохнуть на лоне природы? Да, все это так, но нас привело сюда еще и дело, дело нешуточное, которое касается в первую очередь тебя, дурака. — Он показал на Ивана. Тот заинтересованно слушал и пропустил «дурака» мимо ушей. — Твое увлечение изящной словесностью известно мне с младых ногтей, а вчерашние наши разговоры лишь подкрепили мое убеждение, что влечение это не угасло. Вчера ты, по трезвости и по пьяни, много чего порассказал мне о своих творческих успехах по части халтуры совместно со старичком Ахиллесом...

— Одиссеем, — тихо поправил Иван.

— Да хоть с Хароном! Все это, конечно, похвально, но неужели ты и сам не видишь, что это дорога под откос, в никуда?

Таня не удержалась и энергично кивнула — Ник попал в самую точку. Иван хмуро молчал.

— Также ты поведал мне о некоем грандиозном и действительно имеющем отношение к литературе прожекте, которым ты сейчас занимаешься. Зная тебя достаточно хорошо, я не сомневался, что добровольно ты не покажешь ни строчки.

— Не покажу, — подтвердил Иван.

— Это и обусловило мой сегодняшний волюнтаристский поступок со всеми вытекающими последствиями. — Он потер живот и болезненно сморщился.

— Но зачем? — спросил Иван. — Зачем тебе это надо было?

— Надо, — твердо ответил Ник. — Надо было посмотреть, на что ты сейчас способен, дозрел ли до того предложения, которое я полномочен тебе сделать...

— Какого еще предложения? — подозрительно спросил Иван. Таня смотрела на Ника с любопытством. Огнев разглядывал ногти на руке.

— Так вот, как тебе, скорее всего, неизвестно, на студии «Ленфильм», где я в данный момент подвизаюсь, весьма интенсивно и оперативно взялись за экранизацию последних опусов всеми уважаемого Федора Михайловича...

— Достоевского? — взвизгнул Иван.

— Наоборот, Золотарева, — усмехнувшись, ответил Ник. — Федора Михайловича Золотарева, лауреата и, кажется, депутата.

Переглянувшись с Таней, Иван пожал плечами. Он такого автора не знал.

— Конечно, мы с вами таких не читаем, — правильно истолковав его жест, продолжил Ник. — Равно как и не смотрим большинство фильмов с участием — Юрочка, не обижайся — прославленного артиста Огнева. Но, в отличие от нас, народные массы любят и ждут этих книг и этих фильмов. Вы пробовали спросить в книжном магазине романы Золотарева? Попробуйте — это будет поучительно... Так вот, альянс товарища Золотарева и нашей краснознаменной студии длится не первый год. Без горюшка отшлепано четыре фильма: «За народное дело»... Юрочка, напомни дальше...

— «Огненные версты», «Красный шлях», «Это было под Витебском», — четко отбарабанил Огнев.

— Сложилась устойчивая связка: писатель Федор Золотарев — сценарист Володя Трухановский — режиссер Эдик Терпсихорян — композитор Савелий Бутьмак — исполнитель главных ролей Юрий Огнев...

— В «Огненных верстах» Исаченко. У меня роль второго плана, — уточнил Огнев.

— Но на пятом фильме, который надо уже в октябре запускать в производство, наметился сбой. Вовчик Трухановский, между нами говоря, большой бабник и моветон, в одной из своих московских гастролей подцепил и трахнул немножко не ту телку — прошу прощения за язык, но другие слова не столь точно передадут суть происшедшего. Чиновный не то папа, не то муж поднял большую бучу, и теперь Вовчик, хотя и откупился от самых неприятных последствий, надолго стал персоной нон грата. Он воспринял эту историю очень близко к сердцу, ушел в дикий запой и финишировал на Пряжке. Сценарий, который должен уже лежать на столе директора студии, отсутствует. Сейчас все заинтересованные лица в отпусках, пузо греют, а в сентябре непременно хватятся — но будет уже поздно. Начальство в трансе, рвет и мечет гусиную икру — и тут являемся мы и в последний момент героически спасаем ситуацию. На блюдечке с голубой каемочкой подносится сценарий...

— Погоди, — сказал Иван. — А сценарий-то мы откуда возьмем?

— От верблюда, — ответил Ник. — А хочешь того верблюда лицезреть — посмотри в зеркало.

— Это ты в смысле, что я...

— А кто же? Лизавета Валентиновна?

— Но я же никогда... Мне не справиться.

— Не комплексуй, дорогой Вано. Не случайно же я, аки тать в нощи, злодейски вскрыл твой портфельчик и полюбопытствовал насчет его содержимого. И то, с чем я успел ознакомиться, убедило меня, что тебе создать нужный сценарий — как два пальца... облизать. Знаете, что кропает этот буйный скромник?

— Не смей! — крикнул Иван, но тут же, оглядев лица присутствующих, махнул рукой. — Да ладно, теперь уже все равно...

— Так вот, у него задумана грандиозная эпопея в стиле политико-сатирической фантастики или, может быть, фантастико-политического боевика... черт знает, как это назвать. Там у него герой, Веденяпин по фамилии, специалист по Индии, вдруг попадает на какие-то очень непонятные военные сборы, где его с утра до ночи на самом серьезном уровне натаскивают по радиоделу, стрельбе, марш-броскам по пересеченной местности и зоологии крупных млекопитающих. И лишь когда курс обучения пройден, является важный военный чин и объясняет Веденяпину, что по заданию партии и правительства он, то есть Веденяпин, направляется в Индию с секретной миссией. На самом верху приняли решение создать специальные подразделения сверхтяжелой кавалерии с использованием боевых слонов. Так вот, под видом ученого-этнографа Веденяпин обязан произвести закупку первой партии этих самых слонов и доставку их к назначенному месту. Не исключено, что об этой строго секретной операции каким-то образом пронюхало ЦРУ и будет чинить всякие препоны и провокации... Дальше мне прочитать не удалось, поскольку я подвергся нападению местного слона, — он показал на Ивана. — Ну как?

— Здорово! — радостно выпалила Таня. — Что ж ты, Ванька, молчал? Это тебе не «сдвиги в психологии».

— Да, — задумчиво произнес Огнев. — Круто заворочено. Фильм бы получился что надо. Как называется? «Особое задание»?

Иван недоуменно посмотрел на Огнева.

— «Поступь слона». А при чем здесь «Особое задание»?

— Во-первых, по теме подходит, а во-вторых, именно так и называется творение нашего Федора Михайловича, подлежащее экранизации, — ответил Ник.

— И ты предлагаешь, что ли, вместо этого подсунуть моих «Слонов»?

— Я до такой степени похож на идиота? Сунься мы с таким сценарием, так по шапке получим — мало не покажется... Конечно, это бы немного переработать, заменить Россию на Америку, Веденяпина на Джонсона или О'Рейли какого-нибудь. В общем, высмеять и обличить козни империализма... Пристроить твоих «Слонов» вполне реально. Но для начала придется тебе покорпеть над золотаревским шедевром. Имей в виду, через шесть дней готовый сценарий должен попасть пред светлы очи дорогого Федора Михайловича.

— Шесть дней! — Иван схватился за голову. — Да вы что, с ума посходили!

— Ничего, попаришься, — безжалостно заявил Ник. — Тебе полезно. От безделья совсем изнылся. А второго такого шанса у тебя может и не быть.

Из недр огневской «Нивы», как по мановению волшебной палочки, явились и роман Ф. М. Золотарева, и сценарии Трухановского для образца, и портативная пишущая машинка «Трэвел-Люкс» югославского производства, и бумага «верже», плотная и непривычно скользкая...

Иван преобразился до неузнаваемости — видимо, Ник, знавший его с детства, подобрал нужный ключик. Сразу же после разговора он удалился на заднее крыльцо с книгой Золотарева и пачкой «Беломора» и весь день читал, что-то чиркая карандашиком на полях и закладывая отдельные страницы обрывками газеты. На другой день он, хоть и с ворчанием, ровно в девять уселся за вычищенный и поставленный в его закуток столик из-под Лизаветиных лаков-красок, извлек чистый лист бумаги и начертал на нем:

«„ОСОБОЕ ЗАДАНИЕ". Киносценарий. План:»

Ниже он в столбик написал имена главных и второстепенных героев, возле каждого имени набросал общие характеристики: типаж, возраст, линию поведения, основные сцены. На обед его пришлось звать трижды, а после ужина он пренебрег «личным временем», предоставленным ему Ником, и отправился работать дальше.

Проснувшись поутру, Лизавета с Таней с удивленным удовлетворением услышали из его закутка стук машинки. К завтраку он выйти отказался, и Таня принесла на его столик кофе и тарелку с бутербродами. Он даже не поднял на нее глаз, продолжая выстукивать первые страницы сценария и периодически сверяясь с раскрытой возле машинки книгой. Таня вышла на цыпочках.

Сенокосная страда кончилась, и у нее появилось время не только сбегать на озеро, но и походить по лесам, пособирать ягоду. Ник с Огневым присоединились к ней, найдя во дворе старые, но вполне годные корзинки.

Ягоду, будь то морошка на болоте или малина на просеке, она брала играючи, с песнями, не уставая ничуть и только время от времени отмахиваясь от особо надоедливых комаров. Набрав полный кузовок, она ставила его в приметное место и начинала собирать в корзинку Ника или Огнева, которые за ней угнаться и не порывались. В лесу она была дома, в своей стихии. Это сказывалось и в ее движениях — неспешных, но ловких и спорых, — в походке, в особой насыщенности голоса. А пела она непрестанно — и по пути на ягодник, и на болоте, и вышагивая по песчаному проселку назад в деревню. Мужчины не могли угнаться за ней и на дороге. То и дело слышались их возгласы: «Танюша, постой!» Тогда она останавливалась, оборачивалась и поджидала их, щуря зеленые глаза.

— Видал? — догоняя ее, сказал Ник. — Дриада, лесная нимфа. Голос, пластика, лицо...

— Не знаю, — с некоторым раздражением отвечал Огнев. — Не в моем вкусе. Слишком много этого... не знаю, как сказать.

— Откуда тебе? — с легкой насмешкой заметил Ник. — Насчет же твоих вкусов все давно известно. А «это», которого у нее, по-твоему, слишком много, называется сексуальностью. И в нашей Танечке она особенно хороша тем, что совершенно неосознана. И это отличает сие чудное создание от секс-бомб и бомбочек нашего мира... Знаешь, Юрочка, мне кажется, что мы ехали за одним зайцем, а можем поймать сразу двух.

— Ты это о чем? — кисло осведомился Огнев.

— Послушай меня, родное сердце. Ты ж профессионал. Постарайся взглянуть на нее не глазами отдельно взятой биологической особи, коей ты являешься в настоящий момент, а глазами того самого среднего зрителя, на которого мы, в конечном счете, и должны работать. Посмотрел? Убедительно?

— Может, и так, — нехотя согласился Огнев. — Но еще работать и работать.

— Ничего, мы люди бывалые... Кстати, нулевой цикл беру на себя.

— Эй, мужики, что еле плететесь? Стемнеет скоро! — крикнула с пригорка Таня.

— Идем, идем!

За день до намеченного отъезда Иван вышел в горницу, где Таня с Лизаветой накрывали к ужину, а Ник с Огневым сидели просто так, и гордо плюхнул перед Ником стопку напечатанных листков.

— Вот, — сказал он, протирая покрасневшие глаза.

— Ну-ка, ну-ка... — Ник аккуратно отложил стопку в сторону, взял верхний листочек, принялся читать.

— Никита, ужин стынет, — напомнила через несколько минут Лизавета.

— Ничего, ничего, я сейчас, — рассеянно ответил Ник, не отрываясь от бумаг.

— Лизавета, — с укоризной сказал Иван. — Вы же видите...

— Да, Лизка, ты его лучше не отвлекай сейчас, — подхватила Таня.

Лизавета кивнула и замолчала.

Через полчаса Ник отложил сценарий и с жадностью накинулся на холодную картошку с салом. Иван смотрел на него ужасным взглядом.

— Ну, ну как?! — пролаял он, прожигая взглядом дыру в голове Ника.

— Дай прожевать-то, — сказал Ник и шумно хрустнул малосольным огурчиком.

— Вы попейте пока. — Лизавета налила Ивану кружку молока. Он выдул ее одним махом и вновь воззрился на Ника.

Тот покончил с огурцом, налил себе чаю, хлебнул и, выждав драматическую паузу, сказал:

— Ванька, ты гений.

— Что, правда хорошо?! — Иван так резко подался головой вперед, что опрокинул вазу с печеньем.

— Отлично. Вовчику такое и не снилось… Только есть одна ошибочка, небольшая, но принципиальная. На титульном листе. Запомни, во всех этих фильмах главный сценарист — Золотарев Федор Михайлович. Даже если его участие в сценарии ограничивается одной-двумя закорючками. Таково правило игры, иначе она просто не состоится… Иди, впечатай Золотарева и можешь потихоньку собирать манатки. Завтра хотелось бы выехать пораньше… Лизавета Валентиновна?

— Да, милый?

— У меня в городе дел дня на два-три. Можно, я потом еще заеду, примерно на недельку. Очень уж у вас мне понравилось…

Посмотреть на отъезд знаменитого гостя с товарищами собралась добрая половина Хмелиц. Девчонки побойчее, раздобыв где-то фотографии Юрия Огнева, обступили его и требовали автограф. Он стоял смущенный и, опустив глаза с длинными ресницами, безропотно писал: «Дорогой…. на добрую память от Юрия Огнева». Тем временем Ник с Иваном загружали машину. Положив на заднее сиденье последний пакет — собранный Лизаветой гостинец на дорожку, — Ник уселся за руль и нетерпеливо погудел. Огнев вздрогнул, затравленно огляделся и, вжав голову в плечи, направился к машине. Иван уже сидел на заднем сиденье, рядом с пакетом со снедью, прижимая к груди заветный дипломат, где теперь, в довершение к тому, с чем он сюда приехал, покоились три экземпляра «Особого задания» в отдельной новенькой папке. Он так нервничал, что даже толком не попрощался с женой, не расцеловал ее.

Из открытого водительского окошка выглянул улыбающийся Ник.

— До скорой встречи, сестрицы! — крикнул он, помахал рукой и повернул ключ зажигания. Заурчал мотор, и оранжевая «Нива» плавно тронулась с места.

## III

К полудню обстановка на площадке стала явственно удручающей. Режиссер Терпсихорян, исчерпавший за последний час весь огромный запас русских, грузинских и армянских ругательств, которыми он, с помощью мегафона и без него, щедро посыпал всех вместе и каждого в отдельности, включая съемочную группу, актеров, массовку, студийное начальство, железнодорожников, ближайших родственников всех вышеперечисленных, погоду и все вообще, сидел, отвернув лицо от людей, и с видом приговоренного к смертной казни поедал принесенные ему бутерброды. Вокруг продолжалась лихорадочная деятельность. Ник Захаржевский, размахивая руками, что-то доказывал краснолицему дядьке в железнодорожной форме, который, в свою очередь, махал перед глазами Захаржевского бумагой с печатью и орал:

— А кто отвечать будет? Папа римский отвечать будет?!

Операторская группа под зычные команды главного перетаскивала с места на место свое громоздкое оборудование, сгоняя путавшуюся под ногами массовку. Публика из числа пассажиров прибывших или отбывающих электричек плотно сгрудилась за барьерами, комментируя каждое движение внутри огороженного пространства, включавшего платформу и кусочек пути со старинным паровозом и двумя обшарпанными вагонами. В окошке одного из вагонов показался Юрий Огнев, мгновенно узнанный двумя девицами из публики, которые тут же перескочили через барьер и помчались к вагону. Огнев поспешно спрятался, а шустрых девиц принялись отлавливать помрежи, такелажники и соскучившийся без дела пожарный. Девицы визжали, зрители радостно вопили и улюлюкали. Кое-кто из публики вступал в разговоры с томящимися от безделья участниками массовки, норовя потрогать бутафорскую винтовку или хотя бы ветхий рукав шинели или бушлата. Городские жители конца семидесятых — казалось бы, что для себя интересного могли найти они в зрелище самых банальных киносъемок? Ан поди ж ты! Манила, должно быть, другая, волшебная жизнь, там, за барьерами, на освещенном клочке пространства. Глазели, открыв рты, деловитые домохозяйки из пригородов, поставив на асфальт тяжелые сумки, набитые колбасой и прочей снедью, переминались с ноги на ногу мужики-работяги, безнадежно опаздывающие с обеденного перерыва в свои цеха. Даже группа солдатиков, теряя драгоценные минуты увольнения, упорно и сосредоточенно смотрела *туда*, на арендованный прошлым кусочек перрона, хотя в данную минуту там ничего не происходило.

Чуть в стороне от сутолоки, прижавшись спиной к вагону, стояла Таня Ларина в красной косынке на голове и в обшарпанной кожаной куртке, побывавшей за свой долгий век на плечах сотен кинокомсомолок и комиссарш. Она послушно поворачивала заплаканное лицо, и маленькая гримерша платочком стирала с него безнадежно испорченный слезами грим и кисточкой накладывала новый.

— Соберись, деточка! — шептала гримерша. — Все устали. Все голодные.

— Знаю. Простите меня, — виновато шептала в ответ Таня.

Именно она послужила причиной и нынешней паузы, и двухчасового отставания от сегодняшнего графика съемок.

Когда Никита, вернувшись в Хмелицы, принялся методично и красноречиво *соблазнять* ее попробовать себя в кино, она поначалу приняла его слова за издевательскую шутку и даже обиделась. Какая из нее киноактриса? Но Никита был серьезен, настойчив, ласков. Он приводил такие убедительные примеры из истории кинематографа, так красочно расписывал увлекательный, блистательный и полный тайн мир кино, что Таня не выдержала, поддалась... Не за горами сентябрь, думала она, а там опять занудные лекции (только летом Таня поняла, до чего ей надоела учеба), потом дом — а дома Иван с кислой мордой жрать просит... Нет, надо в жизни что-то менять. А если надо, то почему не *так*? Таня согласилась попробоваться и теперь кляла себя за это последними словами.

Потом Никита уехал. Таня с Лизаветой насолили огурцов, парниковых помидоров, грибочков, наварили варений, закатали компотов и маринадов, убрали морковку, кабачки, часть картошки. За всеми этими делами Таня почти не вспоминала о разговорах с Никитой, о данном ему обещании. Но пришла пора возвращаться в Ленинград. Лизавета сговорилась с ехавшим налегке дачником, и тот за четвертной согласился помочь — довезти до города и Таню, и огромное количество банок и мешков со всякой всячиной. Дома все пошло своим чередом — учеба, хозяйство, разве что Ивана она стала видеть значительно реже. Он теперь пропадал на даче у Золотарева, работая над новым сценарием. Возвращался усталый, иногда рассеянный, иногда злой как черт, но вечно голодный и капризный.

Мечта о новой, яркой жизни вспыхнула с удвоенной силой. Но эта самая новая жизнь стучаться в двери не спешила. Миновала половина сентября. Таня нервничала, бранила Никиту: набрехал и забыл.

Но Никита не забыл ничего. Сценарий, одобренный и подписанный Золотаревым, лег на стол директора студии в самый подходящий момент: когда паника по поводу его отсутствия стала приближаться к апогею и уже готовилась делегация в Комарово, к маститому, но оказавшемуся несколько безответственным писателю. Никите это принесло несколько ценных баллов, его назначили руководителем административной группы, по существу правой рукой Эдика Терпсихоряна и левой — директора картины, товарища

Багрова, человека партийно-кабинетного склада. Сценарий ускоренным порядком провели через худсовет и одобрили в нем все, включая и наличие второго сценариста, Ларина Ивана Павловича.

В конце сентября товарищ Золотарев приехал с дачи. Но это не означало, что Иван стал чаще появляться дома. Теперь он пропадал на квартире Федора Михайловича. В просторном кабинете писателя ему даже поставили небольшой собственный столик и раскладушку. Золотарев работал над очередным шедевром, который пока носил условное название «По лезвию штыка», и, видимо, задумав создавать сценарий одновременно с романом, днем гонял Ивана по библиотекам и архивам, а по вечерам заслушивал его отчеты о проделанной работе. Из Лениздата Иван уволился. Там пробовали было возникнуть на тему, что Иван не доработал положенный молодому специалисту срок, но Золотарев уладил ситуацию одним звонком директору издательства, старинному своему приятелю. Трудовая книжка Ивана перекочевала в Литфонд. Теперь он числился «личным секретарем члена СП СССР и РСФСР Золотарева Ф. М.».

Вскоре после этих перемен, никак, впрочем, не отразившихся на Тане, в дверь ее квартиры раздался звонок. Времени было одиннадцатый час, и Таня, не сомневаясь, что это Иван, открыла дверь и, не глядя, сказала:

— Раздевайся, мой руки. Мясо в латке, каша в подушках.

— Очень кстати, — раздался знакомый насмешливый голос. — Ты всех гостей так встречаешь?

На пороге стоял ухмыляющийся Никита с кожаной папочкой в руках. Таня смутилась. Она была в переднике, тренировочных брюках, растрепанная. А на нем была моднейшая кожаная куртка, новенькие джинсы «левайс» и высокие замшевые ботинки стиля «плейбой».

— Заходи, — сказала она. — Посиди на кухне, я быстренько переоденусь.

— Пустое. Во всех ты, душечка, нарядах хороша. — Он наклонился и по-братски чмокнул ее в щеку. — Лучше ужином накорми.

Она улыбнулась, уже оправившись от неожиданности.

— Ты к Ивану или просто поужинать? — улыбнувшись, спросила она.

— К тебе, царица души моей. К тебе и только к тебе... На что нам двоим какой-то Иван?

— Все шутишь?

— Какие тут шутки. Ведь не для него я принес вот это. — Он потряс в воздухе папкой. — Он-то это видел, слышал, нюхал, осязал и кушал вдоль и поперек... Пойдем?

Они пошли на кухню, и Никита выложил содержимое папки на чистый стол. Таня, ставившая на стол тарелки, заглянула через его плечо.

— Так я тоже видела Ванькин сценарий, — сказала Таня. — Нюхала и кушала.

— Осведомлен, — кивнул Никита. — Только теперь я призываю тебя прочесть оное произведение другими глазами.

— Это какими же?

— Глазами непосредственной участницы творческого процесса.

У Тани дрогнуло сердце. Стараясь сохранить невозмутимый вид, она сказала требовательно:

— Ты не темни давай. А то с твоими подходцами всю душу вымотаешь.

— Короче, по предварительному согласованию с режиссером картины Терпсихоряном Эдгаром Арамовичем я уполномочен предложить вам, сударыня, роль... Роль — это, конечно, сильно сказано. Ролька, на грани эпизода, но надо же с чего-то начинать.

— И кто же я там буду? — спросила Таня, хорошо знавшая «Особое задание».

— Ты там будешь Лида.

— Что-то не припомню я никакой Лиды.

— Да как же? Комиссарша, председатель партячейки в ЧК, влюбленная в Илью Тарасова...

— Да она ж там и появляется только пару раз...

— А ты сразу хотела главную роль? Кстати, в этом сугубо мужском произведении нет ни одной крупной женской роли. Знаешь ли ты, что отсюда следует?

— Что?

— Что даже самая мелкая роль становится крупной. Диалектика.

— Не понимаю. Ну ладно, давай сценарий.

Пока он сидел, ел, читал с ней на пару эпизоды с ее участием, поправлял интонации, отрабатывал жесты, чтобы назавтра она предстала перед режиссером в лучшем виде, она еще храбрилась. Но когда он, уже заполночь, удалился, назначив ей свидание в двенадцать ноль-ноль у входа на «Ленфильм», она еще раз перечитала свои сцены — всего их было две — и расплакалась. Ничего у нее не получится. Ну ничегошеньки... Люди вон сколько лет учатся этому делу, институты специальные заканчивают, а она, можно сказать, с улицы пришла и хочет в киноактрисы попасть. Не бывает так.

Но роль свою, состоящую всего из шести реплик, она выучила на совесть, не спала всю ночь, утром кое-как привела себя в порядок, напилась кофе и как шальная помчалась на метро. Время она, конечно, рассчитала неправильно, оказалась в назначенном месте на сорок минут раньше положенного и слонялась по вестибюлю между входом и вахтой, читая приказы по студии и объявления месткома, поминутно поглядывая то на большие электронные часы над бюро пропусков, то на собственные, наручные, и не знала, куда себя девать. Увидев проходящего через вахту Никиту, она кинулась ему навстречу. Он хмуро посмотрел на нее.

— Ты что так рано?.. Впрочем, все равно, я тебя раньше двух Терпсихоряну показать не смогу, да и сам освобожусь вряд ли. Ты пойди пока, погуляй. Мороженого скушай.

Таня медленно пошла по Кировскому, убежденная, что никогда больше не переступит порога студии. Топтание в вестибюле и весьма нелюбезное поведение Никиты начисто отбили у нее всякую охоту сниматься в кино. Почему-то ей показалось, что ничего более унизительного ей в жизни не доводилось испытывать.

Тем не менее смотрины успешно состоялись. Таня ожидала, что попадет в зал, набитый другими соискательницами, под прожектора, под суровые очи многочисленной комиссии, но Никита длинными извилистыми коридорами потащил ее на третий этаж и втолкнул в неприметную дверь, на которой красовалась картонная табличка: «Э. Терпсихорян, режиссер». Он предстал перед Таней в полный, не слишком внушительный рост. Таня отметила кожаный пиджак, в точности такой же, как у Никиты, — униформа у них такая, что ли? — рыжие усы, крупный нос, очки в пол-лица.

— И что надо? — недружелюбно спросил Терпсихорян. — А-а, это ты мне привел эту... как ее там... Лиду, что ли?

— Да, — сказал Никита. — Знакомься: Татьяна Ларина.

— Ну ты даешь! — сказал Терпсихорян. — Одно имя чего стоит! И где ты их берешь, таких? Да еще с именами. — Он повернул лицо к Тане и буркнул: — Терпсихорян, режиссер... Ну, давайте, показывайте.

— Ты сценарий-то возьми, — сказал режиссеру Никита, а Тане напомнил: — А ты не робей. Я подыграю. Сначала за товарища Зариня, потом за Илью.

Таня набрала в легкие побольше воздуху и выпалила:

— Товарищ Заринь, это что же получается, а? Уже полгода вы держите меня на канцелярской работе. Не для того я подала заявление в ЧК, чтобы протоколы разные писать. Я контру бить пришла. Прошу включить меня в группу Тарасова...

— Товарищ Лидия, — сурово прервал ее Никита-Заринь. — Мы с тобой не первый год знакомы. Видел я тебя и на баррикадах в марте семнадцатого...

— Стоп-стоп! — заорал вдруг Терпсихорян. — Утверждаю. Эпизод!

— Третья категория, — возразил Никита. — У нее еще проход с Тарасовым на фоне Зимнего и сцена на вокзале.

— Черт с тобой! — крикнул Терпсихорян. — В кадрах карточку оформишь... Завтра в десять у меня, понятно?!

— А пробы? — спросил Никита.

— Какие, к черту, пробы? Перебьются. Мы что, «Анну Каренину» снимаем?.. Ну, что встали, валите, мне еще с Невмержицким ругаться... Карточку не забудь, — напомнил режиссер, выталкивая их за дверь.

— Что, ничего не получилось? — шепотом спросила Таня в коридоре.

Никита удивленно посмотрел на нее.

— Почему не получилось? Очень даже получилось. Лучше, чем мы рассчитывали. Будешь сниматься... Фотография при себе есть?

— Нет. Ты же не предупредил?

— Ну ничего, что-нибудь организуем...

Он постучал в обитую железом дверь.

— Какого щорса?! — крикнул раздраженный голос.

— Васенька, надо бы тут одну мордашку щелкнуть...

Через час Таня держала в руках голубоватый прямоугольник с собственной фотографией и номером, как на паспорте. Это был корешок ее учетной карточки, одновременно являвшийся пропуском на студию. На прямоугольнике было четким почерком написано: «Ларина Татьяна Валентиновна. Актриса».

— Приготовились! — вдруг рявкнул в мегафон Терпсихорян. — Массовка налево, камеры справа! Огнев, Ларина, по местам!

Актриса Татьяна Ларина отошла от стенки вагона, сдерживая слезы, чтобы не испортить свежий грим, и встала на назначенное место, чуть впереди группы статистов в матросских бушлатах, шинелях и красных косынках. Из вагона нехотя спустился Огнев и с хмурым сосредоточенным лицом встал рядом с Таней.

— Мотор! — заорал Терпсихорян. Перед камерой мгновенно материализовалась крупная дама с полосатой хлопушкой.

— Особое задание. Кадр семнадцать, дубль пять.

Массовка зашевелилась. Яркие прожектора осветили пятачок, где стояли Огнев и Таня. Лицо Огнева преобразилось — в знаменитых глазах зажегся фанатический огонь, мелкие черты лица сделались чеканными.

— Огнев пошел! — крикнул Терпсихорян.

— Прощай, товарищ Лидия! — проникновенно произнес Огнев. — Как знать, свидимся ли еще?

— Ларина пошла! — гаркнул режиссер. — Пошевеливайся.

Свет упал на ее лицо. На этот раз она выдержала, не сморгнула, не сорвала дубль в самом начале, и, вдохновленная этим успехом, решительно проговорила:

— Прощай, товарищ Илья! Мы, вся наша ячейка, верим, что ты достойно исполнишь свой революционный долг! — И, после отрепетированной паузы, прибавила другим, лирическим тоном: — Только, пожалуйста, возвращайся живой! Прошу тебя.

Огнев показал ей и камере мужественный профиль.

— Поезд пошел, поезд!!! — истошно завопил Терпсихорян.

Паровоз, стоявший на парах, издал громкий гудок, выпустил густую струю из трубы и тронулся.

— Массовка пошла!

Красноармейцы, революционные матросы и их боевые подруги двинулись вслед набиравшему ход поезду.

— Огнев пошел!

Огнев, не оборачиваясь больше, подбежал к поезду и ловко впрыгнул на подножку.

— Камера на Ларину!

Кто-то из статистов запутался в длинных полах шинели, упал, на него рухнули комсомолка и два матроса...

— Перерыв пятнадцать минут! — крикнул Терпсихорян в мегафон и, сойдя со своего возвышения, начал что-то говорить бородатому помрежу.

Массовка расслабилась, разминая ноги. Кое-кто закурил. Толстощекий красноармеец достал из кармана бублик и вцепился в него зубами. Два революционных матроса, давно уже с вожделением поглядывавших за барьер, перемигнулись и быстро рванули с площадки к киоску наперегонки.

— Вы, идите сюда, — сказал бородатый помреж хрупкой и невысокой девушке в перепоясанном пулеметной лентой бушлате и яловых сапогах до колена. — Разувайтесь!

— Это еще зачем? — попыталась возмутиться девушка.

— Поменяетесь обувью с актрисой, — сказал помреж, показывая на Таню. — Вы представляете рядовые революционные массы, а она по сценарию как-никак сотрудник ЧК, и нечего ей щеголять в опорках...

— Раньше думать надо было... — ворчала девушка, все же стягивая с себя сапог.

— А вы надевайте! — приказал помреж Тане.

Быстренько освободив ногу от галоши в портянке, Таня попыталась всунуть ногу в сапог.

— Не лезет, — пожаловалась она помрежу.

— Не лезет — так влезет, — отрезал он. — Табуретку сюда!

Кто-то принес табуретку. Усадив Таню, помреж принялся натягивать на нее сапог. Лицо его покраснело от натуги, но сапог он все же натянул. Таня сморщилась от боли.

Шестой дубль она отыграла на таком надрыве, в крупном плане, завершающем кадр, дала такую неподдельную душевную муку, что режиссер остался ею весьма доволен.

— Снято! — торжествующе проревел он. — Все свободны до завтра, до девяти ноль-ноль... Ах да, всем спасибо!

— И тебе спасибо, фашист проклятый! — пробормотала Таня, привалившись к стенке вагона. Ноги не держали ее. Она не могла дойти даже до табуретки, так что табуретку Никите пришлось поднести. Сапоги снимали втроем — Никита, бородатый помреж и пожарный. Таня, откинув голову назад, стонала от нестерпимой боли. Босиком она кое-как доползла до вагона, где была оборудована походная грим-уборная, стерла грим, переоделась и, чертыхаясь, поковыляла на стоянку такси — мысль о том, что придется трястись в переполненном метро и, скорее всего, *стоять*, приводила ее в ужас.

Добравшись до дому и полежав немного, Таня заставила себя встать, доковыляла до ванной, налила в тазик теплой воды, опустила туда измученные ноги. Потом она смазала их кремом и снова легла. Лежать бы так и лежать, денька два... О том, чтобы встать, тем более засунуть ноги в туфли или сапоги, не хотелось и думать.

Однако пришлось. Примчался Ник, ураганом ворвался в комнату и выпалил:

— Подъем, красавица, вставай!

— И не подумаю, — ответила Таня. — Мало вы меня сегодня терзали, сволочи! И сапоги эти гадские — твоя идея, не сомневаюсь...

— А как же! — с гордостью сказал Никита. — Искусство требует жертв! Больно было, зато увидишь себя на экране — закачаешься. Через тернии к звездам!

— Нужны мне твои тернии!

— А звезды?.. Ладно, одевайся. Такси ждет.

— Куда еще? До завтра ведь отдыхать разрешили...

— Увидишь.

Таня покорно вздохнула и встала.

— Особо марафет не наводи — на месте займемся. Я на кухне подожду.

Таня одевалась и слышала, как Ник беседует с Иваном. Голос Ивана звучал противно: хнычущий, капризный. Он за что-то выговаривал Нику, тот насмешливо, слегка презрительно отбрехивался.

Иван с ними не попрощался.

— Куда же мы все-таки едем? — спросила Таня уже в такси.

— Ко мне, — ответил Никита. — Есть у меня одна идея. Если получится — считай, что мы с тобой вытянули счастливый билетик.

— А до завтра подождать не мог со своей идеей?

— Не мог. Это надо делать быстро.

У Никиты Таня была впервые. Дверь им открыла удивительно красивая женщина, на вид лет на пять-семь старше Никиты.

— Адочка, здравствуй, — сказал Никита, целуя женщину в щеку. — Это Таня, я тебе рассказывал, будущая звезда экрана и, кстати, супруга нашего Ванечки Ларина.

— Здравствуйте, Татьяна Ларина, — сказала приветливо женщина. — Ада Сергеевна. Все зовут меня просто Адой.

Это, наверное, старшая сестра Никиты. Сходство есть, правда небольшое. Хотя нет, у него вроде только младшая, которая замужем за Павлом. Да и Никита не Сергеевич, а Всеволодович...

— Кто это? — спросила она, когда они вошли в комнату Никиты.

— Моя мама, — ответил он.

Таня была потрясена и не сразу заметила, что Никита протягивает ей полиэтиленовый пакет.

— Переодевайся, — сказал он. — Потом я приду, наведем последние штришки, и за работу...

— За какую работу? — спросила она, но он уже закрыл за собой дверь.

Таня присела на диван и вынула из пакета платье — длинное старинное платье из черного бархата с газовыми вставками и лифом, отделанным стеклярусом. Таня встала и, держа платье на вытянутых руках, принялась любоваться им. Какая интересная, эффектная штука! Она подошла к зеркальному шкафу, приложила платье к себе, посмотрела. Из зеркала на нее глядела молодая дама начала века — изысканная, таинственная. Таня бережно положила платье на диван и принялась торопливо стаскивать пуловер...

Удивительно, но платье меняло в ней все — походку, осанку, жесты. Она остановилась у зеркала, повелительно повела рукой, потом изобразила, будто томно обмахивается веером, попробовала придать лицу выражение легкой иронии, снисходительного презрения, высокомерия... Не выдержала и рассмеялась.

— Графиня Приблудова! — Она подмигнула своему смеющемуся отражению. — Фрейлина двора, особа, приближенная...

К ее отражению бесшумно прибавилось второе — улыбающееся тонкими губами худое, аристократическое лицо Никиты.

— Гениально! — сказал он. — Теперь присядь-ка сюда.

Он отвел ее от шкафа и усадил на пуфик, стоящий возле высокого старинного трюмо. Из ящичков трюмо он стал доставать флакончики, коробочки, кисточки.

— Это что? — спросила недоуменно Таня.

— Будем достраивать образ, — сказал Никита. — Для начала чуть-чуть вазелину... — Его проворные пальцы побежали по ее щекам.

— Так ты и в гриме разбираешься? — спросила Таня.

— Не болтай, а то в рот попадет... Я во многом разбираюсь и многое умею, будучи личностью многогранной и наделенной множеством талантов. Если ты до сих пор в этом не убедилась, скоро убедишься окончательно.

— Слушай, — сказала Таня, подождав, когда он с ее щек перешел к глазам, — а почему ты оказался на студии? Мне, помнится, Иван рассказывал, ты учился в Москве на дипломата, потом работал за границей?..

— Интриги... — неожиданно мрачно сказал Никита и замолчал, сосредоточенно работая. Притихла и Таня. Видимо, вопрос ее оказался бестактным.

— Готово, — через несколько долгих минут прежним веселым голосом сказал он. — Взгляните на себя, фрейлина двора... Хотя нет, еще одна деталька...

Он отошел от нее, залез в шкаф, вытащил оттуда что-то черное, подошел и, примерившись, надел ей на голову.

Таня посмотрела в зеркало. Эффект преображения был полным. Черная круглая шляпка с вуалькой убрала последнее, что связывало облик Тани с современностью, — ее короткую, модную стрижку.

— Что ж, ваше сиятельство, входите в образ...

— В какой образ?

— В тот, в каком вы сейчас являетесь моим восхищенным очам. Характер, склонности, привычки, образ жизни, факты биографии и прочее, по-моему, определяются такой внешностью стопроцентно... Заодно вот это поучи.

Он подал ей листочек с каким-то текстом.

— Что это?

— Романс один старинный. Очень соответствует образу.

— Зачем все это?

— Надо. Увидишь. Пока не выучишь — из комнаты ни ногой.

Он снова вышел. Таня принялась расхаживать по комнате, глядя в листочек.

### ПРОЩАЛЬНАЯ ПЕСНЯ

Жила я дочкой милою
В родительском дому,
А нынче все постыло мне,
Не знаю почему.
То полымем, то холодом
В очах стоит туман.
Мелькнул в окошке золотом
Расшитый доломан.

Ах, конь твой серый в яблоках —
Копытом на крыльцо.
Как нежно очи храбрые
Глядят в мое лицо,
И пьют уста невинные
Отравное питье...
Ах, воротник малиновый,
Ах, на груди шитье!

Жила я, цветик аленький,
Теперь не знаю сна —
До света в тесной спаленке
Лампада зажжена.
Ты лестницею длинною
Как смеркнет, приходи.
Ах, воротник малиновый,
Ах, раны на груди!

Сжимаю крестик маленький
В пылающей горсти —
Прощай, отец и маменька,
Мой суженый, прости!
Сегодня вас покину я
На горькое житье...
Ах, воротник малиновый,
Ах, на груди шитье!*

Она никогда не слышала этого романса. Наверное, старинный. Интересно, что такое доломан?

Вошел Никита с чашкой кофе и, прихлебывая, посмотрел на нее.

— Тебе не предлагаю — помаду смажешь. Выучила?

— Не совсем.

— Ничего. В процессе доучишь. Времени мало. Прошу сюда.

Он подошел к стоящему возле трюмо пианино, сел на круглую табуретку, откинул крышку.

— Ноты читаешь?

— Нет, — призналась Таня.

— Ладно. Слушай.

Он пробежался пальцами по клавиатуре, взял несколько аккордов и запел, уверенно подыгрывая себе.

---

* Текст О. Флоренской.

— Жила я дочкой милою...

Голос у него был несильный, но правильный и с приятной хрипотцой. В начале второго куплета он поднял голову и посмотрел на нее.

— Ну что ж ты? Для кого стараюсь? Подпевай давай.

Они начали репетировать.

— Так, — наконец сказал Никита и поглядел на часы. — Перерыв пятнадцать минут. Повтори про себя, пройдись еще несколько раз...

— Поесть бы...

— Ладно. По бутербродику можно. Только кусай аккуратнее. Смажешь грим — придушу.

На кухне он еще раз посмотрел на часы.

— Ждем кого-нибудь? — с удовольствием дожевав бутерброд, спросила Таня.

— Прекрасного принца. Ровно в девять пробьют часы и...

Он хлопнул себя по лбу и вскочил.

— Сиди здесь. Я сейчас.

Через минуту он вернулся с черными лаковыми туфлями на высоком каблуке. Таню передернуло.

— Обувайся, — коротко сказал он.

— Опять? — Она чуть не заплакала.

— Ничего. Эти должны быть впору.

Таня вытащила свои многострадальные ноги из мягких тапочек, в которые она радостно переобулась, как только вошла, и надела черные туфли. Они не жали.

Ровно в девять в дверь позвонили. Никита, крикнув: «Я открою», сорвался с места. Вскоре из прихожей донесся знакомый голос:

— Кто-то, помнится, на «Вардзию» зазывал, а?!

— Будет, будет обязательно. И еще кое-что будет. На закуску.

Проводив гостя в комнату, Никита выскочил на кухню, достал из буфета темную бутылку с золотой бляшкой на горлышке, три ажурные стопочки, серебряный поднос. Все это он вложил в руки опешившей Тане.

— Неси в мою комнату. Гордо, не спеша, с достоинством. Притворись, что гостя не узнала.

Они прошли по коридору. Никита распахнул перед нею дверь и провозгласил:

— Ее высочество графиня Беломорско-Балтийская!

В комнате, листая журнал, сидел Терпсихорян. Увидев Таню, он вскочил, отбросив журнал, и застыл, глазея на нее самым неприличным образом.

Таня вежливо поклонилась ему, поставила поднос с коньяком на стол и низким грудным голосом произнесла:

— Милости просим.

Терпсихорян очнулся.

— Ах да, да, спасибо вам большое... Да... — Он обернулся к Никите. — Что ж ты не предупредил, что у тебя тут такое общество... Это кто? Твоя сестра, наверное. Ходят слухи, что она у тебя красавица, но такого не ожидал, нет. — Он поцеловал кончики пальцев и помахал ими в сторону Тани.

— Ты давай, чтоб ноги от потрясения не подкашивались, сядь да выпей. Извини, что грузинский. Не обидел твои патриотические чувства?

Терпсихорян гордо выпятил грудь.

— Я тбилисский армянин! Грузия — моя вторая родина. А «Вардзию» обожают все, кто хоть раз ее попробовал, независимо от национальности.

Он поднял налитую Никитой стопочку, встал и провозгласил:

— Пью за процветание этого дома, за вашу семью, где водятся такие красавицы, как твоя сестра! — Он повел стопочкой в сторону Тани и залпом осушил.

— Спасибо, конечно, Эдик, за душевный тост, только эта красавица, к счастью, не моя сестра.

Терпсихорян погладил ладонью усы и сквозь пальцы прошептал Никите:

— Тогда одолжи поиграть...

— В порядке очереди, — пробормотал Никита, сохраняя неподвижность губ.

— Вы случайно к кино отношения не имеете? — любезно осведомился Терпсихорян.

— Случайно имею, — сказала Таня, надувшись от разбиравшего ее смеха.

Режиссер внимательно посмотрел на нее.

— Точно видел. В каком фильме?..

— Эдик, дорогой, разреши выпить за тебя и твой яркий талант! — произнес Никита, поднимая стопку. — Только на сей раз пьют все.

Таня пригубила густую темно-золотую жидкость, которая чуть-чуть, даже приятно обожгла язык. Ей случалось пару раз пробовать коньяк, но это было нечто особенное — без резкого запаха, мягкий, обволакивающий, нежный, как шерсть ангорского кота. Она заметила, что Никита тоже смакует коньяк, перекатывая по языку, тогда как Терпсихорян опять выпил залпом и блаженно вздохнул.

— Ах, какой коньячок! Даже закусывать не хочется, вкус сбивать.

— А ты и не сбивай. Мы тебя сейчас по-другому порадуем... Сударыня, прошу к роялю.

Он сам пошел впереди нее и сел за пианино. Таня встала рядом. Благодушный Терпсихорян откинулся на диване, заложил руки за голову и лицом показал, что настроился на восприятие высокого искусства.

Никита первыми аккордами обозначил тональность, и Таня запела. В это мгновение для нее как бы перестала существовать и комната с сидящим на диване режиссером, и даже Никита за пианино. Осталась только мелодия, которая зажила самостоятельной жизнью, и эта жизнь сливалась в одно целое с жизнью самой Тани.

Романс закончился. Таня и Никита, не сговариваясь, посмотрели на Терпсихоряна. Тот молча глядел на них, вытаращив и без того достаточно выпуклые глаза.

— Вах! — наконец сказал он.

— И что бы это значило? — поинтересовался Никита.

— Считайте, что это я упал со стула... Надо же, какую классную динаму прокрутили мне, а? Чья идея — твоя или ее? Конечно, твоя?

— Естественно, — с видом ложной скромности сказал Никита.

— И вас, Ларина, поздравляю! Утром, когда вы мне чуть съемку не сорвали, вы казались мне куда менее талантливой актрисой. Признаю, признаю, что был не прав... Слушай, а ведь это действительно мысль!

Таня недоуменно посмотрела на режиссера, на Никиту. Тот, кажется, понимал, о чем идет речь.

— Конечно, съемки только начались, с Лариной у тебя отснят только один эпизод, Шпет мы еще не снимали...

— И не будем, ты хочешь сказать? Неприятностей не оберешься...

— Почему не будем? Просто махнем роли, сделаем рокировочку.

— Ох-х! — Терпсихорян схватился за голову и стал раскачиваться. — Ну змей ты, Никитка, ну змей! Мамой клянусь!.. Теперь весь график к черту, четыре эпизода переснимать, Анечку уламывать, Багрова уламывать... А вы, — обратился он к Тане, — завтра можете не приходить. Учите роль, репетируйте. Но послезавтра чтобы как штык!

— Понятно, — сказала Таня, хотя не поняла ничего.

Режиссер откланялся.

Никита проводил его, пошептавшись о чем-то в прихожей, потом налил себе и Тане по стопочке коньяку и, не садясь, сказал:

— За успех предприятия! Стоя и до дна!

Таня послушно выпила, вновь млея от мягкого тепла, растекающегося по телу.

— Но все-таки объясни. За успех какого предприятия мы пили? Что вообще происходит?

— А происходит, глупышка моя, то, что отныне ты можешь забыть роль краснознаменной товарищихи... товарища Лидии и ускоренно репетировать роль мадемуазель Сокольской, белогвардейской контры.

— Ох! — помолчав, сказала Таня. — Боязно... А что такое доломан?

— А чтоб я знал... Что-то вроде гусарской шинели, кажется.


## IV

К величайшему своему изумлению Таня, пропустившая три четверти занятий из-за съемок, сдала зимнюю сессию без проблем и даже сохранила стипендию. То ли экзаменаторы были снисходительны, то ли помогла подготовка, полученная в техникуме. А может быть, случилось так потому, что с середины ноября, закончив съемки, поднажала, привела в порядок институтские дела и дом, успевший изрядно зарасти грязью. Кто знает?

Наступили каникулы. Поначалу Таня наслаждалась бездельем, вставала поздно, целыми днями смотрела телевизор, перечитала «Войну и мир», запивая чтение сладким кофе с печеньями или вафельным тортом, внушая себе, что счастлива. Но ее хватило дня на три. На четвертый она вспомнила, что у нее есть муж, которого она не видела с самого Нового года — Золотарев в темпе заканчивал «По лезвию штыка», и Иван, загруженный работой по уши, не вылезал из квартиры патрона. И еще она вспомнила каторжные, но, в сущности, такие счастливые дни съемок... Надо же, прошло всего два месяца, а она почти забыла, что все это было в ее жизни — гримерная, костюмы, камеры, прожектора, окрики Терпсихоряна, озвучивание в темном тон-ателье, воротник малиновый... Таня вынула из сумочки картонный ленфильмовский прямоугольник и с тоской вгляделась в свою фотографию. «Татьяна Ларина. Актриса». Была, да вся вышла. И Никита пропал куда-то. Обои, что ли, переклеить, потолок побелить, пока время есть? Нет, зимой долго сохнуть будет, квартира выстудится... А сейчас она возьмет пемоксоль и отдраит кафель, ванну, унитаз. Давно пора.

Таня включила проигрыватель, поставила заграничную пластинку с песнями Челентано — подарок Никиты — и, надев передник, принялась за дело.

Бум-бум-бум.

Кто-то ломился в дверь, стучал сильно и, по всей вероятности, ногами. А звонок на что, спрашивается? Ванька, наверное, приперся, сейчас жрать требовать начнет. А в доме только банка кофе да три печенины. Или две? Отвыкла уже мужа кормить — за постоянным отсутствием такового.

«Не открою! — решила Таня. — Пусть в столовку идет».

Бум-бум-бум.

«Господи, какая же я дура! У меня тут музыка орет во всю ивановскую, а я не открываю — дескать, дома меня нет».

Она обтерла руки о передник и побежала к дверям.

На площадке стоял Никита в шикарной дубленке и волчьей шапке. В руках он держал коробку с тортом, букет гвоздик и бутылку шампанского.

— Здорово, мать, — сказал он, чмокнув ее в щеку. — Звоню — не отворяют. Стучу — не отворяют. Все каблуки отстучал. Если бы не божественный Адриано, решил бы, что никого дома нет, и отчалил бы несолоно хлебавши. Так что пришлось бы тебе в одиночку добираться.

— Куда это добираться? — недоуменно спросила Таня.

— Так ты, что ли, намекаешь, что приглашения не получала? Мы же всем выслали, по списку, вовремя.

— Господи, да я неделю ящик почтовый не открывала. Иван ничего на этот год не выписал, а меня в институте заставили на какую-то «Комсомольскую жизнь» подписаться. Читать нельзя, а для сортира жестковато.

Никита усмехнулся, потом оглядел Таню с головы до ног.

— Да, видно, и вправду не получала. Что, и Вано не сказал?

— Да он дома и не бывает почти.

— Понятно... Постирушка или приборочка?

— Приборочка... Ты пока раздевайся, проходи. И не забудь рассказать, куда это мне явиться надо.

— Так, в одно место. Дом Кино называется. Ты, часом, не забыла, что есть такое искусство, важнейшее для нас, как сказал Ильич?

— Потихоньку начинаю забывать... Сейчас, потише сделаю.

Она забежала в комнату, и Челентано умолк.

— Так вот, — продолжил Никита, — имею счастье сообщить тебе, что некая фильма, «Особое задание» рекомая, благополучно смонтирована и готова предстать пред светлы очи взыскательной публики. Сегодня смотрины. Званы все, кто к оной фильме касательство имел, с одной стороны, и наиболее заслуженные представители общественности — с другой. Так что, будь любезна, сворачивай свою хозяйственную деятельность, причепурься. Потом для тонуса по бокальчику вмажем и отправимся с Богом. Карета ждет, труба зовет.

— Ой! — сказала Таня и побежала отмываться.

— Вот-вот, — отозвался Никита, прошел, не снимая ботинок, в гостиную, поставил торт и шампанское на стол, достал из серванта вазу, водрузил ее в центре стола, приспособил в неё гвоздики, снова залез в сервант, отыскал там фужеры, плоское блюдо под торт и два маленьких блюдца из того же сервиза, расставил все это на столе, посмотрел, чуть-чуть передвинул одно из блюдец и развалился в кресле, любуясь композицией.

— Эй, будешь мимо проходить, прихвати с кухни ножик и две ложечки! — крикнул он.

В дверях показалась Танина голова, обернутая махровым полотенцем.

— Ты что-то сказал? — спросила она.

— Господи, она еще и башку намыла! Теперь сушиться два часа будет.

— Ничего, я феном, быстренько…

Никита вздохнул и посмотрел на часы.


На «парад-алле» они при всем при том не опоздали. Запыхавшись, вбежали на узкий просцениум между занавесом и экраном и оказались среди знакомых лиц. Главный оператор Лебедев, Огнев, Анечка Шпет, знаменитый москвич Валентин Гафт, сыгравший начальника врангелевской контрразведки, другие. В полумраке Таня разглядела Ивана. Он озабоченно перешептывался с соседом и не обратил на Таню внимания. Не было видно только Терпсихоряна, зато из-за занавеса доносился его характерный голос:

— …мы работали душа в душу и жили одной сплоченной семьей. Не обходилось, конечно, без трудностей. Но, как говорят у нас на Кавказе, жизнь без забот — что харчо без перца…

Никита подтолкнул Таню локтем:

— Учитесь, Киса, как излагает! Народную мудрость небось на ходу придумал…

— Мы от души надеемся, что наш скромный труд был не напрасен, — продолжал заливаться Терпсихорян, — что зритель, ради которого мы работали, оценит и полюбит наш фильм, как любим его мы, весь наш сплоченный и дружный коллектив, который я с радостью представляю вам…

Из зала раздались аплодисменты. По просцениуму стремительно пробежала Адель Львовна — та самая полная дама, которая хлопала полосатой хлопушкой перед каждым дублем — и построила всех по ранжиру.

Занавес неторопливо разъехался, и перед Таней возникло море человеческих лиц, неразличимых отсюда — зал был в полутьме, а свет падал сюда, на них, предъявляя зрителю тех, на кого он пришел посмотреть, — всех одинаково, прославленных и безвестных, любимых и еще не снискавших любви.

Никита снова толкнул Таню в бок.

— Лучи славы, — проговорил он, не разжимая губ. — Купайтесь, мадам...

— С особой радостью представляю вам того, без кого не было бы сегодняшнего торжества, — вещал в микрофон Терпсихорян, — автора романа и сценария, выдающегося писателя и замечательного человека... — Он выдержал паузу. — Федор Михайлович Золотарев!

Раздались громкие аплодисменты.

Виновники торжества были выстроены полукругом. Таня и Никита, как припозднившиеся, оказались с самого краю, и им было хорошо видно всех остальных. Когда объявили Золотарева, Таня выжидательно посмотрела на дородного, седовласого мужчину в черном костюме, стоявшего справа от Ивана. К ее удивлению, к микрофону бодрыми шагами вышел другой сосед Ивана — невысокий, подтянутый, немного похожий на французского актера Трентиньяна — того самого, что в «Мужчине и женщине».

— Спасибо, спасибо вам, — с чуть заметным поклоном начал Золотарев. — Мне, собственно, не о чем рассказывать. Все, что я хотел сказать вам, сказано в фильме, который вы сегодня увидите. А о чем не сказано в фильме, сказано в книге, которая, кстати, скоро выходит вторым тиражом...

Несмотря на такое начало, он говорил еще минут десять — про важность историко-революционной темы, про творческие планы, про полюбившихся народу героев его произведений.

Таня, обувшая по сегодняшнему случаю новые туфли на шпильках, стала переминаться с ноги на ногу.

Потом у микрофона выступали главный оператор, композитор, художник по костюмам. Стало немного скучновато. Обстановку здорово оживил Гафт. Речь его была краткой и ехидной. Ни разу не выпав из уважительного тона, он сумел поднять на смех и автора, и режиссера, и своего брата-актера, и зрителя, падкого на всякую ерунду.

Вышедший после Гафта Огнев был явно не в ударе. Он мямлил в микрофон нечто нечленораздельное. Таню качало в ее высоких туфлях, и ей невольно вспомнились те злосчастные сапоги на вокзале.

Потом что-то восторженно щебетала Анечка Шпет, дрожащим басом рассыпался в благодарностях престарелый актер Хорев, сыгравший эпизодическую роль старого моряка.

— Эге, — шепнул Никита Тане в ухо. — Они по всем пройтись решили. Готовься, Ларина.

— А теперь разрешите представить вам нашу очаровательную дебютантку, я не побоюсь этого слова, настоящее открытие нашего фильма... Итак, перед вами наш черный бриллиант, загадочная, коварная, обольстительная Татьяна Ларина!

Скрывая полнейшую растерянность лучезарной улыбкой, Таня горделиво поплыла к микрофону. «Господи, про что говорить-то? — лихорадочно думала она. — Да еще он так меня аттестовал... Про что должны говорить коварные и обольстительные?» Она молча обвела глазами зал. В голове воцарилась пустота. Ну, хоть что-нибудь...

И густым низким вибрато она начала:

— Жила я дочкой милою...

Со сцены она пела первый раз, тем более без сопровождения, да и без предупреждения. От волнения голос ее дрожал, создавая намек на потаенное рыдание, обогащая мелодию тонами искренней страсти. Зал замер, а когда она допела, разразился громовой овацией. Зрители вставали с мест, скандировали: «Ларина! Ларина!» Если каждому из выступавших перед ней, включая и старика Хорева, одна и та же дама из администрации вручала большой букет гладиолусов, то Таню просто завалили цветами. Обалдевшая Таня кланялась, как заводная кукла, а подоспевший Никита относил цветы и складывал их возле кулисы.

Наверное, после нее должен был выступать еще кто-то, но искушенный Терпсихорян понял, что более эффектной точки в финале торжественной части невозможно представить себе, и, дав страстям немного поулечься, с нарочитой скромностью объявил в микрофон:

— А теперь давайте смотреть кино.

Из-за кулис отчаянно замахала руками Адель Львовна, призывая находящихся на сцене проследовать за нею. По пути Никита наклонился, подобрал букеты и, вкладывая их Тане в руки, прошептал:

— Сама неси бремя славы, примадонна! Украла, понимаешь, вечер у заслуженных лиц. Будто ты и есть здесь главная. Чучело!

Таня вспыхнула и укоризненно посмотрела на него.

— Да шучу я, шучу, — объяснил Никита. — Это чтобы не сглазить, чтобы фортуна не отвернулась. Даже во время триумфов Цезаря за его колесницей шел десяток легионеров и орал: «Едет лысый любодей!»

Конечно же, ее воспламенившееся восприятие нарисовало несколько искаженную картину. Овация была не столь уж громовой, но аплодисменты были, и довольно восторженные. Встал не весь зал, а десятка полтора зрителей, и скандировали они не «Ла-ри-на!», а просто «Браво!». И букетов оказалось всего шесть — на один больше, чем у Гафта. Потом уже, чуть успокоившись в полумраке ложи, куда их потихоньку отвели смотреть их же произведение и наблюдать за реакцией зала, она призадумалась. Ведь никто, отправляясь в театр или на концерт, не покупает цветы просто так, на всякий случай, особенно зимой. Букет всегда предназначается кому-то конкретно. Значит, ей достались цветы, предназначавшиеся кому-то другому. Кому? Режиссеру? Едва ли. Валентину Гафту? Нет, свои букеты он получил. Золотареву? Тоже вряд ли. Все остающиеся за кадром редко получают цветы от зрителей в день премьеры. Анечка?.. И лишь к середине фильма она поняла, чьими букетами забросали ее сегодня. Эти цветы причитались Юрию Огневу. Но он скис — и подношение ему ограничилось дежурными гладиолусами от администрации. Она вспомнила его срывающийся голос, его лицо у микрофона — бледное, потерянное, — представила на его месте себя. Стало неловко, и она оперлась о плечо сидящего рядом Никиты.

— Что, прониклась высоким искусством или просто отдохнуть решила? — спросил он. — Меня, признаться, тоже в сон клонит.

— Юра сегодня плохо выглядит, — сказала она. — Не знаешь, он здоров?

Никита резко дернул плечом. Она удивленно отстранилась.

— Ты что?

— Здоров-нездоров, не твое дело, — резко ответил Никита. — Надо же, пожалела... Сиди, кино смотри.

Премьера «Особого задания» закончилась буднично. Когда прожектор высветил места творческой группы, здесь уже кто-то с кем-то переговаривался, Терпсихорян, развернувшись к залу спиной, что-то горячо обсуждал с дамой преклонных лет, увлекающей его к выходу. Во весь рост поднялся Огнев, с видом римского патриция приветствуя публику, высоко над головой сцепив в замок руки. Но светящаяся обаянием улыбка лишь подчеркивала взгляд томных глаз, утонувших в безысходной тоске. Никита сигналил кому-то в толпе, что непременно позвонит. Хотя эти жесты могли значить и то, что он ждет звонка. Потом зажгли верхний свет, и зал начал пустеть.

— Они уходят такими же, как пришли, не унося в своем сердце ничего, — философски заметил Никита. — Угадай, что из всего вечера запомнится им лучше всего? Одна попытка.

— Неужели воротник малиновый?

— Умница! Именно так, или я ничего не смыслю в кино.

— Ну-с, ребятки, — объявил, потирая руки, Терпсихорян. — Прошу всех в буфет. Не каждый день премьера бывает!

В буфете было шумно и тесновато. Сложив букеты в угол, Таня и Никита, как и все собравшиеся, выпили два общих тоста — за состоявшуюся премьеру и за успешный прокат. Потом пошли, почти без пауз на закуски, тосты персональные. Чтобы почтить всех и при этом не надраться, полагалось делать лишь по глоточку. Впрочем, этого правила придерживались далеко не все. Например, Иван, как с сожалением заметила Таня, хлопал рюмку за рюмкой и минут через пятнадцать такого гра-

148

фика был уже вполне хорош. Обозначились и другие нетрезвые личности — бородатый помреж, старик Хорев... Был тост и за Таню. На несколько мгновений к ней обратилось множество улыбающихся, приветливых лиц, и около полусотни рук подняли за нее бокалы, стаканы и рюмки, а тамада Терпсихорян уже выпаливал следующий тост.

— Почему такой темп? — прошептала Таня.

— Традиция. Никого обидеть нельзя. И при этом оставить людям время пообщаться на относительно трезвую голову. Для профессионала это самый важный момент между съемками. Наладить знакомства, укрепить контакты, обхрюкать планы на будущее. Многие только ради этого и остаются на премьерные шмаусы... А настоящая гулянка будет потом, в узком кругу.

Терпсихорян с ураганной скоростью выдавал оставшиеся тосты, после чего с видимым облегчением объявил вольный стол. Тут же среди собравшихся начались шевеления, перемещения. Зал заполнился нестройным гулом голосов. Люди разбивались на пары, на группы, расползались по залу, мигрировали от столика к столику.

Первой к Тане с Никитой пробилась бойкая Анечка Шпет.

— Значит, когда вся эта бодяга кончится, собираемся у «рафика» и ко мне. То есть в Вилькину студию... — Она наклонилась и чмокнула Таню в щеку. — Ты молодец. Всех уделала сегодня. Поздравляю.

И упорхнула.

Вторым подошел Золотарев.

— Мои поздравления, — сказал он, целуя Тане руку. — Именно такой я представлял себе Сокольскую. Говоря откровенно, фильм вытянули двое — Гафт и вы.

— Ну что вы, — смущенно пролепетала Таня.

— В романе, который я только что закончил, «По лезвию штыка», для вас есть большая роль. Такая, знаете, бывшая княжна, в эмиграции вынужденная петь в русских кабаках... Я передам вам экземплярчик. И сценарий тоже — он почти готов. Кстати, спасибо вам еще и за мужа. Толковый, старается. Вы, наверное, ругаете меня, что сильно его загружаю?

— Ну что вы, — повторила Таня.

— Очень скоро предоставлю его в полное ваше распоряжение. Отправляюсь, знаете ли, в командировку, на месте собирать материал о наших революционных эмигрантах в Швейцарии. Давно уже заявление подал, а теперь вот — разрешили.

— Поздравляю, Федор Михайлович, — вежливо сказал Никита. — Мой поклон Вильгельму Теллю.

— Всенепременно.

— И надолго?

— Пока на шесть месяцев. А там посмотрим.

Никита с завистью и тоской посмотрел вслед удаляющейся фигуре писателя.

— Везет кому-то! — злобно прошипел он.

— Ты что? — встревоженно спросила Таня.

— Да так, не обращай внимания. Это я на себя, дурака, злюсь... Невыездной, блин!

К ним подходили еще люди — артисты, студийное начальство, вовсе незнакомые, — поздравляли Таню, перекидывались парой слов с Никитой, иногда прикладывались к бокалу...

— Пошли и мы, — сказал Никита и встал.

— Так вроде никто еще не уходит. Удобно ли?

— Нет, ты не поняла. Сделаем пару кружков по залу. Надо тебя представить кое-кому.

Дольше всего они задержались у столика Терпсихоряна, но общались не с ним, а с его соседом, лысым толстячком с висячими усами, напомнившим Тане гоголевского персонажа по имени Толстый Пасюк — того, которому галушки сами в рот залетали.

— Вот это и есть наша Танечка Ларина, — для начала сказал Никита.

— Ось мы и сами... это, догадались, — басом отозвался толстячок. — Гарна дивчина! Седайте... это, садитесь.

Он протянул Тане пухлую руку с пальцами, похожими на сардельки.

— Бонч-Бандера Платон Опанасович, — напустив на себя важный вид, представился он.

— Известный режиссер из Киева, — пояснил Никита. — Ну, «Гуцульская баллада», помнишь, конечно?

— Конечно, — соврала Таня. — Красивый фильм.

Бонч-Бандера согласно закивал головой.

— Я тут вашу картыну бачил... это, смотрел. Гарно вы сыгралы, арыстократычно... Есть у меня до вас, это... предложение.

— Да?

— Сценарию я в готеле оставил. Завтра перешлю вам... Гарна роль, арыстократычна. Як для вас напысана.

— Спасибо, — наклонив голову, сказала Таня.

— «Любовь поэта» называется. Из жизни Пушкина.

— Интересно, — сказала Таня, а сама подумала: «Уж не Наталью ли Николаевну он мне предлагает сыграть? В роли Натальи Гончаровой — Татьяна Ларина. Обалдеть можно».

— Съемки летом. Соглашайтесь. Без пробы утверждаю. По высшей ставке, — сказал Бонч-Бандера.

Таня с удивлением заметила, что украинский акцент пропал начисто. Видимо, Платон Опанасович прибегал к нему при знакомстве, для самоутверждения.

— Вы сценарий на студии оставьте, у меня, — сказал Никита. — Я передам.

— Добро! — согласился Бонч-Бандера. — Ну, до побаченя, красавица, жду вас в Киеве.

— Спасибо, — сказала Таня, и они отошли.

— Что за роль? — по пути спросила Таня.

— Понятия не имею, — признался Никита. — Я и его сегодня в первый раз увидел. Утром на студии. Увязался на закрытый просмотр чистовой копии, увидел тебя, обомлел и пристал как банный лист — познакомь да познакомь. Вот и знакомлю.

— «Гуцульская баллада» — в самом деле есть такой фильм?

— Есть. Я смотрел. Ничего хорошего. Фольклорные страсти на фоне горных красот. Но он — режиссер со связями, а студия денежная. Советую согласиться.

— Сначала надо бы сценарий прочесть...

— Прочтешь, куда денешься.

В «рафик» набилась большая, веселая компания: Анечка, две ее подружки-актрисы, не снимавшиеся в «Особом задании», — их лица Таня помнила хорошо, а вот имена забыла, — актер Белозеров, сыгравший красавца-белогвардейца, застреленного в финале фильма уходящим от погони

Огневым-Тарасовым, осветитель Паша, бородатый (и крепко поддатый) помреж Володя, Любочка из административной группы. Общее веселье нарушал только Огнев, притулившийся возле окошка спиной ко всем и лишь изредка обращавший на остальных свой знаменитый трагический взор. И еще, к своему неудовольствию, сзади, в самом уголке, Таня увидела Ивана, который мирно посапывал, положив голову на плечо Володи.

— Этого-то зачем с собой тащите? — спросила Таня. — Он и так хорош.

— Этот со мной! — напыжившись, изрек бородатый Володя, а Анечка поспешно добавила:

— Пусть едет. Не бросать же его здесь. У нас отоспится.

Таня пожала плечами и села, втиснувшись между Никитой и Любочкой. Автобус тронулся.

Мастерская скульптора Вильяма Шпета (для друзей Вильки) занимала огромный бревенчатый дом в Коломягах, оборудованный в плане удобств довольно примитивно. Разве что электричество было. Готовили на походной газовой плитке, а если по безалаберности забывали вовремя заправить баллончики, переходили на примус. За водой ходили к колонке на перекресток. Все прочее размещалось во дворе, поражая первозданной дикостью. На то, чтобы содержать такую махину в тепле, потребовалась бы уйма дров, и то если предварительно законопатить все щели, коих было великое множество. Вилька, когда ему в Союзе предложили эту выморочную халабуду под студию, решил проблему по-своему. С помощью местных умельцев он привел в порядок круглую железную печь, которая давала относительное тепло в две крохотные жилые комнатенки. Обширный же камин, находившийся в громадных размеров зале, он заложил, и теперь это сооружение использовалось в целях декоративных и лишь отчасти прикладных: его просторная полка была забита всякой всячиной, от созданных хозяином «малых форм» до гнутых ржавых гвоздей, задубевших драных рукавиц, проволочек и не имеющего названия хлама. Бóльшую часть пространства залы занимали Вилькины композиции разной степени монументальности и завершенности, от Ильичей и космонавтов до многоруких «мобилей», пугающих своей тотальной непонятностью. Бюсты и статуи меньшего размера теснились на полках, навешанных по стенам. Здесь Вильям Шпет работал, разогреваясь движением и вермутом, здесь же принимал гостей, которые охотно заглядывали сюда, несмотря на холод, царивший здесь круглый год. Визиты делились на «экспромтные» и «с подготовочкой».

Сегодняшний был «с подготовочкой». Вилька даже прибрался, то есть по возможности сдвинул козлы, ржавые тазы с глиной и прочие транспортабельные атрибуты своего искусства поближе к стенкам, оставив в центре довольно широкий проход к «светскому» уголку своей мастерской, где имелся огромный стол, очищенный по сегодняшнему случаю от всегдашнего хлама и даже застеленный свежей газетой, несколько разрозненных стульев, табуретка, пара колобашек, заменявших стулья, и штук пять толстых диванных подушек, явно от дивана, давно закончившего свои дни на свалке. У стены стоял другой диван, по конструкции своей не предполагавший подушек, продавленный и засаленный.

Проехав по скользким колдобинам коломяжских улиц, студийный «рафик» остановился возле мастерской Шпета, фарами выхватив из ранней зимней ночи крыльцо над тремя ступеньками, увенчанное покосившейся табличкой «Rue de Montrouge», и медведистую фигуру хозяина, вышедшего на звук мотора.

— Ну, здорово, здорово! — Его зычный, хрипатый, словно у бывалого уголовника, голос разнесся по ближайшей округе. — Долгонько вы, черти! Я уж без вас праздновать начал.

— Оно и видно! — как бы сердясь, крикнула ему Анечка, выходя из машины. — Заходите, ребята!

Гости шумной гурьбой высыпали из машины и поспешили в дом. На пороге с каждым, без различия пола и возраста, обнимался и целовался Шпет. Таня с удивлением отметила, что Анечкиному мужу много за пятьдесят и — уже без удивления — что от него за версту разит дешевым вермутом.

С крыльца гости попадали прямо в мастерскую и сразу устремлялись к столу. Поискав глазами вешалку, Таня увидела гвозди, вбитые в стенку возле дверей, и стала расстегивать пальто.

— Не раздевайся, — сказал Никита. Изо рта у него вылетело облачко пара. — Замерзнешь.

— Ничего себе! — шепнула ему Таня. — Мало того, что в какой-то притон завезли, так еще и холодом морить собираются.

— Потерпи немного, — шепнул ей Никита. — Скоро тут тепло будет, даже жарко.

Он усадил Таню на диван и пошел обратно на улицу. Проспавшийся в дороге Иван и бородатый Володя, пошатываясь, втаскивали в дом ящик с каким-то спиртным. Белозеров и осветитель Паша несли сумки со снедью. Последним в дверях показался Никита. Руки его были заняты охапкой букетов.

— Эй, хозяин, банки давай! Добавим в твое утлое пристанище немного живой красоты.

— А, цветуечки! — оскалившись, прохрипел Шпет. — Они того... тоже свою пользу имеют.

Вскоре на полках, на шкафу запестрели цветы в стеклянных и жестяных банках.

— Икебана! — радостно сказал Шпет, водружая самый большой букет в центр стола, на котором все было уже готово к празднику: бутылки и банки раскрыты, хлеб, колбаса и сыр нарезаны, стаканы и тарелки расставлены. — Все закончилось хорошо?

— Замечательно! — хором ответили Анечка с подругами.

Шпет потер руки.

— Полный вперед! — скомандовал он. — За успех, по полной и до дна!

— Мне бы чего послабее, — прошептала Таня, когда Никита занес над ее стопочкой бутылку водки.

— Послабее только Вилькин вермут плодово-ягодный, по рупь двадцать две. Не рекомендую.

Таня поморщилась и махнула рукой.

— Наливай!

Холодная жгучая водка опалила ей язык, горло. Она судорожно вдохнула, на мгновение замерла и с благодарностью приняла из рук Никиты стакан с лимонадом.

— Запивочка, — прокомментировал он. — Теперь закуси.

На ее тарелке появился бутерброд с селедкой и огурец.

— Между первой и второй — перерывчик небольшой! — командовал Шпет. — Я поднимаю бокал за святое искусство, за всех нас, его скромных служителей, чтоб оно и впредь нас грело и кормило!

— И поило! — добавил бородатый Володя.

— Истину глаголешь, отрок! — И Шпет первым опрокинул в свою жилистую глотку стакан вермута.

На этом организованные тосты кончились. Гости пили, закусывали и беседовали как кому заблагорассудится... Таня сидела возле Никиты. Глаза ее блестели, лицо разрумянилось, она сбросила пальто за спину, на диван. Она внезапно поняла, что зверски голодна, и накинулась на колбасу, рыбу, зеленый горошек. Никита подкладывал ей и улыбался.

За столом образовалось два кружка. Один — из присутствующих дам и Белозерова. Они оживленно болтали обо всем на свете, перемывали косточки знакомым, внезапно разражаясь дружным смехом, и столь же внезапно умолкали, перескакивая на другую тему. Второй кружок составили Володя, Паша, Иван и вскоре присоединившийся к ним Шпет. Там дружно пили, разговоры велись в режиме монолога, обращенного к собеседнику, а тот реагировал на сказанное встречным монологом. На периферии этой компании, нахохлившись, сидел Огнев — маленький, незаметный. Он глушил стакан за стаканом, молчал, лишь изредка опаляя сидящих взором своих огромных глаз, особо выделявшихся на его бледном, мокром от пота лице. Когда кто-то ловил на себе этот жутковатый взгляд, становилось неуютно, хотелось поскорее отвернуться, отмахнуться, забыть.

Насытившись, Таня довольно откинулась на спинку дивана и прислушалась к разговору, который рядом оживленно вели Анечка с подругами. Ее внимание заметили и мгновенно включили ее в кружок слушателей:

— И вот, Танечка, вы представляете себе, у слушателей этой школы кундалини стал подниматься уже до сердечной чакры... Естественно, кто-то стукнул, вмешалось КГБ, и школу прикрыли. У Зубкова были большие неприятности...

— А говорят, что в Индии хороший гуру поднимает кундалини до самой Аджны...

— Быть того не может! Тогда бы все стали уходить в астрал...

— А кундалини — это что? — спросила Таня у Никиты.

Хотела шепотом, а получилось громко. Ее услышали.

— Кундалини, Танечка, — это Манипура, первая чакра, — со снисходительной усмешкой сказала Ира, Анечкина подруга, затеявшая этот разговор.

— Сама ты Манипура! — вмешалась Анечка. — Кундалини — это Муладхара. Она дает красное свечение...

Подруги заспорили. Таня вновь обратилась к Никите:

— Все-таки что такое кундалини? Я вообще ничего не понимаю...

— Да как тебе сказать? Что-то вроде хвостика, как у кенгуру.

— И что, у людей такие хвосты вырастают?

— Понимаешь, это такой астральный хвостик... энергетический.

— А зачем надо, чтобы он поднимался?

— Не знаю. Говорят, для духовности...

— Кто о чем, а Ирка о шанкрах! Ну, у кого что болит... — вставил словцо Белозеров.

— Белозеров, ты пошляк!

Белозеров усмехнулся и приосанился.

— Давайте-ка лучше танцевать. Вилька, у тебя музыка есть?

— А как же, — мгновенно отозвался непьянеющий Шпет. — Эллингтон, Дэйв Брубэк, Армстронг... Чего желаете?

— Фи, — наморщила нос Любочка. — А «Бони-Эм» есть?

— Говна не держим-с, — с поклоном ответил Шпет и удалился, не дожидаясь ответной гадости от обиженной Любочки.

Подруги защебетали о современной музыке, а Таня наклонилась к Никите, накрыла его ладонь своей и, заглянув ему в глаза, сказала:

— Слушай, я совсем необразованная. Расскажи мне про эти, ну, как их... про шанкры.

Никита фыркнул.

— В другой раз. Вон, гляди, хозяин уже магнитофон тащит. Будет музыка...

За неимением лучшего дамы остановили свой выбор на Эллингтоне. С первыми звуками «Каравана» Белозеров с поклоном протянул руку Анечке.

— Под это разве танцуют? — кокетливо спросила она, но руку приняла и поднялась.

— С вами, мадам, хоть под «Последние известия», — галантно ответствовал Белозеров, и, выбравшись из-за стола на свободную площадку, они начали танец.

Никита подхватил Таню, Шпет — Иру, поднявшийся из своего угла осветитель Паша направился было к Любочке, но упал. Его подняли и посадили на диван. Иван, Огнев и Володя были явно не настроены танцевать. Любочка с тоской посмотрела на Огнева, потом переглянулась с Алиной, Анечкиной подружкой, обе встали и закружились «шерочка с машерочкой».

Огнев налил себе стакан водки, не чокнувшись ни с кем, залпом выпил. После первого танца к нему подошла Любочка, сказала что-то ласковое. Он поднялся и направился в сторону жилых комнат Шпета.

— Юра, куда же вы?!

— Иди ты в жопу! — со злобой бросил ей через плечо Огнев.

Любочка расплакалась. Подруги принялись утешать ее.

— Не обращай внимания, — шепнул Никита Тане. — С ним бывает. Сегодня не его день.

Устав от танцев, снова сели за стол. Появились новые бутылки, закуски. Шпет с таинственным видом удалился куда-то, а вернувшись, предъявил собравшимся папиросу со вставленным вместо фильтра свернутым рублем.

— По кругу? — предложил он и глубоко затянулся.

Когда очередь дошла до Ивана, он тут же позеленел, поспешно передал папиросу Володе и кинулся на двор.

— Что это он? — встревоженно спросила Таня.

— Стравит — вернется. Это с непривычки.

— С какой непривычки? — удивилась Таня. — Он же смолит с утра до ночи.

— Так это он табак курит. А тут не табак.

— А что?

— Царь Каннабис, он же матушка-конопелюшка. Причем, судя по запаху, неплохая. Пыхни.

— Ой, я не знаю... Не пробовала никогда.

— Что-то всегда бывает в первый раз, — задумчиво изрек Никита.

Почему-то ей неловко было отказаться. Она попыталась захватить папиросу всеми пальцами, как ее держал Никита. Ей сразу обожгло горло, и дым, казалось, остановился где-то над переносицей, тихо просачиваясь в мозг. Таня закашлялась, в глазах поплыл рябоватый туман.

— Какая-то дрянь, по-моему, — сказала она, передавая папиросу Никите.

— Ты исключительно права, — со смаком затянувшись, ответил он. — Такое название тоже бытует среди знающих людей... Не понравилось?

— Нисколько, — твердо сказала она.

— Ну тогда и не надо. Кстати, на столе замаячил крымский херес. Рекомендую. — Он дотянулся до бутылки, налил себе и ей.

Вино было желтое, густое. От стопки потянуло подвальной сыростью.

— Хороший херес не любит спешки, — объяснял Никита. — Глоточки должны быть маленькие-маленькие. Каждую капельку раскатай язычком и только потом проглоти...

Она слушала его, и ею овладевало приятное оцепенение. Приглушенный свет, плавающий дым, тихая музыка, льющаяся из ниоткуда. Ей показалось, что весь мир стянулся в объем этих стен, а за их пределами не осталось ничего, кроме тьмы и холода, пустых, неинтересных и никому не нужных... Неожиданно для самой себя она почувствовала, что к горлу подступил комок, на глаза навернулись слезы. Она не удержалась и, уткнувшись Никите в плечо, тихо и сладко зарыдала. Он не сказал ни слова, обнял ее, ласково, но твердо поднял на ноги и увел в сумеречный уголок, где в тени громадной статуи вождя мирового пролетариата лежала большая диванная подушка. Никита усадил Таню на подушку, сам сел рядом. Она прижалась к нему, а он принялся тихо и ласково поглаживать ее по плечу, по голове.

— Ты поплачь, поплачь, маленькая, если хочешь... Все будет хорошо...

Она подняла на него заплаканные, счастливые, немного шалые глаза.

— А мне и сейчас хорошо, — тихо проговорила она. — Я не хочу, чтобы это кончалось, не хочу... Я ведь совсем не знала отца, и мамы тоже... Только Лизавета, но она не то... Хорошая, но не то... И все сама, сама. Всю жизнь сама. Иван вот, — она кивнула в направлении стола, — но он всегда был мне не как муж, а как ребенок... А теперь, как... как никто.

Слова лились из нее гейзером, своевольно, минуя сознание. Никита смотрел сверху вниз в ее пылающее лицо, и в глазах его разгорались желтые огоньки.

— Когда я увидела тебя, — лихорадочно продолжала Таня, — я сразу почувствовала: вот тот, кто может взять за руку и повести по жизни, сильный, ловкий, отважный. Ты надолго исчезал, и жизнь моя пустела, а потом возвращался ты... брал за руку и вел.

— Маленькая моя... — прошептал Никита и прижался губами к ее горячему лбу. — Я... я тоже люблю тебя. Сам себе удивляюсь, но... Знаешь, мы сейчас с тобой быстренько сделаем прощальный поклон, я уйду, а минут через десять незаметно выйдешь и ты. Я буду ждать тебя на улице, у первого фонаря слева. Мы поедем в одно потрясающее место, мое тайное прибежище... Хочешь?

— Да, — прошептала Таня. Никита достал из кармана чистый платок.

— Теперь вытри слезки, — сказал Никита и поцеловал ее глаза.

Таня улыбнулась и вытерла слезы.

— А теперь — шире улыбку! Мы победили и будем побеждать.

Он встал, стремительно и бодро. Она поднялась вслед за ним, расправила плечи, блеснула гордой, счастливой улыбкой...

— А-а, триумфаторша! Афродита Пандемос, Венера Плебейская! Радуешься?

Перед ними, пошатываясь, стоял Огнев, бледный, взъерошенный. В его глазах светилось безумие.

— В старину был прекрасный обычай, — продолжал он. — На священные театральные подмостки допускались только мужчины. И женские роли исполняли мальчики, прекрасные отроки с нежным пушком на щеках... Тогда искусство было благородно, любовь была благородна, сцена и жизнь не знали того похабства, что творится сейчас!

— Юра! — Никита встал между Таней и Огневым.

— Современный театр — это хлев и сортир! А кино — что можно сказать о кино, если оно началось с бардака, со жлобской утехи, с навозной жижи! Вера Холодная, страсти-мордасти, прибытие поезда!

Никита крепко взял его под локоть и потащил к дверям.

— Бабам место у плиты, над лоханкой с грязным бельем, за коклюшками! — орал Огнев. — Недаром говорил великий дуче...

Тут он внезапно обмяк всем телом, привалился к Никите и заплакал. Смущенный Никита пожал плечами и обернулся ко всем, кто наблюдал эту нелепую сцену.

— Допился черт те до чего, — с досадой сказал он. — Придется увезти его, чтобы кайф не ломал... Я еще вернусь.

Последние его слова были адресованы Тане, но, кажется, только она одна и поняла это. Никита накинул на Огнева полушубок, нахлобучил шапку и, прислонив кумира юных дев к стеночке, поспешно оделся сам.

— Не прощаюсь, — бросил он у дверей и вышел, поддерживая Огнева за талию.

— Зря пригласили этого психа, — прокомментировала Ира. — Он когда выпьет, всегда такой.

— Нормальный педик. — Анечка презрительно пожала плечами. — А не приглашать его на междусобойчики нельзя. Он злопамятный. И со связями. Если обидится, можно надолго без работы остаться.

— Скатертью дорожка! — сказал Вильям Шпет. — Кстати, а не выпить ли нам по этому поводу?

Иван, доселе дремавший, положив голову на стол, встрепенулся и пододвинул к Шпету пустой стакан. Этот жест повторили Володя с Пашей и Алина. Остальные воздержались.

— Лучше чайку, да под рябиновку! — сказал Белозеров. — Хозяюшка, не в службу, а в дружбу, организуй... Скульптор, у тебя гитара далеко?

Шпет, не прекращая разливать, отвел свободную руку куда-то в сторону и вверх, а опустил ее уже с гитарой.

— Ну ты даешь! — восхищенно сказал Белозеров. — Тебе бы в цирке выступать.

— Вся наша жизнь — сплошной цирк, — глубокомысленно изрек Шпет, протягивая гитару Белозерову.

Тот прошелся по струнам, повернул два колка, еще раз прошелся, подпевая себе под нос, и дал полнозвучный аккорд.

— Для разгона! — объявил он и запел:

> Здравствуйте, дачники, здравствуйте дачницы,
> Летние маневры уж давно начались...

И все подхватили:

> Лейся песнь моя, любимая,
> Буль-буль-буль бутылочка зеленого вина!

Хоть все и были впольяна, получилось стройно, красиво. «Артисты, — подумала Таня. — Все-таки школа...» Допев песню про бутылочку, Белозеров без паузы завел новую:

> Многая лета, многая лета,
> Православный русский царь!
> Многая лета, многая лета,
> Православный государь!
> Славны были наши деды,
> Знали их и швед, и лях!
> Развевался стяг победы
> На полтавских на полях!
> Многая лета, многая лета...

— Эх, и залетишь ты когда-нибудь, Белозеров, со своими монархическими наклонностями, — заметила Ира, когда тот закончил марш, убедительно изобразив голосом трубу.

Белозеров, держа гитару на отлете, наклонился и поцеловал Ире ручку.

— В полном соответствии с амплуа, мадемуазель, утвержденном Госкино и прочими инстанциями, — не без грусти сказал он. — Я же не виноват, что мне приходится играть исключительно беляков и прочую контру... Желаете что-нибудь революционное?

Он провел пальцем по струнам и гнусаво загудел:

— Мы жертвою пали в борьбе роковой... Впрочем, это больше по части своевременно покинувшего нас товарища Огнева... Танечка, а где же ваш знаменитый «Воротник»? Он, по-моему, больше в тему. Просим.

Все захлопали в ладоши и хором подхватили: «Просим! Просим!», прямо как в пьесе Островского.

Таня вздохнула и запела. Белозеров подыгрывал, остальные подпевали. Было бы совсем неплохо, если бы в хор не встряли Иван с Володей. После второго куплета Белозеров даже шикнул на них:

— Не лажайте!

Те на мгновение замолчали, но потом снова открыли пасти и заголосили, восполняя отсутствие голоса и слуха диким энтузиазмом.

— Этим больше не наливать! — сказал Белозеров, когда песня была допета.

— Не согласен, — возразил хозяин. — Как раз наливать. Нарежутся — заткнутся.

— И то верно, — согласился Белозеров и ударил по струнам: — А если я чего хочу, я выпью обязательно...

Время летело незаметно, и только когда Таню стала разбирать зевота, она взглянула на часы. Господи, двадцать минут четвертого! А ей завтра с утра на лекции... Да нет, какие лекции? Каникулы ведь.

Тем временем сильно пьющая часть гостей как-то незаметно улеглась. Осветителя Пашу Шпет пристроил на трех диванных подушках и накрыл сверху рваным одеялом. Для Володи он извлек откуда-то раскладушку и, заботливо придерживая за плечи, перетащил его туда. Иван пока что оставался сидеть, привалив щеку к столу.

Зевота и дремота заразительны. Вскоре уже все клевали носами, один лишь хозяин бодро суетился и распоряжался.

— Сейчас, как заведено в этом доме, по чашечке на сон грядущий, — приговаривал он, разливая чай. — С особым вареньем.

Таня попробовала варенье — обыкновенное сливовое.

— Что же в нем особенного? — спросила она.

— Это варенье из моей жены.

— То есть в каком смысле?

— Из сливы сорта «Анна Шпет», выведенного то ли моей прабабушкой, то ли влюбленным в нее садоводом. Про то семейная хроника умалчивает. Я с юности поклялся себе, что в жены возьму только Анну — согласитесь, мало кому дается случай полакомиться собственной женой. Что может быть вкуснее?

Он наклонился к Анечке и приложился к ее щеке, жуя ее губами.

— Да, обеих его прежних жен тоже звали Аннами, — прошептала Ира Тане на ухо.

— Кресты на лоб! — скомандовал Шпет, когда чай с вареньем был допит. — Анна, на койку! Дамы, ваша спальня справа. Белозеров, ты с дамами или как?

— Он еще спрашивает!.. Если, конечно, дамы не против.

— Только чтоб без глупостей... — начала скромная Любочка.

— Я лично предпочла бы с глупостями, — перебила ее Ира. — Алинка, просыпайся, спать пора!

Они удалились в спальню.

— Вам, Танечка, я предлагаю разделить этот диван с мужем, — обратился к ней Шпет. — Здесь, конечно, холодновато, но для вас у меня есть специальное одеяло, с Крайнего Севера, из собачьего меха. В нем можно спать прямо на снегу... Согласны?

Таня сонно кивнула головой.

— Только у меня просьба: помогите оттабанить вашего супруга. Он у вас упитанный, и мне одному тяжеленько.

Кое-как, за руки-за ноги бесчувственного Ивана перенесли на диван и уложили. Шпет перевернул его со спины на бок.

— Ну, доброй ночи, милая, приятных снов... Поверьте, я искренне рад, что познакомился сегодня с вами.

— Спасибо. Мне тоже очень приятно. Спокойной ночи!

Скульптор погасил свет и на цыпочках удалился.

Таня проснулась от холода. Зубы выстукивали бешеный ритм, ноги в одних чулках превратились в ледышки, в голове будто шумел морской прибой. Она с трудом открыла глаза и лишь через несколько секунд разглядела, что в мастерской горит свет, а за столом сидят бородатый Володя и Иван, закутанный в северное собачье одеяло. «Гад, — подумала Таня. — Мог бы и пальто накинуть».

Она встала, но тут же пошатнулась и села. Резкая боль пробила виски. Дыхание перехватило. От неожиданности и боли Таня застонала. Иван обернулся.

— Привет, — нетрезво сказал он. — Что с тобой?

— Голова болит, — проскрипела она чужим голосом.

Иван сочувственно посмотрел на нее.

— Похмелье, — сказал он. — Садись, полечимся.

— Да пошел ты!..

Иван обиженно отвернулся, а Таня, набросив пальто на мятое платье и собравшись с последними силами, босиком протопала по ледяному полу мастерской, возле дверей обула чьи-то валенки и вышла на двор. Здесь было гораздо теплей, чем в доме. Таня глубоко вдохнула свежего воздуха и спустилась с крыльца.

Она пригоршнями собирала снег и обтирала им лицо, горящие виски, лоб. Боль утихла. Она выпрямилась и посмотрела на часы. Половина десятого. Пора и честь знать.

Она вернулась в дом и с порога крикнула Ивану:

— Собирайся!

— Куда? — недоуменно спросил он.

— Как это куда? Домой.

— Вот еще. Мне и тут хорошо...

Таня увидела, как он поднял стакан. Ее охватила дикая злость.

— Ну и оставайся тут, алкоголик!

Она выскочила из дома, хлопнув дверью, добежала почти до перекрестка и только там вспомнила, что оставила у Шпетов сумочку, туфли на высоком каблуке, цветы — память о вчерашней премьере. Она вернулась и, демонстративно не замечая Ивана, взяла с дивана сумочку, надела на ноги туфли, потом подумала, сняла, вновь засунула ноги в валенки, а туфли завернула в валявшуюся тут же газету. Потом она вспомнила про цветы в банках, но те от холода завяли и являли собой настолько грустное зрелище, что ей захотелось плакать.

— Володя, — строго сказала она, — передайте, пожалуйста, Анечке большое спасибо и что валенки я верну при первой возможности... А Ивану Павловичу передайте, что может вообще не возвращаться. Никто его не ждет.

Задержавшись на пороге, она услышала, как Иван философически изрек:

— Видал? Но ничего, страдание очищает душу, а писателю оно необходимо вдвойне... Подумай сам, что такое Достоевский без каторги...

Это было уже слишком. На этот раз она не стала хлопать дверью, тихо притворила ее за собой и медленно побрела по натоптанной тропинке на улицу. Старая жизнь рушилась по всем статьям. Оставалось отряхнуться, набрать в легкие воздуха и с головой нырнуть в жизнь новую, неизвестную.

Она шла не торопясь, глубоко дышала, с удовольствием замечая, как с каждым шагом понемногу отпускает головная боль, успокаиваются напружиненные нервы... Миновав рощицу, она вышла к полотну железной дороги и, хотя улица тянулась дальше, к хорошо видным отсюда городским домам, свернула и направилась по тропке, тянущейся вдоль рельсов. Сегодня спешить было некуда.

Таня повернула ключ в замке и с удивлением услышала голоса, доносившиеся из гостиной:

— Пиду я до готеля... это, не скоро, видно, придет...

— Да вы посидите еще немного, Платон Опанасович. Она вот-вот будет.

— Это вы про меня? — крикнула из прихожей Таня.

— Ну я же говорил!

В прихожую выбежал Никита, помог ей снять пальто, валенки.

— Ну ты даешь, мать! Где пропадала? Мы с Платон Опанасовичем заждались совсем...

— Пешком шла до метро. А вы-то как попали сюда?

— Я вчера обещал вернуться, помнишь? Вот и вернулся, только позже, чем хотелось. Юрка в дороге и особенно дома стал такие крендели выделывать, что оставить его я не мог. Пришлось до утра нянькой поработать. А когда он успокоился и уснул, я, как и было накануне договорено, заехал за Платон Опанасовичем и к Шпетам. Надеялся, что перехвачу тебя. Не успел. Зато насмотрелся на пьяного Вано. Когда я спросил про тебя, он вынул из кармана ключи, швырнул на стол и велел передать, что больше они ему не нужны...

— Свинья! — вырвалось у Тани.

— Не то слово... Потом мы поехали сюда, думали, что ты уже дома. Позвонили в дверь, подождали. Сколько можно было на площадке париться? Ну, я и открыл... Похозяйничал немного, кофейку заварил, колбасы нарезал — ты не против?

— А что толку? Ты ведь уже похозяйничал.

Таня улыбнулась. Он взял ее за руку и повел в гостиную. В кресле возле стола сидел Бонч-Бандера. Перед ним, рядом с чашкой кофе, лежала сброшюрованная стопка бумажных листков. Режиссер поднялся навстречу Тане.

— О-о, здоровеньки булы! — сказал он и протянул стопку ей. — Це вам. Побачьте, будь ласка!

Таня посмотрела на верхний лист. В центре его заглавными буквами было напечатано: «ОЛЕГ КОРДЫБАЙЛО. ЛЮБОВЬ ПОЭТА. ЛИТЕРАТУРНЫЙ СЦЕНАРИЙ ИЗ ПУШКИНСКОЙ ЭПОХИ».

## Глава третья

# В ГОРКУ ПОД ОТКОС
## (27 июня 1995)

*Из-под квитанции антикварного салона высунулся нижний край следующей бумажки, плотной, сиреневой, и в глаза Люсьену бросилось пропечатанное на нем сегодняшнее число: «...просят Вас пожаловать... 27 июня 1995... К 12:00... В номер 901... ОТЕЛЬ ПРИБАЛТИЙСКАЯ».*

*Ну-ка, что это? Какой-то «Информед», доктор и миссис Розен, а сверху — его собственное имя и фамилия, бывшие, из прошлой жизни, ныне оставшиеся только в документах и вспоминаемые лишь в случаях официальных, с оными документами более-менее сопряженных.*

*Неделю назад, получив это послание, явно задуманное как загадочное и тем призванное заинтересовать, Люсьен первым делом обратил на этот факт внимание и в течение полминуты вычислил, что к чему. Господа коммерсанты брайтон-бичской национальности собрали в паспортном столе, за «барашка в бумажке», естественно, адреса и фамилии и сделали «mail shot» — почтовый выстрел, как принято на их новой родине. Откликнувшимся на приглашение в сопровождении вкрадчивой музыки и прохладительных напитков будет предложена презентация. Причем, судя по тому, что приглашение именное, а бумага дорогая, посвящена эта презентация будет не кастрюлям и не гербалайфу, а чему-нибудь этакому. Тайм-шэру на Багамах, гормонам счастья, охоте на мамонта. Поле чудес в стране дураков. Не прячьте ваши денежки по кадкам и углам...*

167

*Тоже мне, нашли Буратино! А деревянненького, господа, пососать не хотите?*

Тогда Люсьен чисто автоматически засунул эту карточку в бюро, вместо того чтобы выбросить, и совершенно о ней забыл. Теперь же, вертя ее в руках, он думал: «Лимонад, музыка... А при масштабной афере, может быть, и а-ля-фуршетец с коньячком. Пойти, что ли, отвлечься до вечера? А чем я рискую? Что с меня теперь возьмешь? Даже на буханку хлеба не имею».

Он резко встал, звякнув монистом из крестиков, ладанок и образков, и потянулся за брюками...

## (1978—1979)

### I

Новый год начался для Павла невесело. В отделе на первый план все больше выдвигалась чужая для него тема. В доведенном до его сведения плане работы института на год именно эта тема была обозначена как приоритетная, на нее выделялись средства, как централизованно, так и по линии главных заказчиков — Министерства среднего машиностроения и Министерства обороны. Его самого притягивали к этой теме, и собственными разработками Павел занимался лишь урывками. Загрузить ими разрешили только двоих сотрудников, причем одним из них был активист, настолько и без того загруженный по партийной линии, что в отдел почти не заглядывал.

К неприятностям на службе прибавлялась тревога за жену. Днем Таня держалась хорошо, если не считать некоторых странностей, к которым он за последние месяцы притерпелся, но вот ночью... По ночам Таня металась во сне, скрипела зубами, разговаривала непонятно с кем, постоянно звала отца и проклинала какую-то неведомую бабку, якобы укравшую у нее ребенка. По совету врача Павел больше не будил ее, хотя ему стоило больших сил и нервов лежать рядом и слушать ее стенания. Просыпалась она свежей, отдохнувшей и из своих сновидений не могла ничего вспомнить.

— Звала отца? — пожимая плечами, говорила она Павлу за утренним кофе. — Да я о нем годами не вспоминала. Кстати, надо бы съездить, проведать старика. Но это уж потом — приедем вместе с Нюточкой, покажу ему внучку.

Правда, он все равно ничего не поймет. Овощ овощем... А бабки я и вовсе никакой не знаю.

По прогнозам врачей рожать ей предстояло в десятых числах февраля. Однако двадцать первого января в ее ночных стонах послышались новые, пугающие нотки. Она проснулась сама, прижалась к Павлу, положила его руку себе на живот. Он почувствовал сильные, какие-то озлобленные толчки.

— Кажется, начинается... — прошептала Таня. — Схватит-отпустит, схватит-отпустит...

К этому случаю они были подготовлены. В углу спальни стояла сумка со всем необходимым, в кармашке лежала Танина медицинская карта. Адрес, по которому надо было приехать, был обоим хорошо известен.

— Что ж, одевайся, — как можно спокойнее сказал Павел. — Сама сможешь?

— Смогу, что я, маленькая, что ли? — Она слабо улыбнулась. — Будем машину вызывать или?..

— Сам отвезу, — решительно сказал Павел. — Резина шипованная, гололеда особого вроде нет. Лишь бы двигатель завелся.

— Заведется, — сказала Таня. — В гараже тепло. Только смотри, сильно не гони. По-моему, особой спешки не требуется.

Пока она одевалась, Павел сбегал в гараж, вывел Танины «Жигули» и подогнал к подъезду. Он ездил на машине нечасто, по доверенности, выданной ему Таней. Права он получил еще студентом — на военной кафедре изучали автодело.

По дороге Таня совсем успокоилась.

— Поворачивай-ка обратно, Большой Брат, — сказала ему, когда они уже проезжали по Петроградской. — Кажется, ложная тревога.

— Не поверну, — упрямо сказал он. — А если все-таки не ложная? Береженого Бог бережет. Я лучше тебя там подожду. Отпустят — тогда другое дело.

На отделение он ее сдал в начале шестого утра. Ждал до десяти. Позвонил в институт, объяснил, по какой причине он сегодня опоздает на работу. В десять к нему вышла заведующая отделением. Таня была права: тревога оказалась ложной. Тем не менее заведующая настоятельно рекомендовала оставить Таню в стационаре. Судя по данным УЗИ, роды предстояли непростые; положение плода было нефиксированным, ребенок поворачивался то головкой, то боком, то ножками; возможно, потребуется стимуляция или даже кесарево. В любом случае показан квалифицированный присмотр. Таню уже направили в отдельную палату. Павел и заведующая вышли из корпуса, и она показала ему окошко этой палаты. В окошке показалась улыбающаяся Таня и помахала ему рукой.

— Поезжайте домой, Павел Дмитриевич, и ни о чем не беспокойтесь. Мы обо всем позаботимся, когда потребуется, известим вас. Если Татьяне Всеволодовне что-нибудь понадобится, она сама сможет позвонить вам. У нее в палате персональный телефон.

«Да, что ни говорите, а номенклатурное родство — вещь полезная», — подумал кто-то чужой в голове Павла. Вслух же он произнес:

— Спасибо вам. Я буду приезжать каждый день. Когда у вас впускные часы?

— Вообще-то на отделение посторонние не допускаются. Но мы что-нибудь придумаем. Приезжайте лучше ближе к вечеру.

Павел звонил Тане каждый день, а после работы заезжал. Общались они в особой комнатке, разделенной, во избежание инфекции, стеклянной перегородкой. Таня ни о чем не просила, но он постоянно привозил ей яблоки, бананы, апельсины, которые она отдавала медперсоналу. На отделении оказалась хорошая библиотека; Таня изучала доктора Спока, Лоранс Перну, отечественных специалистов, перечитала Гоголя, Блока. Всякий раз Павел возвращался от нее успокоенный. Все будет хорошо. Не может не быть.

Эта идиллия кончилась через неделю, и кончилась резко. Павла вызвали к директору института.

— Вот что, Павел Дмитриевич, — сказал директор. — Звонили из Москвы. На третье-четвертое назначены полевые испытания нашего изделия. Ну, того самого, вы знаете. Так что собирайтесь, послезавтра вылетаете на Северный Урал. Теплых вещей побольше...

— Но я не могу, Ермолай Самсонович. У меня жена в роддоме...

— Надо, голубчик, надо... — Не удержав академический тон, директор перешел на генеральский: — Вот если б ты сам рожать собрался, мы бы еще подумали, а так — приказ есть приказ. Без тебя родит. Мамки-няньки найдутся...

Чертыхнувшись про себя и забыв попрощаться, Павел вышел из кабинета. Сволочная работа! Знал бы, что все так обернется, остался бы на кафедре, учил бы студентов. За гроши, зато без всяких тебе сюрпризов.

Таня восприняла новость спокойно.

— Поезжай, если надо. Мы с Нюточкой тебя дождемся. — Она погладила себя по животу. — А если не дождемся, найдем способ тебя известить... Оденься только потеплей, не забудь.


По извечной расейской традиции испытания назначили на самое неудачное время. Метели, заносы, видимость нулевая. Из-за нелетной погоды Павел трое суток проторчал в Салехарде, каждый день с немалыми трудами прозваниваясь Тане. У нее пока все было по-прежнему.

Наконец удалось вылететь на объект, где уже собралась часть комиссии, представители заказчика и исполнителей. Среди них было немало больших чинов. Разместили всех с комфортом, в чистенькой современной гостинице. Даже Павлу, рядовому начальнику отдела, достался хороший одноместный номер с ванной, телевизором и видом на бесконечное, унылое снежное поле. Телефон, правда, был только местный — по причине особой секретности объекта. Существовала, конечно, спецсвязь, но использование ее для личных переговоров возбранялось категорически. В ожидании прибытия остальных участников акции народ в основном занимался распитием напитков, заигрываниями с обслуживающим персоналом и картежом. Пару пулек расписал за компанию и Павел, чтобы хоть ненадолго отвлечься от грызущей его тревоги. Это обошлось ему в двадцать два рубля с копейками: по невниманию он иногда ремизился по-страшному.

От самих испытаний у Павла осталось странное впечатление. Рано утром их вывезли в чисто поле, часть которого вдруг поднялась, открыв вход в шахты и бункера. Потом их на лифте спустили куда-то, но не очень глубоко, в помещение, стены которого были сплошь заняты разного рода пультами, приборами, лампами, кнопками и экранами. Особое впечатление производил огромный экран, изображающий карту мира с разноцветными огоньками в различных точках. Собравшиеся сгрудились в одном углу возле куда более скромного экранчика. Тот был размечен по квадратам и мерцал серым светом. Все стояли, смотрели на экран и чего-то ждали. Когда на экране появилась зеленая точка, все загудели, радостно, оживленно.

— Что там? — спросил Павел ближайшего соседа в полковничьем мундире.

— Засек, понимаешь, засек! — возбужденно прошептал полковник. — Ну, сейчас мы ему зададим перцу!

Потом на экране появилась красная точечка. Когда она соприкоснулась с зеленой и обе исчезли, присутствующие стали кричать, обнимать друг друга, хлопать в ладоши. К Павлу тоже подбегали незнакомые люди, обнимали, поздравляли.

— Молодец, наука! — крикнул ему в ухо какой-то генерал. — Давай теперь дырочки в пиджаке проверчивай!

— Зачем? — не понял Павел.

— Да для ордена, дурья башка! Заслужил!

Облобызав Павла, генерал отошел и тут же стал целоваться с кем-то еще.

Потом их подняли наверх, усадили в автобус и отвезли обратно в гостиницу. Вечером состоялся банкет, на который многие пришли уже прилично нагрузившись. Говорились пламенные и несколько путаные речи, кому-то обещали показать кузькину мать, потом принялись качать какого-то генерала и еще одного пожилого человека в гражданском, но со звездой Героя на груди... Павел, улучив первую благоприятную возможность, сбежал к себе в номер и, не раздеваясь, завалился на кровать. Возможно, он действительно присутствовал при эпохальном событии, возможно, ему следовало бы разделить всеобщее торжество. Но он не мог ощутить себя причастным к этому торжеству — он же ровным счетом ничего не сделал для того, чтобы оно состоялось, более того, он просто не понимал, что, собственно, празднуют эти люди. К изделию, которое сегодня успешно прошло испытание, он был непричастен совершенно и даже с трудом представлял себе, как оно выглядит и что делает. Может быть, это тот серый экранчик с точками? Вряд ли.

Этот вопрос, пожалуй, можно было бы выяснить без особого труда, только голова у Павла была занята совсем другим. Как там Таня? Стал он отцом или пока еще нет? Так ли надо было заставлять его в такой момент лететь в чертову даль, только чтобы посмотреть, как на экране сойдутся две точечки? Дурость какая...

В дверь номера настойчиво постучали.

— Войдите! — крикнул Павел и поднялся с кровати.

На пороге стоял подтянутый, высокий лейтенант.

— Товарищ Чернов? — спросил он, явно риторически.

— Да. В чем дело?

— Прошу за мной. — Лейтенант сделал четкие полшага в сторону, как бы открывая Павлу дорогу.

— Куда?

— В кабинет спецсвязи. Вас вызывает Ленинград.

Павел поспешно натянул пиджак и устремился вслед за лейтенантом. На лифте они спустились в подвальный этаж, прошли длинным лабиринтом, повернули, миновали пост, возле которого навытяжку стоял солдат, свернули еще раз, оказались в широком, ярко освещенном коридоре, где дежурил прапорщик перед одинокой железной дверью. В нее-то и вошли лейтенант с Павлом, оказавшись в почти квадратной комнате без окон. Над массивным столом, покрытым зеленым коленкором, низко свисала на крученой веревке, засиженной мухами, лампочка, торчащая из жестяного, крашенного зеленой масляной краской абажура. В углу громадная и, по всей видимости, очень тяжелая пишущая машинка сама по себе, без участия человека, с пулеметной скоростью выстреливала на бесконечный рулон бумаги ряды цифр. На столе стояли аппараты связи, селекторы, мигалки, назначение которых Павлу было непонятно. На одном телефоне — красном, без диска — была снята трубка.

— Вам сюда, — сказал лейтенант, указывая на этот аппарат. — Нажмите на кнопочку слева и говорите.

— Алло! — сказал Павел в трубку.

— Ну, здорово, папаша! — раздался отчетливый, будто из открытой двери, голос отца. — Поздравляю! Девка у тебя. Три восемьсот. Пятьдесят два сантиметра. Здоровая, говорят, самая горластая на отделении...

У Павла перехватило дыхание.

— Когда? — пролепетал он в трубку.

— Сегодня утром, в десять пятнадцать. Ну, пока мне сообщили, пока на связь с тобой вышел...

— Как Таня?

— Хорошо. Отстрелялась рекордно. Врачиха говорит, никогда такого еще не видела: воды только отошли, и тут же ребенок выскочил, как из пушки. И двух минут не прошло. Все путем!

— Когда выписывают?

— Ну, если осложнений не будет, держать долго не станут. Мать с Адой бегают, суетятся, приданое собирают, комнату вылизывают. Коляску мне показали — красота! Французская. Сам бы от такой не отказался, если бы моего размера делали... Как у тебя?

— Нормально. Вроде тоже отстрелялись. Попробую завтра же вылететь домой.

— Ну давай, ждем...

Но с вылетом домой получилось не так просто. В тот же вечер Павел отловил Козельского, заместителя директора института, единственного достаточно знакомого человека здесь и вроде бы непосредственного начальника, и сказал, что ему нужно завтра вылетать.

Изрядно подгулявший Козельский, недовольный тем, что его отвлекают от дальнейших увеселений, посмотрел на Павла, как на психически больного.

— Спятил, Чернов? У нас намечена серия из семи испытаний. Пока прошли только одно, а ты уже смыться норовишь.

— Но я думал, что все уже кончилось...

— Индюк думал! По мне так хоть завтра вали, на фиг ты тут нужен. Только не я тут распоряжаюсь.

— А кто?

— Мельгунов. Генерал-полковник. Знаешь?

Павел только видел этого высокого грузного генерала с грубым, жестким лицом, но лично знаком с ним не был. Тем не менее он кивнул.

— Только сегодня не суйся. Пошлет по матушке, и только, — посоветовал Козельский. — Лучше завтра.

— А завтра не пошлет? — спросил Павел, вспомнив чугунную физиономию генерала.

— Скорей всего...

Павел все же решился и на следующий день, когда все отдыхали после вчерашних испытаний, дождался Мельгунова в вестибюле гостиницы и по возможности четко и кратко изложил свою просьбу и ее причину. К удивлению Павла, грубое лицо генерала расплылось в улыбке.

— Дочка, говоришь? Поздравляю! — Он пожал Павлу руку. — У меня у самого трое, и от каждой по внуку имею... И рад бы отпустить по такому случаю, но не могу. Во-первых, не положено, во-вторых, не на чем. Первый транспортник только через три дня прилетит, а специально заказывать для тебя самолет я не могу. У меня свое начальство, по головке не погладит... Пойдем лучше ко мне, посидим, отметим это дело. В первый раз, поди, папашей стал? Оно и видно.

Отказываться от предложения такого важного лица Павел не стал. Тем более что вылететь отсюда он никак не мог, а здесь делать все равно было нечего.

Оставшиеся дни на полигоне Павел провел как бы в автоматическом режиме — наблюдал за испытаниями, по ходу дела вникая в их смысл и методику, знакомился и общался с людьми, ел, спал, играл в карты, больше не проигрываясь. Он даже в общих чертах стал понимать устройство и назначение изделия, испытывать которое прилетел в такую даль. Устройство было не шибко сложным, а вот назначение пришлось ему не по душе. Однако он об этом особо не задумывался. Все мысли его были там, в Ленинграде.

Наконец все завершилось. Часть группы направилась в Салехард и долго не могла вылететь оттуда из-за метелей. Павел, послушавшись умного совета одного из военных, не стал спешить с вылетом с полигона, остался там еще на день и дождался военного транспортника на аэродром Жуковский. Для военных нелетной погоды не существует, и уже через четыре часа Павел ступил на землю Подмосковья. Оттуда на электричке доехал до Москвы, а на следующее утро поездом прибыл в Ленинград.

Дверь квартиры открыла незнакомая женщина в белом халате.

— Вы кто? — подозрительно спросила она.

— А вы кто? — спросил ошеломленный Павел.

— Нина Артемьевна, это, наверное, Павлик прилетел, — раздался из глубины квартиры Адин голос. — Ну наконец-то!

Женщина еще раз подозрительно посмотрела на Павла, но посторонилась, давая пройти.

— Раздевайтесь, сапоги снимайте, — сказала она. — В ванной дегтярное мыло, вымоете руки и лицо. Уличную одежду снимете там. Я принесу домашнее.

В прихожую вбежала Ада, хотела обнять Павла, но остановилась.

— Ой, Павлик, вы с дороги, а мы тут страшно боимся инфекции, — смущенно и почему-то на «вы» сказала она. — Слушайтесь Нину Артемьевну, она теперь здесь главная. Когда помоетесь, переоденетесь, заходите в детскую. Посмотрите Нюточку. Это такая крошечка, такая прелесть!

— А Таня где?

— После, после, — поспешно сказала Ада и ушла.

Павел долго и тщательно намывался, потом под бдительным присмотром Нины Артемьевны зашел в детскую. Ады там не было. В углу, рядом со шкафчиком, на крышке которого стояли рожки-бутылочки и лежали стопки чистых пеленок, располагалась деревянная детская кроватка. Павел двинулся к ней.

— Тс-с, — зашипела Нина Артемьевна. — На цыпочках! Девочка поела и спит.

Павел покорно встал на цыпочки и, затаив дыхание, приблизился к кроватке. Между белейшей простынкой и розовым кружевным чепчиком он разглядел насупленный лобик, черные густые бровки и крошечный, ритмично посапывающий носик.

— Нюточка... — прошептал он. — Кусочек мой...

— Идите, идите. — Нина Артемьевна подтолкнула его к выходу. — Успеете еще налюбоваться.

Ада уже принесла в гостиную сосиски с картошкой, бутерброды, кофейник.

— Устали, наверное, до смерти. Вот, поешьте, а потом надо бы отдохнуть, поспать.

— Спасибо, Ада, — сказал Павел и сел за стол. — Можно было бы и на кухне... А Таня где?

— Ее нет, — отвернувшись, сказала Ада.

Павел выронил вилку.

— Как это нет?! — крикнул он. — Ну-ка, говорите мне все! Сейчас же!

— Ах, тише, тише, пожалуйста... — Ада вздохнула. — Не волнуйтесь так. Просто я крайне неудачно выразилась. Понимаете, Танечка так намучилась с родами и... после. У нее совсем сдали нервы. Нам пришлось отправить ее в санаторий. Но это ненадолго. Она уехала вчера и вернется через три недели.

— Но кормление... ребенок? — недоуменно спросил Павел.

— Таня не может кормить грудью, — грустно сказала Ада. — В этом-то все и несчастье.

— Как не может? Нет молока? Но лактацию можно стимулировать, мы вместе читали...

— Да нет же! Молока предостаточно... было. Но у малышки началась сильнейшая аллергия на материнское молоко. Непонятная, необъяснимая аллергия! Она родилась здоровенькая, роды прошли прекрасно, и ее в первый же вечер принесли Тане на кормление. Девочка взяла грудь, начала отлично сосать... и вдруг стала задыхаться, вся посинела. Малышку немедленно отнесли в реанимацию. Думали, захлебнулась, подавилась... Оказалось, сильнейший спазм горла и бронхов. Ее откачивали часа два, подключили искусственное легкое... — Ада всхлипнула. — На другой день все повторилось. Тут же сделали всякие анализы. Но ничего необычного не нашли — ни в Танином молоке, ни в Нюточкиной крови, нигде! Аллергические пробы тоже ничего не показали. Врачи ничего не могли понять, собрали консилиум... Молоко других мам, специальные смеси девочка пила превосходно, но когда ее внесли к Тане в третий раз, она не только не взяла грудь, но стала сразу кричать и задыхаться. Пришлось ее срочно унести... Танино молоко давали другим новорожденным — и ничего, прекрасно сосали... Так нас и выписали — с диагнозом «аллергическая реакция невыявленного происхождения». Дали направление на молочную кухню, порекомендовали Нину Артемьевну. Она — патронажная сестра на пенсии, великолепный специалист-практик. Да... Но это еще полбеды, — добавила она шепотом.

— Говорите, — не глядя на нее, сказал Павел деревянным голосом.

— У ребенка вроде аллергия не только на материнское молоко, но на саму Таню. Как на руки, так криком заходится, синеет... А дома началось совсем непонятное. Нюточка — прекрасный ребенок, спокойный, здоровенький. Но только когда рядом нет Тани. Даже если Таня в другой комнате, она начинает беспокоиться, плакать. Стоит Тане войти в детскую — поднимается страшный рев, судороги. О том, чтобы подойти, взять на руки, и речи быть не может — это может просто погубить девочку. Таня очень тяжело это переживает, она похудела, спала с лица, не спит ночами. Первая ночь дома была ужасна — девочка кричит, плачет, Таня тоже плачет, мечется. На вторую ночь пришлось отправить ее к нам. Она хоть поспала. И малышка спала прекрасно. Но когда Таня вернулась, опять начался ужас. Два дня Таня жила у меня, а позавчера Николай Николаевич принес путевку в Старую Руссу, и вчера мы ее отправили туда... А как быть дальше — не знаю... Просто не знаю...

Ада разрыдалась. Павел подсел к теще, обнял ее за плечи.

— Ничего, ничего, не надо плакать... Что-нибудь придумаем. Все образуется.

Сквозь рыдания Ада проговорила:

— Мне кажется... это я во всем виновата...

— Помилуйте, как это? При чем здесь вы?

— Что-то такое было... связанное с рождением Тани... и прежде. Мне кажется, я совершила что-то ужасное тогда.

— Что ужасное вы могли сделать?

— Не помню, начисто не помню — и это тоже ужасно.

— Скажите, — помолчав, спросил Павел, — а кто была ваша мать? Что с ней?

Ада побледнела.

— Не знаю. То есть до рождения Тани мама жила с нами, растила Никиту, но как только родилась Таня, она уехала и даже не сказала, куда. Я так и не знаю, что с ней, где она, жива ли.

— Но она что-то говорила вам перед отъездом? Не могла же она уехать без объяснений.

— Да, конечно, говорила, только... Только я ничего не помню. В голове сразу туман поднимается и как будто обручи давят, сжимают...

— Странно, — пробормотал Павел. — Очень странно... Таня перед родами во сне постоянно проклинала бабку, звала отца... Почему она звала отца?

— Ах, не знаю... не знаю...

Ада вдруг застыла. Лицо ее исказила странная гримаса, она побледнела и стала сползать со стула на пол. Павел едва успел подхватить ее.

— Нина Артемьевна! — крикнул он. — Идите сюда!

Показалась Нина Артемьевна. По лицу ее было видно, что она хотела отчитать Павла за крик, но когда она увидела Аду, настроение ее резко переменилось.

Она присела рядом, стала щупать пульс.

— Может, валидолу, корвалолу? — спросил Павел. — У нас в аптечке, кажется, есть.

— Никакого валидола, — сказала Нина Артемьевна. — Рюмку коньяку, быстро!

К счастью, в баре отыскался коньяк. Нина Артемьевна влила рюмку Аде в рот. Та задышала, порозовела, пришла в себя.

— Господи, — пролепетала она. — Как голова болит...

— Полежите спокойно, все скоро пройдет, — сказала Нина Артемьевна и ушла в детскую.

Ада лежала на диване. Павел сидел за столом возле тарелки с остывшими сосисками. Они смотрели друг на друга и молчали.

Кое-как отчитавшись в институте, Павел в первые же выходные помчался в Старую Руссу. Он дышал на замерзшее стекло автобусного окошка, протирал рукавицей и в образовавшуюся дырочку смотрел на заснеженную природу. Он не мог принять создавшуюся ситуацию, примириться с ней, и лихорадочно искал выход. В голове мельтешили сумбурные мысли, перекрывая друг друга, не давая сосредоточиться на чем-то одном.

В Старой Руссе он три часа просидел в маленьком зальчике автостанции, дожидаясь местного рейса до санатория. Он отрешился от всего, что в этот момент окружало его, и думал, думал. Но чем больше он думал, тем больше сумятицы возникало в его мыслях. В результате он чуть не пропустил автобус.

— Татьяна Чернова? Да, имеется такая, — сказали ему в регистратуре санатория. — А вы ей, собственно, кто будете?

— Я буду ее муж, — сказал Павел и в подтверждение протянул в окошечко паспорт.

Женщина в окошечке туда даже не заглянула, а сказала, как показалось Павлу, с сочувствием:

— Главный корпус, комната двести тринадцать. Это на втором этаже направо... Только ее сейчас там нет! — крикнула она вслед устремившемуся в указанном направлении Павлу.

Он остановился так резко, что чуть не потерял равновесие.

— Так где же она?

— После обеда у нас процедур нет. Так что ваша жена взяла лыжи и вышла прогуляться. Вы лучше ее здесь подождите. Ужин у нас через полтора часа. Вернется.

— Скажите, а где здесь обычно катаются?

— Ну, кто к речке ходит, кто на горки, кто просто по лесу гуляет. Места у нас всюду дивные... Эй, куда вы?

— Где у вас горки?

Павел бежал, не чувствуя под собой ног. Сердце бешено колотилось. Он словно загадал, что если Таня действительно на горках и он успеет добежать туда и встретиться с ней, то все будет хорошо. Конечно, он сознавал, что это полная глупость, но ноги не слушались рассудка и все несли, несли его вперед. Ему вспомнился давний сон, несколько раз повторявшийся перед свадьбой, — как он летит с горы на лыжах, догоняя Таню, и не может ее догнать, и молит: «Обернись!» — и она оборачивается и ослепляет его золотым сиянием глаз...

— Куда спешим? — Родной голос, веселый, чуть насмешливый.

Он остановился, тяжело дыша. Прямо впереди, на пригорке, на наезженной лыжне, стояла Таня, небрежно опершись на одну палку, а другой помахивая, будто тросточкой. Желанная, как никогда.

— Ты? — выдохнул он.

Он уже и забыл, какая она может быть красивая, как задорно выбивается из-под голубой шапочки рыжий хохолок, как толстый просторный свитер не только не скрывает высокую грудь и вновь обретенную тонкую талию, а, напротив, словно намеком обозначает их и тем самым подчеркивает.

— Я, — подтвердила она. — А тебе нужен кто-то другой?

В этом ироничном, спокойном тоне ему слышалось что-то не то, что-то неправильное. Нет, не искусственность, не попытка взбодрить себя и его, но... В общем, неправильное.

— Я так ждал встречи с тобой, — начал он, чувствуя, что тоже говорит не то.

— А я-то как ждала! И вот дождалась. Ну, что скажешь, Большой Брат?

Он подбежал к ней, взял за руку, поцеловал в свежие, морозные губы. Она дала себя поцеловать — и только.

— Как ты? — спросил он.

— Да как тебе сказать... Знаешь, неохота на ходу разговаривать, а стоять здесь холодно. Побежали-ка до дому, там и поговорим.

Она легко оттолкнулась палками и, обогнув Павла, заскользила по лыжне вниз.

«Если обернется — я пропал», — ни с того ни с сего подумал он, отмахнулся от этой нелепой мысли и побежал следом за ней.


— Зря ты приехал, — говорила Таня уже у себя в комнате, дрожащей рукой прикуривая четвертую подряд сигарету от третьей. — Я так стараюсь привести себя в порядок, отойти от этого ужаса, что-то стало уже получаться — а тут ты... Только разбередил рану.

Павел сидел в кресле у стола и смотрел на Танину дрожащую руку с сигаретой.

— Но надо же что-то решать, — глухо сказал он.

— Решать можно тогда, когда решение существует. Я пока его не вижу. Мне нужно собраться с силами, прийти в себя, тогда, возможно, и решение появится. А пока... я запретила себе думать об этом, иначе просто сойду с ума...

— Я понимаю, — сказал Павел.

— Ничего ты не понимаешь! — резко сказала Таня и раздавила сигарету в пепельнице. — Не можешь понимать! Ты не пережил этого кошмара, этого ада... Все только и твердят: «Ах, Нюточка, ах, малышка, бедная!», носятся с ней, как с писаной торбой, а на меня смотрят как на выродка, будто я это все нарочно... Ах, она не может дышать одним воздухом с родной матерью, ах, она умирает, когда мать хочет взять ее на руки!.. А я? Разве я в эти мгновения не умираю, разве мне хватает воздуха рядом с ней?!

— Таня, Таня, ну что ты такое говоришь? Я понимаю, ты измучилась, тебе нужно отдохнуть...

— А я что делаю? Так не мешайте же мне, прошу вас!..

Он ожидал слез, но слез не было. Был только обжигающий блеск в сухих, колючих глазах.

— Но тебе здесь хорошо? — спросил Павел, меняя тему, мучительную для обоих.

— Здесь? Да. Душ Шарко, психотерапия, группа аутотренинга, аэробика, лыжные прогулки. По вечерам кино, танцы. Транквилизаторы колют на ночь... Я приду в норму. Совсем скоро. Ты потерпи, Большой Брат. Тогда и придумаем что-нибудь... Только ты иди теперь, а? Мне пока трудно быть с тобой. Сразу снова начинает лезть в голову весь этот кошмар... Ты иди, очаруй дежурную, у них сейчас много свободных комнат, пустят переночевать, а завтра с утра пораньше уезжай, ладно?

У Павла будто что-то оборвалось внутри.

— Как это — ладно? Совсем не ладно...

Он присел на пол у ее ног, уткнулся головой в мягкое, теплое бедро.

— Я не могу без тебя, ты для меня — всё, я хочу тебя, пойми... — чуть слышно бормотал он.

Она рассеянно гладила его волосы и молчала. Он поднял голову, и Таня легонько толкнула его в плечо.

— Не надо, Большой Брат. Мне ведь без тебя тоже несладко. Только нельзя мне сейчас, ты же понимаешь... Так что, если не хочешь оставить меня инвалидом на всю жизнь...

Не договорив, она наклонилась и чмокнула его в ухо.

— Ступай.

— Ладно. — Павел поднялся, не сводя с нее глаз. — Тогда я пошел.

— Пока, — сказала Таня. — Жди меня. Девятнадцать дней осталось.

— Да. Буду ждать. Конечно.

Он не стал чаровать дежурную. Просто просидел всю ночь в кресле и уехал первым утренним автобусом.

Павел разрывался на части. Приходилось допоздна задерживаться на работе: начальство требовало интенсивнее заниматься радиоактивной тематикой, а собственные устремления заставляли все большее внимание уделять разработкам, связанным с алмазами и их уникальными свойствами. Когда большинство сотрудников уже уходило, он оставался, просматривал полученные материалы, работал с приборами, рассчитывал. И давил в себе стремление поскорее бросить все эти дела и мчаться домой, к Нюточке.

Он прикипел душой к этому живому розовому комочку. Когда на него падал взгляд еще мутных глазенок, он читал в нем любовь и мудрость, какую-то неземную мудрость, принесенную Нюточкой из других миров, мудрость, которая — он знал это наверняка — исчезнет потом, когда окрепнут ее связи с Землей. Но любовь останется. Прибежав с работы и наскоро поужинав, он садился рядом с кроваткой и неотрывно смотрел на спящую девочку. Через день-другой после его возвращения Нина Артемьевна позволила ему взять ребенка на руки, предупредив, чтобы придерживал головку, потом доверила подержать рожок во время кормления, наконец, самостоятельно перепеленать девочку. Он очень старался, но, хотя знал по книжкам, как это надо делать, и неоднократно наблюдал за Ниной Артемьевной, в первый раз вышло не очень хорошо. Получился скорее узелок — и самое досадное, что узелок этот тут же развязался, как только он стал перекладывать Нюточку в кроватку. Нина Артемьевна покачала головой и перепеленала сама, обращая внимание Павла на каждое движение. Он старательно все запоминал и вскоре справлялся не хуже самой Нины Артемьевны, правда медленнее. Иногда строгая няня доверяла ему приготовить девочку к ночному сну, и он ходил с Нюточкой по детской, напевая ей всякие песенки, пока Нина Артемьевна не забирала у него девочку, ворча, что он ее слишком уж приучает к рукам. Если он с работы успевал к купанию, то непременно в нем участвовал, придерживал головку, вынимал из ванночки и держал малышку, а Нина Артемьевна вытирала ее. По выходным он укладывал закутанную в теплое одеяльце девочку в коляску и часами гулял с ней по заснеженному городу. Он показывал ей дома, деревья, каналы, мосты, шепотом, чтобы не приняли за сумасшедшего, рассказывал про них. Нюточка, если не спала, смотрела на него. Он не сомневался, что она все понимает, хотя и знал, что этого не может быть.

Через две недели она стала держать головку и фиксировать взгляд. Павел был на седьмом небе от счастья.

Очень скоро он заметил, что все его занятия с Нюточкой не только не утомляют его, но наоборот, снимают ту усталость, с которой он приходил с работы. Он стал проводить с ребенком все свободное время, разве что, уже лежа в постели, позволял себе несколько минут почитать книжку или журнал. Телевизор в доме не включался вовсе.

Ада после того своего приступа стала появляться все реже и реже. Поняв, что здесь справляются и без нее, она, как показалось Павлу, испытала облегчение. Пару раз заглядывала Лидия Тарасовна. Поумилявшись немного девочкой, она выходила из детской и, верная себе, устраивала выволочки Павлу или Нине Артемьевне — повод всегда находился. В ее присутствии у всех портилось настроение, и Павел был доволен, что мать не слишком рвалась к активному исполнению роли бабушки.

Он с головой уходил в дела — и на работе, и дома, с доченькой. Это притупляло, а иногда и вовсе заглушало боль, глубоко засевшую в нем и особенно терзавшую его ночами. У этой боли было имя: Таня.

Она запретила ему появляться в Старой Руссе, сказала, что домой приедет сама. Он с тревогой ждал ее возвращения. Двадцать второго марта. Накануне он позвонил Аде и попросил, чтобы Нина Артемьевна с Нюточкой дня два-три пожили у нее. Он страшно боялся возможной реакции ребенка на появление мамы. Ада посовещалась с Николаем Николаевичем и через некоторое время перезвонила. Да, они согласны и ждут. Павел погрузил в «Жигули» няню с девочкой и с вещичками и отвез их в дом Захаржевских, неподалеку от Московского проспекта.

— Мы освободили вам комнату Всеволода Ивановича, — сказала, встречая их, Ада. — Она тихая. Бывшая Танечкина комната, конечно, удобней, но сейчас в ней живет Никита.

Ник. У Павла к горлу подступила тошнота. Он совсем, начисто забыл, что эта скотина, Танин братец, хорошо получив по морде в Вене и в Москве, вернулся в родительский дом. Вот черт! Лучше было бы с отцом договориться... Но переигрывать уже поздно.

— Он дома? — как бы между прочим спросил Павел.

— Он дома почти не бывает. Работа, компании...

И то слава Богу.

— Я буду звонить и постараюсь вас забрать поскорее, — сказал Павел Нине Артемьевне.

— Не торопитесь, — посмотрев на него, сказала Нина Артемьевна. Они явно думали об одном и том же.

Дома было пусто. Павел повесил пальто, пошел на кухню, достал что-то из холодильника, пожевал, не ощущая вкуса, зашел в кабинет, сел за стол, взял книжку, раскрыл. Буквы плыли, прыгали, не складываясь в слова. Он перебрался в гостиную, зажег торшер, сел в кресло. Встал, поставил книгу на полку, взял другую. Тишина давила, отдавалась мучительным звоном в ушах. Он включил телевизор.

Там дорогому Леониду Ильичу вручали очередной орден. Старик стоял, словно статуя, созданная скульптором-сюрреалистом с лютого похмелья. Его застывшее лицо было бессмысленным, шевелились лишь знаменитые брови.

Павел выключил телевизор, постоял у окна и направился в детскую. Не зажигая света, он долго стоял у пустой кроватки, потом придвинул табуретку, сел.

— Спи, зайчик мой, — сказал он матрасику, пеленке, подушке. — Спи. Все будет хорошо.

И отвернулся, чтобы Нюточка не видела его слез.


Двадцать второго Таня не приехала. Двадцать третьего тоже. Двадцать четвертого Павел, с трудом отпросившись с работы, помчался на автовокзал. На утренний автобус он опоздал, дневной же, как ему сообщили, был отменен в связи с малым пассажиропотоком. Павел поехал на Московский вокзал и, отстояв недлинную, но очень медленную очередь, взял билет на вечерний поезд. Плацкарт, верхняя боковушка. Ему было все равно.

Домой возвращаться не хотелось. Он поехал к Захаржевским, надеясь отогреться душой возле Нюточки. Еще на площадке он услышал ее требовательный плач. Мокренькая или есть хочет. Он позвонил, и дверь тут же открылась. В проеме стоял ухмыляющийся Ник в большой волчьей шапке и дубленке.

— Ба, отец семейства! Сколько лет, сколько зим! — Он протянул руку.

Павел недоуменно посмотрел на эту руку, на тощее, хищное лицо Ника, развернулся и побежал по лестнице вниз. В спину ему несся хохот Ника и его торжествующий голос:

— Ну что, Поль, жизнь прекрасна? А ведь предупреждали...

Он час мерз под аркой соседнего дома, куря сигарету за сигаретой и неотрывно глядя на подъезд Захаржевских. Терпение его было вознаграждено: из дверей показалась Нина Артемьевна с коляской. Он подбежал к ней, взял у нее коляску и пошел кругами по скверу, не сводя взгляда с дочери, разговаривая с нею. Нюточка сладко зевнула, из ротика вывалилась пустышка. Девочка зачмокала губами. Павел остановился, вставил пустышку обратно, улыбнулся и подмигнул спящей девочке. Он посмотрел вверх, на окна Адиной квартиры.

— Да, сволочь, да! — прошептал он. — Жизнь прекрасна!..

Он даже не стал раскладывать полку, зная, что все равно не заснет, тем более что боковые места были явно не рассчитаны на его рост. Всю дорогу он то курил в тамбуре, то сидел на свободном местечке возле сортира и смотрел в окно... Только под утро усталость взяла свое, и он начал клевать носом...

— А она уехала, — сказала дежурная в санатории. — Двадцать второго числа, как и указано в путевке.

— Как уехала?! Куда уехала? Понимаете, дома она так и не появилась...

— А ее друзья забрали. Заехали за ней и забрали.

— Какие друзья? Вы не помните, как они выглядели, друзья эти?

Дежурная посмотрела на Павла с жалостью.

— Помню. Как раз моя смена была... Двое их было. Молодой человек и девушка. Модные такие, не из простых. Он усатый, черный, в дорогой дубленке. А она — блондинка, видная, фигуристая, полушубок кожаный в обтяжечку, сапоги высокие с висюльками. Без шапки, шарфиком красным голова повязана... Оба веселые, говорливые. И сама Чернова веселая уехала, смеялась все, духи мне на прощание подарила, французские. Почти полный флакон.

— Говорила что-нибудь, куда едет? Передать ничего не просила?

— Куда — это известное дело. В Старую Руссу, на автовокзал. Наш санаторский автобус отдыхающих туда в конце смены отвозит. Билет у нее загодя был куплен. До Ленинграда. И друзья с ней поехали.

— Понятно, — сказал Павел. — Что ж, спасибо вам большое... Пойду я...

Дежурная внимательно посмотрела на него.

— Ты, милый, сядь передохни. Или в буфет сходи. — Она показала в конец коридора. — Буфет у нас хороший, ветчина есть, рыбка. Рейсовый теперь не скоро пойдет. А вот Василий Петрович, завхоз наш, в Руссу сегодня собирался. Если еще не уехал, подбросит тебя. Я сейчас...

Она стала звонить куда-то, а Павел в изнеможении опустился в кресло.

— Ну вот, — сказала дежурная. — Через полчаса к корпусу подъедет, я договорилась. Сходи поешь, а то совсем с лица спал.

Павел поплелся в буфет.

Покачиваясь на сиденье междугородного автобуса, Павел выстраивал план дальнейших действий. Он сразу понял, что блондинка, приехавшая за Таней, — это та самая Анджела, свидетельница на их свадьбе, а усатый брюнет — скорее всего тот самый тип, который резвился с Анджелой на их с Таней кровати. Оставался всего пустяк: разыскать их, вырвать у них Таню, привезти домой. Все остальное потом... Возможно, лечение какое-нибудь особенное... если врачи не помогут, есть, говорят, такие «народные целители», бабки всякие... Но сначала — вытащить Таню.

Дома он первым делом принялся рыться в ящике телефонного столика, рассчитывая найти Танину записную книжку с телефоном Анджелы. Пусто. Он пошел в кабинет, открыл Танин портфель, стоявший рядом с ее секретером, вывернул его содержимое на свой стол. Тетради, учебники по грамматике, по французскому... Блокнот. Павел жадно раскрыл его. Какие-то реестры, списки, суммы. «Гарнитур гостиный финский — 7.100 + 150 за доставку. Обои...» Павел захлопнул блокнот, положил обратно в портфель, затолкал туда все остальное. Поставил на место, открыл секретер и стал методично прочесывать его ящики и полочки. Конверты, папки с разными бумагами, фотографиями, тетради. Ничего похожего на записную книжку. Проходясь по ящичкам, он наткнулся на один, который никак не хотел открываться. Должно быть, заперт на ключ. Павел не имел представления, где взять этот самый ключ. Он еле удержался, чтобы не начать немедленно взламывать ящик, но вовремя сдержался. Нет, сначала он перероет все остальное, и если не найдет, то тогда поищет ключ. Если же и ключа не найдет, только тогда...

В самом нижнем ящике лежали два пухлых конверта плотной коричневой бумаги. На одном, поменьше, было написано «Дела», на другом, большом, — «Архив». Павел начал с того, что поменьше... Квитанции, визитные карточки (он внимательно пересмотрел их, но из знакомых нашел только карточку Дубкевича), опять какие-то реестры, где рядом с колонками цифр стояли непонятные буквенные сокращения. Их было довольно много, они свидетельствовали, что Таня вела какую-то активную деловую жизнь, о которой Павлу не было известно ровным счетом ничего. Может быть, другой на его месте и поинтересовался бы этим любопытным фактом, но Павла в данный момент это решительно не интересовало. И вообще — это личная Танина жизнь, вторгаться в которую никто не имеет права, в том числе и он, муж, — равно как никому, включая и Таню, не позволено вторгаться в его личную жизнь. Несмотря на взвинченное до предела состояние, Павел почувствовал злую иронию ситуации:

мысль о неприкосновенности личной жизни любимого человека посещает его в тот самый момент, когда он копается в бумагах этого человека. Но сейчас это никакое не вторжение в ее личную жизнь, а спасательная операция, и он не задумываясь полез бы хоть в ящик с ее грязным бельем, если бы точно знал, что найдет там адрес или телефон Анджелы...

Листок со списком телефонов, надписанный «Главные (на случай)». Павел схватил этот листок, внимательно перечитал. Некоторые телефоны, названия и фамилии были ему известны — в основном так называемое «спецобслуживание»: распределитель, билетная касса, главврач Свердловки, управление гостиниц. Имелся здесь и служебный телефон Дмитрия Дормидонтовича. Телефона Анджелы, естественно, не было.

Павел схватил второй конверт, вытряхнул его на крышку секретера. Опять фотографии. Павел вскользь проглядел их — ничего интересного, Таня с какими-то улыбающимися людьми, группами и тет-а-тет. С девчонкой, очевидно школьной подругой, толстой и некрасивой. С парнем в темных очках на палубе большого парохода. С лысоватым, интеллигентного вида мужичком на фоне красивого загородного дома. На фоне того же дома с девицей... Стоп, это же Анджела, начинающая актриса! Павел схватил фотографию, перевернул — пусто, никаких надписей. Письма, перевязанные тесьмой. Кожаный футляр с визитными карточками — на русском, английском, французском... Имена незнакомые. Зато знакомое удостоверение старшего референта Управления Министерства культуры РСФСР. Еще одно удостоверение — внештатный корреспондент «Известий». Странно, про это Таня ничего не говорила. Старая, потрепанная записная книжка. Так... И на первой же странице: «Анджела. 218-50-02». Подхватив книжку, Павел выбежал в прихожую и стал яростно нажимать на кнопки.

— Слушаю! — Голос женский, пожилой, не сказать чтобы особенно приятный.

— Здравствуйте! — Спокойней, Чернов, спокойней! — Будьте любезны, позовите, пожалуйста, Анджелу.

— Кого-кого? — На том конце не то кашель, не то смех.

— Анджелу.

— Нету таких. Были, да сплыли.

— Куда? Телефон, адрес есть?

— Нам не докладывались.

— Погодите, не бросайте трубку! Дело очень важное... Скажите, в каком она театре работает?

— В театре? — Теперь уже явно смех, заливистый, с придыханиями. — В театре? Ну, артистка...

— Ну, может быть, на телевидении, в доме культуры...

— Насмешил, ух! В доме культуры... Она больше по ресторанам... культурный уровень повышает. Особенно в «Советской».

— В гостинице? В варьете, что ли, работает?

— Ага, в кордебалете... с мужиками иностранными кувыркается. За двадцатку.

— Спасибо вам огромное! — Павел бросил трубку, не дожидаясь продолжения. Надо срочно в «Советскую». Остальное его уже не интересовало.

Начало одиннадцатого. Ресторан, кажется, до двенадцати. Можно успеть — это недалеко. Павел нацепил пальто, выскочил и побежал. Ему повезло. На Садовую выворачивал одиннадцатый. Он поднажал и в последний момент вскочил на подножку.

Тяжело дыша, он взбежал по широким ступенькам, рванул стеклянную дверь. Путь ему преградил дюжий швейцар.

— Ваша карта? — бесстрастно спросил он.

— Какая еще карта?

— Гостевая. Без нее не положено.

— Но мне очень нужно... — Павел качнулся и, резко перебросив вес тела на другую ногу, нырнул мимо швейцара в вестибюль.

Это была его ошибка. Швейцар, привычный к таким маневрам, успел схватить его за шиворот, а другой рукой поднес ко рту свисток и оглушительно свистнул. От других дверей подбежали еще два швейцара, а с кресла в дальнем конце поднялся милиционер и с неторопливым достоинством направился в их сторону.

— Пустите, — вырываясь, шипел Павел. — Мне очень нужно.

— Куда нужно-то? — явно издеваясь, спросил швейцар.

— В ресторан. Я жену ищу...

Швейцары дружно расхохотались.

— Ну простота, а! Ты б хоть соврал чего поумнее. Жену он в ресторане ищет, скажи! Добавить захотел — давай вон в «подотелевку» чеши, там еще открыто...

— Да мне не добавить...

— В чем дело, гражданин? — это говорил уже подошедший милицейский сержант. — Почему нарушаем?

— Дверью товарищ ошибся, — хмыкнув, пояснил один из швейцаров. — Хотел в кафе, попал сюда... Жену ищет.

— Нашел место! Ну что, сами уйдете или хотите со мной пройти — протокольчик составим, определим вам вытрезвиловку или суток десять?

— Сам уйду, — пробурчал Павел. Дальше упорствовать не было смысла: ничего, кроме неприятностей, это дать не могло. Вторую попытку надо провести обдуманно и наверняка.

Швейцар выпустил его, крепко тряхнув на прощанье и напутствовав словами:

— Гулять тоже с умом надо!


## II


После встречи с Павлом на лыжне что-то надломилось в Тане, лопнула какая-то пружина. Нестерпимая тоска, скука тянули непонятно куда. Напиться не получалось ни в компании, ни в одиночку. За день до конца путевки приехала навестить Анджелка со товарищи.

— У вас ничего покрепче нет? — спросила она Анджелку, покачивая в руке рюмку коньяка.

— Куда уж покрепче? — хихикнул Якуб, ответив за подругу. Но и Анджела, и Якуб ее поняли.

— А что, может, рванем домой? — тоном вкладывая во фразу некий дополнительный смысл, предложила Анджела.

— Валим! — решила Таня.

Мгновенно собрала манатки, вызвала горничную, сунула ей десятку за уборку и оформление бумаг и, не прощаясь, отправилась в Питер. Но не домой.

Пахучая конопля, которую принес Якуб, поначалу держала ее. Но это было не совсем то, что нужно. Запустив по кругу косяк, она становилась вялой. Да и держало недолго. Колыхалось пространство, плавало, изменяя формы предметов. Была острота восприятия, но не острота чувств. А не все ли равно? Павел не должен знать, а на остальных начихать. Сознание просило чего-то сильнее, чем невзрачная труха марихуаны. Снова помог Якуб. Таня пускалась во все тяжкие...

После ширялова наступало просветление. В такую минуту снова явилась мысль, блуждавшая давно. Первое: «Это смерть», потом: «Совсем не страшно», потом: «Как хорошо». Решение зрело. А славно было бы... Она представила себе, как ее хоронят, провожают в последний путь, плачут — и стало смешно от этих унылых заплаканных рож. Тогда она поднималась в гробу со сложенными на груди руками, сидя окидывала всех удивленным взором, люди в процессии от ужаса штабелями опрокидывались в обморок, и она хохотала, звонко, серебристо, раскатисто...

— Решения партии претворим в жизнь. Пятилетку досрочно, — лепетали ее губы в наркотическом угаре и расплывались в блаженной улыбке...

Чем бы Таня ни занималась, за все бралась решительно. Вряд ли она способна была допустить мысль, что нуждается в помощи. Куда там сильной женщине поведать хилому душеприказчику перипетии своих дорог. Некому и нельзя. События наслаивались, накапливался опыт интересной, но уж очень далекой от собственных идеалов жизни, а вместе с ним густел осадок душевной боли и грязи.

Чистый, не разменивающий себя на пустяки Павел был для Тани чем-то вроде «пан или пропал». Теперь она четко понимала, что медным тазом накрылся тот пан... Вернулось былое чувство испачканности, которое она пыталась замылить образом добропорядочной жены. Дальше разыгрывать комедию было бы совсем нелепо. Ни его вдохновенная геофизика, ни ее скучнейшая лингвистика не вызывали ни малейшего любопытства. Грызть науку ради науки — полный абсурд. Вот спасти или разрушить мир с ее помощью — это понятно. Но Павел вовсе не тот партнер, с кем для этого можно идти рука об руку до конца.

Отказываясь от материнства, Таня ясно представляла, что собранный ею по кусочкам хрустальный облик в глазах окружающих разлетится вдребезги. Конечно, ее будут искать, скорее всего Павел или Адочка, а то и вместе. Будут предпринимать всяческие попытки вернуть в лоно, направить в нужное русло, но сейчас сознание опустошенности заставляло ее разум расслабиться, пока не настанет второе дыхание, если вообще настанет.

Прятаться Таня и не собиралась. Правда, здесь, у Анджелки, ее и не так просто вычислить. Пока не объявлен всесоюзный розыск, ей было покойно, даже выйти куда-то не хотелось. Честно говоря, она точно не знала название улицы, на которой торчала Анджелкина новостроечная девятиэтажка. Что дома, что улицы — все на одно лицо единого соцлагеря: какая разница — Бухарестская или Будапештская, если один и тот же ориентир — очередная экзотическая помойка или забор, заляпанный словечками общечеловеческого содержания. А за забором — обязательно новенький стеклянный с полупустыми прилавками универсам. У входа рыщут сердитые старушки. Поднаторевшие в рубках за колбасой, они мгновенно выявляют несправедливость, устанавливая свои незыблемые правила очереди. И ничто не сломит их несгибаемой железной воли, и ничего не стоит ради идеи въехать авоськой по харе милиционеру... Несчастным старухам не снился тот харч, которым затаривался для дома Якуб.

Гостеприимство, чувство благодарности или интуитивное понимание Таниной нужды — неважно, что двигало этим восточным мужиком. Ей было хорошо в его доме. И в нынешнем своем состоянии едва ли не главную прелесть этого дома она находила в том, что здесь можно было одновременно быть — и не быть. Никто своим обществом не докучал, но в нужную минутку под рукой оказывалось все — тарелка супа и стакан вина, пахучий косячок и дружеское ухо, приятная музыка и пенистая ванна. Даже бесконечные наплывы Якубовых «своих людей» — земляков, родни, подельников — шли словно в обход Тани, никак ее не затрагивая. Стоило ей появиться у них на глазах, гортанный кавказский базар моментально стихал, и каждый отмечал ее присутствие почтительно-медленным кивком. Она могла только догадываться, что напел про нее Якуб. Косвенно ее догадку подтвердила Анджела:

— А Якуб никогда из твоих рук ничего не берет.

— То есть?

— Ну, раньше, к примеру, я могла вино купить, правда, наливал всегда он сам...

— Хочешь сказать, если я ему стакашок поднесу, он не выпьет?

Анджелка кивнула. Таня удивленно уставилась на подружку, и та, улыбаясь, стала ехидно объяснять:

— Знаешь, у них такие женщины! Могут что угодно в вино подлить, в пищу подмешать, чтобы мужика завязать.

— Как это? — обалдела Таня.

— Ну ты наивная! Ну, приворожить. Чтоб ни на кого не стояло.

— И он в это верит?

— А ты нет?

Она пожала плечами, но решила все проверить.

— Кто готовил? — спросил Якуб, садясь вечером за стол.

— Я, — мгновенно ответила Таня, хитренько подмигнув Анджелке.

Он вытянул ладони, закрыл глаза, пробурчал под аккуратно подстриженными усами «Бисмилаху рахману рахим», провел руками по лицу и только после этих манипуляций взялся ломать хлеб. Непонятно. И Таня выждала время, чтобы затосковала Анджелка, а Якуб стал забивать «беломорину». Она тихонько вышла в узкий коридор, мягко открыла дверцу «Саратова», достала початую бутылку «Киндзмараули» и вынесла бокалы с разлитым вином на подносе, прихватив заодно блюдце с тонко наструганной бастурмой. Якуб сосредоточенно вбивал косяк ногтем большого пальца, потому и не заметил вошедшей с подносом Тани.

— Может, курнем на красненькое? — предложила она и протянула бокал Якубу.

Тот внимательно поглядел на протянутую руку, потом на Таню и мотнул черной гривой волос.

— Не хочешь или боишься? — пристально глядя ему в глаза, спросила Таня.

— Чего бояться, да? — удивился он.

— Может, не веришь мне?

— А кто женщине верит, да?

Анджелка в этот момент закатила глаза от возмущения. Таня решила перевести всё в шутку.

— Знаешь, — обернулась она к Анджелке, — чем отличается наша кошка от азербайджанской?

Анджелка затрясла головой. Якуб поднял взгляд.

— Наша говорит «мяу», а их, — она кивнула в сторону Якуба, — «мяу, да?»

— Вот, — разулыбался Якуб, — разве женщине верить можно? Это же как погода, да? Обижаться тоже нельзя... Абдулла, поджигай! — смеясь, приказал он и протянул косяк Тане.

Вина они все же выпили. Догнались еще одной папироской. Трава была пахучая, но убойная. Шершавым дребезжанием ныла магнитофонная запись Окуджавы. «Конопляное семечко в землю сырую зарою», — дружно и осоловело пели они вместе с ним. Непонятно чему смеялись, а потом их прибило. Таня вытянулась на диванчике под абажуром и провалилась в забытье. Проснулась, когда ушла Анджелка. Они дернули с Якубом через соломинку нечто темно-коричневое, и Таня улетела...

В половине восьмого к гостинице «Советская» лихо подкатили желтые «Жигули». Поставив машину на гостиничную стоянку, из нее вышел пижон в узких джинсах, малиновой замшевой курточке и огромных темных очках, на одной из линз которых красовалась наклеечка «NEW YORK». Пижон вразвалочку подошел к охраннику стоянки.

— За пару часиков, мастер, — процедил он сквозь зубы и небрежно сунул охраннику десятку.

Той же походочкой пижон прошел и мимо вчерашнего швейцара, широко распахнувшего перед ним двери и за это тоже одаренного десяткой. В этом типичнейшем питерском «мажоре» швейцар ни за что не узнал бы позавчерашнего растрепанного чмура, которого пришлось хватать за воротник.

Чувствуя себя полным идиотом в этом прикиде, но не подавая виду, Павел продефилировал мимо стойки администратора, скосив глаза на указатель. Определив по нему, в какой стороне расположен ресторан, он направился туда, а когда вошел, остановился возле бара, кинул на стойку очередную десятку и процедил сквозь зубы:

— Безалкогольное. Я за рулем.

Потягивая что-то сладкое со льдом, он внимательно осматривал зал. Анджелы не было видно. Может, отгул взяла, может, с клиентом. Лучше бы второе — тогда есть шанс отловить ее сегодня. Поняв, что придется здесь задержаться, он стал прикидывать, к кому из официантов лучше подсесть. Наконец выбрал одного — молодого, с гладкой хамской рожей, — определил, какие столики тот обслуживает, и направился к свободному.

Минут пять официант начисто игнорировал его. Павел уселся повольготнее, вытащил из кармана куртки «Мальборо», импортную зажигалку и затянулся, глядя в потолок.

— Столик не обслуживается, — бросил официант, пробегая мимо.

— Обслуживается, — возразил Павел и извлек еще один червонец. — Уединение оплачивается особо.

Официант промолчал, но уже через минуту появился с меню.

— Что будем кушать?

— Салатик, ну там, с креветками, что ли... Коньячку двести. Минералочки — не «Полюстрово», естественно.

— Горячее?

— После закажем. Скорость тоже оплачивается.

Заказ был подан через две минуты. Павел положил на столик уже пятый червонец и тихо сказал, выпустив дым в лицо склонившемуся официанту:

— Анджела здесь?

— Какая Анджела?

— Да знаешь! Такая пышная телка. Блондинка.

— А-а, путана... — Официант понизил голос. — Да была вроде.

— Значит, увидишь — сразу за мой столик. Скажешь, клиент наш, но с бабками. Понял?

— Понял.

Официант сгреб десятку и удалился. Павел плеснул себе ледяного «эвиана» и принялся за салат. К коньяку, услужливо налитому в рюмку, он не притронулся.

Ждать пришлось долго. Павел по второму разу заказал салат и воду и начал уже подумывать о шашлыке, но тут напротив него приземлилась Анджела в блестящем парчовом платье.

— Привет! Я Анджела.

— Узнал. Мне тебя хорошо описали.

— Это кто же?

— Неважно. Коньячку для начала?

— Я на работе крепкого не пью.

— Шампанского?.. Обер, пузырь шампанского!

— А ты ничего... Не жмотишься.

— То ли еще будет...

— Как тебя звать-то?

— Допустим, Макс. Устраивает?

— Да хоть Крякс. Хочешь темнить — твое дело.

Официант принес шампанского и разлил по бокалам. Анджела тут же осушила бокал. Павел к своему не притронулся — поднял и поставил.

— А сам чего не пьешь?

— За рулем.

— Деловой?

— Деловой. Допивай и поедем. Я тебя снимаю. На ночь.

— Разбежался! Бабки покажи.

Павел достал кошелек свиной кожи и, закрывая рукой надпись «Рига», вытащил оттуда сотенную. Анджела протянула к купюре ладошку. Павел легонько хлопнул по ней.

— Не спеши. Сначала заработать надо.

Анджела надулась.

— Только я к тебе не поеду. Наколешь.

— Договорились. Поехали к тебе... Обер, приговорчик!

— Эй, а шампани-то почти целую бутылку оставляем. И коньяк.

— Резонно. Оставил бы кому-нибудь на бедность, но что-то бедных не видать... Ты давай, слей аккуратненько коньячок в бутылочку, пробочкой заткни, в сумочку положи, как принято в приличных странах. «Бурым мишкой» подогреваться будем. А я пока с халдеем разберусь.

Расплачиваясь, Павел невольно подумал: «Эх, нелегка ты, жизнь мажорная! Ползарплаты оставляю».

Анджела взяла в гардеробе полушубок — тот самый, «кожаный в обтяжечку», отметил Павел, — и они вышли на воздух.

— Карета вон там, — сказал Павел, указывая на стоянку.

Они подошли к машине.

— Что-то авто мне знакомое, — сказала Анджела задумчиво.

— Советский стандарт, что поделаешь, — отозвался Павел. — Возьму «тойоту» — большие дяди скажут: «Не высовывайся!» — и по рогам... Ну, прошу садиться... Куда едем?

— В Купчино.

— Как скажешь.

Павел вырулил со стоянки и поехал по Лермонтовскому.

— Одна живешь?

— С женихом... Испугался?

— Чего нам боятся? Мы люди честные.

Павел снял очки. Анджела посмотрела на него и вдруг взвизгнула:

— Останови! Я выйду!

— Узнала? Это хорошо. Я, конечно, могу остановиться и высадить тебя. Но в таком случае с утра начинай сухари сушить, ибо ждет тебя дорога дальняя, казенный дом...

— Не докажешь!

— А мне и доказывать ничего не понадобится... Ты ведь была на нашей свадьбе и представление о моих родственниках и их друзьях имеешь... Раскинь мозгами, если они у тебя есть, конечно.

Анджела замолчала и, надув губы, молча смотрела в окно до самого Московского. Павел следил за дорогой, но, даже не глядя на пассажирку, чувствовал, что она напряженно просчитывает, как лучше выпутаться из этой непонятной и малоприятной ситуации.

— С женихом, говоришь, живешь?

— Да, — сердито пробурчала Анджела.

— Тот самый, брюнет с усами?

— Да.

— Как зовут?

— Якуб. Он из Азербайджана, но в Питере давно уже пасется. Деловой. Травку ему возят, а он по точкам кидает...

«Так-так, — подумал Павел. — Значит, уже жениха закладываем. Демонстрируем, так сказать, готовность сотрудничать. Это хорошо».

— Давно, значит, пасется? И тебя пасет?

— Нет, хотел вначале, только старуха не дала. Своих ребят к нему прислала, они все объяснили... Теперь так живем, по любви.

— Что за старуха?

— Да есть одна такая...

Про старуху она явно не хотела распространяться. Ну, черт с ней, со старухой... Пора переходить к главному.

— Ты поняла, надеюсь, что мне от тебя надо?

— Поняла, — печально ответила Анджела. — У нас она...

— Якуб твой спит с ней?

Вопрос прозвучал резко, как удар хлыстом.

— Он со *мной* спит, — не без гордости сказала Анджела.

— А она что делает?

— Ничего. Живет. Домой не хочет... Ей с нами хорошо... Якуб — он добрый, он не против.

Они уже мчались по проспекту Славы, и Павел лихорадочно думал, как вести себя с этим Якубом. Руки чесались сразу же врезать по усатой морде. Но вдруг он там с дружками, или у него оружие? Может, опять поиграть в «мажора», пришел, дескать, товар купить? Не пойдет...

По указанию Анджелы они свернули на одну из безликих новостроечных улиц и остановились у стандартной девятиэтажки. Павел так ничего и не придумал.

— Вон там. — Анджела показала на горящие окна шестого этажа.

— Ну, давай веди... Он знает, кто я такой?

— Знает. Видел один раз, и Таня говорила.

Павел не стал доставать темные очки. Что-то подсказывало ему, что лучше всего играть в открытую. Если

Якуб не полный кретин и умеет просчитывать последствия, все должно получиться.

— Войдешь первая и скажешь, что я пришел за Таней и не хочу никакого шума, — сказал он Анджеле.

Она кивнула.

Дверь открыл Якуб. Анджела повисла у него на шее и между поцелуями проворковала:

— Якубчик, милый, не сердись... Это Павел, Танин муж... Он пришел за ней... Пусть забирает, а? Ты же знаешь...

Через голову Анджелы Якуб постреливал в сторону Павла маслянисто-черными глазками. Со смешанным чувством Павел понял, что азербайджанский «жених» обкурен если не в хлам, то весьма основательно.

— Зачем, дорогой, на пороге стоишь, заходи, гостем будешь! — воскликнул Якуб, стряхивая с себя Анджелу. — Посидим, выпьем, потолкуем...

— Где Таня? — спросил Павел.

— Здесь, дорогой, здесь. Спит она, устала очень.

— Я отвезу ее домой.

Павел вошел в квартиру.

— Здесь? — Он показал на одну из дверей. — Или здесь?

— Она сама попросила, понимаешь... Позвонила нам, заберите меня, говорит... Я хотел сам тебе отвезти ее, но она не хотела... — приговаривал Якуб, семеня за Павлом. — Вот тут она, тут...

Павел рывком открыл дверь. Из темной комнаты на него пахнуло спиртом и сладковатым дымом горелой травы. Он пошарил рукой по стене, включил свет. На диване возле неприбранного журнального столика, заставленного стаканами, тарелками и пепельницами, уткнувшись в стену лицом, лежала Таня. Он подошел к ней, наклонился, тряхнул за плечи. Безжизненно, как тряпочная кукла, Таня перевалилась на спину. Лицо бледное, глаза сжаты, из уголка оскаленного рта течет струйка слюны. Дыхание неглубокое, но ровное.

— Я же говорил, отдыхает... — проговорил у него за спиной Якуб.

Павел развернулся, схватил Якуба за рубашку и резко рванул. Импортная джинсовая рубашка выдержала, только металлическая пуговка отлетела.

— Наркотики ей давал, да?!

— Зачем наркотики, какие наркотики? Мы что, звери? Ханки немножко покурили... Устала она очень, понимаешь...

Павел отпустил Якуба, вновь наклонился над Таней, начал похлопывать ее по щекам, сначала тихонько, потом все сильнее. Она не реагировала никак, только голова болталась, как на ниточке.

— Хорошо уехала, — проблеял сзади Якуб. — Ты не буди. Не надо.

— Где ее вещи? — бросил через плечо Павел. — Куртку, шапку, сапоги сюда давай, сумку и чемодан вниз, к машине. Анджела покажет.

— Да-да-да, — затараторила стоящая в дверях Анджела. — Я покажу. Мы сейчас...

Она принесла Танину одежду, и Павел принялся одевать обмякшую, неподвижную Таню, переворачивая, поднимая ей то руку, то ногу.

Закончив, он поднял ее на руки и понес. «Как тогда, год назад, через порог нашей дачи», — с горечью подумал он, переступая порог квартиры Якуба. Тот вышел следом, неся чемодан и сумки.

— Ты только не сердись, дорогой, да? — попросил Якуб в лифте. — Она сама так хотела... Не мы, так другие...

«А ведь он прав», — неожиданно подумал Павел и посмотрел Якубу в глаза.

— Позвонил бы хоть...

Якуб покаянно закивал головой.

Павел посадил Таню на переднее сиденье и пристегнул ремнем. Ее откинутая голова упиралась в высокий подголовник. Якуб положил вещи на заднее сиденье и, не прощаясь, ушел.

Доехав до дому, Павел сначала поднял Таню и уложил ее на диван в гостиной, потом спустился за вещами, не закрывая дверь квартиры. Он не стал отгонять машину в гараж, оставил у подъезда. Поднявшись, он прошел в гостиную и сел на стул у изголовья дивана. Таня лежала, раскинув руки, лицом в потолок, губы стали постепенно растягиваться в блаженную улыбку. И это было страшнее всего.

Павел заставил себя не отводить взгляда. Он сидел и пристально смотрел на свою любимую, свою жену, свою единственную на свете Таню.

— И что теперь? — спросил он неизвестно кого.

Сквозь беспредельную муть ей казалось, что слышит голос Павла. Будто в чем-то он обвиняет Якуба, а тот еле оправдывается. Казалось, куда-то ее тащат, несут, а она ни двинуться, ни слова сказать не может. Вроде стоит у входных дверей Анджелка и провожает ее грустным взглядом, как прощается. Тане смешно, хочется успокоить, крикнуть: «Я скоро приду!», а губы не лепятся. Увозит ее кто-то домой, а кто — не видно, глаз не открыть. Опять, наверное, эта ведьма с суровым взглядом. Но старуха так бережно уложила ее в постель, укрыла пледом, подушку поправила, что Таня не выдержала и расплылась в блаженной улыбке.

Разбудило ее чувство голода. Она сладко потянулась, выпростала ноги из-под пледа и вдруг сообразила, что находится не там, где была. Вместо Якуба прямо на стуле у изголовья сидит задремавший Павел.

— Та-ак, — судорожно соображая, произнесла Таня, оглядывая стены собственной квартиры. — И что теперь?

Очнулся Павел и резко дернулся на звук ее голоса.

— Как ты? — не то встревоженно, не то виновато спросил он.

— Нормально...

Она старалась сдерживать ярость, подступившую к самому горлу, мешающую дышать и вышибающую слезы из глаз.

— Что-нибудь пожевать в доме есть? — спросила, отвернувшись в сторону.

— Наркотический голод? — Павел напрашивался на выяснение отношений.

— Ты, Большой Брат, сначала накорми, напои, баньку истопи, потом и речь держать будешь.

Павел стушевался, опустил голову и так, с поникшими плечами, выгреб на кухонный стол все содержимое холодильника. Они ели молча, не глядя друг на друга. Потом, стараясь унять нервную дрожь, Таня занялась делом. Когда споласкивала посуду, словно невзначай спросила:

— Ну и что тебя двинуло на подвиги?

Павел не отвечал. Повернувшись к нему, она выставилась в упор. Его глаза беспомощно вопрошали. Но он молчал.

— Я спрашиваю не о том, как ты меня нашел, а как ты мог увезти, словно бревно какое-то.

Он усмехнулся.

— Так ведь ты, родная, и была как бревно.

— Чем ты и воспользовался! — заорала Таня и шваркнула тарелкой о стену.

Один из осколков царапнул небритую щеку Павла. Тонкая струйка крови побежала вниз. Он провел рукой, посмотрел на пальцы, а в глазах стояли слезы.

— Все... Край... Абзац... — сказала Таня и, прилепившись спиной к кафельной стенке, сползла на пол, уронила голову на колени и громко, навзрыд заревела.

Он обнимал ее, целовал рыжую голову, сам всхлипывая как ребенок.

— Ты больна. Ты просто больна. Мы пойдем к Сутееву. Найдем лучших специалистов.

Таня только кивала.

Так Таня и влетела в Бехтеревку, которую считала заурядной психушкой, годной только для своего отчима Севочки. «Лечение за колючей проволокой» для себя казалось немыслимым. Каждый ее шаг, любое сказанное слово здесь фильтровалось и было подотчетным. Заметив в одной из палат пристегнутых к койкам пациентов, она поняла, что лучше не противиться врачебным показаниям. Лечащий, которого представил Сутеев, был всегда сама обходительность, но вопросы задавал каверзные, предполагающие неоднозначные ответы. Медсестры, санитарки и даже ближайшие родственники работали на Льва Ефимовича, как звали эскулапа, словно «утки» в камере предварительного заключения. Тетрадка ее истории болезни не по дням, а по часам толстела, набирала жирный анамнез, но уже шла вторая неделя, а более или менее точного диагноза поставить никто не мог. Синдрома абстиненции, как ни хотели, не обнаружили. Налицо была стойкая депрессия, вызванная неврастенией, причем последнее объяснялось скорее гормональными нарушениями периода беременности. Понятно, что эти данные у медиков были. Еще когда ими владел Сутеев. В соответствии с этим Таня и выбрала линию поведения, что было как нельзя кстати. Более всего хотелось вырваться за пределы этих стен. Она ела все антидепрессанты, простодушно отвечала на все мыслимые вопросы, ничего не скрывала, даже то, что потягивала травку, понятно, из-за бессонницы; что не хочет видеть свою дочку Нюкту, Анну-Ночную, подумаешь, дочка, орет так, что уши закладывает. Тем временем вставала рано, ежедневно делала зарядку, общалась с другими пациентами, ждала среды и субботы, дней посещения, с двенадцати до четырех.

Павел сдержал слово: Таню обследовали все мыслимые и немыслимые спецы. Недели две ее обволакивал на ежедневных собеседованиях психотерапевт с невыговариваемым именем Фаздык Шогимардонович Ахтямов. За время общения с ним на сеансах, которые Ахтямов строил по ему одному ведомому плану, Таня поняла, что все его знания базируются на отечественной психологии и философии марксизма-ленинизма. Имени Эриха Фромма он и не слышал, во всяком случае виртуозно линял от этой темы. В результате Таня оглоушила его фроммовской терминологией в собственной вольной трактовке. Фаздык Шогимардонович, якобы делая пометки в своем блокноте, скорописью записывал Танину дешифровку словосочетаний типа «анальное либидо»...

Последняя надежда Сутеева чем-то помочь Тане и Павлу, да и самому не выставиться полным олухом, возлагалась на психиатра-нарколога из клиники Сербского. Его ждали из Москвы со дня на день. В словах одной из дежурных сестер промелькнуло, что этот воротило науки пользовал и бутырских пациентов. Исследуя невменяемые состояния, психиатр великолепно владел гипнозом, и раскалывались у него стопроцентно.

Мужичок оказался розовеньким и пухленьким, с блестящими залысинами и пушистыми ушками. Говорил ласково, с придыханиями, улыбался и постоянно прикрывал глазки, стрелял голубенькими щелочками в упор. Однако все его призывы к Гипносу оказались тщетными. По его требованию мудрый бог к Тане не явился. Только голова у гипнотизера разболелась, и горели мохнатые уши.

— Абсолютно негипнабельна, — подвел он в конце концов черту.

Таня скрыла улыбку, а Сутеев вздохнул, уже готовый к ее выписке.

Редко такое случалось с профессором. И все же перед приходом Павла он отправился в третье отделение, на котором, кстати, пребывал Захаржевский-старший. Там со стариками возилась Шура, не раз выручавшая Сутеева. Эта немолодая, крупная женщина со скуластым лицом всегда говорила, что в больнице душу не вылечишь. По любому поводу у нее имелся либо адресок для родных, либо сама ходила в церковку за болящего. Вот и сегодня, внимательно выслушав Сутеева, нарисовала она планчик для Павла.

— Бабка Кондратьевна большую силу имеет. Похоже, к ней им и надо. Порча какая-то. Видать, молодую кто-то свадил. Сам говоришь, красивая пара. Мало ли, кто позавидует.

Неловко было Павлу адресок бабки давать. Но, может, Шура и права — не больничное это дело. Профессор как мог объяснил, но Чернов понял только то, что медицина расписалась в своей беспомощности. Может, и правильно понял?

Сразу по выписке из лечебницы Павел предложил съездить куда-нибудь за город. Таня догадалась, что Большой Брат имеет в виду конкретное место, и не требовалось особых мозгов, чтобы понять, куда они едут.

Машина катилась по Приморскому проспекту, оставила позади новостройки Старой Деревни, миновала черту города и свернула с трассы в Зеленогорске.

Сейчас ей представят собственную дочь. Вдруг что и всколыхнется. Таня хихикнула.

— Чего усмехаешься? — спросил Павел.

— Да так... Дачки-лавочки... Надеюсь, пиво-то будет?

— Какое пиво? Я же за рулем.

— Но я-то нет.

Павел тревожно взглянул на жену.

— Скажи... Тебя тянет?

— Что? — не поняла она.

— Ну, выпить там, или что...

— Или что — не для твоего высокого ума, — отрезала Таня.

— Я понимаю, тебе не сладко в больнице было. Но ведь ты сама...

— Что сама? Я все сама. Живу сама. Рожаю сама. Лечусь сама. В конце концов, пью и курю сама. А ты где? За рулем?

— Фолишь, Таня, — упрекнул Павел.

— Я и живу на грани фола. Но это мой мячик, моя жизнь, понимаешь?

— Так не бывает. Игра командная, — покачал он головой.

— Да очнись ты. Кто эти правила диктует?

Павел резко затормозил у аккуратно крашенной калитки. Узкая дорожка от нее вела к домику, застроенному ажурными верандочками. Павел посигналил.

Таня вышла, бацнув дверью. Павел направился к крыльцу, дернул в сердцах калитку. В окошко выглянула пожилая женщина, сдержанно улыбнулась, еще более сдержанно встретила Таню.

В доме было тепло, пахло поленьями и глажеными пеленками. Недавно топилась печь. В деревянном манежике пыхтела Нюта, сучила ножками, временами задевая разноцветные пластмассовые шарики. Руки ее были заняты соской. Она ее выдергивала изо рта, отбрасывала и тут же морщила мордашку. Нина Артемьевна, няня, тут же подбирала соску. Какое-то время соска ходила во рту девчурки ходуном, потом все повторялось заново.

Умиленный Павел взял дочку на руки. Нюта скосила к переносице подернутые сизой дымкой глазки и неровными движениями нашарила пуговицу на пиджаке отца, потянула на себя, открыв рот.

«У, косоглазая! — подумала Таня. — Вцепилась мертвой хваткой». Но отвела глаза, заметив взгляд Нины Артемьевны. Няня исподволь наблюдала за Таней. Наверняка жалеет Павлушу, а значит, виноватит ее. Ну и черт с ней. Впрочем, девочка не разревелась при виде матери, сыпью не покрылась. Хуже другое: Павел умудрился всучить ей дочку именно тогда, когда та наложила в ползунки и их стягивали для замены. Таня едва сдержала себя, чтобы не уронить... случайно.

— Давайте мне ее сюда, — выручила Нина Артемьевна и заворковала над младенцем: — Мы в кроватку пойдем, мамочка тоже. Она еще плохо себя чувствует.

— Только папочка этого не понимает, — съязвила Таня.

— Ночевать останетесь? — спросила растерянного Павла няня. Он сокрушенно отказался.

Павел не мог не понимать, что встреча Тани с Нюточкой не удалась. То есть внешне все выглядело нормально, как того и следовало ожидать. И все же он не мог принять того, что девочка для его жены, родной своей матери абсолютно чужая. Можно бы все списать на вспыхнувшую по дороге ссору. Только обманывать себя не хотелось. Но такой правды не хотелось тем более.

Каждый остался при своем. Они теперь подолгу молчали. Казалось, давно высказали друг другу все, так и не сказав ни о чем. Оба чувствовали нестерпимое одиночество, но Павел при этом бился в закрытую дверь. Как ни стыдно ему было в этом признаться, никаких объяснений он найти не мог. Оставалось признать, что тут не обошлось без каких-то неопознанных и разрушительных биопсихических энергий. А от этого есть лишь испытанные народные средства: либо водка, либо бабка. Итак, едем к Кондратьевне...

Хорошо, что весна выдалась сухой, иначе никогда не добрались бы до деревни, где жила бабка, непременно застряли бы в непролазной грязи проселков. Дом Кондратьевны им показали без всякого удивления — видимо, привыкли. Дойдя до скособоченного бревенчатого домика, Павел вошел в раскрытую калитку, поднялся на невысокое кривое крыльцо и постучал. Вышла некрасивая веснушчатая молодая женщина, которая сообщила им, что Кондратьевна ушла в лес за молодыми травами и будет только к вечеру. Они купили в соседнем доме молока с лепешками, поели и немного погуляли по окрестностям, наслаждаясь свежим воздухом и стараясь не завязнуть в грязи.

На закате они снова постучались в домик, и на этот раз появилась сама Кондратьевна, сморщенная старуха, такая же кособокая, как ее жилище. Поплевав на землю, она двинулась к Павлу и стала водить вокруг него руками и что-то пришептывать.

— Да не меня... — сказал удивленно Павел.

Кондратьевна продолжала водить руками, а веснушчатая женщина сердито зашептала:

— Тс-с... Порчу снимает, не мешай...

— Так я жену показать приехал...

— Она сама знает, как лучше!

— Кондратьевна! — обратился Павел к старухе. Та не прекращала своих манипуляций.

— Смирно стой, — приказала веснушчатая. — Она все равно не слышит ничего.

Старуха отошла от Павла, приблизилась к Тане, с какой-то неуверенностью протянула к ней руку, тут же отшатнулась, взвыла и, придерживая руку, засеменила в дом.

— Что это она? — спросил Павел, но веснушчатая женщина отмахнулась и побежала в дом вслед за Кондратьевной.

— Ты что-нибудь понимаешь? — спросил Павел Таню.

— Ничего. А ты?

— Я тоже... Ну что? — обратился он к появившейся на крыльце молодухе.

Та замахала руками.

— Уезжайте! Уезжайте отсюда! И не возвращайтесь никогда!

— Да в чем дело-то? — удивился Павел.

— Плохо ей через вас стало, вот что. Лежит, еле дышит, а рука, что она вот к этой, — она перекрестилась и подбородком показала на Таню, — приблизила, вся опухла и покраснела!

Она вбежала в дом и плотно прикрыла дверь за собой. Лязгнула закрываемая щеколда.

— Вот тебе и бабка, — сказала Таня. — Поехали?

— Но ведь надо, наверное, деньги какие-нибудь дать...

— За что? За нанесение морального ущерба? Заводи!

Возвращались они молча. Таня сидела за рулем и уверенно, сосредоточенно, на очень большой скорости вела машину. Павел сидел рядом и смотрел на нее. Он чувствовал, что эта поездка что-то резко изменила — в ней, в нем, в их отношениях или во всем вместе, — но не мог подобрать подходящих слов. У него возникло ощущение, что от него с кровью оторвали что-то родное, дорогое, привычное... Машину тряхнуло на повороте.

— Не уходи... — прошептал он.

— Это ты мне? — не оборачиваясь, спросила Таня. — Так куда же я уйду?

И все же она уходила...

Лично для Тани эта не лишенная интереса поездка к знахарке прояснила только одно — что с Нютой, что без нее, но Павел безвозвратно потерян. Тане было пусто и скучно. Конечно, можно было, прервав академический отпуск, вернуться в университет, но при одной мысли об этом с души воротило.

Она давно не вздрагивала, прислушиваясь к шагам в подъезде, ожидая мужа. Батальные сцены супружеской жизни совсем не возбуждали. Боль невысказанного, непонятого прошла, и не было никакого желания врезать ему покрепче в больное место. Какое-то время она сдерживала себя, чтобы не наговорить лишнего, теперь же неважно стало, уязвит его колкий язычок или нет. Таня не торопилась резать и без того слишком тонкую нить их отношений, но и уходить от скользких разговоров с Павлом не пыталась. Ежедневно вспыхивали между ними перепалки и так же быстро угасали: Таня подсознательно ставила многоточие, Павел лавировал, стараясь удержать ее. Она уходила. Это было заметно даже в застольной беседе или во время редких теперь ласк. Вдруг она застывала с отрешенным лицом, и взгляд ее тонул в неведомой Павлу вселенной. Тогда она отвечала невпопад, а ему казалось, что он разговаривает со стенкой.

В конце концов он сам предложил ей развеяться, отвлечься от дома, рутины. Если что-то и сохранилось в ее чувствах к нему, авось окрепнет на расстоянии.

От Павла не ускользнуло, что после этого Таня оживилась. Да она и не скрывала, что ей только того и надо было. И двух дней не прошло, как она успела согласовать с неведомыми ему друзьями место отдыха в нескольких километрах от Судака. Говорила об этом взахлеб, не чая увидеть закрытый дельфинарий при военном ведомстве и заказник с реликтовыми растениями. Отодвинуть от себя мысль о ее скором отъезде Павлу не пришлось. Вернувшись вечером из душного института, он еще за дверью услышал, как щебечет жена с кем-то по телефону, сообщая номер и время рейса. Словно смазанный маслом блин, она светилась улыбкой, потряхивая билетом перед его носом, и Павел взорвался:

— Ты вообще о ком-нибудь, кроме себя, думаешь?

Таня насупилась, взгляд стал жестким, поджались губы. Она приготовилась к обороне, но Павла уже понесло. Он говорил, а голос внутри кричал: «Остановись!»

— Тебе безразличны все! Я, Нюта, собственная мать! Все! Тебе нужно, чтобы тебя обожали!

— Да... — тихо и невозмутимо вставила Таня. — Поэтому и не желаю тебя с кем-то еще делить.

Павел остолбенел, поняв, что речь идет о дочери.

— Но ведь Нюточка... — виновато промямлил он.

— Именно она.

Таня пошла на кухню, и он поплелся следом. Встав над столом, уперев руки, Таня не глядя, не поворачиваясь, медленно и спокойно выговорила:

— Всему свое время, Большой Брат. Пора бы тебе решить, с кем ты. Уж будь добр, сделай выбор в мое отсутствие.

И с непонятной ему практичностью она проговорила все варианты, не забыв об имуществе и квартире, не упустив ни единой мелочи. Как это не вязалось с той Таней, которую он знал! Или не знал?

Рано утром к подъезду подкатило вызванное такси. Павел не вышел, не помог ей поднять баул. Всю ночь он просидел в ступоре, не в силах думать о прошлом или будущем.

Разбитое корыто — вот и все, что он может предложить сейчас Нюточке. Вот она, Танина наука: полный абзац. Край и конец...

## IV

Таня совершенно не понимала тех домашних клушек-толстушек, которые отправляются на моря чуть ли не с собственной плитой. Сама она ездила всегда налегке — были бы деньги и смена белья. Только так и можно получить удовольствие от отдыха, от дороги.

Гудел скоростной троллейбус, захватывало дух от взгляда в пропасть по правой обочине. Мохнатые горы, как кавказские мужчины, подпирали яркую и тучную небесную твердь. В пейзаже недоставало лишь мужика в бурке с посохом и бегущей вниз отарой. Пол был заплеван семечками, пассажиры весело переговаривались в предвкушении солнца, пляжа, волн. Возвращаясь мыслями в Питер, Таня старалась отогнать тревогу. В общем-то все, что она сказала Павлу, правильно. Действительно, пускай судится, уж коли захочет — разменивается. Но это не в духе Павла. Не станет он заморачиваться с разводом, с тяжбами по имуществу. Вряд ли и с ней останется. Будет по гроб тянуть ношу ответственности, соплями дочкиными умываться и радоваться.

Таня тряхнула рыжей гривой, отгоняя всякое чувство досады, вины и обиды. Только тогда и заметила мальчишку лет девяти, залезшего с ногами на сиденье и протягивающего ей наполовину вылущенный подсолнух. Белобрысый Юрасик из Минска, похоже, тот еще черт.

— А куда намылился ехать? — продолжила более тесное с ним знакомство Таня.

— Да не я. Вон старые, — махнул он почерневшей от семечек рукой на родителей лет тридцати. — В Новый Свет…

— Ну? — удивилась Таня. — Я тоже.

— Намылилась? — переспросил малец.

Таня развеселилась. Хоть там и есть уже компания, но и эта не повредит.

Впервые поехав полным «дикарем», Таня пожалела об этом лишь самым краешком мысли, когда, уже на такси, промчалась мимо дома отдыха для космонавтов. Но белый домик с шумной толпой под виноградником оказался ничем не хуже. Чистая комната, увитая зеленью веранда над ротондой и с видом на море, блок хороших сигарет — чего еще желать? Тем более что ни одного из встретивших ее здесь она не знала. Подружка, устроившая все эти радости, плавала где-то в камнях Черепашьей бухты.

— Кайф! — выдохнула Таня.

Новые знакомые показались Тане открытыми, если не сказать распахнутыми, и очень симпатичными ребятами: физики и лирики, но кто есть кто — разобраться было сложно. Дружеский треп между ними часто переходил в споры, но никто и не пытался умничать, давить интеллектом. Все были на равных, главное — вовремя отбрехаться, так как ни одному палец в рот не клади.

Молодые женатики из Алма-Аты, физики из Дубны с подругами, юный психиатр из Минска, биолог из Пущино — ни родины, ни национальности, ни вероисповедания не разобрать. Евреи с татарскими вливаниями, русские с кавказскими заморочками — полная разношерстность. Объединяла всех любовь к наукам: многие учились в аспирантуре, пожалуй за исключением газетчика Жени, самой Тани и ее приятельницы Лены, известной в питерских гостиницах под псевдонимом Хопа. Все знали это имечко, несмотря на то что она не афишировала свой промысел и отдыхала от трудов праведных. Здесь не было ханжества, все принималось как есть. Таня не поймала ни единого косого взгляда, даже когда купалась голяком на скалах за гротом Шаляпина. Какие уж тут косые взгляды, если даже Юрасик собирал крабов с голозадой девицей, по возрасту годящейся в матери. Сюда бы Павла, застегнутого на все пуговицы. Таня чуть не захохотала от этой мысли, представив мужа, зажатого обнаженными бюстами. Неизвестно, у кого был бы более ошалелый вид: у него или у этих ребят в его присутствии... Нет, конечно, это в ней боль говорит; Павел — такой же, как эти ребята, тоже способен на отдыхе отрываться на полную катушку. Просто старались оба — что муж, что она — быть друг перед другом лучше, чем есть, копили подспудно досаду... А тут — тут каникулы. Отдых от несвободы и лицемерия...

Как-то они возвращались из Судака, куда с разрешения родителей прихватили Таниного маленького приятеля Юрасика. Поймали мотор. Набились тесно до писка, сидя друг у друга на коленках в «Москвиче» на лысой резине. Планируя ночную вылазку в закрытую зону заказника, галдели, обсуждали дорогу на Царский пляж.

— Можно бы и вплавь, — предложил Женя.

— Ты, может, и доплываешь, а я без тебя и пешком не дойду, — испугалась его жена Лялька.

— Но Хопа же туда каждый день плавает.

— Но это Хопа! — словно та все может, возмутилась Лялька.

И тут же, чтобы никто и не подумал, будто она в чем-то осуждает Лену, стала говорить о ней нечто восторженное. Незаметно разговор скатился к воспоминаниям не совсем по теме.

— Вот со мной работала одна дама, Жень, ты помнишь, Катерина Михайловна, тетке уже лет под пятьдесят. Интеллигентная, аристократичная, строгих нравов, но не замужем. Мать у нее школьная учительница. Недавно застукала старая Катю с сигаретой и давай ей втулять, мол, с этого все и начинается: сначала папиросы, потом выпивка, так, мол, и до панели недалеко.

— Как это до панели? — не понял Юрасик.

С изяществом истинного демагога-родителя Лялька тут же выкрутилась:

— Ну, раньше она учительницей работала, а так пойдет панели красить.

Женька на переднем сиденье возмущенно засопел, поправил на переносице очки и весомо произнес:

— Ляля, нельзя врать детям!

Серьезно посмотрев на мальчика, он спросил:

— Тетю Хопу знаешь? Где она работает?

— Понял, — ответил Юрасик. — Это так называется.

Перед самым отъездом Тане внезапно захотелось романтически попрощаться с местами, к которым прикипела душой. Сделать это хотелось в одиночку, незаметно. В беседке пьянствовали, сыпались анекдоты, кто-то к кому-то клеился, удалялись парочки, появлялись с такими довольными рожами, что хоть лимон дай. Отказавшись от всяческих провожатых, Таня ускользнула на поселковый пляж, посидела, набираясь духа на заплыв. Прожектор в рубке застыл полосой света в одной точке. Тихо и спокойно. Таня вошла в воду — волна окатила грудь, опрокинула тело — и мощным брассом поплыла на изгиб скалистого мыса Сокол. Казалось, волны сами несут ее. Вода теплая и ласковая. Но оказавшись вровень со скалой, она почувствовала опасную зыбкость течения. Словно дозорный, Сокол держал невидимый барьер. Ее неумолимо несло под крутые и острые уступы. Таня билась, продираясь сквозь эту мертвую зону, широко распахнула глаза. Мышцы свело, в груди горело — дыхания не хватало. И вдруг заметила мерцающие на поверхности серебристые точки, которые отдавали лунными бликами, оседали на волосках ее тела мелкими пузырьками. «Микроорганизмы, подобные земным светлячкам, как рассказывал биолог Алешка», — догадалась Таня. В открывшейся ей бухте Царского пляжа был полный штиль. Таня повернулась на спину, чуть отталкиваясь ногами, скользила по воде к знакомым камням и теплой, нагретой за день мелкой гальке...

Она еле стянула с себя мокрый купальник, деревянные ноги не слушались. Закрыла глаза и глубоко вздохнула. Прямо над ней, таинственно улыбаясь, зависла полная луна, заливая землю и Таню чарующим белым светом. Он не грел, но облизывал все ее существо. Вдруг представилось, будто это Белая богиня высовывает язык, как лепесток лаврушки. Даже чудилось дыхание. Таня зажмурилась и впала в тихое забытье. Но сердце часто-часто билось, и щемящая нежная тоска подкатывала к горлу. Хотелось заплакать, как будто она маленькая девочка, лет девяти. Тогда, в детстве, выдержав долгое молчание после ссоры, она пришла к брату, протянув мизинчик, как учила Адочка: мирись, мирись, и больше не дерись. Но Никита оттолкнул ее, прикрикнув зло: «Не сестра ты мне!» «За что? За что?» — спрашивала себя маленькая Таня, но слезы не уронила... Тут какая-то тень коснулась ее сознания. Совсем рядом слышно было шумное и прерывистое дыхание. Чистых кровей сеттер кинулся к ней с лаем, но близко не подходил. Пес затих, встав в стойку. Предупреждающе зарычал.

— Стоять, Чара! — раздался резкий окрик в тени исполинского валуна.

Вековые камни лежали здесь, словно мифический гигант скатил их из узкого ущелья в бухту. В полосе света показалась фигура хозяина собаки. Это был егерь. В выцветших шортах, бронзовый и скульптурный, перепоясанный широким ремнем, он был хорош и выразителен. Как натянутая струна, Таня пошла навстречу. Заворчала псина, стыдливо следя за ее движениями.

— Кто ты? — Егерь отступил на шаг, изумленный белоснежным видением, чуждым стыда.

— Неважно.

Она разглядывала его юное горбоносое лицо, ловя на себе первобытно-хищный взгляд удлиненных черных глаз. Ее тело пробила дрожь, с языка сами собой посыпались слова, словно острыми камнями ударяя незнакомца.

— О Аллах, тебя ли я вижу?

В ярком свете луны она отчетливо увидела, как потемнело лицо юноши.

— Закрой пасть, грязная женщина!

Она наступала, кривя губы.

— Это хорошо, Аллах, что ты узнал меня. Разве же я могу тягаться чистотой с твоей возлюбленной ослицей? Ведь старшие пока разрешают тебе любить только ослицу? А? Аллах!

Блеск луны озарил оскаленные зубы егеря.

— Я зарежу тебя!

— А что, Аллаху дозволено совокупляться с зарезанными?

— Замолчи! — крикнул егерь. — Последний раз говорю!

Собака прилегла на плоскую вершину серого камня и, замерев, наблюдала за происходящим. Ее глаза отсвечивали зеленым.

— А своей ослице ты тоже запрещаешь кричать? Как это у тебя получается? Может быть, она тоже говорит тебе плохие слова на своем языке?

Таня широко расставила руки и сделала еще шаг. Она увидела, как пальцы егеря судорожно схватились за нож.

— Ну, иди же сюда, зарежь меня, о мой Аллах!

— Грязная, неверная тварь! Я проучу тебя!

Он отбросил нож в сторону и скатился вниз, на ходу расстегивая ремень. Таня хохотала. Он подошел совсем близко, и она заметила, как на его бронзовом лице четко обозначился белый треугольник вокруг рта.

Он резко толкнул ее на песчаную проплешину в гальке, и, падая, она слышала, как шипение набегающей волны смешалось со свистом ремня, рассекающего воздух.

Первый удар пришелся по плечу и лопатке. Таня тихо завыла. В глазах вспыхнул ослепительный свет, и в этом беспощадном свете с неземной четкостью проявился Павел с Нюточкой на руках. Он улыбался ей, девочка протягивала руки.

216

Удары сыпались со всех сторон. Она, не прикрываясь, принимала их, стонала, закусив губу, извивалась в исступлении. Пронзительная боль мешалась со столь же резким, внезапным наслаждением, сливалась с ним в единое целое. Из раскрытых Таниных губ вырывались короткие, еле слышные стоны. Она билась на берегу, словно рыба, выброшенная из воды. И когда вдруг отпустило и Таня вновь услышала шип то ли волны, то ли опускающейся плети, она стремительно выпрямила ноги, одновременно перевернувшись. Юноша, пойманный на замахе, упал навзничь, и Таня моментально, словно Диана-охотница, оседлала его, припечатала руки к земле и впилась губами в его рот, впитывая запахи чеснока и кумыса.

Поцелуй получился долгим и жадным. Таня сосала кровь из его надкушенной губы, а он изгибался под нею, бился, все норовя сбросить ее. В такт одному особенно мощному рывку Таня откинулась назад и позволила ему приподняться. Теперь уже он пришпилил ее к земле, одной рукой удерживая ее руки над головой, а второй — расстегивая свои армейские шорты.

Он вошел в нее требовательным и властным хозяином, и через несколько мгновений их ритмы совпали... Потом он начал убыстряться, пристанывая все громче, и когда его тело достигло предельной скорости и напряжения, Таня плавным движением выскользнула из-под него, молниеносно перевернулась на живот и встала на ноги. Он выгнулся, гортанно закричал и ничком рухнул в песок, удобряя берег своим семенем.

Таня нарочито медленно шла к морю.

Он поднял голову.

— О небо!.. Ты не женщина... ты — зверь...

— Я — твоя ослица, Аллах...

Она стояла по колено в воде. Юноша поднялся, опустошенный, выжатый до капли. Чувствовалось, что каждое движение дается ему с трудом, но ярость была выше изнеможения. Он подобрал ремень и двинулся к кромке моря.

— Я все равно убью тебя, тварь!

— Нет, Аллах, не суждено.

Она отошла чуть глубже, повернулась к нему и, поглаживая свои груди, нараспев произнесла:

— Ля илляха илла ллаху Мухаммад расулу-л-лаху...

Юноша закрыл глаза, отвернулся и бросился бежать в гору, прочь от нее и от берега.

Сеттер изваянием застыл на камне, глядя своими изумрудными глазами в морскую даль.

Таня легла на спину и медленно поплыла по замершему, фосфоресцирующему морю. В свежих ранах резко щипала морская соль — терпкий отголосок недавней сладкой боли, очистившей ее, искупившей страдания, причиненные ею тем, кто был ей дорог...

Где небо, где земля?

Разумеется, ни о какой экспедиции в этом году и речи быть не могло. Во-первых, для того, чтобы пробить ее, Павлу потребовалось бы несравненно больше усилий, чем в прошлом году, а сил-то у него как раз и не было. Свои институтские обязанности он выполнял в режиме автопилота, работая по заданной программе и реагируя на поступавшие команды. Поскольку по алмазной тематике никаких команд не поступало, она заглохла сама собой. Павел лишь изредка вспоминал о ней — вспоминал с сожалением и досадой на себя, утешаясь лишь твердым обещанием, данным самому себе: вот разберется со своими семейными неурядицами, и тогда уже...

Возвращаясь с работы, он механически ел что-то, включал телевизор, смотрел, не вникая особо, что именно показывают, ложился спать. Душой он был не здесь, а на даче, с Нюточкой.

По разным причинам ему очень не хотелось впутывать родителей в свои проблемы. Они не относились к числу тех, которые мог бы решить отец — разве что надавить на Таню в смысле жилплощади, но прибегнуть к помощи такого рода Павел считал унизительным для себя и непорядочным по отношению к Тане. А вмешательство матери принесло бы только лишние осложнения и неприятности. Конечно, всего от них утаить было нельзя, но Павел старался подать дело так, чтобы свести возможность их вмешательства к минимуму. Они ничего не знали об ультиматуме Тани, более того, пребывали в полной уверенности, что лето она проводит на даче, снятой Павлом в Огоньково, чтобы, как объяснил он, не докучать им возней и беспокойствами, сопряженными с пребыванием в одном доме с младенцем грудного возраста. Объяснения его они приняли спокойно и даже с некоторым облегчением. У них хватало собственных забот: у обоих было не очень ладно со здоровьем, а у отца к тому же сложности по работе. «Орел-бровеносец» все очевиднее впадал в маразм, в его ближайшем окружении всегдашняя борьба под ковром ожесточилась до предела, полетели головы уровня министров и первых секретарей, причем далеко не всегда дело ограничивалось проводами на заслуженный отдых или на пост посла в экзотическую страну. Внешне все оставалось по-прежнему, но Дмитрий Дормидонтович звериным чутьем многолетнего номенклатурного кадра почувствовал, что кресло под ним зашаталось, и не на шутку.

Лишь к концу недели Павел оживал, старался в пятницу пораньше сбежать с работы. Еще с утра он закладывал в машину все, что заказывала привезти Нина Артемьевна, и, не заезжая домой, мчался на дачу. Два дня его было невозможно отлепить от Нюточки. Он сам кормил ее из рожка, купал, менял ползунки, носил на берег. Расстелив одеяло, он клал на него голенькую малышку; она начала уже гулить, улыбаться, показывая беззубые десенки, переворачиваться. Он смотрел на нее — и все проблемы, связанные с Таней, с институтом, отходили даже не на второй план, а вообще неизвестно куда. Как и предсказывала Таня, пятнышко на попе и сраные пеленочки дочери оказывались для него важнее всего, даже важнее будущего, о котором он в эти дни попросту забывал.

Здесь, на берегу, ему довелось услышать первое слово, произнесенное Нюточкой. Он сидел и по заведенной привычке что-то напевал ей, и тут она перевернулась на спинку и, глядя на него, совершенно отчетливо произнесла:

— Написяу.

— Что-что? — переспросил Павел и от неожиданности и в самом деле полез проверять одеяло, на котором лежала Нюточка. Сухо.

— Ах ты, врушка! — рассмеялся Павел и погрозил ей пальцем.

Она улыбнулась совершенно по-женски и даже, как показалось Павлу, подмигнула.

И как тут можно было думать о том, что будет, когда с юга возвратится Таня?

Вариант переезда к родителям исключался, равно как и вариант обращения за помощью к отцу. Оставался вариант снять с осени жилье. Он навел справки — самая дешевая однокомнатная квартира стоила рублей пятьдесят-шестьдесят в месяц. Если учесть, что Нине Артемьевне нужно было платить сто двадцать рублей, а на одни только фрукты с базара для Нюточки понадобится не меньше шестидесяти в месяц, то оставшегося впритирочку хватит на питание для двоих взрослых и младенца и, пожалуй, на проездной — машину-то придется оставить Тане, она ведь ей принадлежит. А одежда — Нюточке на зиму нужна шубка, рейтузики, валенки, теплые носки... В общем, надо было что-то придумать, но ничего не придумывалось.

И вот, когда до приезда Тани оставалось меньше недели и у Павла уже от безысходности созрел диковатый план — упросить хозяйку огоньковской дачи оставить им ее на осень и зиму, разжиться как-нибудь дровами, а на работу ездить каждый день на электричке, — выручил случай. В «Жигулях», которые Павел все лето гонял в хвост и в гриву, стали постукивать пальчики, и он заехал на станцию техобслуживания в Новую Деревню, занял очередь и отошел покурить. Через минуту к нему подбежал весьма рассерженный мужчина, которому, как выяснилось, машина Павла заблокировала выезд. В мужчине этом Павел не без труда узнал своего сокурсника Владьку Лихарева, оставшегося после окончания на факультете. Тот сильно растолстел, обзавелся очками, окладистой бородой и по виду тянул как минимум на профессора. Однако, когда Павел подвинул «Жигули», а Лихарев, поставив свою «копейку» возле станции, остался поболтать, выяснилось, что Владька до сих пор ассистент, хоть и со степенью, и доцентство ему в ближайшее время за отсутствием штатных единиц не светит. Точнее, не светило — Владька с женой по линии шефской помощи подписали годичный контракт с университетом города Сыктывкар, столицей Коми АССР. Там ему и жене-историку сразу же давали доцентские места и направляли соответствующие документы в ВАК, так что через год они возвращались в родной Ленинград уже готовыми доцентами и ставили университетское начальство, что называется, перед фактом.

— Ну, поживем годик в вечной мерзлоте, — делился своими соображениями Лихарев, — помаемся в общаге, зато деньжат северных подкопим и продвижение по службе сделаем. Кого как, а нас такой расклад устраивает.

— Погоди-ка, — сказал Павел. — Вы прописку-то питерскую за этот год не потеряете?

— Черта с два! — самодовольно ответил Лихарев. — Жилплощадь бронируется. Так что запираем на все замки, сдаем на охрану, а через годик въезжаем, будто и не выезжали.

— А что ж не сдаете? — с замирающим сердцем спросил Павел.

— Мы думали, но страшновато как-то. Еще что за жилец попадется. Возьмет да вместо оплаты всю мебель вывезет, или по междугородному наболтает тысяч на пять, или притон устроит, а нам разбирайся потом. Случаев таких много.

— Слушай, понимаешь, тут вот какое дело... — Конечно, Павел не стал рассказывать Лихареву правды, а сочинил что-то про капремонт, про совершенно антисанитарный маневренный фонд, в который им предлагают въехать с маленьким ребенком, а с отцом у них крупная размолвка, и обращаться к нему ужасно не хочется.

— Это я могу понять, — сказал Лихарев. — Эти старики совсем оборзели. Ни с того ни с сего начинают считать, что все вокруг им обязаны. Продыху не дают... А вы вот что — поживите-ка это время у нас, до нашего возвращения, естественно. За квартирой присмотрите, цветы там поливать надо.

— Только мы много платить не сможем, — предупредил Павел.

— Какое там много? Квартплата, свет, газ. А уж если вы к нашему приезду ремонтик небольшой сообразите, так мы ж вам еще благодарны будем...

Вот так. Павлу даже не пришлось просить. В течение почти года в его распоряжении оказалась прекрасная, самую чуточку запущенная двухкомнатная квартира на Лесном проспекте. В такие моменты Павла покидал весь его благоприобретенный атеизм.

— Спасибо тебе, Господи, — шептал он, спускаясь из квартиры Лихаревых, куда Владька затащил его в тот же день.

Решение нырнуть в Москву было импульсивным и диктовалось до боли под ребрами нежеланием видеть плачущий Ленинград. Не хотелось уходить с орбиты этих чудиков, которых встретила в Новом свете. Подобно ей, они жили адреналиновым голодом, изобретали велосипеды, спотыкались, но ничуть по этому поводу не комплексовали... Желая приоткрыть кулисы увиденного театра, Таня спросила аспирантку Веру:

— Тебе-то зачем все эти копания в архивах?

— Так интересно ведь, — она изумилась и рассмеялась. — Все просто, Таня. Спасибо партии родной за трехгодичный выходной. А это, как понимаешь, еще та школа.

Именно Вера и сблатовала на заход в Москву.

— Поехали, посмотришь, что за цвет нации учится в первопрестольной, а заодно и общагу, где этот цвет произрастает.

Поезд уже подкатывал к суетливому пригороду. Мимо пробегали машины, мелькали озабоченные лица. Голоса в купе сделались тише, не дребезжала гитара, не слышно раскатов дружного хохота.

— А почему колеса у поезда стучат? — Алешка делал последние попытки растормошить компанию.

На него лениво взглянули, сразу отвернувшись к окну.

— Площадь круга какая? — бередил он Ляльку.

— Пи эр квадрат...

Но шутка не удалась, так как уныло раскрыл ее Женька:

— И дураку ясно, что этот квадрат и стучит.

Алешка заткнулся обиженно, потом промямлил, непонятно кому в отместку:

— Терпеть не могу эту большую деревню.

— Москва, объевшись финскими сырами, — речитативом в такт стуку колес начала читать стихи Лялька, — мадьярской ветчиной и яйцами датчан, глядит на русских иностранными глазами тбилисских и бобруйских парижан.

— И все-таки, — тряхнула выгоревшими волосами Вера, — Москва! Какой огромный странноприимный дом. Всяк на Руси бездомный, мы все к тебе придем.

Оформлять Танины документы в общежитии не пришлось. Переговорив за стойкой с администрацией, Вера увела ее к себе в комнату, где жила одна, точнее, с мертвячкой, то бишь с прописанной «мертвой душой». Она отдала в пользование свой пропуск, объяснив некоторые премудрости обходных маневров мимо консьержек. Несмотря на обшарпанные стены и скрипучий паркет, ее комната показалась Тане уютной. Вера с момента приезда здесь почти не ночевала, только иногда тревожа Таню под утро. Вопросов Таня, естественно, не задавала... Новая подруга сразу предостерегла:

— На меня не оглядывайся. Будь как дома и не суди строго.

— Да уж неси свою соломинку, мне и своего бревна хватит, — успокоила ее Таня.

Вера была женщиной общительной, и, судя по всему, здесь к ней относились с большим уважением. Без конца кто-то забегал, просто так или со своими нуждами. В отсутствие хозяйки общались с Таней. Знакомства были небезынтересными и лепились сами собой. На кухне, в коридоре, около междугородного автомата, в лифте. Две высотки на улице Островитянова гудели как улей, до утра был слышен многоязычный гомон. Тасовались по этажам интересы всех мастей: от благородных пиковых до казенных треф.

Да и споры здесь не были только научными. На почве быта доходило до национальной вражды. Однажды пришлось наблюдать ссору на кухне вокруг казенного чайника. Узбечка Маруфа тянула чайник на себя с воплем:

— Это моя чайник!

— Нет, моя! — отстаивал справедливость кубинец Эйван.

Испытывая некоторую неловкость перед иностранцем, Таня вмешалась:

— Маруфа, не «моя», а «мой».

Маруфа неожиданно стала перед ней извиняться:

— Я не знала, что это твой.

Голова от всего этого шла кругом. Из Пущина прикатил Алешка с грузином Цотне. Последний оглоушил Таню красивой историей какого-то нового вируса шестиконечной формы. Рассказывал об этой экзотике с красивым иностранным названием AIDS — будто песню пел. И предсказывал его торжественную поступь в истории человечества. Потом ребята, подхватив девушек, повезли их на «чачу при свечах» в высотку эмгэушки. Вход туда оказался по пропускам, выписывать которые следовало загодя, но у молодцов была своя практика. Они оставили девушек дожидаться у одного из четырех контролируемых входов, вошли внутрь с другого и уже через решетку передали спустя минут десять временные пропуска с несклоняемыми фамилиями Кобзарь и Мозель.

— Между прочим, — с некоторой долей гордости проинформировала Вера, — в мире всего три универа, вход куда контролируется охраной: Сантьяго-де-Чили, Сеул в Корее и родной МГУ. Но, как видишь, напрасно.

Мужчины угощали мясом. Его название для ушей ленинградки Тани показалось новым — духовое. И несмотря на это, съедено было куда быстрее, чем приготовлено. Скоро было выпито все спиртное. А вечер только начинался.

— Непорядок, — решил голубоглазый красавец-грузин и, весело насвистывая мотивчик из «Травиаты», побежал транжирить последние аспирантские гроши, в чем никогда бы не признался. Но разве жалко?

Вера зашипела на Алешку, и тот кинулся следом. Тихий хозяин комнаты, улыбчивый Теймураз, не знал, как развлечь милых дам. Вера воспользовалась моментом и предложила Тане забежать к своей знакомой. Они поднялись на семнадцатый этаж. На пороге их встретила колоритная ингушка в яркой косынке вокруг черной тугой косы до самого пояса.

— А, Вера! Как дела, как жизнь, какими судьбами?

Не успели они присесть на диванчик, как в комнату влетел белолицый со смоляными бровями, сросшимися на переносице, паренек.

— Ты чего как шайтан? — наехала на него Фатима. — Это Магомет из Грозного. На юрфаке учится, — представила она чеченца.

Парень настороженно оглядел гостей.

— Это свои. Что случилось?

— Османа взяли. Разбойное нападение.

— Он где? — встревожилась хозяйка.

— У Сослана. Пока отпустили. Под подписку. Сослан на лапу им дал. Весь избитый. Кровью плюет.

— Главное, живой. Где мозги были? — Фатима паниковала.

— Так. Утро вечера мудренее, — остудила ее Вера. — Мы забежим за тобой и вместе поедем на Остров. Палестинец на месте, мозги при нем. Что-нибудь придумает.

— Ой, Вера. Тебя Аллах послал.

Домой их отвез на такси Цотне. Алешка сломался под утро и спал, привалившись спиной к батарее...

У палестинца было странное неудобное имя Фахри ан-Наблус. Невысокий, похожий на хомяка с острыми глазками и тоненькими усиками, он радушно их встретил, угостив пахучей пережаренной арабикой с кардамоном.

За краткое время знакомства Таня ощутила энергию, силу этого человека. Ничего примечательного в его облике не было, но цепкий взгляд она оценила. Показалось, что они знают друг друга давно.

— Эй, рыжая! — позвал он, когда они прощались. — В Ленинград поедешь — не трудно с собой кофе взять? Я бы тебя угостил и кого надо.

Глаза его лукавили.

— Нет проблем, — бросила через плечо Таня.

И перед отъездом не забыла к нему зайти, как обещала.

Фахри настежь распахнул перед Таней дверь в комнату, устланную коврами.

— Проходи, рыжая! — пробурчал он, насупившись. — Кофе? Конфетки?

Таня кивнула, устраиваясь за столом возле широкого окна.

— Когда едешь домой?

— Сегодня. Ночью.

— Харашо-о, — протянул он. — Как Москва? Отдохнула? Теперь на работу?

— Посмотрим. Захаржевская всегда дело найдет.

— Это ты? Твой фамилия? — Он оглянулся и невзначай бросил через плечо: — Еврейка?

— А что?

— Похожа.

Таня расхохоталась.

— Чем?

— Носом и рыжая.

— Ты тоже носом не вышел, — фыркнула Таня, сморщив свой аккуратный, совершенно арийский носик.

Теперь засмеялся он.

— У меня еще ничего. Ты арабов не знаешь.

— А ты не араб?

— Ну, так. Между-между.

— Между евреями и арабами?

Фахри опять рассмеялся:

— Или то и то и чуть-чуть другое.

— А чем занимаешься? — кивнула Таня на кипу журналов, книг и рукописей.

— История, — отрывисто произнес он. — Диссертация.

— На каком году аспирантуры?

— Уже пять лет последний параграф пишу.

— Значит, есть другие дела, — догадалась Таня.

— Ну, пиво, бар, девочки.

Легкое прощупывание собеседника продолжалось с обеих сторон на протяжении всего разговора, из которого Таня почерпнула сведения не только об истории палестинского народа, но и о политических силах, участвующих в становлении современного государства Израиль.

У него был забавный говорок, чуть сдавленный гортанными звуками и особым произношением гласных. Ошибки в речи встречались редко, путался только в окончаниях и согласовании рода и числа. Щелкнув на стене очередную залетевшую в окно муху, он весело спросил:

— Как правильно? Я убил мухам или мухов?

— Муху, — выделяя каждый слог, сказала Таня.

— Неправильно! Я их много убил. Значит — мухах!

Веселость и непринужденность сразу располагали, заставляли симпатизировать этой крепкой бомбочке, похоже, довольно взрывоопасной.

То же заметил и в Тане ее новый приятель, обозвав «миной замедленного действия».

— Ошибся! — поправила его Таня. — Я — особый вид вооружения, причем вполне мгновенного реагирования. Хотя... — Фахри ждал продолжения. — По ситуации.

— Еврейка! — радостно утвердил он.

Таня отметила остроту мышления Наблуса. Человек веселый, он сыпал шутками, иронизировать над собой не стеснялся и казался лишенным комплексов.

У открытой форточки, рядом с которой сидел Фахри, вдруг, резко каркнув, пролетела ворона. Палестинец бросился со стула на пол и громко выматерился. Рассмеялся сам над собой, взмахнул руками.

— Израильский бомбардировщик! — и вернулся на стул.

«Воевал», — мелькнуло у Тани...

Расстались они совершенными друзьями, ничего четкого друг про друга не узнав, но понимая, что стоят друг друга. Это уж точно.


# V

А Питер, как обычно, окропил Таню мелкими серыми, моросящими слезами.

Любой город имеет свою историю, развиваясь как живой организм, переживая периоды упадка и расцвета, но далеко не каждый рождается так загадочно в одночасье и живет своими мистическими флюидами, распространяя их на сознание и судьбы людей. Десять километров вправо, десять влево — и ты уже дышишь полной грудью... Город-склеп, город-кладбище, который предпочитают называть музеем или памятником, встретил Таню хмурой толпой у закрытого метро, и она согласилась на первое предложение частника, выкликивавшего пассажиров. Цену он заломил несусветную и всю дорогу отчаянно врал про разведенные мосты, нагло кружил по переулкам возле Сенной, отрабатывая заработок по-питерски, как экскурсовод-любитель по совместительству. Когда брехня вконец осточертела, она резко оборвала водилу на полуслове:

— Ладно, теперь вправо, сверни под арку, мимо убежища налево и свободен....

Она вошла рано утром, когда он еще спал.

Проснувшись, Павел тут же услышал музыку, доносившуюся с кухни, ощутил запах свежемолотого кофе.

Сон отлетел мгновенно. Он взял брюки, чистую рубашку, галстук, тихо прокрался в ванную и явился на кухню при параде, внутренне сжатый как пружина, готовый к бою.

Таня стояла у плиты в цветастой махровой маечке и бежевой мини-юбке. Этот наряд очень шел ей, подчеркивал стройность фигуры, особенно ног, и густой шоколадный загар. Павел невольно отметил, как несказанно она похорошела за эти два месяца.

— Привет, Большой Брат! — сказала она и только затем обернулась.

Он начал тонуть в золотом сиянии ее глаз...

Воспользовавшись тем, что все начальство было в отпусках, Павел просто звонил в институт по утрам и извещал, что сегодня его не будет. Потом тихо, чтобы не разбудить, целовал спящую Таню и шел на кухню готовить завтрак: ее любимые кабачковые оладьи (яйца, мука, пропущенные через мясорубку и отжатые через марлю кабачки — благо был самый сезон) со сметаной и вареньем, крепкий черный кофе. Как в те незабываемые первые дни их супружества, он приносил ей завтрак в спальню и садился рядом, наблюдая, как она ест. Потом они курили на кухне и строили планы на день.

То доезжали до пристани у Тучкова моста и на «Ракете» закатывались до самого вечера в Петергоф, то, захватив ракетки, шли на острова. Если поиграть в этот день не удавалось, они гуляли по парку, а то и забредали на Елагин остров и, как дети, катались на качелях, каруселях, чертовом колесе, пока голод не гнал их до ближайшего кафе с шашлыками или чебуреками. На обратном пути, если не чувствовали себя очень уставшими, они забегали в ближайшую театральную кассу и шли на концерт или в какой-нибудь театр, на сцене которого до открытия сезона гастролировала заезжая труппа. Они ходили на все без разбора и нередко, перемигнувшись в конце первого действия, убегали домой. После нехитрого ужина слушали музыку, смотрели кино по телевизору, или сидели в темноте и любовались на желтую круглую луну. И в любом случае день заканчивался любовью. Часто они так и засыпали обнявшись.

В выходные он в первый раз за лето не поехал в Огоньково.

Все повторялось, но отпущенный срок был краток...

В понедельник, часу в одиннадцатом утра, зазвонил телефон — противно, настырно.

— Тьфу, черт!

Павел как раз заправил кофеварку. Должно быть, из института звонят: понадобилось его присутствие или, не дай Бог, кто-то из начальства жаждет его видеть. Может, лучше вовсе не подходить?

Телефон продолжал звонить... Нет, надо подойти, а то еще Таню разбудит.

Он снял трубку.

— Я слушаю.

— Здравствуйте, это Алла, соседка ваша по даче.

— Да. Здравствуйте.

— Нюточка заболела.

— Что? — Павел чуть не выронил трубку. — Что с ней?!

— Животик болит, температура. Нина Артемьевна просила передать, чтобы вы поскорее привезли лекарство... Сейчас, у меня записано... Вот, бифидумбактерин. В ампулах.

— Когда? Когда у нее... началось?

— Она всю неделю куксилась, плохо ела, спала. А температура подскочила в субботу... Мы раньше позвонить не могли — сами только приехали.

— Спасибо. Выезжаю немедленно.

Он бросил трубку. Взгляд его упал на высокое зеркало. Он хмуро оглядел свое изображение с ног до головы. Кайфовал тут всю неделю, жил в свое удовольствие, про дочку забыл, подонок! А она там... Ждала его всю неделю, а когда он не приехал, не выдержала, заболела...

Павел забежал на кухню, выключил кофеварку и помчался в спальню, одеваться.

— Ва-ау! — сладко потягиваясь, произнесла Таня. — Куда намылился, Большой Брат?

— Нюточка заболела. Куплю лекарство, отвезу ей. Кофе готов, — сухо сказал он, натягивая брюки.

— Нюточка... — Таня замолчала. — Что ж. Когда ждать тебя?

— Сегодня к вечеру. Или завтра.

На Садовой много аптек. Павлу повезло: уже во второй из них ему вручили коробку с ампулами.

— Ребенок до года? — спросила аптекарша.

— Что?.. Да, до года.

— Тогда одна ампула в день. Разводите водой до красной черты и даете пить...

— Да. Там знают. Там опытная медсестра...

На всякий случай Павел купил еще детского аспирина, сиропа от кашля, горчичников. И рванул, насколько позволяло движение, в сторону Кировского моста.

Неделю назад, с появлением Тани, он начисто забыл о Нюточке. Теперь звонок соседки перетряхнул его сознание. Он вел машину по Кировскому, по Приморскому, стиснув зубы, глядя прямо перед собой, и если бы в эти мгновения кто-то спросил его что-нибудь о Тане, он не сразу и сообразил бы, что это за Таня такая. Жена и дочь вместе в его голове не уживались. Это спасало — иначе можно было бы сойти с ума.

Нина Артемьевна встретила его на крыльце.

— Нюточке лучше, — перво-наперво сказала она. — С полудня температура упала, стула не было. Она спит сейчас. Бифидум все же лучше подавать, это никогда не вредно, тем более что дисбактериоз все же есть. Остальное вы напрасно привезли: этого добра у нас в аптечке много... Павел Дмитриевич, лето кончается, холодает. Нам бы в город пора — через неделю или две, смотря по погоде. Как там? Жена вернулась?

— Да.

— И... все по-прежнему?

— По-прежнему...

— Я вот что подумала: у меня есть комнатка. Небольшая, правда, и в коммуналке. Но квартира чистенькая, всего четыре съемщика, инфекционных больных, алкоголиков, проституток нет. Если что, я могу на время взять девочку к себе...

Павел с благодарностью посмотрел в это суровое, неулыбчивое, пожилое лицо. Всю жизнь отдала чужим детям, своих иметь не дано было...

— Спасибо, Нина Артемьевна, — горячо сказал он. — Я забыл сказать вам: я нашел квартиру. Первого или второго сентября можем въезжать. Я все подготовлю. Отдельная, двухкомнатная. Втроем поместимся.

— Втроем? — Она задумчиво посмотрела на Павла.

— Втроем, — твердо ответил он.

Дома его встретила темнота и тихая, безмерно печальная музыка. Шопен. Лишь из-под дверей гостиной лился неровный, слабый свет свечи. Он тихо разделся и на цыпочках вошел в гостиную.

Таня сидела в кресле, в руке ее дымилась сигарета. Она задумчиво смотрела в никуда и не обернулась. На столе горели две свечи в высоких подсвечниках, стояло блюдо с пирожками, два прибора, графин, чашки и накрытый чистым полотенцем заварной чайник.

— Таня... — сделав глубокий вдох, начал Павел.

— Не надо, — тихо сказала она. — Не надо ничего говорить. Я все знаю.

— Понимаешь, я не могу без нее...

— Помолчи, Большой Брат. Пожалей себя, пожалей меня. Садись лучше, поешь со мной.

Она пересела к столу, положила себе и ему на тарелку по пирожку, налила водки из графина.

— Я, пожалуй, не буду...

— Одну надо, Большой Брат. Помянем нашу с тобою жизнь. Недолгая она у нас получилась...

Таня залпом выпила теплую водку. Павел последовал ее примеру, невольно поморщился и закусил пирожком с грибами.

— Ты не волнуйся, — после долгой паузы сказал он. — Жилье я нашел. Квартира остается тебе. Я только заберу вещи, свои и Нюточкины...

— Знаю, — сказала Таня. — Сегодня звонил твой Лихарев.

— Да. Понимаешь...

— Мы пригласили тишину на наш прощальный ужин, — тихо проговорила она, перебивая его. — Зачем слова?.. Будь счастлив, Большой Брат.

Она налила себе водки, поднесла графин к его рюмке. Он покачал головой. Таня поставила графин, пожала плечами и выпила.

— Эх, упьюсь сегодня на много дней вперед! — Она надкусила пирожок и посмотрела на Павла. — Не хочешь водочки, тогда хоть чайку выпей.

Она сняла с чайника полотенце. К крепкому чайному аромату примешивался посторонний запах, терпкий, горьковатый.

— Что за чай? — спросил, принюхиваясь, Павел. — Странный какой-то.

— С травками, — пояснила Таня, наливая ему в чашку. — От всех тревог и напастей. Чабрец, пустырник, немного ромашки. Меня в санатории научили.

Павел пригубил чай. Странноватый вкус, но не без приятности. Он насыпал в чашку сахара, размешал, хлебнул.

Таня налила себе еще водки.

— Ну, будь счастлив, Большой Брат!

— И ты будь счастлива.

Пленка с Шопеном кончилась. Таня поднялась, вставила новую кассету. Комнату заполнили протяжные звуки неизвестных Павлу духовых и струнных инструментов, сопровождаемые медленным, устойчивым ритмом ударных.

— Что это? — спросил он.

— Африканская шаманская музыка. Ты не вслушивайся. Просто дай ей звучать, пусть течет через тебя, течет... течет...

Комната поплыла перед глазами Павла в такт странной музыке. Точнее, комната оставалась на месте, поплыл он сам, не сходя при этом с места. Он как бы перемещался по комнате, с каждым тактом видя ее и все, что в ней находится, под иным углом зрения. Потом предметы стали пульсировать, набухая и опадая. И опять-таки они оставались неизменными, а пульсировал он, становясь то гигантом, заполняющим собой не только гостиную, но и дом, город, Землю, то карликом, величиной с муху, с пылинку, с микроб. Голова его касалась звезд, он без слов разговаривал с ними, и они делились своими секретами, смеялись вместе с ним над тем, как все, оказывается, просто. Он хватал кометы за косматые хвосты и летел на них через Вселенную, оглашая ее живые просторы раскатами счастливого смеха. Дышащие, струящиеся молекулы звали его в свой мир, и он уходил туда любоваться переливчатым сиянием атомов, вращающихся вокруг ярких, разноцветных, веселых ядер, слушал их нехитрые, душевные песни, катался на них, как на карусели... Играл в прятки с мерцающими амебами... Карабкался, как по шведской стенке, по решетке кристалла, поднимаясь туда, куда манило его мягкое золотое сияние... «Ты не узнал меня? — спросило огромное золотое око в самом центре кристаллической решетки. — Я Сардион, душа твоего алмаза... твоя душа и жизнь. Иди ко мне. Иди в меня». В этом мире не было ни вопросов, ни сомнений... *ни печали, ни воздыхания.* У голубого кристалла золотая душа — это так правильно, иначе и быть не может. И войти в нее так просто. И тоже правильно. Ибо иной дороги нет, и все пути идут через золотое око Сардиона... То, что было Павлом, вошло в золотое сияние, растворилось в нем...

...Он лежал на поверхности океана, чистого и безбрежного. Прозрачные воды колыхали его, убаюкивая, а на сердце нежным клубочком свернулась золотая сверкающая змейка. «Любовь моя, — прошептал Павел. — Счастье мое. Жизнь моя». Змейка переползла повыше и потерлась об его горло, ласкаясь. «Единственная моя...» Змейка росла, на золоте ее проступили рубины, топазы, голубые сапфиры. «Как ты прекрасна, возлюбленная моя...» Змейка лизнула его щеку своим коралловым язычком, обвила грудь, плечи, шею. «Моя, моя...» Змейка еще крепче обняла его. Высоко в небе закричала птица. «Что это?» — спросил Павел, посмотрев вверх на маленькую черную точечку-птичку. «Это? — ласково прошипела змейка. — Это пустяки. Это твоя смерть. Но я никому не отдам тебя. Никому». Она еще теснее сжала кольца вокруг него. «Отпусти, — задыхаясь, проговорил Павел. — Мне больно». «Нет, — ответила змейка. — Ты мой, только мой...» Черная точка в небе росла. Павел уже различал крылья, отведенные назад в плавном падении. Ее гневный клекот звучал в мутнеющем сознании Павла песнью надежды. «Мой», — повторила змейка и стиснула ему шею. Он начал проваливаться в черную бездну под нежный свистящий шепот: «А если не мой, то ничей, ничей... Не отдам...» Но давление стало ослабевать, шепот сделался злобным, воинственным. Чернота бездны слилась с чернотой опускающихся крыльев...

— *Открой глаза!* — приказало что-то внутри.

Над гладью океана уносилась прочь громадная черная чайка, а в когтях у нее бился и извивался червяк, отливая золотом в лучах солнца. «Нюточка!» — крикнул Павел вслед чайке. Птица повернула голову — и все вокруг померкло в ослепительно-зеленом сиянии ее глаз.

Но отчего зеленом?

Павел открыл глаза. Он полулежал в кресле. Рядом, отвернувшись, стояла Таня.

— Я задремал, — сказал он. — Который час?

— Не знаю, — безжизненным, бесконечно усталым голосом ответила она. — Часы на кухне.

Павел поднялся. Оказавшись рядом с Таней, он заметил, что в ее сжатых пальцах что-то поблескивает.

«Мой алмаз», — без всякого удивления подумал Павел и вышел на кухню. Часы показывали половину третьего. Он встал у открытой форточки и закурил.

В дверях показалась Таня — бледная, поблекшая, с черными кругами под глазами.

— Поздно уже, — тем же безжизненным голосом сказала она. — Иди спать. Я постелила тебе в кабинете...

— Спасибо, — тихо отозвался он.

Таня отвернулась.

— Прощай, Большой Брат, — прошептала она и, сгорбившись, побрела в спальню. Заперлась там и воткнула первую иглу промедола в девственную вену.

# Глава четвертая
## ТИХАЯ ОХОТА
### (27 июня 1995)

*Припарковав свой лохматый почти до неприличия «ситроен» за углом, поближе к платной стоянке, Люсьен немного «похлопотал мордой» перед водительским зеркалом, стирая с лица следы озабоченной озлобленности и заменяя их выражением несколько глуповатого радостного волнения. Он легко взмыл по ступенькам, проюркнул через вращающуюся дверь, не преминув одарить улыбкой молодого жлобоватого охранника, и оказался в обширном вестибюле. На всякий случай Люсьен зыркнул на стойку администрации, но там никого знакомых не было. Лифт вознес его на девятый этаж, и Люсьен, повинуясь развешанным на стенках указателям, стал приближаться к девятьсот первому номеру. Оказавшись у самой двери, он неожиданно поймал себя на том, что у него дрожат руки.*

*«Фи, Люсьен, — сказал он сам себе. — Банальный фармазон, самое большее. И не такое мы в жизни видали». И, надев на лицо сладкую улыбочку, громко постучал в дверь.*

## (1977—1978)

### I

Елена Дмитриевна Чернова в своем трудовом коллективе большой популярностью не пользовалась. Сюда, на комбинат синтетических волокон, она поступила зимой, через полгода после окончания института и драматических событий, последовавших сразу за окончанием. Эти полгода она почти полностью провела в клиниках и санаториях. Врачи признали, что ее состояние хоть и стабилизировалось, но не улучшилось, и предложили оформить инвалидность. Она отказалась и потребовала, чтобы ей разрешили работать, причем без всяких скидок на состояние здоровья.

— Я совершенно здорова. Просто у меня своеобразный характер, но я здорова, — заявила она матери и добавила тем же бесстрастным голосом: — Если я не смогу так думать, то и жить не смогу.

Был созван консилиум, на котором приняли решение ее просьбу удовлетворить, поскольку при грамотном трудоустройстве пациентки возрастали перспективы социальной реабилитации и возвращения к нормальной жизни. Хотя зарезервированное за нею до болезни место в аспирантуре так и осталось вакантным, врачи не рекомендовали возвращения Елены в институт, поскольку большие умственные нагрузки были ей противопоказаны. Работа на управленческой должности ей тоже не подходила — интенсивные контакты с людьми были для нее чрезвычайно болезненны.

В конечном счете ее трудоустройством занялся Дмитрий Дормидонтович. Идеальным в данном случае было место, сочетающее минимум профессионального общения и наибольшую фактическую безответственность с формально до-

236

статочно насыщенной и очень упорядоченной деятельностью — у дочери как можно дольше не должно возникать сомнений, что она выполняет полноценную, нужную и ответственную работу. Конечно, лучше всего был бы какой-нибудь архив. Но Елена требовала практической работы по специальности, причем работы, связанной с производством. Комбинат синтетических волокон был выбран не случайно. Не совсем шарашкина контора, но и явно не флагман пятилетки.

Всего на комбинате трудилось человек четыреста, а в отделе главного технолога, куда и пришла Елена, служило шестеро: начальник отдела товарищ Кузин, его заместитель товарищ Воронов, три бабы (Елена их про себя иначе не называла) бальзаковского возраста, из тех, кто предпочитает в рабочее время носиться по магазинам, а при отсутствии такой возможности гонять в кабинете чаи с печеньями и обмениваться сплетнями и выкройками. Еще была бабушка Хорольская, которую не выперли на пенсию только потому, что листок по учету кадров по ошибке «омолодил» ее на целых десять лет. Уже одно это наглядно показывало, в какое серьезное заведение попала Елена.

С высшим заводским начальством в лице директора, секретаря парткома и начальника отдела кадров была проведена предварительная беседа, в ходе которой им разъяснили, как именно обком рекомендует использовать нового работника. Конфиденциальность некоторых деталей была подчеркнута особо.

Заводское руководство, естественно боявшееся обкома как огня, приложило все силы к надлежащему исполнению всех рекомендаций. Однако же, как водится, некоторая утечка информации все же произошла.

— Слыхали? — выпалила, врываясь в отдел, Галя, самая ушлая из бальзаковских баб. — Нам в отдел доченьку обкомовскую посылают, Чернову какую-то!

— Око государево! — сокрушенно вздохнул Кузин. — И так продыху нет от отчетов и всяких там комиссий-ревизий, а теперь еще прямо в отделе штатный контролер сидеть будет. Ох, и неспроста все это... Уж не к сокращению ли?

Слухи о сокращении по отделу ходили давно, и все сотрудники их ужасно боялись. Все работали здесь по много лет, привыкли к насиженному месту, друг к другу, к спокойной и относительно вольготной жизни, даже к мизерной зарплате и полному отсутствию перспектив. Другой жизни, в смысле жизни трудовой, никто из них не знал и не хотел.

Правда, было здесь одно исключение, человек с совершенно иным трудовым алгоритмом — Виктор Петрович Воронов, заместитель начальника отдела. Комбинат служил для него своего рода тихой гаванью, где он отсиживался между дальними плаваниями — длительными загранкомандировками. По какому-то непонятному закону специалисты, кроме, конечно, тех, для кого никакой закон не писан, не могли непрерывно работать за пределами нашей Родины дольше определенного срока. Потом им предписывалось вернуться, какое-то время отработать на родном предприятии, и лишь затем, при отсутствии нареканий, можно было вновь выезжать в дальние края. В отдел Виктор Петрович, уставший от настоящей работы за границей, всякий раз возвращался с удовольствием, и удовольствие это ощущалось всеми сослуживцами. Поэтому у него здесь не было завистников, недоброжелателей, соперников. Кузин, поначалу боявшийся, что Воронов его подсидит, давно понял, что место начальника отдела тому не только не нужно, но и крайне нежелательно. Остальные же прекрасно понимали, что для работы «по вороновскому методу» рылом не вышли, и момент ущемленного самолюбия отсутствовал начисто. Тем более что из каждой поездки Виктор Петрович привозил сотрудницам какие-нибудь милые сувениры.

Короче, обстановка в отделе была самая идиллическая, и вот эту идиллию готово было взорвать появление нового лица — чуждого и опасного.

А Галя знай подливала масла в огонь:

— А еще говорят, у нее с головой не все в порядке!

— Это в каком смысле?

— Это в том смысле, что она в психиатрической лечится. По два месяца в год или вроде того. У нее и справка есть. Истеричка, наверное, припадочная.

Все приуныли окончательно.

— М-да, только припадочной из обкома нам и не хватало, — грустно заметил Кузин. — Галя, ты у нас все знаешь — какого числа она выходит на работу?

— Третьего января. Сама приказ у Верочки видела.

— Значит, только мы встретим Новый год и выйдем на работу, как говорится, свежие и полные трудового энтузиазма, а тут является эта стерва и все идет прахом!

Кузин достал настольный календарь на новый 1977 год и обвел третью страничку жирной траурной рамкой.

— Ну что, девчата, прожили мы с вами прекрасную трудовую жизнь, полную, как говорится, общих радостей и забот. Так давайте, когда нас таки разгонят, будем хоть по выходным встречаться, в гости ходить, в общем, не забывать друг друга... А пока рекомендую всем, включая себя, заблаговременно подыскивать местечки.

И только Воронов, человек особый, общего настроения не разделял.

— Преждевременно, товарищи, паникуете. Нас много, мы прорвемся. Если надо, не то что на истеричку — на обком управу найдем. Не вчера родились.

Последние дни уходящего года были целиком посвящены внеочередному собранию трудового коллектива. На повестке дня стоял только один вопрос. Синий от предпраздничного запоя на нервной почве Кузин долго блеял что-то маловразумительное. Галя визжала, Тамара рыдала в платочек, Света меланхолически сосала валидол. Воронов отсутствовал — его вызвали на объект.

— А вы что отмалчиваетесь, Евдокия Панкратовна? Скажите свое мнение! — накинулась Галя на спокойно сидевшую в уголке бабушку Хорольскую.

— Что говорить-то? В прежние времена из обкомов, бывало, и с наганами приходили. И то никто не верещал.

Проведя таким образом весь рабочий день, собрание так ни к какому выводу и не пришло.

Утром тридцать первого декабря председательство взял на себя вернувшийся Воронов. Свежевыбритый, подтянутый и спокойный.

— Главное, товарищи, — выработать стратегию. А стратегия у нас может быть только одна: к нам приходит молодой специалист, и мы должны помочь ему, точнее, ей поскорее войти в курс дела, полнее влиться в наш дружный коллектив и личным примером каждого показать, что здесь работают грамотные, серьезные и ответственные люди, что отдел наш выполняет важную и нужную работу. Так что хотя бы на первое время рекомендую всякие отлучки в рабочее время, легкомысленные наряды, чаепития и посторонние разговоры на рабочем месте отменить. Понимаю, трудно, непривычно, но постараться надо. На карту поставлена судьба отдела. А со временем все, возможно, войдет в прежнюю колею. Какие будут предложения?

— Виктор Петрович, миленький! — взвилась со своего места Галя. — Так как же нам так жить-то? Того нельзя, этого нельзя. Прямо как в кутузке.

— Придется напрячься. Я же сказал — это временно.

— А нельзя ли, Виктор Петрович, чтобы это самое «временно» как-нибудь побыстрей того?..

Тут мгновенно ожил до сих пор дремавший Кузин:

— Предлагаю принять решение со следующей формулировкой: «Развивая и внедряя почин наставничества, рекомендовать товарищу Воронову Виктору Петровичу взять шефство над молодым специалистом Черновой... как ее?.. Еленой Дмитриевной». Кто за? Единогласно.

— При одном воздержавшемся, — мрачно сказал Воронов.

— Выручай, Петрович, кроме тебя некому! — жалобно сказал Кузин.

— С тебя бутылка.

— Согласен. — Кузин печально вздохнул.

В устах Воронова последняя фраза означала нечто совсем иное, нежели в устах любого другого русского мужчины. Из своих заграничных поездок Виктор Петрович привез два серьезных увлечения — большим теннисом и шотландским виски. Прочее спиртное он перестал признавать, за «товарищескими чаями», если виски не было в наличии, он ограничивался чаем в буквальном смысле слова. В гости к хорошо знакомым людям он неизменно приносил с собой бутылку «Белой Лошади», ставил ее прямо перед собой, выпивал две-три рюмочки по возможности со льдом, а остальное уносил. Собравшимся это бывало несколько обидно, но Воронову прощали — привыкли, а к тому же во всех других отношениях это такой замечательный, незаменимый человек!

Третьего января, ровно в девять ноль-ноль, дверь раскрылась, и в отдел вошла бледная, стройная светловолосая девушка с огромными прозрачными и безжизненными глазами.

— Здравствуйте, — ровным тихим голосом сказала она. — Мне нужен товарищ Кузин.

В жарко натопленной комнате как будто повеяло холодом.

— Я Кузин, — виновато пискнул начальник отдела, словно винясь в каком-то позорном проступке.

— Здравствуйте, Александр Иванович. Я Елена Чернова. Меня направили в ваш отдел. Вот мое заявление.

С каждой фразой она на шаг приближалась к столу Кузина. И с каждым ее шагом Кузин как будто убывал в росте сантиметров на пять. Он протянул дрожащую руку к заявлению, уронил его себе на стол и лишь после этого нашел в себе силы заглянуть в эти пустые глаза и выдавить из себя:

— Очень приятно... Я... мы... Виктор Петрович! — не выдержал он наконец и с мольбой посмотрел на Воронова.

Воронов встал из-за своего стола и решительно шагнул навстречу Елене.

— Здравствуйте, Елена Дмитриевна. Я Воронов Виктор Петрович, заместитель начальника отдела. Разрешите показать вам ваш рабочий стол и ввести в курс дела...

Он подвел ее в крайнему, свободному столу, показал ей на стул, а сам уселся на другой, выдернув его из-под приставшей Гали.

Он говорил ровно, четко, по-деловому. Она слушала, сидя прямо, как натянутая струна, иногда что-то записывала в блокнот и почти не сводила с Воронова серых застывших глаз.

Остальные склонились за своими столами, шурша бумагами, скрипя ручками, давя на клавиши калькуляторов. Тамара прямо-таки прикипела к единственному в кабинете кульману — своей вотчине. И все же каждый украдкой бросал взгляд в край кабинета, на эту странную новую сотрудницу.

Одета безукоризненно — дорогой и скромный деловой пиджак, юбка-миди без единой морщиночки. Аккуратная стрижка. Красивое лицо с правильными застывшими чертами. Тихий ровный голос. Мертвые глаза.

Утопленница. Снежная королева. Истеричка с наганом под юбкой. Обкомовская сексотка. Сучка.

241

Негромко и четко она задала несколько очень дельных вопросов, вновь записала что-то в свой блокнотик, взяла предложенную Вороновым стопку листов с формулами и расчетами и погрузилась в работу. Заглянула в его поросячьи глазки и там прочла эту краткую характеристику: сучка.

Короче говоря, дебют состоялся.

В тот день она ехала домой, трясясь в переполненном вагоне метро, и напряженно думала: «Что же это? Что со мной происходит?»

Одним из проявлений ее болезни было то, что, кроме матери и отчасти отца, брата и двух-трех врачей, которые занимались с нею постоянно, люди для нее перестали существовать. Нет, она, конечно, воспринимала их существование органами чувств, разумом, различала внешность, черты характера, запоминала и не путала имена, даже составляла о каждом определенное мнение, подчас очень верное и хлесткое, и могла эти мнения сопоставлять. Но это ровным счетом ничего не значило. Все они были для нее объемными движущимися картинами, сильмулякрами, подобиями, лишенными смысла и содержания. Испытывать по их поводу какие-то эмоции — она просто не могла понять, что это такое.

И вот сегодня, впервые оказавшись в этой конторе, где теперь будет работать, она, как всегда равнодушно, зафиксировала в сознании шесть подобий, с которыми теперь предстоит встречаться каждый день.

Начальник — хитрый пропойца завскладовского типа.

Галя — истеричная баба, не умеющая делать макияж и пользоваться дезодорантами.

Света — коровистая баба, махнувшая на себя рукой.

Тамара — невезучая баба, мечтающая о мужике.

Хорольская — ископаемое с больной печенью и ревматизмом.

Ну и что? А вот и не ну и что, потому что еще есть Воронов — гладкий, ухоженный хам, мнящий себя воспитанным, деловым человеком, джентльменом. Чего не отнимешь, одет с иголочки, держится безупречно, ни одного прокола, но что быдло — ясно без слов, достаточно на харю взглянуть. Рожа! Ненавижу его! Ненавижу? Что же это? У меня появилось чувство, чувство к человеку?.. Господи, как я его ненавижу!

Когда нет чувств, скрывать их нет надобности. Когда они есть, жизнь становится труднее, но интереснее.

Оставаясь на службе все такой же холодно-отрешенной, Елена исподволь, по крупицам, набиралась знаний и впечатлений о предмете своего чувства.

Природа сыграла с ним недобрую шутку: на тело Аполлона налепила голову Ивана-дурака. Нет, не Иванушки, лукавого и смазливого, а именно Ивана — тупого, топорного, обиженного Богом и жизнью, озлобленного. Странно при этом, что никакой озлобленности, уязвленной ущербности Елена за ним не замечала. Значит, таится или сам не осознает. Бывает.

Опрятен, следит за собой. На фоне неряхи Кузина и поразительно бездарных по этой части бальзаковских баб — высший класс. Аккуратен. Исполнителен. Держит слово. На его столе всегда полный порядок, бумажка к бумажке. Чище только на столе самой Елены. Опять же, на фоне остальных — играем в одной лиге? Интересно.

Не женат в свои без двух лет сорок. Импотент? Гомик? Не похоже. Впрочем, если всю жизнь его окружали бабы типа отдельских, то ничего удивительного. Тут Елена его понимает.

Обеспечен. Автомобиль, хорошая дача, чеки. Живет с матерью. Из любви или на отдельный кооператив пока не набрал?

Пристрастия, слабости? Пожалуй, нет, хотя обожает виски и теннис. Примем к сведению. Со временем узнаем побольше, и тогда... А что, собственно, тогда? Тогда и посмотрим. Берегись, Воронов!

Между тем жизнь в отделе входила в привычную колею. Бабы первыми смекнули, что высокомерная отстраненность Елены, ее подчеркнутая элегантность и безошибочная четкость в работе — это не против них, а *мимо них*, стали потихоньку раскрепощаться — пить чай с пирожными в кабинете, появляться лохматыми, в привычной затрапезе, опаздывать с обеденного перерыва, судачить обо всякой всячине в присутствии Елены. Потом и вовсе стали убегать с утра по магазинам или не возвращаться с обеденного перерыва. Через некоторое время осмелел и Кузин. Стал приходить и помятым, и небритым, и даже чуть похмелившись перед работой. И не горбатился за столом, изображая ретивого начальника — живой пример для подчиненных. А она все так же смотрела мимо них своими пустыми глазищами, существуя в своем параллельном мире: я здесь, но меня здесь нет.

Елена быстро стала образцовым работником и получала за это типичное по тем временам вознаграждение: Кузин потихоньку стал заваливать ее работой вдвое против остальных, поручал перепроверять работу коллег, расписывал выполненное ею как работу всего отдела. Впрочем, это продолжалось недолго. Скоро об этом узнали наверху (тем же способом, как в свое время Галя узнала о приходе в отдел обкомовской доченьки). Начальника Кузина, главного технолога Левского, вызвали к директору и крупно пропесочили. Левский же вызвал на ковер Кузина... Тот с перепугу взял больничный и всю неделю пил, не показываясь на работе. Елене выписали премию. Бабы съели эту обиду молча, понимая, что премия эта — более чем заслуженная. Сама же Елена никак на это событие не прореагировала, молча взяла деньги в кассе и, конечно, никакого угощения сослуживцам не сделала. Да от нее этого и не ожидали.

Злорадные попытки комбинатских активисток загрузить ее общественной работой натыкались на глухую стену. Начальство четко и кратко отвечало: «Нет», и вопрос закрывался.

Словом, если все они, кроме *одного*, конечно, так и остались для нее подобиями, манекенами, то и она стала для них чем-то вроде робота-автомата, наличие которого полезно для работы, но в человеческом плане не значит ничего. А как воспринимал ее этот *один* — того не знал никто.

В мае она попала на Доску почета, рядом с Вороновым.

В июне Воронов уехал на Кубу, запускать в эксплуатацию построенный нашими строителями завод под Гаваной. «Ничего, — говорила себе Елена. — Это всего на год».

В августе состояние ее ухудшилось, и она два месяца провела по путевке в Карловых Варах.

В ноябре она расчехлила ракетку. Зимних кортов в городе было немного, попасть на них могли лишь немногие избранные. Но разве дочь самого Чернова не из их числа? Услышав просьбу Елены, Дмитрий Дормидонтович обрадовался несказанно: впервые после болезни она высказала желание, не предварявшееся частицей «не». С того дня четыре раза в неделю по вечерам она ходила на корты «Ленфильма», благо было недалеко, и упорно восстанавливала давно утраченную форму.

В марте ее пригласил к себе в кабинет Левский, тучный, похожий на жабу астматик, и предложил, в обход всех табелей о рангах и выслуги лет, пойти на место Кузина, на должность начальника отдела. Она открыла рот, чтобы сказать привычное «Нет», но вместо этого, к собственному удивлению, произнесла:

— Давайте вернемся к этому вопросу осенью. Я еще не полностью вошла в курс дел.

Потому что осенью в отделе снова будет работать Воронов. Возможно, под ее началом. Ради этого стоило взяться за руководящую работу. Но сперва надо набраться сил.

В апреле Елену Чернову перевели на должность старшего специалиста. Бабы повозмущались между собой, пытаясь внушить себе, что их обошли за счет интриг и обкомовского блата, но это убеждение как-то быстро потеряло силу.

В мае она отказалась ехать в Карловы Вары на очередной курс лечения.

В августе, отгуляв после Кубы отпуск, вернулся загорелый и бодрый Воронов. По этому поводу в отделе устроили «товарищеский чай», ради приличия пригласили и Елену, хотя прежде она неизменно отказывалась. На посиделках она молчала, слушала рассказы Воронова и расспросы баб, время от времени поднимая на Виктора Петровича свои огромные глаза. В них, глубоко подо льдом, мерцали странные искорки.

Кузину Воронов привез в подарок плетеную бутыль особого рома, который на самой Кубе можно купить только за доллары. Женщинам, включая и Хорольскую, досталось по цветастой махровой пляжной маечке.

— Спасибо, — сказала Елена, возвращая Воронову пакет с подарком. — Я не ношу яркого.

— Хорошо, — спокойно ответил Воронов, забирая пакет. — Тамара, держи, тебе дважды повезло... А вам, Елена Дмитриевна, в следующий раз привезу что-нибудь... серенькое.

Елена вспыхнула. Похоже, поединок начался.

Из случайно оброненной во время посиделок фразы она узнала, что в теннис он ходит играть на «Петроградец». В субботу она собрала сумку, надела кроссовки и тренировочный костюм и спустилась в метро.

По площадкам корта бегали незнакомые потные мужики и изо всех сил лупили по мячикам, преимущественно попадая в аут. Воронова не было. Елена полюбовалась этим скорбным зрелищем через сетку и пошла прогуляться по парку. Погода была прекрасная. Она поела мороженого, посидела на лавочке возле Ленкома, еще раз прошла мимо корта и вышла к Петропавловке. Обойдя крепость кругом, она в третий раз вернулась к корту. На средней площадке стоял Воронов в белых шортах и лениво отмахивался от неуклюжих ударов длинноволосого юнца, обряженного в сплошной, включая носочки, желтый «адидас» и азартно размахивающего непривычно большим желтым «вилсоном».

«Это называется „макси-хэд", — вспомнила Елена. — Последний писк. Мы бы еще хоть чуть-чуть играть научились...»

Она спокойно, как своя, прошла в калитку мимо дремавшей служительницы и уселась на скамейку прямо напротив Воронова. При таком партнере, как этот модный юноша, класс Виктора Петровича оценить было трудно, но по его стойке, по хвату ракетки, по подходу к мячу и проводке было понятно, что играть он, в любом случае, умеет.

— Елена Дмитриевна! — громко сказал Воронов, пока его партнер отправился на розыски очередного запущенного им в Божий свет фирменного мяча. — Вот не ожидал! Неужели тоже лаун-теннисом балуетесь? Перекинуться не хотите ли? А то, понимаете, настоящие партнеры по отпускам разъехались, остались только... — он повел ракеткой в сторону юнца, остервенело роющегося в кустах.

Здесь он был другой — какой-то более свободный, оживленный, словоохотливый. Адекватный обстановке. Все правильно.

— Спасибо, с удовольствием. Где тут у вас переодеться можно?

Он показал на рядок зеленых будочек.

— Так я жду… Славик, еще пять минут — и все! — крикнул он юнцу. — Я обещал.

Она вышла вся в белом, даже с белой ленточкой на голове. Прямо чемпионка Уимблдона Мартина Навратилова, только очков не хватает.

Воронов с любопытством оглядел ее.

— Что ж, немного разминки для начала. Выбирайте сторону.

Она выбрала более удобную, спиной к солнцу. Незачем облегчать ему жизнь. Он стоял посреди корта в совершенно нетеннисной позе, животом вперед, опустив руки и держа ракетку, как лопату.

— Готовы?

Елена, предварительно несколько раз присев, попрыгав и помахав руками, встала по центру задней линии, чуть согнула ноги и подобралась.

— Готова.

Он небрежно, не меняя позы, чуть ли не с земли кинул ей мячик. Тот полетел простой, «пионерской» свечкой и шлепнулся на хафкорте. Елена развернула корпус вправо, сделала два кошачьих шага по направлению к мячу и исполнила вполне приличный форхэнд-драйв со средней подкруткой. Мяч, как она и намеревалась, лег ему прямо в ноги. Он в самый последний момент дернулся, но мяча, конечно, не достал.

— Дайте мне несколько раз под лево, пожалуйста, — вежливо попросила она. — Потом немного с лета, а потом я хотела бы отработать подачу.

Он кивнул, не то с улыбкой, не то с ухмылкой, но отошел к задней линии и принял позу уже более серьезную.

Минут пятнадцать они перекидывались по четко заданной Еленой программе. Ответив на его короткий кросс мастерским чопом — мяч свалился сразу за сеткой и просто остался лежать, — она выпрямилась, откинула волосы со лба и сказала:

— Я разогрелась. Давайте на счет.

Он прищурил глаза, помолчал и ответил:

— Давайте. Ваша фора — коридор.

— Не согласна. Вам и без коридоров работы хватит.

— Ну-ну… Подавайте.

Первый гейм она выиграла вчистую. Сначала дала два эйса в линию, чего он, стоявший в корте, явно не ожидал. На третьей подаче, когда он зашел далеко за линию, она дала косой укороченный драйв. Добежать он не успел. Четвертую подачу он принял самым краешком ракетки. Мяч взвился высоко в воздух, и Елена без труда убила его.

— Один-ноль, — сухо сказала она. — Подавайте.

Он, видимо, никак не мог настроиться на серьезный лад. На его бесхитростные подачи Елена отвечала резкими кроссами и обводкой по линии. Свирепея, он начал усиливать подачу — и сделал две двойные ошибки.

— Два-ноль, — констатировала Елена. — Готовы?

Он злобно посмотрел на нее, хрюкнул и кивнул.

Дальше начался ад. Чем сильнее подавала Елена, тем сильнее был прием. Его пушечные удары справа ложились под самую линию, Елена на них не успевала. Пришлось плacировать подачу под его левую руку. Он отвечал мощными кроссами, и Елене приходилось забегать далеко за корт и выкручивать мячи до предела, чтобы они попадали в площадку. Они попадали, но он без труда отмахивал их очередной «пушкой» под заднюю линию. Елена вытягивала эти мячи, надеясь лишь на то, что на этот раз его размашистые удары попадут в аут или в сетку. Несколько раз так и было, и все же третий гейм остался за ним.

— Два-один, — сказала Елена и приготовилась принимать подачу.

На четвертом гейме она раскусила его слабое место. Основную ставку он делал на силу удара. Технический же его арсенал был невелик, и резкая смена ритмов могла сбить его с толку. Первую его мощную подачу она не взяла, зато вторую зацепила элегантной косой подрезкой. Он рванулся через весь корт, но вместо мяча перекинул на ее сторону лишь облачко песка — его ракетка чиркнула по земле. Второй аналогичный прием он взял, но мяч беспомощно лег на хафкорт, и Елена, примерившись, с линии плеча обвела Воронова слева. Потом было несколько долгих, изнурительных розыгрышей. Елена рисковала, то подкорачивая с задней линии, то отвечая высокими кручеными свечками, в расчете на то, что он уже устремился к сетке убивать ее короткий удар. Иногда это получалось, иногда нет. При счете «меньше» Воронов подкинул мяч с таким зверским лицом, что Елена почувствовала: этот гейм за ней. И действительно, с первой его подачи мяч со страшной силой усвистел в коридор. Подав вторую, тоже довольно сильную, он со всех ног устремился к сетке. Елена обвела его мощным, длинным ударом по центру.

— Три-один, — сказала она, пожимая плечами.

Потом она стала уставать. Тело не успевало за мыслью, ей не хватало долей секунды — добежать, довести, докрутить. Правильно задуманные удары завершались нелепыми срезками. Потом она перестала думать, и сразу стало получаться лучше. Она вытягивала его сильные, дальние мячи с одной только мыслью — лишь бы перелетел туда, к нему. Мячи перелетали, но следующие три гейма она, хоть и в затяжной борьбе, проиграла.

— Четыре-три, — блестя потной улыбкой, произнес Воронов. — Подавайте, мадам.

Она вообще перестала что-либо соображать. У нее осталось одно только желание — мощное, непреодолимое, затмившее собой все остальное: со всей силы заехать мячом в эту лоснящуюся, самодовольную харю. Не получится мячом — можно и ракеткой. Лишь бы скорчился, застонал, схватился за подбитый — а еще лучше выбитый — глаз... Удары ее сделались дикими, непредсказуемыми, летели черт знает куда, но если попадали в корт, он их, как правило, не доставал: теннисный инстинкт заставлял его ждать совсем другого удара, совсем в другое место... Она выцарапала из самого угла площадки его удар. Ракетка, зацепив мяч, перекрутилась почти на сто восемьдесят градусов. Мяч отлетел высоко, с мощнейшим боковым вращением. Елена, вопреки всякой теннисной логике, рванулась к сетке. Мяч падал на середину его корта, где, выжидая и примериваясь, как поэффектней завершить этот нелепый розыгрыш, стоял Воронов. Он потрогал ракеткой воздух над головой, потом опустил вправо от себя, решив дать мячу отскочить от корта. Мяч отскочил, но, будучи непостижимым образом закручен, отскочил низко, влево и даже немного в сторону сетки. Воронов совершил невероятный акробатический прыжок, достал его и подбросил, словно блин на сковородке. Высокий, слабый мяч летел прямо туда, где стояла Елена.

Вариантов у нее была тьма — смэш, обводка, косой короткий кросс, крученая свеча. Любой сносно выполненный удар давал ей очко — решающее в этом гейме... Елена дико завизжала, размахнулась ракеткой, как бейсбольной битой, и, закрыв глаза, со страшной силой ударила по мячу. По всем законам игры это должен был бы быть явный, очень глубокий аут. Но... но на пути бешено летящего мяча возникло изумленное лицо Воронова и остановило собою безумный полет. Воронов выронил ракетку и присел, схватившись за глаз. Елена этого не видела — сила собственного удара развернула ее спиной к сетке. Она увидела солнце, в глазах ее потемнело, и она рухнула посреди корта, широко раскинув руки.

Очнулась она на скамейке. Ее голова лежала на коленях Воронова, и она сквозь мокрые волосы чувствовала его разгоряченное тело. Ее лоб был прикрыт концом влажного длинного полотенца. Другой конец Воронов прижимал к своему глазу.

— Однако вы... того... азартная гражданка, — сказал Воронов, заметив, что она открыла глаза. — Кто бы мог подумать?

— Извините, что прервала игру, — произнесла бледными губами Елена. — Сейчас, я отдышусь пару минут, и продолжим.

— Ну уж дудки! — сказал Воронов. — Как-нибудь в другой раз.

— Почему? Я в порядке. Просто солнцем немного ослепило.

— Вы-то, может, и в порядке. А я нет. — Он показал на глаз. — Классный завершающий удар получился. Долго тренировались?

Она промолчала.

— Какой у нас большой счет? — спросила она через минуту.

— Четыре-четыре. Боевая ничья. Очень боевая. С обоюдными жертвами. — Он опять потрогал глаз. — Ну что же, хорошенького понемножку. Вас подождать?

— Нет, спасибо. Мне в другую сторону. — «Интересно, а в какую ему?»

— Ясно. Мерси за игру. До встречи.

И Воронов, сняв с ее лба край полотенца и подхватив свою сумку, пружинистой походкой отправился в раздевалку. Второй конец полотенца он по-прежнему прижимал к глазу.

Потом он некоторое время ходил на работу в темных очках. А Елена еще несколько раз выбиралась на «Петроградец», но, хотя делала она это в разное время, Воронова там не заставала. Служительница сказала ей, что после той игры он больше не появлялся.

«Глазки бережет, лапушка, — подумала Елена. — А жаль — лично я не прочь бы повторить!»

## II

В сентябре у работающих и учащихся горожан началась ежегодная трудовая повинность, которую газеты гордо и глупо называли «битвой за урожай». Для отдела главного технолога это было привычное, отработанное и в целом очень приятное мероприятие. Уже много лет они всем отделом, оставив на городском дежурстве бабушку Хорольскую, выезжали на две недели в деревушку Волкино, что под Сиверской. У них там было свое картофельное поле — так, полюшко — на три с половиной гектара, свой бригадир, свое стойло в одном доме с сельсоветом. Мужчины, Кузин и, раз в два года, Воронов, спали на полу в комнатке счетовода на набитых сеном тюфяках. Для женщин же существовала специальная комната, оборудованная одноярусными нарами, печкой, столиком и даже старым шкафом полифункционального назначения. Позади дома располагалась летняя кухонька с навесом для столовой, колонка и «удобства». Технологи работали в свою силу и охотку, особо себя не утруждая, после обеда частенько устраивали пикники на берегу черной безымянной речушки, ходили по грибы, иногда заглядывали на танцы или киносеанс в местный, мягко выражаясь, клуб — покосившуюся избушку на краю деревни. В общем, этого события ждали не без удовольствия, а некоторые — в частности Кузин и Галя — даже с нетерпением.

Из года в год выезжали все, кроме Хорольской, и начальство к этому так привыкло, что автоматически внесло в список и Чернову Е. Д. Потом, конечно, спохватились, пригласили Елену в партком, курировавший «трудовой фронт», извинялись.

— Я поеду, — твердо сказала Елена.

— Но вам же совсем не обязательно...

— Поеду, — повторила Елена, и разговор на этом закончился.

Третьего числа в начале девятого утра из ворот комбината выехал служебный «рафик» с веселыми сотрудниками отдела главного технолога и их барахлишком. Следом выехала серая «Волга»-пикап с обкомовскими номерами. Она везла задумчивую Елену, раскладную кровать английского производства, чешский спальный мешок для альпинистов, надувной матрас и несколько сумок со всякой всячиной — одеждой, едой, гигиеническими принадлежностями.

Зайдя в «женскую комнату», Елена в первую очередь разложила кровать в углу возле окна, подальше от нар с прошлогодними пыльными тюфяками. Потом расставила сумки — частично под кровать, частично — не распаковывая — в шкаф, заняв ровно треть его объема.

— Остального вам, надеюсь, хватит? — спросила она бальзаковских баб, которые, быстренько покидав рюкзаки под нары, завалились на тюфяки, жевали тянучки, пуская кулек по кругу, и бросали в ее сторону неприязненные, завистливые взгляды.

— Хватит, хватит, — не оборачиваясь, процедила Галя.

Ужинать Елена вышла вместе со всеми, но с общего стола взяла только кусочек хлеба, намазав на него что-то вкусно пахнущее из миниатюрной баночки. Чай она пила свой, из красивого китайского термоса.

— Что это вы такое пьете? — не выдержав, ехидно спросила Галя.

— Чай, — коротко ответила Елена. — Хотите?

— Хочу! — с вызовом сказала Галя и протянула жестяную кружку. Елена молча налила. Победно улыбаясь, Галя поднесла кружку к губам — и тут же скривилась, сморщилась и стала отплевываться.

— Это называется «природный чай», — спокойно пояснила Елена. — Очень полезный. Особенно для кишечника. Состоит из сенны, крушины, мяты, толокнянки, шиповника, алтея и жимолости. Может, еще кто-нибудь хочет?

— Нет уж, спасибо, — буркнул Кузин.

Бабы молчали. Воронов, допив свой чай, обыкновенный, посмотрел на Елену.

— Говорите, для кишечника полезный? Позвольте полчашечки. Больше не надо, а то как бы чего не вышло.

— Прошу, — сказала Елена и плеснула ему из термоса.

Свой чай она заедала какими-то разноцветными пилюлями.

— Это что же, столько лекарств пить приходится? — спросила сердобольная Света.

— Это минерально-витаминные добавки, — сказала Елена. — Вечерние. Есть еще и утренние. Они другие.

Добавок она никому не предложила, от участия в «привальной» вежливо отказалась и пошла спать.

В поле она работала как в кабинете — четко, споро, не отвлекаясь на разговоры, перекуры, перекусы. Когда уставала спина, Елена выпрямлялась, делала несколько разминочных и дыхательных упражнений и вновь вставала в борозду. К вечеру выяснилось, что она собрала намного больше всех — в два раза обогнав Воронова и в полтора — Кузина и баб, вместе взятых. Бригадир Егорыч по прозвищу Кагорыч, с пьяной скрупулезностью подсчитывая дневную выработку, не удержался и высказал свое одобрение:

— Во, бля!

Вернувшись с поля, Елена первым делом тщательно вымыла белые резиновые сапожки и перчатки, под которыми у нее были надеты другие, нитяные, вымылась сама и переоделась в серебристый спортивный костюм, явно импортный, сверкающий множеством кнопок. В клуб с остальными она не пошла, а прогулялась по деревне,

253

вернувшись, прилегла на кровать и немного почитала перед сном.

Так прошло три дня, а на четвертый наступила суббота. Утром под столовый навес явился в дымину пьяный Кагорыч и произнес пламенную речь, смысл которой сводился к тому, что культиватор, блин, сломался, на базе, блин, солярка кончилась, фронт работ, блин, не обеспечен, так что сегодня, блин, предлагается либо идти чистить, блин, старые коровники и чинить ломаную тару, либо, два блина...

— Либо, Егорыч дорогой, конечно либо, — сказал Кузин и, взяв бригадира под локоток, отвел его в сторонку. Общение с начальством, особенно среднего и низового звена, было его давней прерогативой. Они о чем-то пошептались, и Кагорыч, очень довольный, пошел восвояси, а не менее довольный Кузин вернулся к длинному столу и сообщил:

— Объявляется пикник. Значит так: мы с Галей и Томой в магазин. Остальные — собрать кружки, ложки, шампуры и прочее, и на бережочек, дровишки собирать и вообще готовить площадку. Место вы знаете. Воронов за старшего.

Он был чрезвычайно оживлен и суетлив, как всегда перед хорошей выпивкой. Пикники такого рода тоже были традицией, и базовый капитал на их проведение собирался заранее, еще в городе, вскладчину. Деньги доверялись Тамаре или Воронову, как самым надежным, но на месте ими распоряжался Кузин. Елену об этой традиции в известность не поставили и денег с нее не брали: Кузин резонно рассудил, что много она все равно не нажрет, а обращаться к ней по такому делу было как-то совсем не в дугу. Не свой она человек.

Бережочек, который коллектив облюбовал под пикники, был действительно очень живописен. Холмик с тремя березками над излучиной речки, пологая ровная вершина, поросшая ровной травой и испещренная кострищами, крутой сбег к реке, поросшая густым камышом пойма. Елена остановилась возле березок, дыша полной грудью, заставляя себя проникнуться неяркой красотой этих мест. Проникнуться не получалось — однако хорошо уже то, что она хотя бы осознает, что здесь красиво.

С ее помощью Воронов и Света подготовили площадку примерно к половине первого. Был разложен костер, возле которого лежала внушительная куча хворосту про запас. Рядом пристроился небольшой чугунный мангал, который вместе с шампурами хранился в подвале сельсовета специально для таких случаев, и закопченный чайник. Воронов принес кассетный магнитофон на батарейках. На самом ровном месте был выстелен большой прямоугольный кусок полиэтилена, прижатый по краям камнями. На нем расставили и разложили миски, ложки, кружки, хлеб-соль и всякие припасы из тех, что имелись на месте, — колбаса, шпроты, сушки, полкруга сулугуни, банка варенья к чаю. Из своих запасов Елена выложила полукилограммовый кусок копченой лососины, прямо на фабрике нарезанный на тончайшие кусочки и герметически закатанный в пластикат, и баночку французской спаржи. Подготовительная работа плюс свежий воздух пробудили у всех, даже у Елены, неплохой аппетит, а Кузин с напарницами, как назло, запаздывал.

Первой не выдержала Света. Она робко нагнулась к расстеленной пленке, подцепила кусок докторской колбасы, положила его на хлеб и стала жевать, с томлением поглядывая на распечатанную лососину, испускавшую одуряющий запах.

— Приятного аппетита! — не без язвительности сказал Воронов. — Впрочем, мысль неплохая. Уж полночь близится, а Кузина все нету.

Он по-хозяйски сел возле «стола», взял кусок хлеба, положил на него ломтик лососины, посмотрел, что получилось, и добавил второй, украсив бутерброд палочкой спаржи.

— М-м, божественно, — промурлыкал он, дожевав первый кусок. — Елена Дмитриевна, что же вы, присоединяйтесь.

— Спасибо, я подожду, — сказала она, стараясь не глядеть в его сторону.

Вскоре появились Кузин и Галя с Тамарой, сгибаясь под тяжестью сумок и рюкзаков.

— Затарка по полной! — радостно возвестил Кузин, скидывая с плеч рюкзак, в котором что-то звякнуло. — Жидкая фаза в норме. — Он принялся вытаскивать и выстраивать в рядок бутылки водки, портвейна. — Специально для аристократов «Мурфатляр». — Он покосился на Елену. Та и бровью не повела.

Галя с Тамарой извлекали из сумок огурцы, помидоры, лук, банки с килькой и кабачковой икрой.

— Всякая разная овощь закуплена или... позаимствована у местного населения, — продолжал Кузин. — А вот с шашлыками вышла накладка. Пришлось даже сгонять на центральную, но и там только свинина второй категории. — Он плюхнул прямо на траву два здоровенных шмата сала с узенькими красными прожилками и торчащей во все стороны жесткой щетиной. — Ну да ничего, под водочку все пойдет, особенно если еще аджикой сверху прикрыть. — Он с гордостью вытащил из рюкзака баночку и поставил рядом с салом. — Это меня в здешнем сельпо порадовали. Настоящая, грузинская. С этим делом и собачатина пойдет за милую душу. Ну-с, по первой-по второй, а потом мужчины займутся мясом, а женщины — увеселением мужчин.

Он плюхнулся рядом с Вороновым, сорвал крышку с первой бутылки водки и принялся поспешно разливать.

— Нам с Галей определенно водочки, Томочке тоже. Светочке — портвешочку, понятное дело. Петрович, ты — нет?

— Я — нет, — сказал Воронов. — Ты же знаешь. Сухонького грамм сто выпью.

— Тогда сам и обслуживайся... Елена Дмитриевна, вам что налить? — совсем другим тоном обратился он к Елене, которая одна оставалась стоять.

— Мне тоже «Мурфатляра», только немного, — сказала она и присела с краешку клеенки.

— Петрович, даму обслужи... Ну что ж, как говорится, за все хорошее на десять лет вперед!

Не дожидаясь остальных, Кузин судорожно влил в себя кружку водки, задыхаясь, схватил огурец и громко зажевал. Галя последовала его примеру, но не столь решительно. Тамара, мелкими глоточками выпив до дна, взялась за помидор и с какой-то грустью оглядела остальных. Света выпила портвейну, хихикнула и потянулась к колбасе.

Воронов пригубил вино, поставил кружку и не спеша сделал себе второй бутерброд с лососиной и спаржой.

Елена отхлебнула немного, потом допила — ей и налили всего чуть-чуть, — пополам разрезала огурец, положила между половинками прозрачный пласт лососины и откусила.

— Так принято в лучших домах? — осведомился Воронов.

— Не знаю. Мне так нравится, — ответила Елена.

— Перва рюмка колом, а втора соколом! — продекламировал Кузин. — Программа та же?

— А как же! — хором отреагировали Галя и Света.

— Мне поменьше, — со слезой в голосе сказала Тамара.

— Я пас, — сказал Воронов. — И эту-то не осилить.

Елена промолчала.

Компания быстро вошла в «фазу обезьяны». Начались какие-то двусмысленные речи, анекдоты, байки о всяких казусах на работе и в семье. Трезвый Воронов в разговоре участвовал активно, смеялся вместе со всеми, только в каждой следующей его реплике Елена все явственнее улавливала недобрую, презрительную иронию.

Ей было интересно наблюдать за Вороновым. Но чтобы этот интерес был не слишком заметен, она иногда переводила взгляд то на медленно текущую речку, то на других присутствующих.

— Кузин! — нетрезво смеясь, крикнула Галя. — Наливай по третьей, что ли?

Кузин погрозил ей пальцем.

— Галюнчик, не гони лошадей. Щас дядя Кузин делом займется, а вы пока спойте, что ли, чего-нибудь, или вон музыку врубите, если сами еще не дозрели.

Воронов зевнул и не спеша поднялся.

— Пойду пройдусь, — сказал он, потягиваясь, и добавил вполголоса, ни к кому вроде конкретно не обращаясь, но так, чтобы слышала его одна Елена. — А то начинаю выпадать из коллективных ритмов.

— Ты куда, Петрович? — вскинулся Кузин, и тут же подхватили бабы:

— Виктор Петрович, не уходите!

— Девочки, я ненадолго, — с легким кивком заявил Воронов. — До правления и обратно. У меня на три разговор с городом заказан.

Кузин нетвердо встал, перетоптываясь, размял затекшие ноги и подошел к Воронову.

— Петрович, погодь-ка. На пару слов...

Воронов пожал плечами и зашагал прочь, позволяя Кузину семенить следом.

За березками Кузин догнал Воронова, взял его за отворот куртки и жарко зашептал:

— Слушай, Петрович, выручай! На тебя одна надежда...

— Конкретнее, Санек, — сказал Воронов, стряхивая с куртки пальцы Кузина.

— Ну ты же знаешь, как у нас всегда... По полной программе, по-русски... Гуляй, душа! Ну там, всяко-разно, вино рекой, игры в бутылочку, песни хором, танцы под луной...

— Групповичок на лоне природы, — ухмыльнувшись, продолжил Воронов. — Ну и что? Чем я могу выручить? Не стоит у тебя, что ли?

Кузин покраснел.

— Стоит, не стоит! Не в этом дело. Надо будет — встанет как миленький... Ты вот что, Петрович... ты ж про звонок-то наврал, просто чтобы свалить отсюда по-быстрому. Тебе ж наши увеселения всегда были не очень. Сидишь, скалишься только...

— Да уж, не любитель, — согласился Воронов.

— Вот видишь. Выручай, а? Уведи отсюда эту...

— Кого? — спросил Воронов, хотя прекрасно понял, о ком говорит Кузин.

— Ну, циричку эту малахольную, Чернову. Сидит, сука, глазами лупает, только кайф ломает — аж кусок в горло не лезет. Галка вон кипит вся, еще через стакан в волоса ей вцепится. Томка киснуть уже начала... Ну сделай, ну, будь человеком...

— И куда ж я ее уведу? В даль светлую?

— Зачем вдаль? — не понял Кузин. — Тут и поблизости грибочки произрастают. Взяли в ручки по кузовку и пошли себе на тихую охоту.

Воронов призадумался.

— Попробую. Обещать не обещаю, но... Если получится — с тебя бутылка.

Кузин обреченно кивнул.

— За магнитофон головой отвечаешь, — добавил Воронов.

— Само собой.

Они вернулись на пригорок. Кузин отправился строгать сало, а Воронов направился к Елене, которая сидела в стороне от прочих рядом с магнитофоном и слушала Джо Дассена.

— Нравится? — спросил он.

— Дассен? Не особенно. Но все веселей, чем пьяные бабьи разговоры... А вы что, уже позвонили? Быстро.

— Есть предложение, — деловито сказал Воронов, словно не услышав ее вопроса. — Здесь уже лучше не будет. Если вы не любительница полусырой свинины второй категории, пьяных откровений, слез и танцев в голом виде, то не исчезнуть ли нам отсюда?

Елена внимательно посмотрела на него.

— Исчезнуть? Куда?

— Я приглашаю вас в здешние леса. Вы же там еще не бывали. Удивительные леса, богатейшие. Грибов — море. Вы грибы собирать любите?

— Нет. У нас в Солнечном на один гриб десять грибников.

— Ну вот, а у нас в Волкино на десять тысяч грибов два грибника — мы с вами. Пошли.

Она задумалась, потом решительно тряхнула головой.

— Пошли.

С собой они взяли корзинку, в которой Света принесла с кухни посуду, и полиэтиленовый пакет с ручками.

Лес подействовал на них обоих умиротворяюще. Воронов рассказывал о своем деревенском детстве, о родных брянских лесах, о ягодах и грибах, съедобных и ядовитых, о целебных лесных травах, о повадках диких животных. Елена слушала, и ей было интересно.

Воронов находил грибы за обоих. Он собирал штук пять-шесть, пока она находила хотя бы один — как правило, поганку, — а потом вставал рядом с ней и показывал:

— Ну вот же, вот он, прямо у вас под ногами! Какой красноголовик! Не наступите.

Она нагибалась и только тогда замечала гриб и брала его. Осознание столь явного своего преимущества над ней сделало Воронова благодушным и разговорчивым. От детства и отрочества он перешел к юности. У него была судьба, типичная для человека его склада: приезд в большой город с картонным чемоданчиком и аттестатом в кармане латаного пиджачка, завод, общежитие с лимитной пропиской, вечерний техникум, армия, снова завод, вечерний институт, квартира, в которую он тут же выписал из деревни мать, расчет вариантов и выбор пути. Целеустремленность, упорство, работа над собой, видение цели... И при этом он, рассказывая, не упускал ни один грибок на их пути, вынимал с корнем («Многие считают, что надо ножом срезать у земли, но это неверно — тогда начинает болеть грибница»), аккуратно складывал в корзину.

— Смотрите, какой здоровый! — воскликнула вдруг Елена.

— Где?

— Да там, у елки.

Она устремилась по направлению к большой темно-красной шляпке, высунувшейся из-под изогнутого елового корня. Но тут моховая кочка просела под ее ногой, и Елена неловко упала на бок.

Воронов кинулся к ней, помог встать.

— Как вы? Ничего не болит?

Елена слабо улыбнулась.

— Да вот, нога немного.

Она сделала шаг, другой — и, вскрикнув, упала во второй раз.

— Подвернула, кажется, — виновато сказала она. — Ничего, как-нибудь доковыляю.

— Нет, — сказал Воронов, нагнулся и легко, как пушинку, поднял ее на руки. — Держите меня за шею. Крепче.

Он снова нагнулся, подцепил корзину и зажал ее в кулаке той руки, которая держала Елену под колени.

— Пустите, — сказала Елена. — Вам же тяжело.

— Нисколько, — он улыбнулся. — Да, хорошо ходить в лес с изящной женщиной.

— Хотя бы корзинку оставьте.

— Ну уж нет! Зря старались, что ли? Да и ушли мы недалеко. Не успели.

— Вы хоть знаете, в какую нам сторону?

— Я хорошо ориентируюсь.

Она крепко обняла его за шею. Его шаги укачивали ее, как младенца.

— Давненько меня на руках не носили, — сказала она, заглядывая снизу в его лицо.

Он сосредоточенно молчал. Елена с наслаждением наблюдала, как тяжелеет его дыхание, переходя в сопение и пыхтение, как постепенно багровеет и покрывается потом его топорное лицо, наливаются кровью свинячьи, плебейские глаза, как начинают дрожать сильные руки, напряженно удерживающие ее и при этом не выпускающие корзину.

«Еще сто шагов, — подумала она. — Нет, лучше двести. Или пока сам не попросит... Нет, такой не попросит...»

— Стоп! — сказала она. — Спустите меня. Вы совсем измотались. Привал.

— Осталось-то всего чуть-чуть, — прохрипел он, не выпуская ее из рук.

— Тем более. Явитесь пред очи коллектива свежим и отдохнувшим.

Он усадил ее на мягкий сухой мох, поставил рядом корзину, утер рукавом лицо и усмехнулся.

— Коллектив до утра на берегу увеселяться будет. Если только дождь не зарядит. Я их знаю.

— Жалеете, наверное, что не остались с ними? Сейчас бы веселились и гуляли, а приходится таскать на себе взбалмошную стерву.

Он с наслаждением плюхнулся рядом с ней.

— Вот уж не знал, что вы любите комплименты, — сказал он.

— То есть?

— Говоря про «стерву», вы явно стремились, чтобы я начал возражать. Я лучше промолчу.

— И правильно. Тогда не придется врать... Кстати, силы подкрепить не желаете?

— Это смотря как...

Она достала из внутреннего кармана куртки плоскую прозрачную фляжку.

— Увы, льда предложить не могу. Но, по-моему, и так достаточно прохладно. Лично я даже немного замерзла и очень не прочь погреться. — Она отвернула крышку и отважно хлебнула. На глазах у нее тут же выступили слезы, и перехватило дыхание. Она вздрогнула, резко выдохнула и протянула фляжку ему. Он взял фляжку и начал внимательно изучать ее, словно не веря собственным глазам.

— Да вы хлебните, — сказала Елена. — Уверяю вас, содержимое полностью соответствует этикетке.

— Надо же, — мечтательно сказал он. — «Олд Граус». Мое любимое... Да, давненько...

Он понюхал фляжку, осторожно поднес к губам, сделал первый, пробный глоточек, пошевелил языком, раскатывая виски по небу, потом глотнул второй раз, уже основательно.

— Как вы узнали?

— Что узнала? Что это ваш любимый напиток? Чистое совпадение, поверьте. Просто я, отправляясь на природу, всегда беру с собой спички, компас, свисток, чтобы отпугивать медведей, и фляжку с чем-нибудь крепким — на всякий случай. Ну там, обморок, шок, обморожение...

— С шотландским виски двенадцатилетней выдержки?

— Или с хорошим коньяком. Только действительно хорошим.

— Да-а, — задумчиво протянул Воронов. — А ведь вы действительно стерва. Бесподобная, потрясающая, самая замечательная в мире стерва.

Она взяла у него фляжку и отхлебнула еще разок, уже увереннее, мгновенно ощутив приятное тепло во всем теле.

— Не знаю, — сказала она. — Может быть... Вот вы говорили о себе, как мальчишкой приехали в Ленинград, имея четко поставленную цель. В шестнадцать лет у меня тоже была цель, может быть, наивная, надуманная, но очень четкая. Я закрывала глаза и видела себя — знаете кем?

Она вновь хлебнула из фляжки и протянула Воронову. Он последовал ее примеру.

— Надо думать, не кинозвездой.

— Нет, конечно. Директором крупного предприятия, возможно, министром. Женщиной, взявшей на себя ответственность руководить делом и людьми. Видела просторный, строгий, со вкусом обставленный кабинет, множество телефонов на столе, множество людей в приемной, дожидающихся моей подписи, моего решения, жизненно важного и лично для них, и для дела, и для страны. В общем, все то, что наяву видела на работе у отца.

— У отца? А кто?.. Ах да, конечно... — Воронов хлопнул себя по лбу. — Конечно же.

Она снова взяла у него фляжку. Щеки ее зарозовели, в глазах появился блеск.

— Я поступила на непрестижный факультет, на непрестижную специальность, хотя, как вы понимаете, имела неограниченный выбор. Я понимала, что в других производствах женщине путь наверх закрыт, закрыт давней и жесткой традицией. А мне нужно было именно наверх — стремление управлять у меня в крови. Наследственное, должно быть...

— В шестнадцать лет я хотел примерно того же, — сказал Воронов. — Но стал постарше и решил иначе. Я хочу отвечать только за самого себя. И не потому, что боюсь ответственности. Я боюсь зависимости от чужой безответственности — будь то мой начальник, подчиненный или жена... Вы же видели наших уважаемых коллег — рохли, распустехи, лентяи, в головах каша, причем непереваренная, желания на уровне жратвы, пойла и блядок... Ой, простите, сорвалось!

— Ничего, продолжайте. Мне интересно.

— А что тут может быть интересного? Недочеловеки, без цели в жизни, без уважения к себе. Знаете, я их презираю еще больше, чем вы, хотя научился скрывать это. Себе дороже.

— А я-то как раз никого не презираю.

— Неужели? Да у вас в каждом вашем шаге видно презрение ко всем и каждому!

— Это не так. Просто я почти неспособна испытывать к людям какие-то чувства. Это и есть моя болезнь, про которую наверняка ходит много слухов. Мой врач называет это «эмоциональным аутизмом»...

Воронов внимательно смотрел на нее, не перебивая.

— Вот вы говорили про них, — она махнула рукой куда-то в сторону, — что у них желания на уровне жратвы... и прочего, и называли их недочеловеками. А настоящий-то недочеловек — это я. Потому что у меня вообще отсутствуют желания... — Она снова приложилась к фляжке. — Когда все это у меня началось, я перестала хотеть быть директором. Я вообще перестала хотеть быть. Просто существовать, как существуют мраморные статуи. Они прекрасны, они совершенны, но им не надо видеть, слышать, им не надо испытывать чувств...

Она вдруг уткнулась Воронову в плечо и заплакала.

— Ну вот, — сказал он, гладя ее по плечу. — А говорите, не можете испытывать чувств. А это чем не чувство?

— Что? — глухо спросила она.

— Ваши слезы. Статуи-то плакать не могут.

Она подняла голову. В глазах ее стояли слезы, но на лице обозначилась улыбка.

— Значит, поправляюсь. Я два с лишним года не плакала.

Он привлек ее к себе и поцеловал в губы.

Она впилась ногтями в его открытую шею и повалилась на мох, увлекая его за собой...

Проводив Елену до дверей «женской комнаты» и галантно поцеловав ей руку на прощание, Воронов вошел в кабинет счетовода и улегся, стараясь как можно быстрее заснуть. Сон не шел. Хотелось бы надеяться, что это от душевного подъема, от ощущения торжества. Но он не привык тешить себя иллюзиями. Никакого подъема, никакого торжества он не испытывал. Скорее опустошенность и даже непривычную растерянность.

С первого дня появления Елены в их отделе она вызвала в нем жгучий интерес. Он сразу же почувствовал в ней отчасти родственную душу: четкость, целеустремленность, презрение к болтающимся вокруг, словно говно в проруби, недочеловекам, составляющим, увы, большинство рода людского, особенно здесь, в этой проклятой стране. Только, в отличие от него, ей не было необходимости скрывать свои истинные чувства, разыгрывать дружелюбие, подлаживаться, строить стратегию и тактику отношений с каждым представителем этой жалкой породы. Да уж, при таком-то папаше можно позволить себе не подличать, не таиться... Он люто, до дрожи завидовал ей и невольно восхищался: как безупречно, мастерски, вызывающе держала она свою линию. И он не мог не принять вызова — поступить иначе значило бы перестать уважать себя, сравняться с недочеловеками. Боже, до чего же хотелось насладиться зрелищем ее злости, раздражения, истерики, увидеть, как она «теряет лицо». Промежуточная победа была тогда, на теннисном корте — дома, в уединении своей сверкающей чистотой ванной комнаты, он разглядывал черный синяк, почти закрывший его правый глаз, как ценнейший трофей, добытый в тяжелом бою. Сегодня победа была полной. И что теперь? Захотел обломать сучку — и обломал. Снежная королева обернулась обыкновенной бабой, к тому же, судя по всему, и вправду больной, причем нешуточно. И, похоже, сильно к нему неравнодушной...

В своих отношениях с женским полом Воронов меньше всего любил сложности. Подруг он подбирал незамысловатых, без амбиций, незакомплексованных, по возможности чистоплотных — и не имеющих ни малейшего отношения к его работе. Воронов неукоснительно соблюдал принцип «не греби там, где служишь, и не служи там, где гребешь», и это избавляло его от массы ненужных проблем. Теперь же, по всему видно, проблемы намечались. Ой какие!

В комнату шумно ввалился Кузин и, споткнувшись об Воронова, свалился поперек тюфяка.

«Сейчас отрубится», — подумал Воронов. Но не тут-то было. Кузин поворочался, лег поудобнее и начал, еле ворочая языком, делиться впечатлениями о пикнике. Воронов лежал и не слушал. Под бухтение Кузина стали смежаться веки. Сквозь полудрему он почувствовал, как Кузин тычет его в плечо и, обдавая перегаром, настойчиво повторяет:

— А грибочки-то как? Много набрали?

И Воронов, впервые в жизни, послал своего непосредственного начальника далеко-далеко. Кузин икнул от изумления, что-то обиженно проворчал и перевернулся на другой бок.

«Это ничего, — лениво подумал Воронов. — К утру все забудет». И снова закрыл глаза. В его засыпающем сознании вдруг поплыли картины самые неожиданные: Елена в белом, сильная, грациозная, с улыбкой принимающая из рук самой английской королевы блюдо чемпионки Уимблдона; с той же улыбкой, но обращенной уже только и исключительно к нему, Воронову, на пороге чистенькой двухэтажной виллы с голубым бассейном; за рулем сверкающего «мерседеса»; в белоснежной широкой постели, призывно откинувшая одеяло, ждущая его...

«Цыц!» — приказал Воронов расшалившемуся подсознанию. Однако... Так ли уж беспочвенны эти видения в основе своей? Возможно, это шанс, повторения которого не будет...

Тут надо все очень тщательно взвесить, просчитать. А приняв решение, выработать стратегию и тактику...

Елена вернулась в город преобразившейся: движения ее стали порывисты, в глазах появился и уже не исчезал странный голодный блеск, на щеках выступил румянец. Умываясь с дороги, она пела в ванной, за ужином потребовала добавки, за завтраком разбила чашку и умчалась на работу, впервые в жизни забыв пропуск. Через полтора часа этот пропуск увидела на обеденном столе Лидия Тарасовна и со значением посмотрела на мужа.

— Разберемся, — сказал на это Дмитрий Дормидонтович.

К концу дня он знал о Воронове все, что ему нужно было знать, вечером он заперся в кабинете и долго беседовал по телефону с профессором Сутеевым из Бехтеревки, который уже два года пользовал Елену. Дождавшись, когда Елена ляжет спать, он вызвал на кухню жену и проинформировал ее, что принял решение. Лидия Тарасовна, выяснив некоторые подробности, с этим решением согласилась.

На следующий день, к самому концу рабочего дня Воронова пригласили в партком. Туда он шел с некоторой опаской, а оттуда — в настроении весьма приподнятом. Его жизненные цели получили заметную корректировку, причем в положительную сторону.

Вечером, когда Елена с аппетитом уплетала вторую порцию яичницы, а Дмитрий Дормидонтович, отужинав, удалился в свой кабинет, Лидия Тарасовна спросила:

— Когда же ты нас познакомишь со своим Вороновым?

Рука, держащая вилку с куском ветчины, дрогнула и остановилась.

— С *моим* Вороновым?

Елена донесла вилку до рта, долго, нахмурив лоб, пережевывала и только тогда посмотрела на мать с криоватой улыбкой.

— С моим, значит? Откуда узнали, не спрашиваю. Партийный телеграф... Хотите — пожалуйста. Когда угодно.

— Пригласи его на послезавтра.

— Почему не на завтра?

— У отца выездное заседание. Он приедет поздно.

— Понятно. Значит, послезавтра.

Елена замолчала. После ужина она ушла к себе, а оттуда в ванную. Помывшись и почистив зубы, уже в ночной рубашке, подошла к матери пожелать спокойной ночи. Лидия Тарасовна поцеловала ее в щеку, и когда Елена уже направилась к двери, спросила:

— Любишь его?

Елена резко развернулась, посмотрела в глаза матери и, отведя взгляд, бросила в пространство:

— А как же!

Она поспешила прочь, пряча от матери презрительную ухмылку. Любишь? Если это любовь, то та еще...

После сцены в лесу его отношение к ней сделалось подчеркнуто дружеским, участливо-доверительным. В поле он вставал с ней в одну борозду, подтаскивал ведра и ящики, расстилал для нее клеенку, когда она садилась на ящик передохнуть. Потом они уходили к реке, в лес, засиживались вдвоем под столовым навесом, когда остальные уже расходились по койкам или на вечерний выпивон. Он рассказывал про методики аутотренинга, до которого был большой любитель, про лечебный бег трусцой, про колоссальную полезность позитивного мышления, которым сейчас увлечен весь Запад... Она слушала, кивала, улыбалась, а внутри корчилась от унижения. «Хотела этого? Так получай, получай!»

Его рассказы неизменно скатывались к любимой теме: недоразвитости и порочности большинства человечества, собственной исключительности, собственных планах на будущее, получивших в последнее время внезапный толчок. Она с теплой улыбкой смотрела в его самодовольное лицо — харю! — и время от времени подначивала его:

— Капстрана? Это совсем несложно. Сейчас многие ездят, и надолго. Контакты расширяются. Через отца проходит множество дел такого рода. Например, финны очень заинтересованы...

— Конечно, «мерседес» лучше, но в наших условиях «Волга» практичнее. Никаких проблем с запчастями, техобслуживанием... Говорите, все-таки есть проблемы? Не знаю, у отца это дело поставлено отлично...

— Ближе к центру? Побольше? Решается за день. Масса свободной жилплощади. В исполкоме есть целый отдел... Отец, конечно, в курсе...

— Разумеется, кому, как не вам, с вашей квалификацией, опытом, талантом...

«Боже, какая мерзость! Ну ничего, терпи, голубушка. Еще не вечер. Он у тебя за все ответит». Слушать его, сидеть с ним рядом, принимать его знаки внимания было невыносимо, и она упивалась собственными страданиями и грела себя мстительными мечтами, видя этого человека растоптанным, униженным, перемазанным в грязи, извивающимся у ее ног... Любовь?!

Когда он перешел на «ты» и в первый раз назвал ее «Леночка», она чуть не взвыла. Но тем приятнее было стерпеть, собраться с силой, прижаться к нему щекой, выдавить из себя: «Витенька».

В городе он открыто, на глазах у всего отдела, дарил ей цветы, билеты в театр, провожал до метро. Кузин и бабы не выходили из состояния тихого шока. Когда она пригласила его к себе, чтобы представить родителям, он просиял самым омерзительным образом. Было это через день после доверительной беседы в парткоме. Надо же, какое совпадение!

Он явился минута в минуту, в роскошном светло-сером костюме-тройке, благоухая дорогим одеколоном, с букетом пышных алых роз и огромной коробкой импортных конфет.

Они вчетвером посидели в гостиной совсем недолго. Потом Дмитрий Дормидонтович встал и решительно пригласил Воронова к себе в кабинет. Виктор Петрович получил исчерпывающее представление о тех благах, которые получит сразу и в перспективе, об обязанностях, которые принимает на себя в обмен на эти блага, и о штрафных санкциях за неисполнение этих обязанностей. Последнее было, конечно, неприятно, но договор был заключен и скреплен рукопожатием.

Учитывая категорическое пожелание невесты и еще некоторые обстоятельства, эту свадьбу, в отличие от свадьбы брата, решили сыграть без всякой пышности, в семейном кругу. Представителя загса пригласили прямо на дом, где и произошла церемония. Елена держалась идеальным образом до самого последнего момента, когда им предложили скрепить свой союз поцелуем. Тут она не выдержала и пребольно укусила Воронова в губу. Он стерпел, только посмотрел на нее с удивлением и обидой. В этот момент он страшно пожалел, что ввязался во все это дело.

Гостей практически·не было. Кроме жениха с невестой, ее родителей и матери Воронова, совсем простой старушки, взявшей на себя всю готовку и почти не вылезавшей из кухни, был только Павел. Он сильно похудел и выглядел усталым. После первых тостов и закусок он извинился, отправился в бывшую свою комнату, которая теперь стала «уголком» Лидии Тарасовны, и прилег на диван. Через некоторое время туда заглянула Елена.

— Мы столько не виделись. Как ты?

— Ничего. Устаю сильно.

— Как дочка?

— Растет. Зашла бы как-нибудь, взглянула на племянницу.

— Некогда. Ты же видишь.

— Вижу. Жить будешь здесь или у него?

— Не у него, а с ним. Но в этом доме. Мы обменяли его квартиру.

— Хрущевскую «двушку» на сталинскую «трешку»? — Павел грустно улыбнулся.

— Ты же понимаешь.

— Понимаю.

— Ты все там же?

— Еще полгода. Потом приедет Лихарев, и надо будет что-то решать.

— А Татьяна?

— У себя, наверное. Не знаю. Мы не видимся.

— Понятно. Как тебе женишок?

— Никак. А тебе?

Елена не то засмеялась, не то всхлипнула.

— Ты что?

— Так, ничего. Просто ты первый догадался спросить. Я его ненавижу.

— Тогда зачем?.. Хотя погоди, я сам скажу, а ты только подтвердишь — да или нет.

— Хорошо.

— Ты ненавидишь его и черпаешь в этой ненависти силы, чтобы жить. Ты держишься за него, потому что иначе ты снова превратишься в живой труп. Да?

— Да, — чуть слышно прошептала Елена. — Как ты догадался?

— Жизнь научила. — Павел безрадостно усмехнулся. — Только скажи мне — он, конечно, человечек так себе, но разве тебе его нисколько не жалко? И себя не жалко?

— А что такое жалость? Я забыла.

— Извини, — сказал Павел. — Я забыл, что ты забыла...

— Леночка, — раздался из гостиной сладкий, чуть нетрезвый голос Воронова. — Мы тут без тебя соскучились.

Елена посмотрела на брата.

— Иди, Чернова-Воронова, — сказал Павел. — Желаю тебе... желаю тебе выздороветь. Если что — адрес мой ты знаешь.

— Знаю. Только он мне не пригодится.

Елена вышла. Павел посмотрел ей вслед и откинулся на подушку, глядя в потолок и тихо-тихо напевая:

— Черный ворон, что ж ты вьешься...

Эта странная свадьба произошла в начале ноября.

В декабре супруги Вороновы отбыли во Францию по техническому обмену, оставив старушку-маму куковать в новой трехкомнатной квартире.

## Глава пятая
# ПЫЛИНКИ НА ВЕСАХ
## (27 июня 1995)

Дверь мгновенно распахнулась. На пороге стояла невысокая женщина в строгом костюме и сквозь толстые стекла очков без улыбки смотрела на Люсьена.

— Э-э... Я, собственно, по приглашению. Информед, — с легким поклоном сказал Люсьен.

Женщина отступила на два шага в глубь гостиной и деревянным голосом произнесла:

— Проходите.

Она быстро прошла к дверям в гостиную и распахнула их перед Люсьеном.

— Но я, извините, не вполне в курсе... — семеня за ней, говорил Люсьен.

— Проходите, — повторила женщина, похожая на японскую бизнес-даму средних лет. — Миссис Розен просит извинения за некоторое опоздание. Пока можете закусить и отдохнуть.

— Но... — начал Люсьен, однако дверь за японкой уже затворилась.

# I

Старший лейтенант Рафалович выматерился в трубку, длинно и вычурно, при этом, однако, палец его предусмотрительно прижимал рычаг. Вроде и высказался, и никого не обидел.

Он вздохнул, отставил телефон и придвинул к себе исписанный и изрисованный стрелочками листок бумаги. Он поискал глазами, нашел фамилию «Нефедьев» и под словами «комбикорм» вписал: «гофр. железо 200 кв.». Обвел в кружочек, повел стрелочку, призадумался, куда бы ее вывести. На Нечипоренко?

Рафалович вновь придвинул к себе телефон, набрал номер.

— Верочка, день добрый... Узнали? Да, это я. У себя? Соедините, если не занят... Кузьма Венедиктович?.. Снова я. Тут, значит, вот какое дельце вырисовывается. Вагоны, как вы просили, я, кажется, выбил, только...

Изложив ситуацию и выслушав ответ, Рафалович решительно замкнул стрелку на фамилии Нечипоренко и повел новую в самое начало списка, где были жирно подчеркнуты слова «резина, трубы» и фамилия «Эрлих».

На сегодня это было все. Эрлиху звонить уже поздно. Оставалось надеяться, что до завтрашнего утра с таким трудом собранная комбинация не развалится и каждый получит желаемое в обмен на имеющееся.

С громким блаженным стоном Рафалович потянулся, заложив руки за голову. Спать рано, делами заниматься поздно. Стало быть, надо прогуляться, закатиться в ресторацию или взять пузыречек веселия для и под палтуса с огурчиком приговорить его прямо в номере.

Рафалович любил это время, когда полярная зима сменялась полярным летом и каждый день добавлял по нескольку светлых минуток. Он радовался всегдашнему своему удивлению — надо же, половина седьмого, а еще светло. Это потом уже, к лету, свет в ночи перестанет удивлять, а начнет раздражать, мешая спать, и раздражение это можно будет унять лишь словами: «Вспомни зиму».

Он надел шинель и вышел в коридор.

— Добрый вечер, Эмма Рихардовна, — обратился он к дежурной. — Ну, как летающие тарелки? Больше не досаждают?

— Все бы вам шутить, Леонид Ефимович! — притворяясь обиженной, ответила дежурная.

Лет пятнадцать назад она увидела в небе какой-то непонятный овал, и с тех пор у нее, как говорится, чердак поехал на уфологии. Она вела обширную переписку с товарищами по увлечению, вырезала из газет все материалы, прямо или косвенно касающиеся НЛО, и была готова часами толковать с постояльцами о неопознанных объектах и внеземных цивилизациях. Наиболее терпеливых слушателей она даже угощала чаем с домашним вареньем и давала почитать из своей папочки.

— Погулять собрались или как?

— Погулять, фрау Эмма. Или как.

Та даже не улыбнулась.

— Знаем мы вас... Кстати, ваш триста первый освободился. Брать будете?

— Да нет, пожалуй. Если все получится, я завтра утром съеду.

— Ну, дай Бог. Заезжайте почаще.

— Куда уж чаще?

Он вышел из «Полярных зорь» и спустился с пригорочка на главную улицу Мурманска — проспект, естественно, Ленина. С моря дул свежий приятный ветерок. Холодные ветры дуют здесь с юга, с материка, а обогретый Гольфстримом норд, наоборот, несет тепло и влагу. Такой вот географический казус.

Рафалович не спеша фланировал по проспекту, заглядывая в витрины магазинов и кафе, в лица проходящих женщин, машинально надеясь увидеть хорошенькое. Не увидел. Ну и фиг с ним! Для разнообразия можно сегодня лечь и одному, под звуки телевизора. Только вот прихватить пузырек снотворного...

Вот, кстати, и витрина с бутылочками. Странно, столько раз проходил мимо, не припомнить, чтобы тут спиртное продавали. Недавно отдел открыли, что ли?

Он зашел. Выбор был неплохой по нынешним временам, и, что особенно интересно, имелся здесь и неподдельный коньяк — кому же придет в голову подделывать казахстанский? — и шампанское севастопольского завода. У неработающей кассы выстроилась солидная очередь. Продавщица заверила, что кассу вот-вот откроют, и Рафалович занял очередь. Спешить было абсолютно некуда, и он погрузился в раздумья...

Нехитрая, на первый взгляд, задача получить для родной части трубы определенного диаметра по накладной, а заодно и резину для личных «Жигулей» себе и кавторангу Семенову уже без накладной, превратилась в многоходовую комбинацию с пятнадцатью сторонами и двадцатью пятью позициями «это на это». Даже всемогущее Управление тыла и снабжения не могло предусмотреть все нужды подведомственных ему частей и подразделений, а уж тем более нужды отдельных офицеров. От того, насколько удачно затыкались возникающие дыры, зависела, в конечном счете, бесперебойная работа части, а следовательно и ее боеспособность. Эта работа, за которую, при всей ее важности, чинов и орденов не полагалось, была, что называется, «на любителя» и требовала определенного склада ума и характера. И здесь лейтенант, а ныне старший лейтенант Рафалович пришелся как нельзя ко двору. Походы, маневры и учения заменились для него еженедельными командировками в Мурманск и ежемесячными — в Ленинград или Москву. И он никогда не возвращался пустой. Начальство привыкало его ценить, хотя поначалу смотрело на этого молодого офицера довольно косо.

Тому были свои веские причины. Три года назад, когда новоиспеченный лейтенант прибыл с направлением ЛенВО по месту прохождения службы, он с поезда попал в учебное плавание, по морским меркам пустяковое, почти каботажное. Но в первые же часы плавания выяснилось, что товарищ лейтенант страдает тяжелейшей, практически неизлечимой формой морской болезни. Толку от него не могло быть никакого, потому что он вынужден был поминутно вскакивать, выбегать на палубу и травить через поручни в океан на глазах у ухмыляющихся матросиков. Ни в рубке, ни в кубрике, ни в кают-компании, ни в лазарете, куда его, полуживого от голода, порывались заложить на третьи сутки, он не мог пробыть ни часа. Так и болтался по палубе, беря на себя и «собачьи вахты», и руководство приборочкой, лишь бы не спускаться.

На его счастье, подвернулся встречный корабль, идущий в Северодвинск. Рафаловича передали туда, а уже из Северодвинска он вылетел военным вертолетом, воспользовавшись оказией. После этого случая Рафаловича перевели в береговую службу. Он нес ее старательно, сверяясь с каждой строкой устава, — но вот приборы в его присутствии отчего-то начинали барахлить, а все попытки исправить ситуацию приводили к полному выходу из строя сложного и дорогостоящего оборудования. Видит Бог, он старался — ночами штудировал инструкции и зубрил схемы, а по утрам, невыспавшийся, но отутюженный и гладко выбритый, прибывал в док минута в минуту... И там сразу же что-нибудь ломалось.

Командование почесало в затылке и назначило бесталанного лейтенанта освобожденным секретарем комитета комсомола части. Тут уже аккуратность и исполнительность перестали наталкиваться на сопротивление среды, и дела комсомольские, несколько запущенные его предшественником, обрели образцовый порядок. Ленинские субботники, комсомольские собрания на базе и в экипажах проводились своевременно и на высоком уровне, взносы поступали без задержек, документация велась без изъяна, была отремонтирована и обновлена Ленинская комната. Через полгода Рафалович носил в кармане серую книжицу с профилем Ильича — билет кандидата в члены КПСС. Видимо, его карьера и дальше шла бы по проверенному пути партполитработы, если бы не случай.

В части ждали высокую комиссию из Москвы, возглавляемую лично Главным инспектором ВМФ вице-адмиралом Громобоевым. Командир в экстренном порядке созвал совещание. Поскольку комиссии вменялось в обязанность провести всестороннюю проверку, были вызваны все офицеры и даже мичмана, отвечающие за конкретные участки работы, в том числе и комсомольский лидер Рафалович.

Речь шла о многом, в том числе, конечно, и о том, как оказать высоким гостям достойный прием. В этом вопросе основная роль отводилась интенданту, морскому майору Чеботарю. Товарищ майор бодро зачитал список мероприятий, после чего перешел к подробностям. Присутствовавшие, уставшие от речей друг друга, слушали майора невнимательно, и лишь перед лейтенантом Рафаловичем лежал раскрытый блокнот, в котором он время от времени что-то чирикал.

— Так, товарищи, есть вопросы к товарищу Чеботарю? Нет...

И тут неожиданно для всех поднялся Рафалович.

— Разрешите, товарищ капитан первого ранга?

Командир недоуменно посмотрел на главного комсомольца.

— Пожалуйста.

— Вот вы, товарищ майор, перечисляя довольствие, отведенное на прием комиссии, упомянули коньяк армянский и водку «столичную»...

— Ну и?

— Простите, эта продукция будет местного разлива?

— Разумеется. А в чем дело?

— Видите ли, от этой продукции у нас не только дембеля, но и представители командного состава имеют неприятности... Считаю, что для приема комиссии такого высокого уровня это будет... несолидно.

— А ты что предлагаешь? — грубо спросил майор.

— Я, товарищ майор, предлагаю обратиться в хорошо всем нам известную «Арктику». По имеющимся у меня сведениям, Аллавердыев получил партию настоящего шотландского виски и коньяка из самого Еревана. Оптом он согласен отдать без наценки.

— А где я возьму средства? — с ударением на последний слог спросил майор. — Ты, что ли, из своего кармана вынешь? У меня на эти виски ассигнований не предусмотрено.

— Никаких ассигнований и не надо, — выдерживая сердитый взгляд майора, ответил Рафалович. — Опять же, по моим сведениям, нами, точнее вами, получен вагон гречневой крупы. Аллавердыев согласен взять крупой, я выяснял.

Майор стал похож на накаленный утюг.

— И по какой же статье мне крупу списывать прикажете? — осведомился он настолько ядовито-презрительным тоном, что всем присутствующим стало ясно, что уж сейчас-то наглый лейтенантишка взбзднет и ссыплется по трапу, как та гречка.

Но лейтенант и не думал ссыпаться. Глядя прямо в глаза Чеботарю, он отчеканил:

— По статье «мыши», товарищ майор!

Эта фраза определила его дальнейшую службу. Московскую комиссию приняли с учетом рекомендации Рафаловича, и по итогам инспекции часть получила оценку «отлично». Через месяц Рафалович с блеском провел отчетно-перевыборное собрание, передал дела новому секретарю главстаршине Старкову и вступил в неофициальную должность «командира мышиного отделения», формально продолжая числиться инженер-лейтенантом береговой службы. Настоящие его обязанности начинались там, где кончались возможности официальных каналов снабжения, забота о функционировании которых лежала в ведении майора Чеботаря, и начиналась «местная инициатива». Ее-то, эту инициативу, олицетворял и воплощал всем на радость лейтенант Рафалович. В положенный срок он получил очередное звание и корочки члена КПСС. Дорога была найдена, перспективы вырисовывались если и не блестящие с точки зрения чинов и званий, зато вполне стабильные и комфортные со всех остальных точек зрения.

Строевые офицеры, обычно не жалующие интендантов и политруков, скоро зауважали Ефимыча и за его специфический дар достать что угодно — от заграничных презервативов с усиками до отечественного, но люто дефицитного лекарства для больного ребенка, — и за то, что во всех внеслужебных делах он, неожиданно для всех, оказался на высоте. Лучший преферансист всего Североморска, в дружеских попойках способный уложить под стол самых бывалых выпивох и не имеющий себе равных по части прекрасного пола — последнее испытали на себе как вольнонаемные служащие части, так и представительницы гражданского населения. Ублажив в один незабываемый веселый вечер трех дам кряду, Леня молниеносно миновал то состояние, когда кто-либо из местных дочерей Евы мог предъявить на него особые права. Наоборот, женщины мерились правами на него между собой и гордились одержанными победами. Не вкусили от воистину библейских чресл Рафаловича только жены моряков — они были для него строжайшим табу, и про это знали все его сослуживцы. Можно было ревновать жен к кому угодно, только не к «мышиному командиру». Имелось у него и еще одно немаловажное достоинство: будучи холостым, бережливым, имеющим неплохой приварок от преферанса и, как подозревали, от своих деловых предприятий, он не жмотился и всегда был готов выручить до получки поиздержавшегося товарища. Он ничего не записывал и никогда не напоминал о долгах, но все знали, что просить у него взаймы, не рассчитавшись с прежним долгом, бесполезно. Цифры, сроки и имена он помнил железно...

— Слушайте, вы будете чек выбивать или думать свои мысли? — услышал Леня исполненный боевого задора голосок. — Вы уже Барух Спиноза или пока еще Леня Рафалович?

В полном ошеломлении Рафалович взглянул в окошко кассы, возле которого незаметно для себя оказался. Круглое личико с капризными губами, коровьи глаза, волосы жесткие и курчавые, как у негритянки, пикантно вздернутый носик — где-то он это определенно видел. Но где? В части, в городе? При каких обстоятельствах? Амурных дел с ней у него не было, это точно. В таких вопросах память его не подводила. Жена или подруга кого-то из многочисленных знакомых? Контакт по линии гешефтов? Нет. Точно нет. Здесь он тем более мог положиться на свою безотказную память. Тогда откуда же эта кассирша его знает?..

— И долго вы будете на меня пялиться, как старый поц на новую метелку? Выбивайте свой коньяк и не задерживаете очередь!

Леня заплатил, получил чек и сдачу, пошел в отдел, затоварился коньяком и шампанским, вернулся к кассе. Все это он делал автоматически — мысли его были погружены в решение новой задачи. Во-первых, нехорошо, когда тебя знает кто-то, кого не знаешь ты, во-вторых, нельзя допускать провалов в памяти, особенно если это связано с людьми, в-третьих... было в этой бойкой пухлой особе что-то такое... родное, знакомое. Он застыл сбоку от окошечка, не сводя глаз с кассирши и вспоминая, вспоминая...

Очередь, накопившаяся за время перерыва в работе кассы, быстро рассосалась. Освободившаяся кассирша подперла щеку ладонью и выразительно посмотрела на Рафаловича.

— Нет, он себе думает, что попал в Эрмитаж, — заметила она, как бы апеллируя к невидимой публике.

— Стоп! — воскликнул Рафалович. — Я вспомнил. Вы учились со мной в одной школе, в Ленинграде. Только я был в одном классе с Ником Захаржевским, а вы — с его сестрой, Таней. И зовут вас Лиля... Ясновская, кажется.

— Ясногородская, — поправила кассирша.

Лиля Ясногородская. Когда Леня заканчивал школу, она была нелепой и прыщавой толстухой с визгливым ломким голосом. Он бы никогда не запомнил ее, если бы не еще одна встреча. Уже будучи курсантом, Леня узнал, что в город на несколько дней приехал из Москвы Ник. Он отправился в гости к другу и нежданно-негаданно оказался на дне рождения его сестренки, рыжей красотки Тани. Было весело, шумно, шампанское лилось рекой. Леня с Ником решили остаться побалдеть с молодежью. Была там и Лиля, вся в золоте и фирменной джинсе. В ней начало уже проявляться нечто женственное, и Леня мимоходом заинтересовался. Он танцевал с ней, проводил до дому, даже, кажется, целовался в парадной. После этого они не встречались. Позже он узнал, что у нее в семье произошла непонятная и неприятная история... Будто бы у них ограбили квартиру, а потом дело обернулось таким образом, что под суд попала мать Лили, имущество конфисковали, а сама она, даже не закончив десятый класс, была вынуждена уехать к родственникам на Север. И вот теперь, после стольких лет...

— Лиля, скажите, когда вы сегодня освобождаетесь? — спросил он.

Она посмотрела на него испытующе и лукаво.

— А что, не с кем провести холостой вечер? Рестораны, танцы-шманцы, а потом «лягемте лучше у койку»?

— Нет, почему же...

— Тогда что?

Леня смущенно молчал.

— Я не из таких, — продолжала Лиля. — Но если вам таки приспичило, могу пойти с вами хоть сейчас. Только ни в какой не в ресторан, а ко мне. Познакомлю вас с моей тетей. Она будет очень рада. Дядю вы, кажется, и так знаете.

Леня сглотнул.

— И кто ваш дядя?

— Эрлих Яков Израилевич — вот кто! — с гордой скромностью сказала Лиля.

Здрасте! Бывают в жизни моменты...

— Идемте, — решительно сказал он.

— Сейчас, — сказала Лиля и крикнула в зал: — Лида, сядь на кассу, у тебя в отделе и так никого! А если будет покупатель, Соня обслужит. Я ушла до завтра.

Продавщица послушно вышла из-за прилавка и села за кассу. А Лиля направилась в глубь помещения, на ходу расстегивая сиреневый халат.

— Так вы не просто кассирша? — спросил, идя за ней, Рафалович.

Лиля остановилась и, прищурившись, посмотрела на него.

— Вы себе думаете, что племянница Эрлиха пойдет работать простой кассиршей?.. Современный директор должен уметь все, что умеют его подчиненные, и подменить их, если надо. Вы согласны?

Рафалович молча кивнул.

— Подождите меня, — сказала Лиля, вновь двинувшись к служебной двери с надписью «Посторонним вход воспрещен». — Я переоденусь и вызову такси.

Рафалович отошел к столику для покупателей и стал ждать, сжимая в руке бутылку шампанского...

## II

Темнело. Лизавета включила электричество, нашла на полке очки и, надев их, села за стол дочитывать Танькино письмо:

«...А дальше все понеслось, как снежный ком: часа не проходит, чтобы кто-нибудь не пришел, не позвонил (мне телефон поставили, спаренный с комендантским), не предложил что-нибудь — сценарий, роль в телеспектакле, выступление на концерте. Я за весну снялась в трех эпизодах, в телевизоре помаячила среди березок под стихи: „По вечерам над ресторанами...“, выступила в нескольких концертах, даже на День Радио. Еще пластинку записала с четырьмя песнями. Я тебе пришлю обязательно, когда готова будет. Так что, когда до дому добиралась, валилась на кровать без сил, а утром начиналось все снова. Устала. Еще раз извини, что долго не писала. Сама понимаешь.

И вот среди всей этой кутерьмы является Ванька. Пьяный, но не так чтобы очень. Каялся, в ногах валялся, руки целовал. Пустила его, конечно, жалко стало. Только он вечером еще надрался и ночью на меня полез. Я прогнала его. Тогда он совсем из дому ушел, к родителям своим вернулся. Мне, если честно, легче без него: мужик с возу... Добро бы еще мужик был, а то комедия одна. И есть муж, и нет его. Ни хозяин, ни добытчик, ни по ночному делу, разве по пьянке или с похмелья. Уж и забыла, когда в последний раз... А сейчас он мне совсем не нужен, без него дел хватает.

В институте меня, против всяких правил, перевели на заочную форму обучения, хотя на подготовительном отделении такой у них и в заводе не было, специально для меня сделали. Сказали так: летнюю сессию могу сдавать в любое время, по направлениям, и если сдам без двоек, то буду уже числиться студенткой первого курса, с индивидуальным графиком занятий. Я отказываться не стала, хотя на их учение времени взять неоткуда. У меня свое учение: Никита свел меня к театральному педагогу Коху Борису Львовичу. Старенький уже, на пенсии, но очень хороший, хотя и сердитый, даже матерится иногда. Учит меня двигаться правильно, изображать всякие чувства телом, руками, глазами. У него своя теория. На сцене, говорит, не переживать надо, а изображать переживание. Представляешь, у древних греков, оказывается, актеров, которые плакали натуральными слезами, забрасывали гнилым луком. Занимаюсь я с ним через день, когда днем, когда вечером. В доме прибраться, сготовить что-нибудь руки не доходят. Приглашаю мать соседа, пенсионерку, плачу ей немножко, зато в доме чисто, и еда есть. Видишь, какая я стала барыня: уже служанку завела. А что делать?

А в июне полетела я в Киев, сниматься в кино про Пушкина. Красивый город Киев, только мне его толком рассмотреть не удалось, потому что сразу начались съемки. Выезжали в Одессу, в Кишинев, по деревням снимали тоже. Столько всего насмотрелась — в письме и не расскажешь. Когда весной читала сценарий, думала, что дадут мне роль Амалии Ризнич — была в Одессе такая красавица, жена богатого купца. Пушкин любил ее без памяти, даже стихи посвятил. Только она, бедненькая, умерла совсем молодая. Пушкин плакал, рвался на ее могилку, только не попал, потому что могилка та в Италии. Но роль мне вышла другая. Играю я Каролину Собаньскую. Пушкин ее тоже очень любил и долго — даже накануне свадьбы, уже через восемь лет, письма ей писал, о свидании просил. А она, эта гадина, не любила его, а только забавлялась с ним, глядя, как он мучается, сама же любилась с генералом Виттом, мерзавцем, который на Пушкина и на декабристов доносы писал. А она ему помогала, передавала все, что вызнала. Красивая была, зараза, и дожила до девяноста лет. Как все-таки жизнь неправильно устроена! Почему всякой дряни много лет отпущено, а хорошим людям сплошь и рядом так мало? Вот бы ее годы да Пушкину отдать!

Люди вокруг хорошие, только смешные немного. Режиссер Платон Опанасович добрый, на съемках не ругается, как другие, все больше спит, только иногда проснется и скажет: „Аристократычней, товарищи, аристократычней трэба!" Это у нас в поговорку вошло. Вместо „Здравствуй" иной раз говорим друг другу: „Аристократычней трэба!" Пушкина у нас играет Мишенька, хороший, воспитанный мальчик, очень вежливый и прямо красавчик с картинки, только глупый очень и фамилия смешная — Задохлик. Работает он в театре пантомимы, заикается, и озвучивать его будет другой актер. И Амалию — Машу Гарбузенко — тоже. Она, правда, не заикается, тараторит по триста слов в минуту, но по-русски говорит плохо. Но главным у нас — пан Ястржембский, Ярослав Олегович. Он того самого генерала Витта играет, и у нас с ним много общих сцен. Вначале он мне очень не понравился — лицо надменное, глаза ледяные, грубые складки возле рта. Но оказался человек замечательный и актер великолепный. Главное, очень любит свое дело, сутками готов репетировать, показывать, подсказывать. Он и на съемках распоряжается, когда что-то не так идет, меняет все по ходу дела, и режиссер его слушается. Если бы не Ярослав Олегович, то и фильм бы, наверное, не получился. Из прежних знакомых снимается только Сережа Белозеров. Он играет Муравьева, будущего декабриста, и у него роман с Машей Гарбузенко. Вся группа только об этом и говорит.

Съемки почти закончены. Осталось несколько сцен на натуре и потом поработать в тон-ателье. Но зарядили дожди, а монтажные кольца — это кусочки фильма — еще не готовы, так что у меня получился выходной. Сижу в своем шикарном номере окнами на парк имени Максима Рыльского — поэта, который перевел на украинский „Евгения Онегина“, — отдыхаю и лопаю яблоки. Я здесь на борщах и пирогах немного растолстела и решила сегодня разгрузиться. Сил нет, как жрать хочется! Отвлекаюсь, как могу, видно поэтому, дорогая Лизавета, письмо выходит таким длинным. Как закончу, думала за другое сесть, да получается, что писать некому. В старом общежитии из моих девок одна Нинка осталась, она писем не любит, Игорь с Ларисой на даче, поклонникам отвечать — представляешь, пишут! — так я все их письма в Ленинграде оставила... А Никите и писать не надо: он звонит каждый день, о делах справляется, жалеет, что вырваться сюда не может.

Ну, вот вроде бы и все. Пиши мне на ленинградский адрес, он у тебя есть. Кланяйся Дарье Ивановне, бабе Сане, деду Грише, бабе Кате с дедом Васей, Тоньке, Егоркину, Таисии и всем остальным, кто меня помнит. К бабушке Симе и Петеньке сходи, поклонись от меня. Бог даст, увидимся скоро, хотя когда — не представляю, все на год вперед расписано. Может, приедешь? Напиши.

Целую. Сестра твоя Татьяна».

Дочитав письмо, Лизавета отложила очки и всплакнула немного, хотя и не было в письме ничего печального. Разве что с Ванькой... да и то сказать, на что он сдался ей такой, пьяница, слюнтяй. У сестры теперь другая планида... Эх,

Танька, высоко занесла тебя судьба! Как бы не брякнула теперь оземь. Больно будет.

Лизавета утерла слезы, встала, перекрестилась, спрятала сестрино письмо в заветную шкатулочку и пошла вынимать из печи варево для скотинки.

## III

Павел ушел, как и следовало ожидать, оставив все свои пожитки. Пока заначки искусственной наркоты не закончились, Таня предавалась странным разрушительным оргиям, сжигая первый попавшийся след пребывания Павла в этом доме. На вонь паленого тряпья прибежала перепуганная соседка. Таня ее высмеяла и предложила как-нибудь не постирать, а прокалить на конфорке носки своего мужа. Соседка решила, что Таня тронулась умом, правда, в милицию звонить не стала из чувства женской солидарности, хоть и недовольно, но все же здоровалась в подъезде с подозрительными личностями, зачастившими в квартиру напротив. Девки явно с улицы, мужики — пьянь, рвань, а то и вообще южане. Понесло, видать, рыжую прорву во все тяжкие. Ну, а Тане и дела не было до досужих сплетен, начихать с Адмиралтейского шпиля. Дни пробегали в пьяном угаре: сон и явь кривлялись в наркотическом пространстве, большое стало до смешного маленьким, то, чего раньше не замечала, задвигалось, ожило в колоссальной значимости. Каким-то совершенно новым показался Курт Воннегут. Да что там «Колыбель для кошки», занудный Мелвилл читался как «Апассионата».

Анджелка с Якубом практически переселились к Тане — для всеобщего удобства. В поисках развлечений высвистывались старые знакомые, среди новых мелькали забавные забулдыги, снятые прямо у винной лавки. Якуб полностью взял на себя заботы о продуктах. Подсуетился и к прочим радостям бытия приобрел видак. Одна и та же кассета проигрывалась многократно, если фильмов было несколько, их просматривали залпом за один присест, так что сюжеты наслаивались один на другой: Брюс Ли колотил Шварценеггера, Чак Норрис одиноким волком отстаивал Гонконг от диверсий Рокки-1 и Рокки-2. Все эти боевики до чертиков заморочили мозги, не говоря про ужастики с бродячими трупами, после которых Анджелка кидалась с вилкой на Якуба:

— Жареные мозги!

Время летело, Таня выпала из его потока и почти не заметила, как на смену осени пришла зима, в срок сменилась весною, а там и лето подошло.

Анджелка теперь на заработки почти не выходила, у Тани же и в мыслях не было устроиться куда-нибудь на работу. А зачем? Якуб зарабатывал прилично, а по временам, когда на подруг находил стих заняться чем-нибудь полезным, они извлекали аптекарские весы и помогали Якубу фасовать дурь на розничные и мелкооптовые дозы, для пущего приработка слегка разбодяживая ее то зубным порошком, то кофе растворимым — в зависимости от цвета и консистенции. Кроили полиэтилен, заваривали товарные порцайки в пакетики. Словом, трудились. Кроме того, Таня потихонечку распродавала всякие дорогие безделушки — наследство прежнего владельца. За одно только пасхальное яичко работы Фаберже Гамлет Колхозович, Якубовский бригадир, не торгуясь, выложил двадцать тысяч. Часть этих денег Таня по совету фарцовщика Толяна обратила в доллары, которые купила у того же Толяна. Для их хранения Якуб оборудовал в одном из шкафов хитрый тайничок, в котором нашли себе место и другие заначки длительного пользования — как денежные, так и «натуральные».

Павел не звонил и не появлялся. Изредка наведывалась Адочка, прибиралась, перемывала посуду — и уходила, не сказав ни слова упрека, лишь глядя на Таню печальными глазами. К ее визитам быстро привыкли.

Во время одной из вылазок за пополнением спиртного Анджелка пихнула локтем Таню, указывая на привалившуюся к прилавку обрюзгшую фигуру. С трудом Таня узнала друга и соратника Павла, братниного «мушкетера» Ванечку Ларина. Она вспомнила его взгляд на свадьбе, сжалась внутренне, подтянулась, вскинув голову. «Этого-то? Легко!» — непонятно зачем произнесла она про себя. Иван обернулся, чувствуя спиной ее пристальный взгляд. Обомлел, беспомощно озираясь кругом.

— Здравствуй, Ваня. Не узнал?

— Не... Ну как?.. Это я... Неожиданно, в общем, — наконец выдавил он, краснея до кончиков ушей.

— А я было подумала, что так одряхляла за последнее время.

— Как можно! — искренне возмутился он и восхищенно, с придыханием сказал: — Таких, как ты, не бывает, то есть такие никогда не дурнеют, то есть красота — картины писать, пылинки сдувать.

— Так что ж тебе мешает, писатель? — ухмыльнулась Таня.

Ванечка пьяненько расплакался.

Сконфуженного и размягченного, как хлебный мякиш, его притащили домой. Якуб поначалу встретил радушно, но скоро Иван стал его раздражать. Несостоявшийся литературный гений зачастил в Танин дом, слишком много и не по делу болтал, ходил за Таней хвостом, выполняя все ее капризы, как преданная собака.

— Тьфу, — отплевывался Якуб. — Не мужик он, что ли?

Покуда Иван еще лыко вязал, Таня направляла его говорливость в нужное ей русло, попутно задавая вопросы о прошлом, о его друзьях и близких. Его творческие поиски ничуть ее не интересовали, а о жене он и не вспоминал. Пару раз хмель пробудил в нем редкую злость, и он вдруг обрушился с обличениями и критикой в адрес партии и правительства. Досталось и Черновым. Одобрительно отозвался только о Елке, которая вроде бы поправилась, вышла замуж и уехала с мужем работать за границу. Про Леньку Рафаловича знал только, что тот служит где-то на Севере, на военном корабле. Про Никиту говорил хоть и неохотно, но обстоятельно. Не вдаваясь, зачем ей это надо, Таня хотела узнать обо всех побольше. Спинным мозгом чувствовала, что Никита появился где-то на горизонте, встряв в Ванечкину жизнь. Из разговоров выудила она догадку, что неровно ее братец дышит к Ванюшиной жене. Если так — Иван здесь как нельзя кстати. Тогда следует ждать гостей, а именно Никиту... В особую стопочку складывалась сага о Черновых. Хитросплетения этой семьи Ванечка знал больше по рассказам своей матушки, которая не один год верой и правдой служила

Дормидонтычу. «Это у них, Лариных, в крови», — решила про себя Таня, прекрасно понимая, что собственными руками лепит из Ванюшки банального гонца за бутылочкой винца.

Как-то незаметно, не взяв из собственного дома даже зубной щетки, Ванечка и вовсе задержался у Тани и проторчал целую неделю, особенно не привечаемый, но и не гонимый, вылезая только с утреца за пивком. А потом все всколыхнулось после телефонного звонка. Таня принялась за генеральную уборку. Кого ждали, похмельный и потный Иван не понял, но хлопотал со всем тщанием, насколько умел.

— К нам едет ревизор! — заговорщически подмигнула ему Анджелка, выгребая из-под ванной окурки. — Фу, вонючка!

— Кто?

— Да брат Танин, Никита.

И Ванька решил на всякий случай смыться. Придумал полную ерунду насчет рукописи в Литфонде, что надо бы туда позарез и именно сегодня зайти — в субботу там, оказывается, тоже работают. Таня вяло попыталась его отговорить, но удерживать не стала.

Никита пришел с охапкой чайных роз, при полном джентльменском наборе визитера: торт «Птичье молоко» и две бутылки «Советского полусладкого» — как любит Таня.

— Не так страшен черт, как его малюют, — оглядывая обстановку, произнес Никита. — Слышал, ты отошла от мирских дел, и отошла лихо.

— Не так страшен черт, как его малютка. Не верь сказанному. Может, разговеемся — легче сказать будет, с чем пришел.

— С добром, сестра, с добром.

Откинув полы пиджака, Никита вольготно устраивался в кресле, не замечая хлопот Анджелки вокруг стола. Якуб ушел с книгой на кухню. В воздухе стояло напряжение.

— В тебе добра, как в скорпионе меду, — хмыкнула Таня, подкладывая ему в тарелку закуску.

— Иду на мировую, а ты язвишь. Охолонись шампанским.

Анджелка хотела было испариться вслед за Якубом, но Таня гаркнула на нее, потребовав, чтобы и Якуб пришел гостя потчевать.

Разговор был светским. Никита красочно рассказывал о творческих планах, вспоминал веселые байки на съемках, с легкостью оперируя киношными именами, известными лишь по экрану.

Анджелка была очарована рассказчиком, охала или хохотала до упаду. Улыбался Якуб, недоверчиво покачивая головой. Никита подливал шампанского, а Таня выжидала.

— Что-то не вижу твоего сердечного... — ненароком бросил он.

— Ты про которого?

— Последнего-последнего, того, что как приблудного пса приютила. Про Ивана.

— Тоже собачку завести хочешь, кинолог хренов? — рассмеялась Таня.

Никита аж поперхнулся.

— Да ты пей, ешь, потом косячок пропустим, там и поговорим.

Нику сделалось дурновато. Не складывались у него игры с сестрой. Сколько раз он в детстве удерживал себя, чтоб не треснуть ей шахматной доской по голове или карты бросить в лицо. Она всегда выигрывала, маленькая стерва, еще и хихикала, издевалась.

— Да расслабься ты, — будто снова подкалывая, сказала Таня. — Ты же с миром пришел.

— А кто к нам с миром пришел, — проявила глупую солидарность Анджелка, — от него и погибнет.

— Ты все-таки не сказала, Ларин у тебя бывает?

Интерес Никиты к личности Ивана был непрозрачным. Тане захотелось немного помять брата, хотя смысла в том не было.

— А что это тебя так волнует? Вроде дети по нему не плачут.

— Это верно. Даже Марина Александровна вроде рукой на него махнула. А вот жена беспокоится. Говорит, пропадает Иван, гибнет.

— А есть чему гибнуть? — потянула тему за уши Таня.

— Собственно, поэтому я и здесь. Ты читала его опусы?

288

— Не приходилось.

— Напрасно...

Никита выдержал, сколько мог, паузу, затем, словно завзятый литературный критик, начал авторитетно, с надлежащим пафосом жонглировать словесами насчет самобытности Иванова таланта.

— При всем его негативном восприятии действительности пишет он неординарно, несколько сюрреалистически, но ведь и время, согласись, нынче изрядно модерновое...

— Постой! Он вообще что-нибудь самостийное написал?

Таня и вправду ничего об этом не знала. Думала, что перебивается Иван редактурой и поденщиной у Золотарева. Много знает, но чтобы самому что-то создать... Те отдельные странички, которые он ей по пьяни демонстрировал, показались вымученной заумью и несмешным обсиранием всех и вся.

— У него почти закончена книга. Ее пробивать надо. А делать этого некому.

— Никак ты взялся?

Это было на братца похоже. Деловой до мозга костей, нюхом чует выгоду и в становлении чужого имени.

— Пытался. Создавал стартовые условия, договор на сценарий ему организовал. На даче прошлым летом запер, так он сутками напропалую пыхтел. Пахать он умеет.

— И не пил?

— Ни капли.

— Круто. И что теперь?

— Для начала не худо бы его отловить.

— Ясно. — Таня почувствовала, что это у него заготовленная версия и ему зачем-то хочется, чтобы она на эту версию клюнула. — А от меня ты чего хочешь?

— Помоги. Он ведь на тебя запал, так? — Никита расплылся в обезоруживающей улыбке. — Попридержи его за поводок, чтоб не сгинул мужик. Кроме тебя, выходит, некому. С родичами у него нестыковка полная...

— А жена? — Таня испытующе поглядела на брата.

Тот взгляд выдержал, но едва-едва, на три с минусом.

— С женой тоже сложно. Она... как бы сказать... не может теперь за ним ходить, у нее своя жизнь. Разъезды, съемки...

— Любовники, — едко вставила Таня.

— Возможно, — не сморгнув, ответил Никита. Был уже подготовлен, а потому дальнейшая проверка на вшивость теряла смысл. — Пригрей, потомки тебе еще спасибо скажут.

— Вот уж это мне по фигу. Не знаю, зачем тебе все это надо, но прогнутость твою перед собой любимым и, будем считать, перед человечеством ценю. Ежели случится, возьму твоего протеже на короткий поводок.

— Хоть на строгий ошейник, только придержи. — Никита, обрадованный, кинулся ее обнимать.

Таня отпрянула. Даже руки Никиты вызывали в ней брезгливость. Брат заметил ее движение и поспешил замять ситуацию:

— Я ж к тебе с любопытным сюрпризом.

— М-м?

Таня открыла портсигар с папиросой, забитой пахолом, послюнявила и прикурила, глубоко, со свистом втягивая пахучий дым. В горле запершило. Задержав дыхание, она протянула косяк Никите. Затянулся и он, пустил дальше по кругу. Анджелка с Якубом в разговор не встревали. Чувствовали себя лишними. Анаша давала каждому возможность найти свое место в компании либо залезть улиткой в собственную раковину.

Руки Никиты потеряли координацию. Медленно шаря по карманам, он наконец достал кожаную коробочку с чем-то явно ювелирным, протянул на ладони Тане.

— Держи. Это твое. Считай, подарок.

Таня нажала кнопочку. Крышка откинулась, и на атласной подушечке сверкнули французским каре зеленые камни серег. Редкая, необычная форма, штучная, антикварная работа. Кристаллы заворожили Танин взгляд. Она не отрываясь разглядывала преломленную радугу на скосах. Металл, обрамлявший квадраты, был необычного цвета — серебристо-зеленого. «Платина, — догадалась Таня. — Сколько же это денег весит?» Она недоумевала.

— Где взял?

— Семейная реликвия. Остаток былой роскоши Захаржевских.

— Отец тебе наследство оставил? — недоверчиво спросила Таня.

— Ну... Сберегла, конечно, Адочка. Преподнесла мне накануне свадьбы. Я б тебе тогда еще отдал... — Никита осекся, но тут же продолжил, как бы оправдываясь: — Ну, не супружнице ж моей такое изящество. Она б в них, как корова в седле.

И захихикал, долго не мог остановиться. Смеялась вместе с ним Анджелка, смеялся Якуб, а Таня разглядывала серьги, прикладывала к ушам и отчетливо слышала голос Ады: «Не знаю, Никитушка, что между тобой и сестрой произошло, только сердцем чую, и это сердце болит. Помирись с Таней, найди к ней тропиночку. Чем могу — помогу. Вот серьги, берегла для Танюши. Ее они. По праву наследства. Не отец твой их мне дарил, но принадлежат они роду Захаржевских. Как сохранились в доме — сказать не могу. Видать, для Тани памятка осталась».

— Отец мой из дворян, — разъяснял тем временем Никита честной компании. — Когда-то латифундиями под Вильно владели. Революция. Кто где. А вот это отец сберег и от советского хама, и от НКВД.

«Вот ведь вральман, — думала Таня. — Какие дворяне, какие латифундии? И не Пловцу твоему Ада серьги сберегала, и Севочка к ним никакого отношения не имеет». Она прильнула к изумрудам. Вдруг волной накатила музыка бравурного вальса, Адочкин смех и теплый мужской баритон. Как воочию увидела до боли знакомое мужское лицо и плещущие по клавиатуре сильные руки. Рядом затянутая в рюмочку бархатным платьем совсем молодая Адочка. В темном углу сидит угрюмая старуха с упавшей на жесткие глаза черной прядью волос, тронутых сединой. Глубокая складка над переносицей. Хищный, с горбинкой нос. Следит из угла, и краешком губ не улыбается. Все знакомо, как будто видела много раз, только где и когда — не помнит. Как и мальчика с обиженным лицом в матроске и коротких штанишках. Держится за лошадку на колесиках, а подойти к взрослым боится. Вот-вот заревет, но тоже боится.

Таня вскинулась, в упор посмотрела на Никиту. Брат вздрогнул. Испугался ее взгляда. Губы задрожали, будто сейчас заплачет.

— Чего ты? — прохрипел он.

— Говоришь, наследство отца?

— Ну, не в Черемушках же я это надыбал.

— Козе понятно.

И взяла решительно серьги, откинув копну волос на спину.

Долго врать у Никиты не получилось — выставив в другую комнату Якуба с Анджелкой, напоила его Таня чаем с травками, рижским бальзамом щедро заправила. Горячее ударило в голову, он ослаб, и все пошло по известной песне: язык у дипломата как шнурок развязался, а Таня знай подливала и поддакивала, как тот стукач. Подтвердил брат все ее догадки. И насчет сережек, и насчет истинной причины своего визита: втрескался в им самим сотворенную актрису Татьяну Ларину, мужнюю жену, та вроде и готова взаимностью ответить, а все сдерживается, честь супружескую бережет. А вот убедится, что муж ее к другой ушел капитально, тогда, глядишь... Всято судьба его от согласия Татьяны Лариной зависит, потому как в ней его последняя надежда, иначе останется одно лишь непотребство, которое и брак его сгубило, и карьеру дипломатическую...

— И через какое такое непотребство, родненький, жизнь твоя стала поломатая? — подпела Танечка, без труда попадая в народно-элегический тон, почему-то взятый Никитой.

Тот начал плести про интриги, козни завистников, подло подставивших его под аморалку с отягчающими.

— С отягчающими? — подначивала Таня. — Это как понимать? Под женой советского посла накрыли? — Она выдержала паузу. — Или под самим послом?

— Да каким послом, писаришка обычный... — ляпнул Никита, поперхнулся, покраснел, откашлялся и пошел блеять — накачали, мол, гады до полной невменяемости, так что и не разобрал, с кем, собственно, колыхался. Таня незамедлительно последовала примеру коварных врагов, щедро плюхнула братцу в чашку неразбавленного бальзама и через пару-тройку наводящих вопросов получила полное подтверждение того, о чем могла лишь смутно догадываться.

Подкосила братца однополая любовь, к которой исподволь приохотил его в студенческие годы друг и сожитель Юрочка Огнев. В столичные годы хоронился уверенно, для маскировки напропалую гуляя с наиболее доступными светскими и полусветскими девами, вскружил голову капризной и взыскательной, несмотря на страхолюдную внешность, Ольге Владимировне Пловец и даже подписал ее на законный брак. А вот попал с подачи тестя в венскую штаб-квартиру ООН — и с голодухи потерял бдительность, снюхался с безобидным вроде и к тому же так похожим на этрусскую терракотовую статуэтку юным индийским клерком — и влип по полной программе. Дешевым провокатором оказался Сайант, специально подстроил, чтобы их застукали в момент, недвусмысленно интимный. То ли ЦРУ подкупило, то ли в самой дружественной Индии завелись недруги нашей державы — это уже неважно, важно другое. Погорел товарищ Захаржевский сразу по трем статьям, любая из которых никаких шансов на амнистию и реабилитацию не оставляла: политическая близорукость, моральная неустойчивость, а третья уж и вовсе названия не имеющая, поскольку отвечающее этому названию позорное явление в социалистическом обществе изжито давно и наглухо.

Тестюшка обожаемый, правда, в названиях не стеснялся, выказав завидное красноречие. Никита вмиг лишился жены, квартиры, столичной прописки, приданого и, естественно, перспектив. Характеристику получил такую, что с ней в провинциальное ПТУ историю преподавать и то не возьмут. Из дружно отвернувшейся Москвы пришлось позорно бежать. Спас Юрочка, ставший к тому времени фигурой заметной и по-своему влиятельной, помог устроиться на «Ленфильм» администратором. А тут цепь обстоятельств привела к возобновлению школьной дружбы с Ванечкой Лариным, к знакомству с его обворожительной супругой. И открылись сияющие дали, неведомые и в лучшие годы...

— Помоги, а? — всхлипывая, молил Никита. — По гроб жизни должник твой буду...

И все порывался руку облобызать. Тане стало противно, влила в братца полный стакан бальзама, довела таким образом до кондиции и с помощью Якуба дотащила до глубокого кресла в кабинете, где Никита Всеволодович и заснул, бурча в бреду: «Хм-м, вы так ставите вопрос?»

А к ночи ввалился измазанный подзаборной грязью Иван. Его почти внесли. Приятели-собутыльники привалили Ванечку к двери и долго держали кнопку звонка. Когда дверь открыл Якуб, на порог упал Иван, споткнулся провожатый, и взору вышедших из спальни дам предстала картинка обвальной чехарды с бьющим запахом сивухи.

Иван же радостно сообщил, что намерен поставить семью в известность о своем бесповоротном уходе. Дескать, нашел женщину своей мечты. После чего ничком рухнул на диван и захрапел.


## IV

В своем письме сестре Таня была откровенна и лишь об одном умолчала — что Никита не только звонил ей, но и приезжал, и даже ночевал с ней в одном номере. Но именно ночевал, даже в другой комнате. Прилетел он утром, днем крутился на съемках, то рядом с Бонч-Бандерой, то рядом с ней, вечером накормил ее роскошным ужином с вином и котлетами по-киевски, а потом... потом был у них серьезный разговор — о себе, о жизни, о любви, в которой клялся ей Никита. Сердце ее разрывалось тогда от тоски, одиночества, жажды любви, но она отказала ему. Сквозь слезы. Она не прогнала его, просто объяснила, как могла, что не может принять его любовь. Это было бы неправильно сейчас. Какой-никакой, но у нее есть муж, и она не может, не имеет права... В общем, получилось как у той, пушкинской Татьяны Лариной: «Я другому отдана и буду век ему верна». Всю ночь потом она не спала, плакала в подушку, прислушивалась к ровному дыханию Никиты из соседней комнаты. Утром он улетел обратно в Ленинград, и не было потом ни дня, чтобы она не ругала себя за тот вечер. Ради чего она должна жертвовать своим счастьем? Ради штампика в паспорте? Ради жирного, брюзгливого, давно уже нелюбимого и нелюбящего мужа, которого и мужем-то назвать нельзя? Ну почему, почему она такая нелепая уродилась?

Засыпая, она едва ли не всякую ночь шептала: «Не бросай меня, милый мой, не уходи. Потерпи еще немного…» Она и сама не понимала, чего ждет, что должно измениться в ее жизни, чтобы она могла наконец принять любовь Никиты…

Наверное, надо первым делом, как приедет домой, подавать на развод с Иваном.

Самолет из Киева приземлился в Пулково в начале девятого вечера. Поднимаясь по небольшому эскалатору в зал прибытия, Таня издалека заметила Никиту — его долговязая фигура возвышалась над другими встречающими. Он тоже заметил ее, замахал руками, держа в одной букет алых роз. Она выбежала ему навстречу, он раскрыл объятия, но она остановилась в полушаге, протянула ему руку, подставила для поцелуя лоб. Он вручил ей цветы, раскланялся, улыбаясь, и тут же полез обниматься с Белозеровым и еще двумя ленинградцами, вернувшимися со съемок. Получилось, что он как бы встречал и ее, и всех сразу.

— Долгонько ж вы добирались! — сказал он, когда они стояли, дожидаясь багажа. На них смотрели десятки любопытных глаз, которые Таня старалась не замечать.

— Ой, ты себе не представляешь, какой был ужас в Борисполе… — Таня смертельно устала, но присутствие Никиты словно подпитало ее энергией, горячей, порывистой и беспокойной. — Рейсы объявляли и тут же отменяли. Потом выяснилось, что наш самолет уже два часа стоит на взлетной полосе и битком набит пассажирами, которые взялись неизвестно откуда. Бонч-Бандера разозлился дико, залез в кабинет начальника, стал названивать по инстанциям, ругаться. А потом за нами пришла девица и повела какими-то коридорами и закоулками на летное поле, прямо к самолету. Оттуда на трап выкидывали людей с чемоданами. Те орали, цеплялись за двери, их отдирали, а через головы летели чемоданы, прямо на землю. Я думала, что сгорю от стыда. Но потом немного отошла, осмотрелась — и увидела на лицах пассажиров радость, облегчение. Сначала я ничего понять не могла, но потом мне все стало ясно: они радовались, что из самолета выкинули не их, а кого-то другого, и теперь они могут спокойно лететь. На нас же они смотрели с… ну, как сказать, с почтением, что ли. Важные персоны, ради которых задержали рейс. Некоторые, кажется, узнали меня, улыбались, как знакомой...

— Ты очень впечатлительная, — сказал Никита, сжимая ее пальцы в своей ладони.

— Это плохо?

— И хорошо, и плохо. Хорошо, потому что без этого ты была бы уже не ты, а другой человек. А плохо потому, что с этим трудно жить.

— Я знаю. Но не умею жить легко. Не получается.

— Это я тоже успел заметить. — Никита улыбнулся.

По резиновому кругу поехал багаж с киевского рейса. В числе первых показался Танин кожаный чемодан, купленный специально ради этой поездки.

— Он? — спросил Никита.

Таня кивнула. Рявкнув: «Поберегись!», Никита ловко вклинился в плотную толпу, окружившую конвейер, и секунд через двадцать вынырнул с чемоданом.

— Все? Больше ничего нет?

— Ничего.

— Тогда пошли.

Никита вывел ее на площадь перед аэропортом, открыл дверцу оранжевой «Нивы», бросил чемодан на заднее сиденье и поклонился Тане:

— Прошу!

— Огневская? — спросила Таня, показывая на машину.

— Юрина, — подтвердил Никита. — Езжу по доверенности. Из него шофер тот еще, по городу боится ездить.

— Как он?

— Снялся летом в двух плевых эпизодиках, один из них наш. Теперь торчит в своей Москве, в полной мерехлюндии.

— Противный он какой-то...

— Кому как. Народ любит.

Они тронулись с места. Никита вел машину плавно, не спеша, и Таня немного вздремнула в дороге.

— Приехали! — сказал Никита.

Они стояли возле Таниной двенадцатиэтажки. Никита выгрузил чемодан и, заперев «Ниву», первым направился к подъезду. Таня еле поспевала за ним.

— Я тут опять, по старой памяти, похозяйничал у тебя, так что ты не удивляйся, — предупредил он, когда они ехали в лифте, как ни странно, работающем. — Ты же помнишь, Иван в тот раз оставил мне ключи, а ты вроде бы не отобрала.

— Забыла, — с улыбкой сказала она.

Они вошли в квартиру, и первым делом Таню поразил запах. В воздухе смешивались запахи жареной утки, свежей сдобы, печеных яблок. Она удивленно посмотрела на Никиту.

— В честь прибытия хозяйки решил блеснуть кулинарным искусством. Салат «Самурай», утка в яблоках, ореховый торт с шоколадом. Ты не возражаешь?

— Нисколько. И все сам?

— Собственноручно. С утра у плиты колдовал.

— Зачем ты так?

— Поверь, было совсем не в тягость. Для тебя же.

Таня промолчала и зашла в гостиную. Стол был безупречно сервирован на двоих. У каждого места одна на другой стояли три тарелочки, на верхней лежала полотняная салфетка, слева от прибора — три вилочки, справа — три ножа, а еще — бокал и рюмка. В самом центре красовалась высокая ваза с яблоками, грушами и виноградом.

— Как в лучших домах, — сказала Таня.

— Почему «как». Для меня твой дом и есть лучший... Ну-с, ручки мыть и за стол. Первая перемена — холодные закуски.

Пока Таня умывалась, на столе в дополнение к обещанному «самураю» появилась свекла с орехами и майонезом, зелень, половинки помидоров, фаршированные яйцом и еще чем-то вкусным, графинчик с чем-то желтым и запотевшая бутылка шампанского. Таня ахнула.

— Ну ты даешь!

— За тебя! — торжественно произнес Никита, поднимая бокал.

— Тогда я — за тебя.

— Молчи и пей. За меня потом выпьешь, если захочешь.

— Обязательно.

Они чокнулись, получилось как-то особенно звонко...

— Оставь местечко для утки и торта, — посоветовал Никита, когда Таня положила себе четвертую порцию «самурая».

— Ничего, управлюсь.

— Тогда предлагаю паузу перед горячим, — сказал Никита. — Я хочу тебе кое-что показать.

Таня вытерла руки салфеткой.

— Показывай.

— Иди сюда. Это надо держать бережно, подальше от еды, чтобы не запачкать ненароком.

— Да что же это?

Никита снял с серванта кожаную папку с золотым тиснением «Мосфильм» и, сдув с нее воображаемые пылинки, протянул Тане, пересевшей на кровать. Таня раскрыла папку.

— Впрочем, нет, — сказал Никита, отобрав у нее папку. — Такое надо читать вслух и стоя.

— Можно я посижу? — попросила Таня.

Никита подумал и кивнул.

— Тебе все можно... Итак, мы начинаем. — И он заголосил заунывно-торжественно, чуть нараспев, очень противно: — Ленинской коммунистической партии посвящается...

Таня вздрогнула. Никита, и бровью не поведя, продолжил:

— Геннадий Шундров. Начало большого пути. Две серии. В ролях: В. И. Ленин — Михаил Ульянов, Н. К. Крупская — Ия Саввина, Я. М. Свердлов — Игорь Кваша, А. В. Луначарский — Евгений Евстигнеев...

Он продолжал зачитывать список известнейших исторических личностей и не менее знаменитых, во всяком случае несравненно более любимых, актеров. Таня слушала, не вполне понимая, как все это следует понимать.

— И наконец, А. М. Коллонтай — Татьяна Ларина... Дальше уже эпизоды... Ну как?

Таня со страхом смотрела на него.

— Слушай, я ничего не понимаю. Откуда ты это взял?

— Все утверждено и подписано на самом высоком уровне. Выход запланирован на февраль, к началу какого-то важного партийного мероприятия. Так что сегодня отдыхаешь, три дня вчитываешься в роль — откровенно говоря, этого много, потому что задействована ты там всего в трех сценах, причем в одной позволяешь себе спорить с самим Владимиром свет Ильичом, после чего тебя от греха подальше направляют послом в солнечную Швецию, и ты навсегда исчезаешь из фильма. В четверг садишься на «Красную стрелу» и в пятницу утречком предстаешь пред светлы очи Самого. Не волнуйся, тебя встретят, причем на высшем уровне.

— Погоди, кого это Самого?

— Ах да, я не сказал... Самого товарища Клюквина Анатолия Феодоровича.

Таня недоуменно пожала плечами.

— Как, ты не знаешь товарища Клюквина, имя которого должно быть на устах у каждого, имеющего отношение к советскому кино? Это же первый секретарь Союза кинематографистов, крупнейший специалист по партийным «Илиадам», даже, кажется, член ЦК... Впрочем, нет, это Шундров член ЦК.

— А Шундров — это кто? — беспомощно спросила Таня.

— Слушай, твое невежество превышает политически допустимый уровень... Профилактически объясняю: товарищ Шундров есть лицо государственное, официально признанное первым драматургом Советского Союза. А говоря сугубо приватно, прохиндей, женатый на дочке кого-то из Политбюро и раз в десять лет кропающий пьески наподобие этой, которые подлежат немедленному внедрению во все областные и республиканские театры и столь же немедленной экранизации.

— Я не знаю, — сказала Таня. — Противно это все как-то. Как тогда, в самолете.

— Я тебе читал список актеров, занятых в фильме? Ты считаешь себя умнее и порядочнее их? Думаешь, им не противно? Но никто и не думает отказываться, потому что надо. Закон такой. В нашем случае закон профессионального выживания. Более того, высочайшие мастера стараются, выкладываются, и даже из Шундрова с Клюквиным делают конфетку. Не нравится материал — подумай о школе, которую ты приобретешь, работая с ними.

— Понимаю, — задумчиво сказала Таня.

— И подумай вот еще о чем. Такой фильм — это гарантированная Ленинская премия, призы и звания всем основным участникам. После премьеры ты проснешься заслуженной артисткой, гарантирую.

— Я? — Таня отмахнулась. — Да ты сам прекрасно знаешь, какая из меня актриса — и года в кино не проработала, образования актерского нет, ничего не умею, кроме того, чему Борис Львович научил... и ты, конечно...

— Тогда считай это авансом, который ты потом отработаешь сполна, но на несравненно лучших условиях. Да ты сама сможешь ставить эти условия, выбирать.

Таня вздохнула.

— Давай сюда. Почитаю на сон грядущий... Ты, кажется, говорил про горячее?

Никита сложил ладони и поклонился.

— Слушаюсь и повинуюсь, мэм-сахиб.

После торта Таня в изнеможении откинулась на кровать.

— Ну накормил. На сто лет вперед, — с трудом произнесла она. — С посудой завтра разберусь, а то и не подняться. Спасибо. Иди сюда.

Никита наклонился над нею, и она от души поцеловала его. Он впился в нее губами и не отпускал, пока она не оттолкнула его.

— Довольно. Который час?

— Половина первого. В смысле, мне пора?

— Пора... Постой, ты же пил... Шампанское, потом желтое это...

— Бенедиктин.

— Да, его. За руль тебе нельзя, а на метро не успеешь. Устраивайся у Ивана в кабинете. Только сам постели, ладно, а то я ни рукой, ни ногой.

— Значит, пока нет? — грустно спросил он.

— Пока нет.

— Ну, будь здорова, — он направился к двери. — Я завтра позвоню.

— Да куда ты? Оставайся, я же сказала.

— У Ивана в кабинете? Лучше рискну за руль. Движение ночью небольшое, гаишники спят, я практически трезвый. Доберусь, не беспокойся.

— Как доедешь, позвони. Я волноваться буду.

— Спать ты будешь, — с горечью произнес Никита.

— Только после твоего звонка. Понял?

— Ладно, позвоню.

Он ушел. Таня, превозмогая себя, встала, кое-как ополоснулась, постлала постель и легла. Ей казалось, что она действительно уснет, не дождавшись звонка Никиты, но сонное состояние с каждой минутой уходило от нее. Полежав немного в темноте, она зажгла лампу и взяла с серванта высокоидейный сценарий. Само по себе чтение увлекло ее не сильно, но мысль о том, что вскоре и ей суждено жить в этих картинах, будоражила воображение. Уже давно позвонил Никита и доложил, что добрался благополучно, уже проехала по предрассветной улице поливальная машина, а она все читала, читала...

Разбудил ее телефонный звонок. Она нехотя открыла глаза, проморгалась, посмотрела на будильник, заведенный ночью и поставленный у изголовья. Четверть первого. Однако вы и «спица», Татьяна Валентиновна! Она сняла трубку и хрипло произнесла:

— Алло!

— Танечка, приехала наконец?! — Голос женский, взволнованный, знакомый. — Слава Богу! А то я прямо не знаю, что делать. На тебя вся надежда.

— Да кто это?

— Да Марина Александровна же!

— А, здравствуйте!

— Здравствуй... Слушай, ты сейчас из дома никуда не уходишь?

— Нет, а что?

— Я приеду, можно? Очень надо... Понимаешь, с Иваном совсем плохо. Пропадает... Да, я понимаю, вы повздорили, он сам кругом виноват. Но согласись хотя бы выслушать меня...

— Ладно, приезжайте, — со вздохом сказала Таня и повесила трубку.

Она встала, потянулась, придирчиво посмотрела на себя в зеркало. Да, с пиршествами и ночными бдениями пора кончать. Таня вновь сладко потянулась и пошлепала в ванную, привести себя в порядок к визиту свекрухи. И что же такого выкинул Ванька? Интересно.

После того как она выставила его в феврале, он почти не давал о себе знать. Приезжал пару раз, мрачный, трезвый, забрал свои вещи, машинку, на прощание бурчал что-то невразумительное. А звонить и вовсе не звонил. Да не очень-то и хотелось.

Со времени их первой памятной встречи в общежитии Марина Александровна заметно постарела. Или, может быть, просто сдала от переживаний последних дней. В таком возрасте переживания оставляют сильные следы. Таня приняла ее, как своего человека, на кухне, усадила, угостила чайком с остатками вчерашнего торта, напоила валерьянкой и выслушала невеселый, прерываемый слезами рассказ.

— Зимой он пришел к нам с чемоданчиком совсем как в воду опущенный. Плакал, говорил, что сам во всем виноват, сказал, что поживет у нас недолго, что возвращаться к тебе ему пока совестно. Первые дни отлеживался, потом отошел немного, взялся за работу... Нет, не пил совсем, только сердитый стал, неразговорчивый. Закрывался в своей комнате, писал что-то, на машинке печатал. Выходил только по делам — на студию, в Литфонд. А так сидел в своей норе, выскочит, поест — и обратно. Я все пыталась поговорить с ним, убедить, что пора идти с тобой мириться, но он все уходил от разговоров. Не мешайте, мол, работать, я думаю...

Потом, в июне это было, закончил он, видно, рукопись, понес ее на студию. Вернулся через два дня, пьяный. Я за это время глаз не сомкнула, всех знакомых его обзвонила, морги, милицию. Когда он явился, отец, признаться, не выдержал, наорал на него, ударил даже. Иван ушел к себе, два дня не выходил даже поесть, только в уборную. На третий день возвращаемся мы с работы — нет Ивана, нет его лучшего костюма, и из шкатулки моей сорок рублей вынуто. Четыре дня мы с отцом жили как в аду. А потом звонит Иван, совершенно пьяный, и сообщает, что встретил женщину своей мечты, отныне будет жить у нее, а нас просит за него не беспокоиться. А в телефоне — музыка дикая, пьяный гвалт. Как тут не беспокоиться? Я, как могла, притворилась спокойной, говорю, телефончик-то оставь, адресок, вещи тебе привезем. А он засмеялся, хитренько так, гаденько... До сих пор в ушах этот его смех стоит. Нет, говорит, не оставлю, я теперь всем выше головы обеспечен, и ничего мне от вас не надо, потому что моя Таня не только красоты, но и богатства сказочного, и я тут как сыр в масле катаюсь... И бросил трубку.

Я от такого звонка совсем рассудок потеряла, решила даже, что это он к тебе вернулся. Звонила сюда, заходила. Но тут никого не было.

— Не было, — подтвердила Таня. — Я была на Украине, на съемках.

— Да, и соседи твои так сказали... Ну, я потом подумала хорошенько, стала названивать его знакомым, выспрашивать, не знает ли кто такой Тани. И вмиг разыскала. Только лучше бы не разыскивала...

Марина Александровна закрыла лицо руками и разрыдалась. Таня вскочила, налила свекрови еще валерьянки, добавила корвалола. Та выпила, вытерла слезы и продолжила:

— Я позвонила Павлику Чернову. Был у меня записан телефон его новой квартиры, куда он после свадьбы переехал. Звоню туда, а мне отвечает... отвечает Ванькин голос, и опять пьяный. Он, говорит, здесь теперь не живет, теперь я здесь живу. Я, чтобы, значит, удостовериться, точно он ли, голос меняю, спрашиваю, а нельзя ли его новый телефончик. Сейчас, говорит, поищу. Слышу, кричит, Таню зовет, просит телефон Павла дать. А ему кричат, кончай, Ванька, дурковать, пошли их всех на... И смех, опять подлый такой. Короче, он трубку бросил.

Но мне этого достаточно было. Я поняла, что там он, у жены Павлика. Узнала адрес в справочном, бросилась туда. Он даже разговаривать со мной не вышел, а какой-то наглый грузин выставил меня за дверь чуть ли не с матом. Я хотела бежать в милицию, но вовремя одумалась. Это же такой скандал, а главное — замешана семья Дмитрия Дормидонтовича. У нас на работе и так всякие слухи ходят. Знают, что у Павлика с женой нелады, что он живет отдельно, у знакомых, сам дочку растит, что он категорически запретил отцу вмешиваться. Бережет его, молодец, понимает. Дмитрий Дормидонтович уже не тот, что прежде, стареет, ему такие хлопоты сейчас ни к чему. Да и положение его уже не столь надежно, у нас назревают большие перемены — это между нами, ты понимаешь. Мне уже втихую предлагают новую работу. Видишь всю сложность ситуации?

Ради спасения сына я бы пошла на все, но у меня связаны руки. Я бы даже решилась просить помощи у Дмитрия Дормидонтовича, но не могу — он в санатории и вернется только через месяц. Конечно, есть заместитель, которого я хорошо знаю, есть много людей, которые согласились бы употребить свое влияние... Но пойми, посвящать в это дело посторонних — это значит очень сильно подвести Дмитрия Дормидонтовича. Любой из его сослуживцев и подчиненных непременно использует скандальную ситуацию в своих интересах и во вред Дмитрию Дормидонтовичу... Танечка, вся моя надежда только на тебя! Если тебе безразлична судьба собственного мужа — и я тебя не осуждаю, после всех его художеств, — то, умоляю, спаси мне сына! Хочешь, я на колени встану перед тобой?

Марина Александровна уже подалась вперед, готовая бухнуться на колени, но Таня удержала ее.

— Да что вы, честное слово? Давайте адрес, я съезжу, попробую поговорить с ним. Обещать ничего не могу — все должен решить он сам.

Марина Александровна вздохнула, полезла в сумочку, достала бумажку с адресом. Прочитав название незнакомой ей улицы, Таня спросила:

— Это где?

— Возле Никольского собора.

— Так. Отсюда до «Василеостровской», дальше — на первом или одиннадцатом. Я поеду прямо сейчас, у меня времени в обрез.

Марина Александровна кивнула и встала. В прихожей она сняла с вешалки Танин плащ и приготовилась накинуть его на плечи невестки. Таня отобрала у нее плащ и повесила на место.

— А ты не замерзнешь? — заботливо спросила Марина Александровна.

— Нет, — отрезала Таня.

То, что свекровь кинулась проявлять трогательную заботу именно в такой момент, было ей очень неприятно. По пути к метро и потом, в вагоне, обе молчали. Только когда Таня собралась выходить, Марина Александровна робко тронула ее за руку.

— Сделай, а?

Таня отвела руку и вышла. На душе у нее было муторно. «Зря я наобещала, — подумала она. — Пусть катится ко всем чертям вместе со своей новой пассией, да и с мамашей заодно. Что мне до них?» Но все же она терпеливо дождалась трамвая, вышла на нужной остановке, тут же нашла дом.

«И что я ему скажу? — думала Таня, идя по двору. — Возвращайся, миленький, жить без тебя не могу? Еще как могу... С ним не могу — это да».

— Таня?

Она вздрогнула от звука этого голоса, подняла глаза. Перед ней стоял знакомый молодой мужчина, высокий, в чистенькой китайской ковбойке, с перевязанной бечевкой стопкой старых журналов в руке.

— А я вот за журналами заходил, — неловко переминаясь с ноги на ногу, сказал Павел. — По работе понадобились. Вспомнил, что оставил их тут, на антресолях. Зашел вот...

Она смотрела на него и молчала.

— Он там, — сказал Павел.

— Да...

— Ну, пока!

— Пока!

Она смотрела Павлу вслед. Он свернул за угол. Таня тряхнула головой, повернулась и вошла в подъезд.

Дверь ей открыла пышная, вульгарно-смазливая блондинка лет тридцати, растрепанная, полупьяная, с сигаретой в губах, с которых на пол-лица размазалась помада. Она смотрела на Таню выжидательно, не проявляя никаких эмоций.

— Вы Татьяна? — с удивлением произнесла Таня. Она представляла себе жену Павла совсем иначе.

— Не-а, — сказала блондинка. — Таня придет скоро. А вы кто? Уж не Ларина ли? Я вас в кино видела.

— Ларина, — подтвердила Таня. — Иван у вас?

— У нас, у нас. Вы проходите.

Таня вошла в прихожую и тут же направилась к двери, указанной блондинкой. В шикарно обставленной гостиной, окутанной густым дымом, возле неприбранного стола лежал на диване Иван. Он был не то в халате, не то в плотной шелковой ночной рубашке, пестрой, расшитой фаллосами и сценками совокупления чертенят с ангелочками. Таня стала рассматривать эти изображения, испытывая и гадливость, и любопытство.

— Та-анечка! — сказал, продрав глаза, Иван. Он был пьян в стельку, причем пьян эйфорически, блаженно.

— Да, я. Собирайся! — бросила она.

Он замотал головой.

— А-а, это ты... А я думал, Танечка вернулась... Она за коньячком пошла...

— Иван, — твердо сказала Таня. — Это я. Я пришла за тобой. Одевайся и поехали. Второй раз просить не буду. Или сейчас, или никогда.

Он расплылся в улыбке, подмигнул ей и покачал пальцем.

— Не-е. Не хочу. Не пойду.

— Не к нам поедем, к маме твоей. Она ждет.

— Не дождется... — Иван хихикнул. — Вот сейчас Танечка придет...

Таня отвернулась и шагнула к дверям.

— Эй, ты куда? — изумленно спросил Иван. — Ты ж пришла коньячку выпить. Оставайся. Танечка целый ящик привезет. Всем хватит. Посидим, выпьем, поговорим.

Таня резко вышла. Из-за дверей доносился обиженный голос Ивана:

— Что ж ты? Пришла — и сразу уходишь? Посидели бы, выпили. Обижаешь...

Она пробкой вылетела из квартиры и сбежала по лестнице.

— Вот и все... вот и все... — повторяла она в такт каждому шагу.

Доехать до дому терпения не хватило. На Садовой она наменяла двушек в гастрономе и из автомата позвонила Никите. Дома его не было. Она порылась в сумочке, разыскала его рабочий телефон на студии.

— Слушаю? — раздался в трубке знакомый голос.

— Никита, это я. Да. Теперь — да. Ты понял?

— Понял, — тихо сказал он. — Ты откуда?

— Из автомата, с Садовой, кажется.

— Спокойненько садись на трамвай, или лучше возьми такси, поезжай домой и жди меня. Ничего не делай. Только жди. Я скоро.

— Да. — Она положила трубку на рычаг, потом сняла и поцеловала ее в микрофон. — Да, любимый мой, хороший мой, да. Да!

Она вышла из будки и, подойдя к краю тротуара, подняла руку. Тут же, как в волшебном сне, подъехало и остановилось свободное такси. Она распахнула дверцу и бухнулась на заднее сиденье.

— Куда? — улыбаясь, спросил шофер.

— Домой! — воскликнула она и рассмеялась.

## V

Нюточка за лето удивительно окрепла, выросла, стала шкодливой и озорной. Стоило Павлу или Нине Артемьевне на минуточку отвлечься, ослабить внимание — а она уже сиганет в огород и лопает прямо с куста «гаок» (читай «горох») или «аики» (читай «ягодки»), отправляя в рот полные горсти, вместе с листочками, шелухой, землей и насекомыми. Или с воплем «купаси, купаси!» усвистит к пруду, с такой скоростью перебирая загорелыми косолапыми ножками, что и взрослому не угнаться. Павел, любуясь ею, со смешанными чувствами замечал, что чертами она все больше начинает походить на мать, а окрасом — вообще неизвестно на кого: черненькая, с карими, почти черными лукавыми глазками. Таких, насколько он знал, в его роду не было. Разве что по линии Чибиряков. Не приведи Бог, если в них характером пойдет! Но пока на это было не похоже. Веселенькая, умненькая, по словам Нины Артемьевны, месяца на три опережающая норму по умственному и физическому развитию. И добрая: первым абсолютно осознанным словом было «папа», вторым «на!». При этом Нюточка энергично совала ему в рот недоеденную печеньку, соску, конфетку — как бы делилась. Чибиряками тут и не пахло.

Всеми правдами и неправдами Павлу удалось выбить отпуск на все лето, и с середины июня он безвылазно сидел в Огоньково, в перерывах между возней с Нюточкой занимаясь работой, взятой из института на дом, и наезжая в город лишь изредка, по мере надобности. Хотя Павел был только рад такому положению вещей, возникло оно вынужденно: на летние каникулы приехали из Сыктывкара Лихаревы, и нужно было освободить квартиру на лето. Они привезли с собой кучу денег, шикарные шубы тамошнего производства, доцентские дипломы, с гордостью показанные Павлу, и чрезвычайно радостную для него весть: они оба остаются в Сыктывкаре еще на год. Не говоря уж о северных деньгах, Владьке вполне реально светила кафедра, а супруге его — докторантура. Павел порадовался за них и за себя, хотя у него на работе ничего светлого не вырисовывалось. Весной директор вызвал Павла к себе и на его глазах вычеркнул «алмазную» тему из плана отдела.

— Нечего тешить свое любопытство за государственный счет, — заявил он при этом.

— Но ведь тематика очень перспективная, — возразил Павел.

— Спорить не буду. Но только — где практические результаты? Результаты где, а? Покажите мне приборы на ваших кристаллах, хотя бы схемы, желательно бы еще заключение производственников о целесообразности внедрения. А? Нечем крыть?

Ушлый Ермолай Самсонович давно уже понял, что Павел ни на кого и ни что не жалуется своему всесильному отцу, не пользуется, недотепа, этой исключительной силой, и особо с Черновым-младшим не церемонился. Но старался все же держаться в рамках. На всякий случай.

— Вы поймите, Павел Дмитриевич, голубчик, значение вашего открытия никем не отрицается, — продолжил он своим академическим тоном. — Но, что поделаешь, нет под него пока что технологической базы, не созрела. Потерпите, через годик-другой вернемся к вашей теме, непременно. А пока... Ну что, свет клином сошелся на ваших алмазах? Посмотрите, сколько вокруг интересного материала. Не нравится вам уран с плутонием — что ж, никто не неволит. Есть еще цезий, редкая земель, да мало ли что? И всему этому найдется применение уже сейчас, в производстве, в обороне.

Павел не спорил. Бесполезно. Но и просто так сдаваться он тоже не хотел.

— Я буду звонить Рамзину, — упрямо сказал он.

— Куда-куда? — переспросил директор. — Вы что, милый мой, газет не читаете, телевизор не смотрите?

С рождением Нюточки Павел действительно перестал читать газеты и почти не смотрел телевизор, разве что, ухайдокавшись совсем и уложив дочурку спать, включал иногда и бездумно созерцал что-нибудь развлекательное.

— А что такое? — встревожившись, спросил он.

— А то, что помер наш Андрей Викторович, царство ему небесное. В одночасье инфаркт свалил. Прямо на работе, в кабинете... И как это вы не знали? Во всех газетах некрологи напечатали, в новостях передавали...

— Когда? — беззвучно выдохнул Павел.

— Да уж дней десять тому. На Новодевичьем схоронили. До Кремлевской стены не дорос чуть-чуть...

Павел не слушал. Перед его глазами стояло энергичное, молодое лицо академика — никто не давал Рамзину его семидесяти четырех, — тихий властный голос. Вот так. На похороны он опоздал. Телеграмму слать поздно...

В этот день о работе уже не думалось. Павел отсидел положенное, глядя в окно. По пути домой хотел было заглянуть в рюмочную, помянуть учителя, но ноги сами собой вынесли его из троллейбуса возле церкви князя Владимира — одного из немногих действующих храмов в городе. Он, не задумываясь, снял шапку, перекрестился, вошел, купил самую большую свечу и поставил ее к иконе Честного Креста. Постоял в задумчивости, не зная молитв, мысленно попрощался с покойным... Опомнился он, уже пройдя половину Большого проспекта. А если бы его кто увидел — сын секретаря обкома в церкви? Он без труда отогнал от себя эту недостойную мыслишку и зашел в диетический магазин посмотреть Нюточке фрукталина с орехами или еще чего-нибудь вкусненького из детского питания.

И жизнь снова потекла своим чередом, с обыденными тихими радостями и мелкими гадостями, из которых самыми для Павла неприятными были Нюточкины болячки, разыгравшиеся по весне из-за авитаминоза и общей весенней вялости. Уже в мае Павел отправил Нину Артемьевну с Нюточкой на дачу и вскоре присоединился к ним. Мысли о работе прочно отошли на второй план, о родителях, сестре и себе — на третий, о Тане — вообще неизвестно на какой. Осенью и зимой она еще иногда снилась ему, а с весной ушла и из снов. В квартиру у Никольского он не заглядывал совсем. Иногда к ним на Лесной заходила Ада, взглянуть на внучку. Она-то и служила единственным источником сведений о Тане. Говорила она о дочери немногословно, с какой-то печальной отрешенностью. Похоже, после отъезда Павла в той квартире прочно обосновались Якуб с Анджелой. Во всяком случае, заходя туда, Ада неизменно видела их — то вместе, то поврозь. По словам Ады, там либо спали, либо веселились — с хорошим вином, богатыми закусками, музыкой. В доме появился видеомагнитофон, который работал почти непрерывно и показывал всякие непристойности. Судя по всему, за диплом Таня садиться и не собиралась, на работу возвращаться или искать новую — тоже. Все эти известия Павел воспринимал спокойно, словно и не о его жене шла речь, только иной раз возникала мысль оформить, наконец, развод, но только все было как-то недосуг заниматься этой волокитой. В конце концов, ни он, ни она не имеют намерений заключить новый брак, а об имущественных претензиях Павел и не думал. С него взять нечего, с нее он ничего брать не хочет.

И с таким же удивившим его самого спокойствием воспринял он летний звонок Ады, случайно заставший его в городе. Она рассказала, что у Тани появился постоянный «друг», и это не кто иной, как Ванечка Ларин, разошедшийся, а скорее всего, прогнанный своей киноактрисой. Новость эта Павла даже позабавила. Надо же, Ванька Ларин! Кто бы мог подумать? Зная Танины вкусы по части мужчин, Павел и представить себе не мог, чтобы она остановила свой выбор, сколь угодно временный, на его друге детства. Он, конечно, не без достоинств, но только не те это достоинства, и не настолько они велики, чтобы прельстить мадам Чернову-Захаржевскую. А в том, что этот выбор всецело принадлежал ей и только ей, Павел не сомневался. Не тот человек Ванька Ларин, чтобы суметь своими силами прикадрить рыжую. Интересно, чем же он ей глянулся? Или просто каприз, захотелось свежатинкой полакомиться?

Любопытство не оставляло Павла. Он припомнил, что на антресолях в той квартире пылятся старые научные журналы, и решил воспользоваться этим поводом. К сожалению, Тани он дома не застал, но зато вдоволь насмотрелся на Ивана в пестром порнографическом халате, сытого, пьяного, прямо-таки хрюкающего от нежданно свалившегося счастья. Смотреть на него было и смешно, и жалко. Не будь Ванька столь феерически пьян, он попробовал бы поговорить с ним, растолковать кое-что. Но так... Иванушка, хотя Павла и узнал, даже не въехал, что пришел-то не кто-нибудь, а муж его любовницы, страшно обрадовался, просил остаться, выпить с ним, посидеть. И даже обещал познакомить со «своей Танечкой», которая уехала за коньячком и вот-вот будет. Этого уж Павел выдержать не мог и, фыркая от смеха (а что, плакать, что ли?), поскорее выгреб журналы и поспешил прочь. С Таней встречаться ему расхотелось совсем.

Во дворе он увидел поразительно красивую и удивительно знакомую молодую женщину, шедшую ему навстречу. Он через мгновение узнал в ней Таню Ларину, облик которой помнил и вживе и по телевизору (в кино Павел давно не ходил). Она шла, глядя прямо перед собой. «Фокса с кичи вынимать идет», — подумал Павел, припомнив слова из замечательного телесериала с Высоцким, который весной посмотрела вся страна. Однако она не показалось ему ни удрученной, ни расстроенной. Павел окликнул ее, она тоже узнала его, поздоровалась. Он сказал ей, что Иван там, и поскольку больше им нечего было сказать друг другу, они попрощались и разошлись.

Господи, ну какой же идиот этот Ванька!

У Павла внезапно возникло сильнейшее желание вернуться и хорошенько встряхнуть этот жирный бурдюк с вином, если надо — надавать по морде, лишь бы опомнился, понял, что к чему. Павел усилием воли подавил в себе это желание. Пусть разбираются между собой, а ему пора к своей «любовнице» — полуторагодовалой, лучшей на свете...

Трамвая долго не было. Павел, скучая, рассматривал стеклянную стенку киоска «Союзпечати». С конверта пластинки-миньона ему улыбалось лицо, всего несколько минут назад виденное им во дворе бывшего своего дома. Он пригляделся. В нижнем углу конверта наискосок шла надпись «Поет Татьяна Ларина». Павел наклонился к окошечку.

— Почём пластинка? — спросил он.

— Которая? — подняв голову, спросила пожилая продавщица.

— Ну, эта... с Татьяной Лариной.

— А-а. Семьдесят пять копеек, молодой человек.

Павел вынул из кармана три рубля, положил на приколоченное к прилавочку алюминиевое блюдце.

— Давайте.

— А помельче денег нет?

Павел порылся по карманам.

— Нет. Двадцать копеек вот. Пятак. Десятка.

— Сдачу сдам мелочью, — предупредила киоскерша. — Рублей нет.

— На что мне полный карман мелочи? — сказал Павел и потянулся за своей трешкой.

Киоскерша высунулась из окошечка, поглядела по сторонам и шепнула Павлу:

— Молодой человек, я вам вот что предложу, раз вы так Ларину любите. Возьмите плакатик с нею, хороший плакатик, там еще календарь на будущий год есть. Они в продажу только осенью поступят, так их с руками оторвут. Мне принесли несколько штук из типографии, пробных, я для знакомых придерживаю.

— Сколько стоит?

— Два рубля всего.

— Однако... Ну что ж, давайте.

Киоскерша, озираясь, сунула ему длинный рулон. Павел взял двадцать пять копеек сдачи, и тут как раз подошел трамвай. С пластинкой в руке и свернутым плакатом под мышкой Павел устремился к открывшимся дверям. На асфальте осталась стопка никому не нужных старых журналов.

Приехавшая в сентябре с дачи Нюточка папино приобретение оценила положительно. Войдя в квартиру, она первым делом ткнула пальчиком в плакат, вывешенный в прихожей, и категорично заявила:

— Мама!

— Нет, Нюточка. Это не мама. Это просто тетя.

— Тетя мама!

Спорить было бесполезно. Зеленоглазая, обольстительно улыбающаяся Татьяна Ларина в роли злодейки Сокольской так и осталась в этом доме «тетей мамой». Нюточка безошибочно узнала ее и на конверте пластинки. И засыпала она теперь исключительно под песни «тети мамы» — под «Воротник малиновый», «Хризантемы», «Лучинушку» и еще одну песню, народную, никогда прежде не слышанную ни Павлом, ни Ниной Артемьевной:

> Ох ты утка, ты уточка,
> Сера мала перепелица!
> Ты зачем рано выходила
> Из тепла гнезда утичья,
> На луга на зеленые?
> Ох ты девка, ты девица,
> Ты к чему рано во замуж пошла?..

Эта песня нравилась Нюточке больше всех. Без «уточки» не обходилось ни одевание на прогулку, ни, тем более, укладывание. Павел же старался как можно реже смотреть на этот фотопортрет и почти никогда не думал о Татьяне Лариной, но в сны его теперь приходили обе Тани — рыжая и брюнетка, — перетекали одна в другую, сливались в единый образ женщины нестерпимой, душераздирающей красоты...

# VI

За стопарь вина и одобрительный взгляд Тани Ванечка готов был нагишом на цырлах взойти на Голгофу. Оскорбительных насмешек и унизительных поддевок не замечал. В попытках развеселить Якуба Анджелка придумывала новые каверзы и издевательства над Таниным воздыхателем, а он, стремясь развеять тоску, все больше туманящую Танин взгляд, подчинялся безропотно. То будил всех, дико кукарекая по Анджелкиному наущению, то лакал из блюдца портвейн, стоя на карачках возле помойного ведра. Таня над этими причудами смеялась так же невесело, как и Якуб, но представлений не прекращала, хотя они и утомляли.

Здесь ему было хорошо, да и свой стакашок он имел завсегда. Довольно было кивка — мыл посуду, выбрасывал мусор, неумело подменяя Аду. Прятался с глаз долой, когда та захаживала, хотя и в этом не было нужды. Остальные были свои в доску. Из дому его старались не отпускать, да он и не стремился: жена на порог не пустит, к родителям и сам ни за какие коврижки не сунется, патрон же его, известный писатель Золотарев, уехал в длительную загранкомандировку.

Иногда Ванечку пробивало на глобальные мысли. Почесывая волосатый живот, кругло торчащий в полах цветастого халата, нежась рядом с лежащей на тахте Таней, он размышлял о жизни и мировой гармонии.

— О чем задумался, детина? — спрашивала Таня, просто так, чтобы не молчать.

После очередной дозы она никак не могла отвести взгляд от разъехавшихся в углу обоев. Из щели на нее глазела чернота, подмигивая и зазывая. Прошла целая жизнь, прежде чем Ваня ответил:

— О хорошем и плохом. Хорошее заканчивается плохим, а плохое — хорошим, как и сама жизнь. Но дивно, что ничто это не трогает. Все суета сует, пусто, и сам отсутствуешь во всем.

В этом что-то было. Таню давно ничто не трогало, словно она есть и ее нету. Порошок, поначалу заполнявший ту сосущую пустоту, которую она особенно остро ощущала в себе после ухода Павла, теперь стал эту пустоту только сгущать. Да и саму себя уже воспринимала, как сгусток пустоты. Вроде ни разу не дернули ломки, но по всему видно, что приторчала она довольно плотно.

Перед самыми ноябрьскими Иван пропал. Отправили его за бутылочкой — а он пропал. Ушел как был, полубухой, полубосой, в одной куртешке, выделенной из Павловых обносков. Денег при себе — кот наплакал. Пока ждали, раскумарились, чем было. Да, видно, на вчерашние дрожжи легло неудачно. Якуб заснул мертвым сном, а девушки обе дерганые сделались, шуганутые, Анджелка все по ковру ползала, искала что-то. В таком состоянии и пришла в голову богатая мысль — пойти Ванечку поискать, а то как бы чего не вышло.

— И куда этот гад деваться мог? — ругалась продрогшая и промокшая до нитки Анджелка.

— Заторчал у какого-нибудь ларька или пошел куда повели. Мало ли собутыльников.

После того как облазали все ближайшие подворотни, злые, раздосадованные, хоть и перешибшие хождением самый крутой отходняк, ругая Ванечку на чем свет стоит, вышли к шашлычной на Лермонтовском. Они нередко вылезали сюда всей компанией, благо близко, вкусно и недорого, и здесь иногда проводил творческие бдения Иван, сражая интеллектом студенток расположенного неподалеку физкультурного техникума. Но и в шашлычной его не оказалось. Таня нахально расспрашивала встречных-поперечных, ничуть не смущаясь в описаниях Иванова облика. Знакомая официантка только руками развела, погоревала о тяжелой бабьей доле:

— Кому ж не приходится искать своих козлов с дружками! Да вы, девоньки, не волнуйтесь, найдется ваше сокровище, куда денется. А лучше-ка садитесь, перекусите. У нас сегодня бастурма свежая и настоящее цинандали.

По случаю предпраздничных дней зеленый, весь в высоких зеркалах зал был заполнен основательно. Свободного столика не нашлось, и официантка подсадила девушек к двум мужчинам. Один из них, невысокий, сизый, плохо выбритый, был уже изрядно нагрузившись и, не обратив на Таню с Анджелой никакого внимания, продолжал елейно внушать собеседнику:

— ...а все, Витенька, от того, что слишком много воли дали мы бабьему полу. Вот в прежнее время ты бы свою по мордасам поучил маленечко — потом горя не знал бы...

Второй не слушал его и, напротив, очень даже обратил внимание на подсевших дам. Это был высокий подтянутый мужчина, упакованный по высшему стандарту, правда с несколько опухшим и хамоватым лицом. Но Анджелку аж заклинило от восхищения. Вот это клиент! Клиент тем временем стрелял маленькими глазками в Таню, отчего она отважилась начать разговор, словно подразумевая нечто на будущее. Выбрав рафинированно-интеллигентный, якобы чуть смущенный тон, она посетовала по поводу того, что вынуждена его побеспокоить:

— Возможно, вы здесь давно, так скажите, будьте любезны...

Поведала о пропащем и поинтересовалась, не случилось ли видеть хотя бы мельком запойного Ванечки. Конечно, ничего такого бы он и не увидел, а если бы и увидел, не обратил бы внимания. Говорил очень чопорно — впрочем, подвыпившим мужчинам определенного типа такое свойственно. Холеные руки, гладко зачесанные волосы. Церемонно представившись на французский манер Виктóром, он рассыпался в любезностях, стало понятно, что плотно запал на хвост Тане. В конце концов, на всю историю поисков, вроде шутя, предложил вместо Ивана себя и тут же поднялся.

— С вашего позволения, я отлучусь ненадолго. Во избежание неприятностей должен посадить этого джентльмена в такси. — Он показал на уткнувшегося лицом в стол сотрапезника. — И тут же вернусь. Девушка! — крикнул он официантке. — Дамам шампанского и фруктов! Я сейчас...

Кабацкий донжуан распушил куцый хвост перед симпатичными незнакомками... Да нет, вроде не совсем — по манерам, по костюмчику больше тянет на карьериста на досуге. Пожалуй, из выездных, во всяком случае со связями. Что называется, «человек с перспективой».

Сегодняшние перспективы открылись для него в лице Тани в демократической шашлычной, где портвейн по три рубля и куда забрел исключительно из солидарности с тем, вторым. Воротясь, он тут же объяснил, что заходы в подобные заведения случаются с ним крайне редко; просто, возвратясь намедни из Парижа, оказался он в меланхолическом расположении духа, а в такие минуты лечит только одно — надо выйти на люди. Нет, не в гости со светским раутом, а как раз именно в самую гущу народа.

— Глядишь, и физкультурница юная обломится, — подколола Анджелка.

— Бывает, — с наигранной стеснительностью хохотнул он.

Ощущая в компании девушек полную вольницу, Виктор напросился в гости, но за мотор все же платила Таня. Нутром она чуяла, что разбился в мелкие бесы у ее ног заезжий щеголь. Блеял про Париж, хотя ничего нового или интересного Таня так и не услышала. Зато виртуозно гарцевал вокруг сковородки, пытаясь всех удивить изысками заграничной кулинарии. Время его явно не поджимало, или он и не думал о тех, кто его может ждать. Слабосильный собутыльник, он наскоро спустил тормоза, хватал Таню за руки, осыпая слюнявыми поцелуями. Излюбленными словечками были «восхитительно» и «божественно». И Таню не покидала мысль, что так же приторно он обволакивал, должно быть, будущую жену. Наверняка ведь не холостяк, причем женат выгодно, на начальственной дочке. Интересно, как оно теперь, с женой-то? Видно не очень, раз налево бегает...

После проведенной ночи, бурной больше по суете, нежели в чувствах, Таня спросила протрезвевшего любовника:

— А жена не хватится?

— Пусть это тебя не волнует, — морщась от головной боли, ответил он.

— Меня-то не волнует. Тебя не грызет?

— Ты имеешь в виду факт измены?

— Ну и это.

— Для меня главное — дело. Я и женился, чтобы достичь своей жизненной цели. Правда, сразу пожалел... Жена у меня красивая. — Тут он оглянулся на Таню, приглаживая волосы на своем скошенном затылке, приобнял ее за голые плечи, наигранно оправдываясь: — Не такая, правда, божественная, как ты. А вот в постели — бревно. Причем абсолютно сухое.

— Может, по Сеньке и шапка? — рассмеялась Таня, но Виктор намека не понял.

— Она очень сдержанная у меня, воспитанная, всегда соразмеряет себя с окружающей реальностью. Это замечательное качество, привитое ей с детства в семье.

— Не боишься, что эта сдержанная один раз взорвется?

— Ну что ты? — отмахнулся как от назойливой мухи Виктор. — Никогда. Ее родители очень достойные люди. Аленочка никогда не уронит ни их, ни мой авторитет.

Да, тут и сказать нечего, но и Виктор ничего нового не добавил. За праздничным завтраком, с благодарностью хлебая Танин коньячок, замаял, декадент-зануда, до животной тоски скучнейшим перечислением парижских цен на разного рода товары, в том числе и тампаксы. Что это такое, с радостью и вожделением узнала для себя Анджелка, пополнив свою эрудицию и тем, что «Клима» — духи дешевых проституток.

— Во, суки, живут!

Таня слишком хорошо знала эту породу мужичков. Плохо выхоленный снобизм не сбил ее с толку. Она ни секунды не сомневалась, что только дай ему затравку, и он поведает все подробности семейной жизни; жена обязательно окажется крайней, а он — невинной жертвой обстоятельств и алчности своей избранницы.

Викторушка и не заставил себя ждать. Еле переплевывая через губу, окосевший и расторможенный, признался:

— Как у тебя уютно! Вот это дом! Сразу чувствуется восхитительная рука хозяйки.

И понеслись жалобы на судьбу. Какое-то зерно здравого смысла в них, возможно, имелось, но Таня слушала этот писк не без омерзения. Было ясно как день, что заглазно критикуемая жена выбрала оптимальную тактику поведения с таким мужем: ничего другого, кроме презрительного помыкания, он в супружеской жизни и не заслуживал. В глубине души Виктор, как человек крайне тщеславный, был чрезвычайно уязвлен. Смолоду попав в выездные круги, не успевший состояться ни как профессионал, ни как личность, почувствовал себя одним из избранных и, как та ткачиха, отправленная в космос, задохнулся от важности собственной персоны. Проницательная женушка, естественно, просекла все эти поляны и не преминула воспользоваться открывшимися перспективами. Достойно всяческого уважения.

Таня представила себе, как, должно быть, скучно с этим запавшим на свободу тряпок клерком, как ненасытен он в жажде самоутверждения, как лелеет свою самовлюбленность в престижных общениях. Разумеется, эта же самовлюбленность и толкнула его в холодные объятия номенклатурной дочурки.

Пока Таня размышляла, Виктор, видимо, нашел для себя, что здесь его готовы выслушать и принять, и ничуть не сомневался в том, что именно такая Таня должна, просто обязана быть без ума от его лоснящейся рожи. Напоследок он пообещал — будто его просили! — что непременно придет к вечеру... И приперся в шестом часу при двух чемоданах с висящими визитками и опознавательным словом «Paris» на язычках молний. Но был выставлен, с своему вящему изумлению, решительно и бесповоротно. Подобное обхождение, без интеллигентских экивоков, ввергло его в шок и вызвало, судя по всему, безысходное желание непременно кому-нибудь отомстить. Только кому, жене или Тане? Можно представить, каким было объяснение между ними, если ссыпался он по лестнице, перебрав чемоданчиками все прутья лестничной решетки.

Неловкости от своего поступка Таня не испытывала. Мало того, ходила по квартире, возмущенно восклицая:

— Ну и жук колорадский! Бледная асфальтовая спирохета! И туда же. Считает себя неотразимым! Лжеопенок трухлявый!

Тревожилась только Анджелка. Вечно она боится кого-либо задеть, уязвить, наивно предполагая искренность чувств.

— Не натворит ли он что-нибудь с собой? — с опасливым беспокойством заметила она Тане.

Про Ивана в свете этих событий все как-то забыли.

— Этот? Да скорее жену задушит, чем на себя руки наложит. Хотя... — Таня выставилась перед зеркалом, широко расставив ноги и затягивая на затылке в тугой узел волосы. — Я бы на ее месте при таком муже сама застрелилась.

Она рассмеялась, представив сценку, ткнула себя в висок тыльным концом расчески, тявкнула громкое «Пау!» и, хватаясь за углы трюмо, картинно свалилась на пол, раскидывая руки, как застреленный жмур в шпионском кино.

— Так разве шутят, да? — переступая через ее распростертое тело в коридоре, покачал головой Якуб.

— Да ну вас. — Таню ужалил облом досады. — Надоели вы все.

А ночью затрезвонил телефон. Как-то паршиво затрезвонил. Таня вздернулась, кинулась в испуге к трубке. Вдруг это Павел? Но услышала плачущий голос Виктора, чуть было не бросила трубку, но что-то остановило. Долго до нее доходила фраза, от которой внутри похолодело и стало муторно пусто...

На ноябрьские у Павла впервые в этом году собрались друзья, сугубо мужская холостая компания: Шурка

Неприятных, океанолог Петя Кошелев, сокурсник Валька Антонов, ныне работающий кондитером в ресторане «Балтика», пара ребят с работы. По этому случаю Нина Артемьевна приготовила салат и жареную курицу с картошкой, а Нюточку забрала до завтра к себе. Валька, как и полагается по его нынешней профессии, приволок огромный шоколадный торт, а остальные пришли каждый с бутылочкой. Отмечали, естественно, не революционный праздник, а просто встречу друзей, нечастую, а потому особенно приятную. Было весело, хорошо, вольготно. Насытившись и чуть под мухой, гости расползлись по креслам и дивану, оставив у стола лишь ненасытного Шурку в одиночестве добирать свою дозу. Курили, лениво слушали рассказы Пети, только что вернувшегося из дальнего плаванья по теплым морям, и Вальки — про нравы питерской ресторанной мафии, — сетовали, что так редко удается нынче вот так, запросто посидеть в кругу друзей, расслабиться, что быт совсем заел, что ни у кого не задалась семейная жизнь. Потом заварили чаю и разрезали Валькин торт. В самый разгар «чайного стола» раздался телефонный звонок.

— Вот черт! — сказал Павел. — Кто это, интересно знать?

— А ты не подходи, — лениво посоветовал Валька.

— Нет, ребята, надо. Вдруг это Нина Артемьевна? Или просто хороший человек решил с праздником поздравить.

Павел вышел в прихожую и снял трубку.

— Павел Дмитриевич? — спросил незнакомый, жесткий мужской голос.

— Да, я.

— Майор Фролов из «девятки». Павел Дмитриевич, срочно берите машину и приезжайте к отцу. Здесь ЧП.

— Что случилось? — поникшим голосом спросил Павел.

— Не по телефону. Приезжайте немедленно.

В трубке раздались короткие гудки. Павел с изменившимся лицом вошел в комнату.

— Извините, ребята... Кажется, праздник кончился.

Они, ничего не спрашивая, стали одеваться. Даже окосевший Шурка, один раз посмотрев на лицо Павла, тут же протрезвел.

— Я с вами, — сказал Павел, зашнуровывая ботинки.

— Тебе в какую сторону? — спросил Петя.

— В Новую Деревню.

— Мне тоже. Будем мотор ловить?

— Надо бы. Сказали, очень срочно.

Они все вместе вышли на улицу и, встав по четырем углам перекрестка, стали голосовать. На первом же «частнике» Павел и Петя уехали в Новую Деревню...

## VII

В дверном замке квартиры Черновых повернулся ключ, потом второй. Чуть поскрипывая, дверь отворилась, и в родительскую квартиру тихо, на цыпочках вошла Елена. Она огляделась по сторонам, открыла дверь в гостиную, на кухню. Никого. Никого и не должно было быть. Каждую годовщину Великого Октября руководящим партийным работникам предписывалось встречать на высокой трибуне, принимая парад и демонстрацию трудящихся, продолжать на торжественном заседании, переходящем в торжественный концерт, и завершать столь же торжественным банкетом. Присутствие жен было обязательным.

Это и хорошо. Затем она и пришла сюда: побыть одной, подумать, определить линию поведения в свете изменившихся обстоятельств. И не видеть перед собой растерянно-слезливо-укоризненного лица разлюбезной свекровушки, не слышать ее вздохов, причитаний, идиотских советов...

Елена включила в прихожей свет, встала перед высоким зеркалом, переменив позу, еще раз оглядела себя, попробовала третью позу, четвертую. Увиденное доставило ей, как говорится, чувство глубокого удовлетворения. Хоть сейчас на обложку «Вог»! И дело не только в безупречном нордическом лице, в изящной фигуре, каждая линия которой продуманно обработана шейпингом, в моднейшем заграничном наряде. Главное — тот истинно европейский лоск, облегающий всю ее, словно тончайшая пленочка лака, и заряжающий окружающее ее пространство, будто вокруг нее замкнулась государственная граница, внутри которой — безукоризненно-иностранная она, а вовне — рябая, серая Эсэсэсэрия. «Если я сейчас выйду на улицу, — подумала она, — никому в голову не придет обратиться ко мне по-русски».

Десять месяцев во Франции сделали свое дело. И не только они. Эти месяцы следовало помножить на плоды сознательных усилий. И в результате получилось это отражение, блистающее фторлаком выровненных и выбеленных зубов, поволокой глаз, несущих отпечаток нездешней роскоши — продуманной, стерильной и комфортной, надежно выправленной гордой осанкой. Нет, не все, далеко не все наши дамы привозили из-за границы *такое*, по большей части ограничиваясь тряпками, побрякушками, бытовой техникой — *вещами*. Конечно, это все тоже имеет место быть. Идет сюда малой скоростью в двух контейнерах и прибудет как раз к Рождеству. Но было добыто и привезено сюда то главное, без которого любая тряпка, даже самая дорогая, теряет три четверти своего смысла, — новая личность, абсолютно созвучная великолепию новых вещей.

Да, проходящий год стал годом побед и восхождений. Причем побед тем более сладких, что дались они в борьбе — с собой, с Вороновым, с обычаями и обстоятельствами. То, что удалось Елене, было за пределами возможного и дозволенного советским гражданам, командированным за границу. Двухместный номерок в гигиеничной, но весьма средней, к тому же переполненной азиатами и неграми гостинице, куда фирма селила заезжих стажеров и временных сотрудников из стран второго и третьего мира (или сорта?), она смогла преобразовать в современный особнячок с прислугой, просторной мансардой и ровнейшей зеленой лужайкой в респектабельном Нейи, где под боком у них оказался великолепный культурно-спортивный центр с джим-ханой, сауной, бассейнами, теннисными площадками, барами, танцзалом, салоном красоты. Особняк принадлежал фирме, в нем оставляли на постой самых важных гостей — президентов аналогичных или превосходящих по статусу фирм, приглашенных консультантов и специалистов высшего класса, международных аудиторов и тому подобных... Ежедневная тряска в переполненном городском метро до Монпарнаса, где находился главный офис фирмы, или в не менее набитом вагоне пригородной линии до окрестностей Ле-Бурже, где размещались лаборатории и эксперименальные цеха, сменилась необременительными поездками в фирменном «мерседесе», с шофером и кондиционером, по ровным, поразительно гладким автострадам и шоссе. В дополнение к причитавшемуся ей и Воронову месячному жалованью, половину которого требовалось безвозмездно сдавать в посольство, она получала пухлый белый конвертик лично из рук Жан-Поля, вице-президента фирмы. Происходило это в стороне от посторонних глаз — в его кабинете, в лифте, в машине… в его или ее спальне…

Собственно, и особняк, и «мерседес», и «вторая зарплата» были делом рук Жан-Поля. Но благосклонное внимание молодого вице-президента пришло не сразу — ох не сразу! — и стоило трудов. Нужно было проявить себя и классным специалистом, и неотразимой женщиной, выделиться, при этом как бы и не выделяясь. Это было самое трудное, дальше пошло легче… Результат — вот он, в зеркале. И в портфеле у нее — экземпляр контракта, который фирма желала бы заключить лично с ней на будущий год. Можно не сомневаться, что наверху контракт будет одобрен и утвержден — ну кто откажет дочери такого отца? Так что в январе снова — прощай, немытая… И еще есть сейф, абонированный в банке на авеню Клебэр, и сейф этот не совсем пустой…

Гейм и сет. Один-ноль в ее пользу. Она подмигнула своему изображению, состроила надменную мину, рассмеялась и подняла воображаемый бокал: «За тебя, любимая… Кстати, почему бы не выпить вина по-настоящему? Как ты на это смотришь?»

Елена повернулась, одобрительным взглядом окинула отражение своей фигуры в профиль, пошла в гостиную и открыла дверцу бара — того отделения в серванте, где хранилось спиртное. Она придирчиво осмотрела бутылки. Коньяк «Праздничный». Нет, вот если бы «Мартель»… Совиньон молдавский. Ха-ха, мерси бьен, совиньон должен быть совиньонским… Непочатая бутылка «Дюбонне» — ее же подарок отцу по приезде. Пусть и дальше стоит… Водка. Бр-р! А что там, в углу?

Елена извлекла на свет большую темную бутылку с сургучной пробкой. Кагор марочный. Церковное вино, говорят. Что ж, можно и причаститься благодати по такому-то случаю.

Налив себе полный бокал густого темно-красного вина, Елена вернулась в прихожую, встала перед зеркалом, подняла взгляд. На нее, с обольстительной улыбкой поднимая бокал, смотрела элегантная заграничная красотка. Елена послала ей воздушный поцелуй и дотронулась хрусталем бокала до поверхности зеркала: «Будь здорова и счастлива, радость моя! И да исполнятся все твои мечты! Сантэ!»

Она поднесла бокал к губам и одним затяжным глотком выпила до дна.

— Уф! Пойдем перекурим.

Прихватив со столика сумочку, она вышла на кухню, достала из сумочки зажигалку и ярко-красную пачку облегченных «Галуазов» и с наслаждением затянулась. Нет, пора, мой друг, пора... Скорее бы отмотать срок в этой сраной Совдепии, где даже «галуазку» паршивую достают лишь по большому блату, и домой...

В привезенном ею контракте значилась лишь она, «мадам Элен Воронофф», и от ее воли зависело, вписать туда мсье Воронофф в качестве члена семьи (муж) или не вписать. И это было свидетельством ее второй победы, по-своему не менее упоительной, чем первая. За десять месяцев превратить лощеного, самодовольного хама в неврастеника и подкаблучника, боящегося не то что законной жены, а и собственной тени, готового держать свечечку возле супружеского ложа, когда его достойная половина предается утехам любви с другим мсье... Кстати, даже жаль, что она не додумалась организовать такое действо. Было бы любопытно. Впрочем, достаточно и того, что мсье Воронофф получал от нее подробнейшую на сей счет информацию и не мог тешить себя какими-либо иллюзиями... Месть ее была постепенной, обдуманной, планомерной...

Ее метод строился на принципе кнута и пряника, но вначале пряник был большой и сладкий, а кнутик — почти игрушечный, в миленькой сексуальной упаковочке. Жизненные блага посыпались на Воронова как из рога изобилия: просторная квартира в престижном доме, «Жигули» последней модели, продукты и промтовары по специальным заказам и наконец — десятимесячная загранкомандировка. Причем не в какую-нибудь там Индию или

Югославию (следующий этап после Монголии и Кубы), а сразу в Париж, город мечты не только для советских химиков-технологов. И велика ли беда, что от каждой интимной близости с молодой женой у него оставались сувениры в виде укусов, царапин, синяков? Похоже, ему это было даже приятно, да и у Елены, честно говоря, получалось кончить, только когда чувствовала мужнюю кровь...

А в остальном — покорность и смирение, преданность во взоре и безмолвное признание его первенства во всем. Елена, успевшая хорошо изучить Воронова, в общении с ним не уставала подчеркивать именно те черты, которые он сам усиленно в себе культивировал и которые, по его мнению, выделяли его из человечьего стада. Деловитость, аккуратность, хороший вкус, целеустремленность, светскую искушенность.

— Ты ж у меня не простой совковый инженер, — мурлыкала она, бывало, сидя у него на коленях и прижавшись щекой к его щеке. — Ты, Витенька, *выездной*, в «боингах» летавший, виски хлебавший, белый свет повидавший...

Он лишь разнеженно кивал в ответ. Его самомнение, и без того немаленькое, раздувалось до размеров вовсе непотребных. Елена подчас искренне недоумевала: как можно воспринимать всерьез эту ходячую карикатуру. Сама, впрочем, от смеха воздерживалась, на людях была с ним почтительна, наедине — тем более. С умным видом выслушивала его поучения и наставления на предмет заграничной жизни. Кое-что мотала на ус.

Освоилась немного, подготовилась и перешла в наступление. Начиналось с мелочей — невинного замечания в присутствии французов, «случайно» пролитого ему на рукав красного соуса в самом начале ответственного приема в мэрии... А как эффектно его «забыли» во время экскурсии в Клермон-Ферран? Каждая такая мелочь откусывала чуть-чуть от его выдержки, самообладания, уверенности в себе, гасила чувство превосходства над женой. Он начинал ворчать, она реагировала тщательно дозированными извинениями, в которых постепенно все бо́льшую долю занимал легкий шантаж — собственной болезнью, служебным положением отца, обязательствами, взятыми на себя Вороновым при заключении брака, необходимостью хорошо держать себя как перед французами, так и перед соотечественниками, положительными и отрицательными перспективами в карьере. В постели она больше не царапалась и не кусалась, а лишь пассивно уступала его домогательствам, выполняя обязанности супруги. Несмотря на уменьшение бытового травматизма, эти перемены едва ли доставляли Воронову большую радость. Вскоре она вовсе перестала допускать его до себя...

Параллельно велась осада Жан-Поля, и когда она стала приносить первые плоды в виде приглашений в ресторан и на загородную виллу, из общения Елены с мужем начисто исчезли всякого рода объяснения и оправдания с ее стороны, остался один шантаж. Оправдываться и объясняться приходилось уже ему, тем более что оснований для претензий с каждым днем прибывало. Воронов стремительно терял лицо, и Елена с гордостью осознавала, что происходит это исключительно ее стараниями. Она сумела настолько вознести его в его же глазах, что падение совершилось быстро и необратимо.

Важной вехой на этом славном пути стал инициированный ею и организованный Жан-Полем переезд супругов Воронофф в особнячок для важных персон. Все, что грезилось перед женитьбой Воронову, обретало жизнь: вот и особняк, и красавица-жена, хорошеющая день ото дня, постепенно превращающаяся в истинную француженку, и «мерседес» с шофером. И лишь одного звена не хватало в этой воплощенной мечте, обернувшейся для него адской подменой, — не хватало его самого, того Воронова, который был способен мечтать и строить жизнь сообразно мечте. Он исчез, убитый, раздавленный собственной грезой, а тот, что пришел на его место, оказался ему неадекватен, а потому и выпал из картинки, точнее, остался в ней грязным пятнышком где-то там, на заднем плане... Что ж, Виктор-победитель, за что боролся, на то и напоролся. В этой жизни побеждает сильнейший. Так выпьем же за того, кто оказался... оказалась сильнее...

— Стоп! — сказала Елена своей зазеркальной двойнице. — За нас с тобой мы уже пили. У меня другой тост. Подожди.

Она побежала в гостиную, до краев наполнила бокал, немножко наплескав на стол. Ничего, потом сотрем. Вынеся вино в прихожую, она во второй раз чокнулась с зеркалом.

— Да преобразится это вино в кровь твою, сволочь! — провозгласила она и, закинув голову, залпом осушила бокал. — Это я не тебе, радость моя, а Воронову, суке.

На этот раз она не стала наливать в гостиной, а вынесла полупустую бутылку в прихожую и поставила на полочку у зеркала.

Что, Виктор Петрович, сладко? Чья взяла, а?

Гейм и сет. Два-ноль в мою пользу.

Она налила бокал, криво улыбнулась в зеркало и залпом выпила. Темно-красная струйка стекла по подбородку и пролилась на бежевую курку-пиджак от Кардена. Елена матерно выругалась, скинула куртку на пол, потом подняла, отнесла в ванную, подставила было под струю воды, но сообразила, что такие пятна надо вроде бы выводить солью. Она пошла на кухню, положила куртку на стол, щедро посыпала солью из пачки. Пусть пока отлеживается. А мы тем временем перекурим и соберемся с мыслями. Не нажираться же сюда пришли, а думать.

А думать-то вот о чем. Этот слизняк, ее творение, в последние три месяца совсем уже скурвился — вдарился в запои, перестал мыться, сделался слезливым и непредсказуемым. Один раз явился на фирму пьяным и растерзанным, хотя она утром строго-настрого приказала ему сидеть дома и уехала без него. Добрался, гад, на попутке и метро, на глазах у всех ввалился к Жан-Полю в кабинет, стал высказываться. Хорошо, что спьяну забыл и тот хилый английский, которым владел (а из французского и выучил-то разве что «мерси», «комбьен» и «анкор юн водка»), и ругался исключительно по-русски, так что Жан-Полю пришлось пригласить ее и в переводчицы тоже. При ее появлении Воронов сник, стал просить прощения, и им вдвоем не составило труда вывести его на свежий воздух, затолкать в служебный «мерседес» и отправить подобру-поздорову домой. После этого скандала у руководства фирмы возникло очень серьезное намерение и вовсе отказаться от услуг столь «несбалансированного» специалиста из России, но по ходатайству того же Жан-Поля его оставили в покое до истечения срока контракта. Оставшиеся полтора месяца Воронов просидел в той самой гостинице, в которой началось их пребывание во Франции, выходя только в бакалейную лавочку, где можно было по дешевке купить кулинарного спирта, а заодно уж и булки. Правда, однажды он испортил-таки ей вечер. Они с Жан-Полем как раз принимали другого вице-президента фирмы, мсье Батистона с супругой, и где-то между аперитивами и зеленым салатом явился Воронов, устрашив своим клошарским видом впечатлительную мадам Батистон, и стал требовать денег. Елена выставила мужа в холл и заперла в чулан, где он гремел ведрами, угрожая донести в вышестоящие инстанции о ее аморальном поведении, пока не приехало такси, вызванное по ее просьбе Жан-Полем. Деньги за проезд до гостиницы она выдала шоферу, прибавив приличный *пурбуар* за хлопоты.

Доносов мужа она не боялась нисколько. От возможных неприятностей со стороны посольских кэгэбэшников она подстраховалась просто и элегантно: как только она наконец-то почувствовала интерес вице-президента к своей персоне, тут же пошла ко второму советнику по науке, «курировавшему» их пребывание, должным образом представилась, изложила свою версию создавшейся ситуации и, как честная советская патриотка, предложила свои услуги по части получения неофициальной информации. Второй советник немедленно вызвал еще какого-то деятеля и, согласовав с ним этот вопрос, предложение Елены принял, тем самым давая ей карт-бланш на тот образ жизни, который она себе наметила. Поначалу она не давала «товарищам» никаких сведений, отторговав время на вживание в образ и ситуацию. И лишь когда ее роман с вице-президентом обрел черты устойчивости, она рискнула сообщить Жан-Полю, что в посольстве знают об их отношениях и, угрожая скандалом и отправкой на родину, требуют от нее секретных сведений о работе фирмы. Разговор этот происходил под шум волн на живописном бретонском побережье, куда Жан-Поль повез ее на уик-энд, вдали от свидетелей и вполне вероятных микрофонов. Жан-Поль от души посмеялся над идиотизмом советских начальников и тут же экспромтом накидал ей целую кучу материалов для первого отчета — сборной солянки из реальных общеизвестных фактов и всякой чепухи. Потом они составили еще несколько подобных отчетов, которые даже удостоились похвалы советника по науке. При таком раскладе сплетни рядовых *советиков*, люто ей завидовавших, значили мало, а от любых обвинений Воронова можно было с легкостью отмахнуться по принципу «сам дурак».

Вернувшись в Ленинград, Воронов первые дни вел себя прилично: сходил с ней в гости к ее родителям, вручил подарки, как бы от них обоих купленные Еленой, и даже сумел без особых ляпсусов выдержать серьезные и обстоятельные расспросы Дмитрия Дормидонтовича о поездке. Правда, Елена и тут подстраховалась, сама отвечала на вопросы и не давала мужчинам уединиться в отцовском кабинете, умоляя в первый вечер после долгой разлуки не говорить о делах и напирая на то, что за три месяца, остающиеся до следующей поездки, они тысячу раз успеют обо всем наговориться. Вопрос об этой поездке и она, и, главное, Дмитрий Дормидонтович считали делом решенным. Для себя она не могла решить одного — брать с собой Воронова или нет. Вконец ли это отработанный материал, или еще не исчерпал себя в качестве объекта глумления? А решать надо было быстро: после праздников следовало начать оформлять выездные дела.

Вопрос этот за нее решил сам Воронов. На третий день, рано поутру, он, естественно, заручившись ее согласием и получив исчерпывающий инструктаж, отправился отметиться по здешнему месту работы — на комбинат. Вечером он домой не вернулся. Отсутствовал он два дня, которые Елена провела, мучительно разыгрывая перед изнемогающей от тревоги старушкой свекровью беспокойство любящей жены... И вот вчера Воронов явился без шапки, в чужих замшевых ботинках, дыша гнусным многодневным перегаром. Явился и сообщил, что встретил женщину своей мечты и уходит к ней, оставляя Елене квартиру, имущество и сбережения. Маму он обещал забрать в ближайшее же время, как только устроится на новом месте. Держался он неровно — то петушился, крича, что он тоже имеет право на личную жизнь, то трусливо сжимался, будто его собираются бить: видно, срабатывал глубоко засевший в нем страх перед всемогущей женой и еще более всемогущим тестем. Елена в истинно французском духе пожала плечами — это, мол, твои проблемы, — вежливо попросила его полчасика прогуляться, пока она соберет его чемоданы...

Что ж, скатертью дорога. Значит, в Париж она летит одна. Это проясняет перспективу... Конечно, может быть, Воронов все это время попросту пьянствовал у того же Кузина, а теперь, с типичной для пьяного мужика логикой, решил сблефовать, выдумав какую-то женщину и рассчитывая хоть этим самоутвердиться и поднять себя в ее глазах — дескать, мы тоже имеем право и можем, — вызвать в ней хоть какое-то чувство: ревность, сожаление, комплексы по поводу ответно полученных рогов... Дурак, на что он рассчитывал? Что она будет страдать? Кинется следом и закричит? Папочке пожалуется?

Елена театрально прижала руки к груди и, пошатнувшись, поднялась со стула.

— Ой-ей-ей! — Причитая по-деревенски, она вышла в прихожую и остановилась перед зеркалом. — Ой-ей-ей, батюшки-матушки, бросил меня, изменщик коварный!

За стеклом кривлялась, заламывая руки, зазеркальная Елена. Она подмигнула ей, согнулась пополам от разбирающего ее смеха, выпрямилась, вылила в бокал остатки кагора, чокнулась с зеркалом и выпила.

— Прощай, изменщик! — криво усмехнувшись, сказала она. — Прощай навсегда!

Кружась, как в вальсе, она протанцевала на кухню, извлекла из сумочки губную помаду, в том же ритме вернулась к зеркалу и в самом верху его криво и старательно намалевала: «Изменщик коварный, прощай навсегда!!!» Писать помадой на зеркале — это тоже французский обычай.

Елена отступила на полшага, прочла написанное, улыбнулась и плюнула в зеркало, метя в надпись, но попав в голову своему отражению.

— Прости, золотко мое, — сказала она и стерла плевок подвернувшейся под руку пуховкой. — Не в тебя хотела...

Она зашла в гостиную, отодвинула стул, плюхнулась на него и, упершись локтем в стол, положила подбородок на ладонь.

Минус Воронов... Остается мадам Воронофф и мсье Жан-Поль. Жан-Поль Ленуар, по-русски Чернов. Вот так-то!.. Блистательный, элегантный молодой бизнесмен, находчивый в разговоре, ловкий, как черт, в постели — мужские стати не Бог весть, но изобретателен, неутомим, хорошо работает руками и языком... Только росточком не вышел — метр в шапо, ей еле до уха достает, а ведь она не Бог весть какая каланча. Холост в свои двадцать девять, но не гомик, это уж точно. Возможно, бисексуал — это нынче в моде. Богат и с каждым днем становится все богаче, дополняя доходы от фирмы удачливыми биржевыми операциями... Потрясающий невежда, как и все французы, даже в том, что касается своего, родного: Матисса не знает, Равеля не знает, Виктора Гюго с трудом вспомнил. Зато точно знает, в каком из тысячи ресторанчиков лучше делают свиной паштет, а в каком можно сэкономить пару франков, не потеряв в качестве. «Шанель» по номерам различает с десяти шагов, по одной капле определит не только марку вина, но и год урожая. Изысканный вкус по части интерьеров, особенно спальных, дамского белья и легковых автомобилей... Лощеная скотина, типичный хряк-шовинист, в женщине видит, в лучшем случае, дорогую игрушку. Ничего, мон шер, я тебе покажу игрушку!.. Кстати, по этому поводу надо выпить... Кагор кончился, да и не годится за это дело пить отечественное... Ну-ка, поглядим... Во, «Дюбонне». Папаше вроде подаренный... Ничего, ему все равно пить нельзя, врачи не велят...

Елена лихо свинтила пробку с отливающей металлом бутылки и, не обнаружив под рукой бокала, хватанула из горлышка... Господи, какая дрянь! Будто пол-аптеки в себя влила! Не ссы, казак, атаманом будешь!

Значит, мсье Жан-Поль... С разводом, пожалуй, спешить не стоит — у нас не любят пускать за рубеж разведенных, тем более женщин. Бдят за моральным обликом, а во-вторых, стремятся, на всякий случай, оставить на родине заложника. Вот Воронов и побудет заложником... А она, не сразу, конечно, станет, как это... невозвращенкой, вот. Немножечко определится там с Жан-Полем... и вообще, а тогда заявит, что выбрала свободу! Папаша, конечно, с должности своей полетит... Ну, это уже будут его проблемы. А она...

Стоп. За это надо выпить!

Она подкатилась к зеркалу, стукнула об стекло бутылкой и исполнила героический затяжной глоток... Уф-ф!.. Не закусить ли? Чего там на кухне есть такого... ну, чем и во Франции закусывают?

Открыть банку крабов не хватило сил, и Елена принялась поедать маринованные огурцы прямо из банки, капая себе на юбку.

Так. Теперь разложим все по полочкам. Первое, летим в Париж. Второе, Воронова не берем. Третье, выбираем Жан-Поля и свободу... Кстати о свободе. Что есть свобода без денег? Свобода без денег есть не свобода, а... говно. Правильно? И что мы имеем на сегодняшний день? На сегодняшний день мы имеем абонированный на год сейф на авеню Клебэр, а в нем — колье, подаренное Жан-Полем, кой-какое золотишко, франки, честно заработанные и сбереженные, которые нельзя было ни везти в Союз, ни доверить Жан-Полю, ни просто положить в банк — наличие заграничного банковского счета у советской гражданки чревато крупными неприятностями... Ну, еще, конечно, кое-что перепадет от того же Жан-Поля. Хотя тут как раз не следует переоценивать собственные возможности. Залезть к французу в постель и залезть к нему в карман — это, как говорят в Одессе, две большие разницы. Очень большие. Даже если в один прекрасный день она станет мадам Ленуар, это решит проблему очень относительно. Пойдут всякие там брачные контракты, раздельное владение, совместное владение, временное пользование, пользование при условии... Суки они все-таки, эти французы! Нет, ну какие суки... Однако к делу. Что мы имеем помимо этого? Да ничего мы не имеем. Все, что есть здесь, здесь и останется. Суровая правда жизни. Следовательно... следовательно, надо что-то такое отсюда вывезти, а там загнать. Что? Что-нибудь ценное, малогабаритное, легко скрываемое. Золото, бриллианты? Да где ж их взять-то? Надо что-то такое, чтобы легко было взять... Антиквариат, иконы? Нет... Оп, нашла!

Елена вскочила и вприпрыжку помчалась через прихожую, помахав по пути своему отражению, через гостиную, в кабинет отца. Решено — она вывезет и продаст государственную тайну! Родину продаст! Кто носит майки «Адидас»... Должны же у такого большого начальника храниться дома государственные тайны. Ну, хоть маленькие...

Она стала один за другим открывать ящики стола Дмитрия Дормидонтовича, выгребать оттуда папки и разрозненные бумаги, раскладывать по кучкам. Печатные и рукописные слова плыли у нее перед глазами... Постановления ЦК по промышленности. Тут все вырезки из газет, это не пойдет... Закрытые постановления... А вот это интересно, надо только отобрать что-нибудь позабористей, про диссидентов там, или по еврейскому вопросу. И куда это добро потом сдавать? В «Фигаро»? Ну, дадут тысчонку-другую, и все. Мелко плаваете, Елена Дмитриевна... Надо бы что-нибудь капитальное, чтобы ихнее «Сюрте Женераль» расколоть по полной программе. Скажем, агентурные списки, чертежи атомной подлодки... Хотя откуда у секретаря обкома такие списки и такие чертежи?.. Сводки о выполнении плана на предприятиях Ленинграда и области. Что тут? «Арсенал», Кировский завод, Петрозавод, Адмиралтейские верфи... В сторону! Нет, это же оборонка! Пригодится... Ну куда ты полезла листочки вырывать, дура? Он же хватится. Это мы потом, поближе к отъезду выберем денек, придем сюда с фотоаппаратиком, все щелкнем аккуратненько...

Средний ящик стола не открывался. Заперт на ключ. Подумаешь, секрет Полишинеля! Она распахнула шкаф, где висел повседневный костюм отца, бесцеремонно залезла во внутренний карман, достала оттуда ключ... Помнится, в детстве он нередко показывал ей свои ордена, которые как раз хранил в этом ящике, ключик же всегда доставал из внутреннего кармана. А он не из тех, кто меняет привычки... Нет, ей положительно повезло, что сегодня отец, как и положено, облачился в костюм парадный, с орденскими планочками и звездой Героя Труда. Говорят, она из золота высшей пробы... Слушайте, а может, какой орденок слямзить и загнать потом в антикварную лавку из тех, что подороже?

Она открыла ящик и потянула за край плотной красной папки с красочным гербом СССР. Папка оказалась пустой, но зато вслед за ней из глубины ящика вытянулось такое, что Елена тут же забыла о своем намерении стащить орденочек. Пистолет! Настоящий тяжелый пистолет в пупырчатой черной кобуре. Елена нетерпеливо вытащила его из стола, расстегнула кобуру, взяла за рукоятку, подержала на ладони... Мата Хари!.. Вот она уходит через норвежскую границу, унося с собой выкраденный портфель с бесценными сверхсекретными документами, отстреливаясь от погони... Визжа от восторга, Елена выскочила через гостиную в прихожую, к зеркалу, и навела пистолет на свое отражение, держа его двумя руками, как в западных боевиках, которых она до тошноты насмотрелась во Франции.

— Одно движение — и ты труп! — крикнула она, ловко, как в кино, передернула затвор, целясь в зеркало, чуть согнула колени и сделала вид, будто нажимает на спусковой крючок. — Пух-пух-пух!.. А-а!

Она основательно глотнула из горлышка.

— За процветание будущей мадам Ленуар! — Взгляд ее упал на помадные каракули, которые она с трудом разобрала. — И за погибель Воронова! Пух-пух-пух! — Она опять как бы выстрелила в зеркало и расхохоталась. — А ты что ждал? Что я заплачу и вот так сделаю? — Она поднесла пистолет к виску и тут же отдернула.

Господи, какая идиотка! Внимательно рассмотрев пистолет, Елена отвела рычажок внизу рукоятки, и на ладонь ей выпала обойма с патронами.

— Вот так-то лучше, — заметила она, положила обойму на полочку рядом с бутылкой и вновь шутя поднесла пистолет к виску.

Звякнул дверной звонок. От неожиданности палец на крючке дрогнул. Оглушительно хлопнул выстрел. На мгновение увидев в зеркале чье-то безмерно удивленное лицо, Елена рухнула на пол.

Гейм, сет и матч.


# VIII

Павел взбежал по лестнице широким шагом, перемахивая через две ступеньки. Дыхания не хватало, сердце отчаянно колотилось в груди, его судорожные ритмы отдавались в ушах несказанными словами: «мать-отец? мать-отец? мать-отец?..» В хаосе мыслей, не оставлявшем его с того момента, как он снял телефонную трубку, этот двойной вопрос всплывал неизменно, терзая неизвестностью. Такой вызов мог быть обусловлен только *самой серьезной* причиной. Так с кем же из них произошло *это*? Мать или отец? Несколько раз он ловил себя на позорной мысли: «Лучше бы мать...», но мгновенно пресекал ее. Опомнись, это же мать, не кто-нибудь. Господи, сделай так, чтобы это был не кто-то из них. Только не отец... и не мать...

Задыхаясь, он остановился перед закрытой дверью квартиры, по краям которой стояли двое — один в милицейской форме, другой в штатском.

— Нельзя сюда! — сурово сказал милиционер, а штатский одновременно произнес участливым голосом:

— Вы Чернов? Павел Дмитриевич?

— Да...

— Проходите! — Штатский широко распахнул дверь.

В прихожей толпился народ: милиция, соседи, видимо, понятые, люди в штатском. Павел рванулся на вспышку фотоаппарата, осветившую место в дальнем конце прихожей, в нескольких шагах от него. Люди расступались, и Павел оказался один на один с неестественно растянувшейся на полу фигурой. Ноги подогнуты. Удивленно смотрят в потолок огромные, застывшие глаза. Руки раскинуты в стороны, одна сжимает отцовский пистолет. Под головой темная лужица, а в виске — черная дыра с остановившейся, остывшей кровью. Елка. Вымолил! И тут на Павла обрушился шквал звуков, нестройных, нескоординированных, перекрывавшийся нечеловеческими воплями из спальни, в которых он с трудом узнал голос матери и выхватил слова: «Леночка... о-о-о!.. Леночка, родная... о-о-о!»

Кто-то тихонько тронул его за плечо.

— Павел Дмитриевич?

Павел обернулся. Перед ним стоял невысокий крепкий мужчина в штатском, лет сорока на вид.

— Старший следователь прокуратуры Чернов Валерий Михайлович, — представился мужчина. — Ваш однофамилец. Пойдемте в комнату. Несколько вопросов, если позволите...

— Как... как это произошло? — спросил Павел.

— Пойдемте, — повторил следователь.

— Я хочу видеть отца, — сказал Павел.

— Пожалуйста, — кивнул следователь. — Он у себя в кабинете. Лучше бы его не тревожить сейчас, но вам можно... Потом выходите сюда. Я жду вас.

Павел вошел в гостиную, где за столом сидело несколько мужчин с бумагами, чемоданами, двое из них были в белых халатах. Он прошел мимо и открыл дверь в кабинет.

Отец, прямой как палка, сидел за столом и застывшими, почти как у Елки, глазами смотрел в никуда. Ящики стола были открыты, на полу валялись бумаги, папки, но крышка стола была чистой. На ней прямо перед Дмитрием Дормидонтовичем лежала одна-единственная бумажка. Павел заглянул через плечо отца и прочел написанные четким отцовским почерком слова:

«В Центральный Комитет Коммунистической Партии Советского Союза. В Ленинградский областной комитет КПСС. От Чернова Дмитрия Дормидонтовича. Заявление. В связи с преступной халатностью, проявленной мной при хранении личного оружия, прошу освободить меня от обязанностей второго секретаря Ленинградского областного комитета КПСС. 7 ноября 1979 года. Чернов».

— Отец! — позвал Павел.

Тот не шелохнулся. Павел приблизился еще на полшага, положил руку на неподвижное плечо отца, постоял так. Отец поднял руку, положил ладонь на руку сына и слегка сдавил ее пальцами.

— Спасибо... — чуть слышно прошептал он. — Теперь иди.

Павел молча, на цыпочках вышел и вернулся в гостиную, где ждал его однофамилец-следователь. Они прошли в комнату, которая когда-то была его, Павла, комнатой, потом Елкиной, потом была частично переоборудована Лидией Тарасовной под свой уголок.

— Здесь нам никто не помешает, — сказал следователь, уселся за резной чайный столик и жестом пригласил Павла присесть напротив.

— Как это произошло? — повторил свой вопрос Павел.

— Откровенно говоря, это еще предстоит выяснить, — ответил следователь. — Есть некоторые странности... На данный момент у меня есть две версии происшедшего.

Скорее всего, смерть вашей сестры наступила в результате неосторожного обращения с оружием. Она пришла сюда, открыв дверь собственным ключом, выпила бутылку кагора и примерно две трети бутылки ликера или как его там... в общем, «Дюбонне». Залезла в ящик стола Дмитрия Дормидонтовича, нашла там пистолет, стала баловаться с ним перед зеркалом и...

— Чушь какая-то, — сказал Павел. — Это так не похоже на Елку... на Елену.

— В том-то и дело, — согласился следователь. — Пока мне удалось опросить только соседей, свекровь потерпевшей — впрочем, от нее было мало толку — и некоторых прибывших на место происшествия... скажем так, коллег вашего отца, и на основании их показаний у меня тоже сложилось несколько иное представление о личности потерпевшей. Скажите, Павел Дмитриевич, летом одна тысяча девятьсот семьдесят шестого года с ее стороны имела место попытка самоубийства?

— Да, — прошептал Павел.

— Причина?

— Личная. — Павел сжал губы.

— Понятно. А скажите, пожалуйста, она знала, что у Дмитрия Дормидонтовича есть именное оружие?

— Наверное. Не знаю. Мы эти вопросы не обсуждали. Я знал.

— Давно знали?

— Пожалуй, с детства.

— И?..

— Простите?

— Не возникало желания... ну там, пострелять по банкам или перед сверстниками похвастаться?

— Нет. Вещи отца были для нас неприкосновенны. И потом, сколько себя помню, я никогда не любил оружия.

— Но пользоваться приходилось?

— Да. В экспедициях.

— Итак, насколько я понимаю, вам неизвестно, знала ли потерпевшая о наличии в доме оружия?

— Неизвестно.

— Так... А скажите, какие отношения были у Елены Дмитриевны с ее мужем, Вороновым Виктором Петровичем?

— Не знаю. Понимаете, последние годы мы были не особенно близки с сестрой. А Воронова я видел всего один раз — на их свадьбе, год назад. И сестру я с тех пор не видел. Завтра собирались встретиться... А вышло сегодня.

Павел замолчал. Следователь не торопил его. Лишь когда Павел достал из кармана сигареты, однофамилец из прокуратуры щелкнул зажигалкой, давая прикурить, и спросил:

— Она не могла повторить попытку самоубийства... по личной причине?

От неожиданности Павел поперхнулся дымом. Откашлявшись, он сказал:

— То есть из-за Воронова? Я сомневаюсь.

— Почему?

А что толку отмалчиваться... теперь? Елке все равно не поможешь.

— Понимаете, тогда, после первого случая, она сильно переменилась. Мне кажется, что она вообще утратила способность чувствовать. Любить, во всяком случае... Впрочем, я не знаю, что с ней было во Франции...

— А вы обратили внимание на зеркало? — неожиданно спросил следователь.

— Нет, а что?

— Там была надпись, сделанная губной помадой.

— Надпись?

— Да. «Прощай, изменщик коварный!»

Павел невольно улыбнулся.

— Это из какого-то мещанского романса. Елка... то есть Елена могла такое написать только в шутку.

— Хороша шутка! Однако же мать Воронова показала, что по возвращении из Парижа ее сын несколько дней отсутствовал, а потом пришел и заявил Елене Дмитриевне, что уходит к другой женщине.

— Вот как? Я не знал. И как она к этому отнеслась?

— Спокойно собрала мужу чемоданы и выставила его за порог.

— Вот видите! Даже если Воронов и ушел к другой, стреляться из-за этого она не стала бы.

— Я тоже склоняюсь к такому выводу. Тем более что ваша сестра, прежде чем воспользоваться оружием, вынула из него магазин с патронами.

Павел изумленно посмотрел на следователя.

— Тогда как же?..

— Видимо, до того она случайно передернула затворную раму и послала патрон из магазина в патронник. Потом она вынула из пистолета обойму, но не учла, что один патрон остался в стволе...

— Значит, все же неосторожное обращение? А может быть, был еще кто-то, и она не сама?..

— Теоретически не исключено. Однако ваши родители услышали выстрел, входя в квартиру. То же услышали и соседи. Некоторые даже выскочили на площадку. В это время или после никто не мог выйти из квартиры незамеченным. Конечно, гипотетический убийца мог, к примеру, сделать выстрел через подушку и уйти, оставив капсюль с детонатором в стенных часах или, скажем, под дверным ковриком. Но это уже из области детективной фантастики... Разумеется, мы проведем тщательную экспертизу вещдоков, но убежден, что никаких следов присутствия второго лица обнаружено не будет...

Их разговор прервался диким криком из прихожей. Оба вскочили и выбежали туда. Трое здоровенных ребят — один в белом халате, один в милицейской форме, один в штатском — из последних сил удерживали извивающуюся всем телом Лидию Тарасовну, в лице которой не осталось ничего человеческого. Четвертый стоял у стенки, согнувшись и держась за живот. Ближе к дверям лежал неизвестный Павлу оборванец с разбитой головой. Рядом с ним валялась тяжелая стойка для чистки обуви. На шум выбежали люди из гостиной. В прихожей стало тесно.

— Спокойно! — крикнул следователь и протиснулся к группе, держащей Лидию Тарасовну. — Что тут произошло? Насибов? — обратился он к штатскому.

— Да вот, — начал он и тут же взвыл от боли.

Вопрос следователя отвлек его внимание, он ослабил хватку, и Лидия Тарасовна, изловчившись, ударила его ногой.

— Что стоите столбами?! — заорал следователь на столпившийся народ. — Кто-нибудь, смените Насибова, подержите ее! А к этому врача, срочно!

Ближайший к группе милиционер схватил Лидию Тарасовну за руку и лихо заломил за спину. Мать Павла согнулась и зашипела.

— Осторожней, дуболом, руку сломаешь! — крикнул следователь и вновь обратился к Насибову, потирающему коленку. — Рассказывай!

— Ну, мы, в общем... После уколов она вроде успокоилась, стала просить вывести ее сюда, посмотреть на дочь, проститься... Ну, она встала, мы вышли, а тут как раз открывается дверь и на пороге этот. Мы и глазом моргнуть не успели, а она вырвалась, схватила подставку и зафигачила ему в голову...

— Молодцы! — саркастически заметил Чернов-следователь. — Увести ее в комнату! — крикнул он, пробираясь вместе с Павлом к дверям. — Врача туда, укол посильнее, чтобы вырубилась!.. С этим что? — спросил он, показывая на лежащего возле входа мужчину.

— Без сознания, — сказал врач, сидящий на корточках возле неизвестного. — Сильная травма головы, кровотечение. Возможно повреждение черепа, сотрясение мозга наверняка. Пульс, дыхание есть... Пьяный он, Валерий Михайлович.

— Понятно, — сказал следователь. — Перевязать, ну и все, что полагается... Вызвать третью «скорую».

— Зачем третью? — спросил врач.

— Этого в травму, Чернову в психиатрическую, и глаз с обоих не спускать. Воронову — к нам, в прозекторскую... Извините, — сказал он, обращаясь к Павлу. — Недоглядели, козлы! Народу столько, путаются только под ногами, мешают работать... Подойдите сюда, пожалуйста. Узнаете его?

— Нет, — сказал Павел, но подошел, пригляделся. — Хотя стойте, это, кажется, Воронов... Надо же. А год назад был такой холеный...

— Вы уверены, что Воронов? — пристально глядя на Павла, спросил следователь.

Павел пожал плечами.

— Точно Воронов, — подтвердил стоящий у двери милиционер. — Он сам так назвался. Говорил, что муж, просил пустить...

— Разберемся, — хмуро посмотрев на милиционера, сказал следователь. — Еще раз извините, Павел Дмитриевич, сами видите... Голова кругом... Вы можете идти.

— Как это идти? — не понял Павел.

— Домой. Завтра-послезавтра продолжим разговор в прокуратуре. Или могу к вам заехать...

— Да как же я пойду? А отец?

— Тогда пройдите к нему, пожалуйста, — сказал следователь. — Надо здесь заканчивать поскорее, протоколы составлять, всякое такое. А то еще что-нибудь произойдет... Где этот... ну, гэбист, Фролов? — спросил он какого-то молодого человека, выходящего из гостиной.

— Там. — Молодой человек показал себе за спину. — Бумаги пишет.

Следователь вздохнул.

— Пойду... вопросы согласовывать. А вы идите, Павел Дмитриевич.

— Я на кухне посижу, можно?

— Эй, с кухней кончили? — крикнул следователь в пространство.

— Кончили, — ответил стоящий рядом молодой человек. Следователь вздрогнул и укоризненно посмотрел на него.

— Можно, — сказал он Павлу.

Павел вышел на кухню и закурил. Ну вот! Собственная семья не состоялась, а теперь и родительская рухнула. Ушла Елка. Одного взгляда на мать достаточно, чтобы понять, что и она уходит безвозвратно. Отец... он остается. Но одному Богу известно, каким он будет теперь, без работы, без семьи...

— Ну уж нет! — прошептал Павел. — Его мы с Нюточкой вам не отдадим...

И погрозил кулаком в ночную темноту.

Он и не заметил, как опустела квартира. Кто-то совал ему на подпись какие-то бумаги — он подписывал, не читая. В прихожей шумели, топали, переговаривались. Сознание его безучастно отмечало: вот выносят Елку, вот — мать, обездвиженную, вырубленную лошадиной дозой какой-то гадости, вот хлопают двери. Раз, другой, третий. И стало тихо. За пределами кухни громоздилась тьма, обволакивающая, приглушающая звуки.

Павел вышел в темную прихожую, щелкнул выключателем. Из зеркала на него глянул бледный, тощий сутулый субъект средних лет с черными мешками под глазами. Павел поспешно перевел взгляд выше, прочел корявую красную надпись: «Прощай, изменщик коварный!», вздохнул, сделал два шага в ванную, сорвал с вешалки банное полотенце, занавесил им зеркало и отошел за меловую черту, обозначившую контуры совсем недавно лежавшего здесь тела. Тела...

Павел рванулся к телефонной тумбе, распахнул дверцы, вытащил старую, истрепанную записную книгу и раскрыл на букву «Р». Есть! Он набрал давно забытый номер. Трубку сняли после первого же гудка.

— Рива Менделевна! Здравствуйте, это Павел Чернов. Поздно? Извините, что разбудил... Вы не спали? Будьте любезны, адрес Лени и телефон, если есть... Да, очень срочно.

Павел записал адрес — своего телефона у Рафаловича не было. Он хотел сразу позвонить на телеграф, но передумал. Лучше сходит завтра утром, с бумагой, подтверждающей... Нет, все-таки не укладывается в голове. И что с того, что в последние годы сестры в его жизни как бы и не было? От этого только хуже. Если бы чаще был рядом, старался помочь, понять, может быть, и не было бы сегодняшнего... Ладно, что теперь толку.

Павел расправил плечи и через темную гостиную прошел в отцовский кабинет. Дмитрий Дормидонтович сидел все в той же позе. Но папки и листочки были подобраны с пола и аккуратно разложены на столе, рядом с заявлением.

— Чай будешь? — спросил Павел. — Я поставлю.

Дмитрий Дормидонтович будто и не слышал его вопроса. Павел терпеливо ждал. Прошло минуты две, потом отец медленно-медленно поднял голову, посмотрел на него.

— Чай? — переспросил он чужим, сиплым голосом. — Чай не буду.

— Тогда иди спать. Прими радедорм или реланиум и ложись.

— Спать, — повторил отец. — А ты?

— Я тоже, — сказал Павел. — Дам тебе лекарство, покурю и лягу.

— Да. А Лида?

— Мама в больнице. Ей так лучше.

— Лучше...

Дмитрий Дормидонтович поднялся. Павел подхватил его под плечо, желая помочь, но отец отвел руку.

— Сам, — сказал он и вышел на негнущихся ногах.

Павел посмотрел ему вслед, послушал шаркающие шаги, потом шум воды из ванной.

Вот черт, забыл, где в этом доме держат лекарства... В спальне, наверное.

Похороны, как и свадьба, с которой минул год и десять дней, были скромными и малолюдными. Не было ни оркестра, ни скорбных речей. Собравшиеся помолчали перед раскрытой могилой, кинули на гроб по горстке земли, украсили холмик цветами и венками, постояли еще немного, глядя на увеличенную старую фотографию улыбающейся Елены, и разошлись, кто на поминки к Чернову, а кто по домам. Кроме Дмитрия Дормидонтовича и Павла пришли две приятельницы Елены по институту, человек шесть соседей, горько причитающая мать Воронова в черном платке. Обком был представлен верной Мариной Александровной, которая пришла с мужем, — оба выглядели постаревшими, растерянными, — несколькими машинистками, буфетчицей, уборщицей и двумя офицерами Девятого управления, которым присутствовать здесь полагалось по должности. Никто из чинов, несмотря на то что отставка Дмитрия Дормидонтовича еще не была принята официально, не приехал. С комбината, где работала Елена, прибыл главный технолог Левский, месткомовский деятель, явившийся с казенным венком из пластмассовых цветов, и неприметная старушка Хорольская. Больше из отдела не пришел никто, хотя о трагической гибели их сотрудницы извещало траурное объявление в холле комбината. Таково было коллективное решение работников отдела, потрясенных сначала жалким видом вернувшегося из Парижа Воронова, а потом и рассказами Кузина, которому Воронов незадолго до неожиданной смерти жены два дня подряд изливал душу за бутылкой. Лидию Тарасовну, находившуюся в невменяемом состоянии в больнице, врачи категорически запретили везти сюда. И еще рядом с Павлом и Дмитрием Дормидонтовичем стоял неизвестный никому более морской офицер, третьим, после отца и брата, бросивший на гроб горсть земли.

Даже Марина Александровна узнала в нем Рафаловича только на поминках.

Леня заматерел, сильно раздался вширь, начал лысеть. Телеграмма Павла застала его за очередным сбором чемоданов в Москву, по казенной надобности. В Ленинград он вырвался уже из столицы, всего на день. Помянув Елку вместе со всеми, он извинился и пошел одеваться — перед отъездом надо было еще заглянуть к родителям. Павел проводил его в прихожую.

— Знаешь, Поль, спасибо тебе, — сказал Рафалович на прощанье. — За все эти годы я старался забыть Елку и, как мне казалось, забыл. Но все равно что-то такое скребло в душе. Теперь этого нет. Простившись с Елкой, я с прошлым простился, освободился от него. Спасибо. И извини, что в такой день я о себе...

— Это нормально, — сказал Павел. — Скажи хоть кратенько, как ты вообще?

— Нормально. Служу.

— Не женился еще?

— На грани... Кстати, она из нашей школы. На два класса младше нас.

— Совсем мелюзга. — Павел грустно улыбнулся. — Наверняка не помню.

— Училась вместе с Таней, сестренкой Ника Захаржевского. Ее-то ты помнишь, надеюсь?

Павел сглотнул. Хороший вопросик, ничего не скажешь... Да, но ведь Ленька три года жил на Севере, ни с кем из старых друзей не общался и не знает ничего.

— Смутно, — ответил он, отводя взгляд.

— Да-а, — протянул Леня. — Вот так оно все и забывается, и друзья, и любимые женщины. Даже Елку помянуть никто не пришел... Кстати, я понимаю, что сейчас не подходящий момент об этом говорить, но почему бы нам в следующий мой приезд не собраться всей компанией?.. В смысле, кто остался, — смущенно добавил он.

— Да для меня, в общем-то, никого и не осталось, разве что ты снова появился...

Леня моргнул.

— Как же... как же так? Вы-то никуда не уезжали. И Ванька здесь, и Ник, кажется, тоже — я его имя в титрах одного фильма видел, ленинградского...

— Так получилось, — помолчав, сказал Павел. — Ни того, ни другого видеть я не хочу... Потом расскажу, ладно?

— Ладно. Родителей береги... Скоро увидимся — у меня следующая командировка в январе намечается. Тогда и поговорим, добро?

— Добро, — сказал Павел и крепко пожал протянутую руку. — Будь счастлив, Фаллос!

Ленька притворно нахмурился, потом подмигнул Павлу и вышел.

Нет, в следующий приезд надо, обязательно надо поднять старых друзей. Если вместе не хотят, то хотя бы поодиночке. Узнать, как они теперь — Ванька, Ник... Сестренка его, красотуля рыжая... И Таня, Ванькина жена — лучшее, пожалуй, воспоминание в его жизни. И самое сокровенное. Нигде и никому — ни в кругу друзей-офицеров, боготворивших актрису Ларину и смотревших фильмы с нею по несколько раз, ни многочисленным своим дамам, ни, упаси Боже, Лиле — не говорил он, что знаком с ней лично, что даже... Впрочем, тогда был случай совсем особый. Если бы не Таня...

Рафалович уходил с поминок первой своей любви, едва не погубившей его, с воспоминаниями о любви второй, воскресившей его, — любви потаенной и заветной.

«Нехорошо, — внушал он себе, кутаясь в воротник от пронизывающего ноябрьского ветра. — Я простился с Елкой, с Елкой... Вот в этом дворике мы сидели, болтали, обнимались... Вот у этого метро так часто встречались и расставались... А дальше будет мост, и если за мостом повернуть направо и пройти до Крестовского — там упрешься в забор больницы, где мы с Таней... Нет, нельзя о Тане...»

Но в душе он похоронил Елену уже давно, навсегда простился с нею в ту ночь, когда сам надумал уйти из жизни — а вместо этого воскрес для новой жизни. Благодаря Тане Лариной...

Люди потихоньку расходились. Соседки собирали со стола посуду, относили на кухню, мыли. Павел помог вытирать тарелки и рюмки, пока Вероника Сергеевна, одна из соседок, не отправила его в гостиную, к отцу. Дмитрий

Дормидонтович сидел за чисто прибранным столом, на котором остались лишь прикрытая кусочком хлеба рюмка водки и старая фотография юной, улыбающейся Елки. Павел сел рядом.

— Вот так-то, — вздохнул Дмитрий Дормидонтович, не отводя глаз от фотографии. — Эх, Ленка, Ленка, не думал я, не гадал, что ты первая из Черновых ляжешь в землю ленинградскую... Кто следующий? Мой черед, наверное...

— Это ты брось, отец, — сказал Павел. — Нас, Черновых, голыми руками не возьмешь. Помнишь, ты же сам говорил так? Мы еще повоюем.

— Повоюем... — повторил Дмитрий Дормидонтович и только затем поднял глаза на сына. — Ты вот что, Павел... Хватит тебе по чужим квартирам мыкаться. Перебирайся-ка с Нюточкой ко мне. Места хватит. И няне тоже. Да и я хоть с внучкой повожусь вдоволь на досуге-то. Все веселее будет, чем одному век доживать. Лида-то, как я понимаю, теперь уж не скоро из клиники выйдет. Да и выйдет ли вообще?.. Хоть и не было никогда между нами любви, а все же без году тридцать лет с ней прожили, привыкли...

Павел изумленно посмотрел на отца.

— Как это так не было любви? Что ты говоришь такое?

— Ну-ка посмотри там, водочки после гостей не осталось? Налей мне...

— Стоит ли?

— Сегодня можно.

Дмитрий Дормидонтович выпил принесенную Павлом рюмку, на закуску понюхал сигарету, закурил.

— С Лидкой познакомились мы в сорок девятом, зимою. Я тогда первый год на Уральском Танковом директорствовал. Случилась у нас тогда большая беда — в литейном печь взрывом разнесло, газами, мастер недосмотрел. Шесть человек погибло. Приехала по этому поводу из Москвы комиссия. Важная комиссия. Во главе ее был полковник МВД, фамилию не помню, да и неважно это, не он все решал, а его заместитель, майор внутренних войск Чибиряк Лидия Тарасовна. Фигура по тем временам легендарная. Молодая, гонкая, ретивая. Сколько людей по этапу отправила на верную смерть, загубила по пустым наветам... У самого генерала Мешика в боевых подругах ходила. Слыхал про такого? Правая рука самого Берии, их потом вместе и расстреляли в пятьдесят третьем. Знающие люди мне тогда сочувствовали, говорили, что если уж в комиссии сама Чибиряк, то головы мне не сносить. Полковник-то, формальный начальник ее, на заводе и вовсе не показывался, зато она расположилась, как нынче говорят, с комфортом, в моем кабинете. Туда и тягала людей по одному. Они с этих допросов возвращались не в себе. Мне тоже несколько раз довелось — приятного мало. Короче, под конец следствия вызывает она меня. Сидит, развалясь, в моем же кресле, перед нею на столе наган, а по бокам — два протокола лежат. Одинаковые две бумажки, только написано в них совсем разное. В одной все как есть: преступная халатность мастера, перегревшего пустую печь после плавки, формулировка, статья. А в другой — акт саботажа со стороны главного инженера с попустительства директора. Страшная бумага. По тем временам по четвертаку обоим, не меньше. А главный у меня — из старых спецов, пожилой, больной, но голова золотая... Читаю я, значит, а Лидка смотрит на меня, усмехается. Ну, говорит, который из двух к делу приобщать будем? Этот, говорю, и на первый показываю. Там все правда, от слова до слова. Можно, говорит, и этот, только при одном условии. И излагает все открытым текстом — как сразу на меня глаз положила, молодого-неженатого, как появилось у нее желание из генеральской любовницы стать директорской женой, как не любит она, когда ее желания не исполняются... А сама то один протокол к себе придвинет, то другой. Думает как бы — и вслух. Если, говорит, вот этому ход дать, то отъедет наш директор на чудную планету Колыма за казенные харчи золотишко мыть, а если вот этому — останется он при своих, но недолго, потому что скоро в гору пойдет, и всего-то у него в избытке будет... И все на меня косится... Не выдержал я тогда, подписывай, говорю, тот, в котором правда. Сдаю вашей конторе мастера, сам виноват, раззява, а тебе — себя сдаю, со всеми потрохами, на растерзание. А Лидка смеется... Короче, вышел я оттуда женихом, и первым делом помчался к невесте своей любимой...

— У тебя и невеста была? — с беспредельным состраданием глядя на отца, спросил Павел.

— Была. Молоденькая совсем, красивая, умница... Я ведь на завод-то прямо с институтской скамьи попал в самом начале войны. Тогда там, в Нижнем Тагиле, танковое производство только разворачивали, на базе Уралвагонзавода и эвакуированного Сталинградского тракторного. Одни цеха полностью переколпачивать приходилось, под другие чуть не голыми руками котлованы в мерзлой земле рыли. Тогда не до любви было, а потом — и тем более. Это уже позже, много после войны, стал я на женщин засматриваться. Самому тогда уж тридцать стукнуло. Господи, думаю, а машинистка-то у меня до чего же славная... Ну и пошла у нас любовь, и было все хорошо, пока Лидка не появилась... В общем, прибежал я в домик к зазнобе моей, все ей выложил. Она, милая, все поняла, простила меня, только всплакнула немножко. Хоть ты, говорит, и чужой теперь будешь муж, я все равно не брошу тебя, с тобой останусь до гроба. Не прогоняй меня, говорит, хоть глядеть на тебя буду на работе — и то счастье. Знаю же, что не по своей воле ты к другой уходишь... Короче, мастера арестовали и увезли, а через месяц вызвали меня в Москву, с Лидкой расписываться. Начальство по плечу хлопает, молодец, говорит, из-под самого Мешика бабу вынул, теперь непременно жди повышения. И точно — я на Урал, а за мною следом бумага из Центрального Комитета: возвращаться за новым назначением в Москву, а оттуда отбыть в Ленинград. Не захотела, видишь ли, Лидка на Урале жить, а с Москвой не вышло что-то... Вот так я тут и оказался. Поначалу была не жизнь, а каторга — на работе все кланяются, стелются до земли, а домой пришел — сам изволь стелиться, а чуть что не по ней, кричит, Павлику отзвонюсь, он тебя в бараний рог. Это она про Мешика своего всемогущего. И тебя, кстати, в его честь велела Павлом назвать, а прежде того не было у нас в роду ни одного Павла. Потом, правда, после известных событий, присмирела. Я тогда даже разводиться хотел, но тогда уже новое место держало — разведенных на таких постах держать не любили, — да и пообвык уже, притерпелся. К тому же был ты, да и Ленка в проекте. Надо было семью сохранить. Одну только поблажку дал себе — выписал с Урала ненаглядную мою, устроил к себе в секретарши, а чтобы кривотолков каких не возникло, замуж ее определил за хорошего человека, инженера нашего, он давно по ней сох... Так что и с ней, милочкой моей, тоже почти тридцать лет не расставался, с Мариночкой...

— Что?! — воскликнул Павел.

— Да-да, с Мариной Александровной.

— Так что же, Иван?..

— Нет, нет, по срокам не получается. После того как она за Ларина своего вышла, у нас с ней ничего не было. Мне хватало того, что каждый день на работе личико ее милое видел... да когда с Лидкой ложился, закрывал глаза, бывало, и представлял, что это Мариночка моя подо мной...

Павел был потрясен исповедью отца. Сколько он помнил себя — а стало быть, и отца, — тот ни словом, ни жестом, ни намеком не выдал своей тайны, все эти годы носил в себе такую боль...

— Бедный ты мой! — сказал он, обнимая отца за плечи. — Но теперь все будет иначе. Теперь с тобой мы! •

— Кто это мы?

— Мы с Нюточкой. Привыкай, батя, быть дедом.

А на опустевшем к вечеру кладбище, на свежей могиле Елены Дмитриевны Черновой среди подмерзших цветов ничком лежал небритый человек с перевязанной головой и в донельзя испачканном дорогом пальто. Он рыдал, рыдал громко, не стесняясь и не стыдясь. И только по этим рыданиям сторожа, запиравшие кладбище на ночь, нашли Виктора Петровича Воронова, подняли с земли и вывели за ворота. Он подождал, когда они запрут тяжелый засов и уйдут, потом посмотрел на стену, покачал головой, всхлипнул и побрел в направлении от города.

## IX

Ноябрь окунул город в продергивающий до костей холод. Свирепые ветра ватагой неслись с Финского залива, и мотыляли по проспектам обрывки шариков и гигантских тряпичных гвоздик еще долго после демонстрации трудящихся. Потом исчезли и они.

Таня лениво озирала из окна сонный Питер, не отмечая ни мрачных дней, ни тяжелых ночей. Все чаще приходили кошмары, давили унылыми видениями, приоткрывая завесу над царством мертвых. Подступали тихие и безгласные, мутно-прозрачные в кромешной темноте. Что-то сгущалось вокруг, падало сверху, будто тень незримого крыла. Мертвыми знамениями врезались в подсознание слухи и новости, обволакивающие с разных сторон: то там кто-то умер, то этот усоп. И Тане нестерпимо хотелось заглянуть в запредельное, потрогать кончиком пальцев костлявую за нос.

Пустота звала: «Пойдем!», но тут же появлялась старая знакомая ведьма с пронзительными глазами, без всякой укоризны, злорадно ухмылялась, предупреждая, что не настал еще срок.

Для Тани уже не существовало слова «надо», даже в бренных удовольствиях она не видела никакого смысла. До недавних пор она придумывала простейшие способы поисков заработка, помогала Якубу добывать денег. На кайф их уходило немерено, благо налаженные каналы поставки и сбыта давали крутые возможности снимать сливки. Давно прошло то время, когда Таня следила, чтобы дом не превратился в барыжную лавку. Но незаметно стали захаживать напрямую наркоманы, а теперь и это обрыдло, вместе с самим Якубом и его подругой. Раз, не выдержав какой-то мелочной непонятки, Таня напустилась на парочку, намекнув, что выставляет их за дверь. В результате осталась одна в пустом доме. В холодильнике гулял сквозняк, в раковине башней выросла гора немытой посуды, под ванной кисло, покрываясь плесенью, замоченное белье. Только маковые поля были местом пребывания Тани, только этот запах был родным и ничто другое более не тревожило ее когда-то острый и жаждущий приключений рассудок.

Однажды Таня заметила, что опий вышел, и полезла в общаковый тайник. Она нюхнула чистый, без всякой примеси порошок. Слизистую обожгло. «Дерзкий», — подумала Таня, определяя дозу на глаз. Опасения, не многовато ли, при этом не было. Как это часто случается с теми, кто знает тайную прелесть всякого наркотика, Таню так же вело стремление достичь вершинки познанного однажды блаженства, поэтому она попросту откидывала всякое чувство страха за собственную неповторимую жизнь. Вместо инстинкта самосохранения работало эрзац-сознание: а будь что будет.

Удерживая последним усилием воли тремор, Таня с мазохистским наслаждением шарила концом иглы на почерневшем рекордовском шприце в поисках рваной, затянувшейся малиновыми синяками вены. Не найдя ее на сгибе, она решительно, прикусив губу, воткнула ту же иглу в кисть. Попала. И побежала теплым туманом надежды по кровяным сосудам угарная эйфория. Метнулась мысль о вожделенном пределе. Предметы и мебель поехали перед глазами, разъезжаясь серебристой рябью. Пространство и время соединились в светящейся дымке. Горло сдавило. Откуда-то издалека пришли чужие голоса: «Ау!» — «Как ты тут?» — «Мы только вещички забрать...» — «Э, она уже тащится!» — «Слушай, а на нашу долю осталось?» — «Иди шприцы вскипяти...» Опрокидываясь навзничь, Таня охнула, а руки неестественно, как чужие, не принадлежащие ее телу, еще цеплялись за воздух. Звенело в ушах. Постепенно частоты падали до ультранизких, гудящих монотонным колоколом под самой теменной костью. Дыхание судорожно останавливалось, и где-то далеко, неровно и замедляя темп, ударял сердечный маятник, отсчитывая, как кукушка, последние секунды жизни. Она даже не раздвоилась, а их стало множество: одна болталась под потолком, безумно хохоча над собственным телом внизу, и выговаривала второй — той, что философски застыла, съежившись в красном углу: «Это смерть, но еще рано, пора ведь не пришла». И все эти Тани, собираясь в одну, вылетели, как ведьма в трубу, увидели с непомерной высоты дом, людей, занимающихся своими делами, как пчелы в сотах улья. Хотела было найти знакомых, крикнуть на прощанье — и оказалась в радужном коридоре, где не было углов, а бесконечные стены, словно сделанные из плазменной ткани, переливались фиолетовыми искрами и зелеными огоньками. Все дальше и дальше улетала Таня, гул нарастал, но было легко и свободно. Где-то там впереди должен быть свет. Но он не приближался. Наоборот, все больше сгущалась бездна тьмы. И в монотонном гудении стал отчетливо слышен родной бас-профундо:

— Здравствуй, доченька…

И безумный хохот бился эхом, дребезгом обрушивался со всех сторон…

Конец этого жуткого года ознаменовался разными хлопотами, и, погрузившись в них с головой, Павел уповал лишь на то, что год уходящий не принесет еще каких-нибудь потрясений.

Он носился то в мастерскую, где отобрал камень для памятника Елке — серую с красными прожилками мраморную глыбу — и в два приема внес аванс за его изготовление, то в больницу к матери, которая не узнавала его и упорно называла или «товарищ генерал», или «доченька», то на дачу в Солнечное, которую предписывалось освободить к Новому году, понемногу вывозя оттуда всякую мелочь — книги, посуду, белье.

Дело по факту гибели Елены Дмитриевны Черновой было прекращено за отсутствием состава преступления. Заявлению Дмитрия Дормидонтовича вышестоящие инстанции решили ходу не давать, а отправить его на пенсию по состоянию здоровья. Ему даже предложили вариант отправиться послом в Народную Республику Габон, но он отказался. Великодушие начальства простерлось до того, что вместо казенной дачи в Солнечном Чернову был предложен «скворечник» с участком в восемь соток на станции Мшинская, а вместо казенного автомобиля — «Жигули» по специальной «распределительной» цене — шестьсот рублей. Должностной оклад сменился союзной персональной пенсией. За ним сохранили городскую квартиру, пожизненное право пользования распределителем, поликлиникой и больницей. Могло быть и хуже.

В начале декабря Павел перевез вещи и Нюточку с Ниной Артемьевной из квартиры Лихаревых в отцовскую. Дочка с няней заняли родительскую спальню. Дмитрий Дормидонтович окончательно перебрался в кабинет. Павел поставил себе в гостиной тахту и школярский письменный столик, приобретенный специально, — роскошный стол из кабинетного гарнитура остался в квартире у Никольского. В Елкину комнату снесли вещи матери — все понимали, что она вряд ли когда-нибудь вернется сюда, но все-таки...

Нюточка самостоятельно внесла в новую для себя квартиру две вещи — пластмассовую корзиночку с любимым пупсом и свернутый в тугую трубочку календарь с «тетей мамой». Последний она велела повесить над своей кроваткой.

— Ванькина жена, — констатировал дед, увидев календарь. — Или уже бывшая, не знаю... Надо же, как жизнь все закрутила... И чего этому дуралею надо было? От такой девки ушел... или она от него.

— От одной ушел, к другой пришел... — тихо сказал Павел. — Бог с ними, может, хоть у них все сладится...

— У кого? У Ваньки с Татьяной твоей? Ничего у них не сладится, не сладилось уже. Ты что, не знал?

— Нет. А что?

— Выгнала она его, еще в начале осени. К отцу с матерью приперся, ободранный, жалкий, больной. Еле дошел и на пороге сознание потерял. «Скорую» вызвали — и в больницу. Нервное истощение, тяжелое алкогольное отравление... И, говорят, еще кое-что...

— Что?

— То, что, по словам начальства, существует только на гнилом Западе... Наркоту жрал Ванька... Эпилептические припадки с ним были, уже в больнице... Эх, будь я еще в силе, разобрался бы с этим змеюшником, что твоя благоверная устроила.

— Не надо, — тихо, но твердо сказал Павел. — Это их дела, и никого больше они не касаются. А если она чудит, так это от горя. Пойми ты, несчастный она человек, несчастнее всех нас.

— А ты — ты, что ли, счастливый? Знатно она тебя осчастливила!

— Да, — сказал Павел, глядя отцу прямо в глаза. — Представь себе, я счастливый. И осчастливила меня именно она... И хватит, не будем больше о ней, ладно?

«Старею, — подумал Дмитрий Дормидонтович, опустив глаза. — И не припомню, чтоб раньше меня кто в гляделки переиграл, а теперь — пожалуйста. И кто? Пашка, сынок родной!»

— Ладно, — пробурчал он... — Что-то счастье твое загуляло, пора бы ей уже того... на горшок и спать.

— Погоди, не купали еще... Если хочешь, можешь ее потом в полотенце завернуть и сюда отнести. Пусть к деду привыкает.

— Хочу, — сказал Дмитрий Дормидонтович. — Только ты вот что, Павел... Надо бы вам здесь прописаться поскорее, пока мы с матерью еще...

— Прекрати! — сказал Павел.

— Добро, только не кипятись. Скажу по-другому. Надо ведь и порядки соблюдать. Раз здесь живете — надо вам здесь и прописываться. Или с Татьяной своей за жилплощадь судиться собираешься?

— Нет, — сказал Павел. — Та квартира принадлежит ей и только ей.

— Ну так и выписывайся оттуда. Если для этого надо развод оформить — оформляй. Свяжись там с тестем, обсудите все... По процедуре, по имущественным претензиям.

— Нет у меня никаких претензий. Все свое я давно оттуда забрал.

— А у нее?

Павел озадаченно посмотрел на отца.

— Какие у нее могут быть претензии? Я ей все оставляю.

— Все, да не все... Надо так дело устроить, чтобы она Нюточку у нас не отсудила. В разводных делах обычно ребенка при матери оставляют.

— О чем ты говоришь? Не станет она отсуживать...

— Сейчас, может, и не станет. А потом? Кто знает, какой у нее переворот в мозгах произойдет? Вот и надо бы от нее бумажку на этот предмет получить, чтобы в суде к делу приобщили. Чтобы потом не возникала.

— Она не будет возникать, — сказал Павел. — Но я поговорю с ней...


До Тани он не мог дозвониться три дня. Никто не подходил к телефону. У Ады трубку поднял какой-то незнакомый молодой человек, назвался племянником Николая Николаевича, студентом из Одессы, и сообщил, что «старики» выехали в Цхалтубо лечиться грязями и приедут дней через десять. Про Таню он не знал ничего, а саму ее ни разу в жизни не видел.

На четвертый день после работы (а ведь была еще и работа, причем самая авральная: заканчивался год, подбивались бабки, составлялись отчеты, срочно ликвидировались накопившиеся за год недоработки) Павел решил сделать крюк и заехать к Никольскому, разобраться, что к чему, и, если Таня дома, переговорить с ней. На всякий случай он взял ключи от той квартиры, которыми не пользовался почти полтора года.

В окнах горел свет. Значит, дома. А на звонки не отвечает, потому что телефон не в порядке или на АТС что-нибудь. Бывает.

Павел вошел в подъезд, внизу аккуратно вытер ноги от налипшего снега, поднялся по знакомой чистой лестнице, остановился перед знакомой дверью, обшитой темной вагонкой. Позвонил.

Тишина.

Он позвонил еще раз, подождал, постучал. Отчего-то ему очень не хотелось доставать ключ, вставлять в скважину, отворять дверь. Показалось, будто за дверями притаилось что-то черное, страшное, поглотившее Таню и теперь готовое пожрать его, неосторожно сунувшегося туда, где ему быть не надлежит.

Павел вставил ключ в замок и повернул. Дверь бесшумно отворилась. Он вошел в ярко освещенную прихожую...

И тут же рванулся в уборную, еле успев добежать до унитаза.

В квартире стоял густой мерзкий, тошнотворный запах — миазмы разложения, падали, гнили. Выпрямившись, Павел еще некоторое время постоял над унитазом, глотая ртом непригодный для дыхания воздух, потом проскочил в ванную и, намотав на нос и рот полотенце, снова вышел в прихожую, а оттуда, пошатываясь, направился в гостиную.

Они лежали там. Ближе всех к дверям, на алом ковре ничком лежал посиневший труп мужчины, распухший настолько, что лопнула рубашка, обнажив волосатую, покрытую трупными пятнами спину. Павел перешагнул и устремился к дивану, где, уткнувшись в спинку мертвым лицом и свесив на пол непристойно заголенные синие ноги, лежал второй труп, женский.

— Таня! — крикнул Павел и, забывшись, вдохнул носом.

Даже через толстое полотенце он ощутил такую непереносимую вонь, что у него закружилась голова. Изо всех сил стараясь удержать равновесие, он осторожно подошел к лежащему на диване телу и потянул за халат на плече. Закоченевшее тело не поддавалось. Павел дернул посильнее, и оно с грохотом упало с дивана, показав Павлу страшное синее кукольное лицо с закрытыми глазами и блаженно оскаленным ртом.

«Это не Таня. Это не может быть Таня. Не она. Не она. Волосы. У нее не было таких волос. Остальное все равно не узнать... Где я видел эти волосы?.. Анджела...»

Он добежал до форточки, рванул ее на себя. В комнату со свистом задул свежий ветер, понеслись мелкие, морозные снежинки. Павел сдвинул полотенце на горло, несколько раз вдохнул полной грудью, вновь натянул полотенце и лишь тогда подошел к стоящему возле окна креслу.

Она полулежала, откинув далеко назад огненную голову и разведя руки в стороны. Рот ее был полуоткрыт, белейшие мелкие зубы ярко отсвечивали в свете люстры, глаза плотно прикрыты прозрачными веками. Она не раздулась, не посинела, как другие, а скорее ссохлась почти до неузнаваемости. Ее янтарная кожа была совершенно чиста, без единого трупного пятнышка, лишь по руке вдоль темносиней вены бежала красная и зловещая пунктирная дорожка. Павел невольно оглянулся на стол. Между грязных чашек и блюдец с окурками стояла полупустая баночка из-под майонеза с чем-то мутным, похожим на взвесь зубного порошка. Эластичный бинт, шприц с иглой. Второй шприц лежал на полу, между столом и Таниным креслом. Павел со злобой раздавил его каблуком, еще раз посмотрел на Таню и тихо, на цыпочках вышел. Вернулся он с теплым мохнатым пледом, заботливо укутал Танину неподвижную фигуру.

— Вот так, вот так, — приговаривал он. — Холодно, а закрыть окно нельзя. Навоняли вы тут...

«Вот и все, — стучало в это время у него в голове. — Вот и все, что было... Ты как хочешь это назови... Танька, Танька...»

На руку его, державшую плед у Таниного подбородка, чуть заметно повеяло теплом. Он замер. Нет, не показалось.

— Зеркало, бляди! — заорал Павел. — Есть в этом доме зеркало, маленькое, карманное?

Он помчался прочь из гостиной, ударившись по дороге об стул и грязно выругавшись. Стул упал прямо на труп мужчины. Павел перепрыгнул через него и ворвался в спальню.

— Чтоб тебя!

На трюмо лежало зеркальце. Павел схватил его и кинулся обратно в гостиную, в три прыжка пересек ее и дрожащими руками поднес зеркало к губам Тани. Поверхность стекла стала чуть матовой. Он обтер зеркальце рукавом и поднес еще раз. То же самое. Павел приложил пальцы к безжизненному запястью Тани. Ничего. Или есть... Не поймать...

Он побежал в прихожую, к телефону.


— Это жена, жена моя, поймите! — наскакивал Павел на крупного милиционера с погонами капитана.

— А я говорю вам, никуда вы сейчас не поедете! — отбивался капитан. — До чего свидетель нервный пошел, а? Вот осмотрим место происшествия, снимем с вас показания, протокол подпишете, тогда уже...

— Да понимаете вы, что такое жена? Ее же вынесут сейчас!

— А раз жена, так смотреть за ней лучше надо было! — прикрикнул капитан. — И вообще, с вами тоже надо разобраться. Не исключено, что придется вам проехать с нами.

— Брось ты, Петрович, — сказал второй милиционер, усатый и тоже в капитанских погонах. — Жмурики-то уже второй свежести. Подойди-ка на пару слов...

Он отвел первого капитана в уголок и что-то зашептал, показывая руками по сторонам.

— Вам, гражданин Чернов, смысла в больницу сейчас ехать нет никакого, — вкрадчиво сказал усатый, закончив переговоры с коллегой. — Вас туда и на порог не пустят. Не полагается категорически. А завтра с утречка позвоните вот по этому телефончику, спросите Семена Витальевича, завотделением, и вам в лучшем виде все расскажут, а захотите — так и покажут. А сейчас вы здесь нужнее.

Пойдемте-ка обратно в комнату. Понятые, тоже туда! Да вы не тряситесь, там проветрено, не так смердит.

— Я хоть до машины ее провожу, можно? — сказал присмиревший Павел.

Усатый подумал и сказал:

— До машины можно. И сразу обратно.

Ее выносили, прикрыв казенным байковым одеялом поверх пледа, в который ее закутал Павел. Санитары несли носилки, а сбоку пристроилась медсестра, держа в высоко поднятой руке капельницу. Шланг капельницы прятался под одеяло. Павел пошел с другой стороны, держа Таню за желтую, сухую ладонь. Но на лестнице он отстал от носилок, иначе было не пройти. Он пристроился рядом с молодым, энергичного вида врачом.

— Скажите же, что с ней? Будет жить?

Врач досадливо отмахнулся.

— Делаем все возможное, сами видите. Пока ничего определенного сказать нельзя. Завтра видно будет.

— Но все же? Есть надежда?

Врач остановился и зло посмотрел на Павла.

— Есть! — словно выплюнул он. — Если до сих пор не окочурилась, значит, откачаем как-нибудь!

Павел застыл, а врач засеменил по лестнице, догоняя носилки. Павел не бросился вслед за ним, а постоял, посмотрел, как Таню выносят из дверей подъезда, и поднялся наверх, тяжело переставляя ноги.

— Судьба, Павел Дмитриевич, судьба, — философически заметил Валерий Михайлович Чернов, следователь прокуратуры. — Второй раз в течение месяца сводит нас, и все по делам не шибко приятным...

— Я хочу видеть мою жену, — глухо сказал Павел, глядя на собственные ладони.

— Вот ответите на несколько вопросов, тогда и увидите. Верно, Семен Витальевич?

— Вообще-то в эти палаты мы посторонних не допускаем, но в виде исключения...

— Вот и прекрасно, — сказал Чернов-следователь и стал расстегивать портфель.

Разговор этот проходил в кабинете заведующего специальным наркологическим отделением больницы имени

Скворцова-Степанова, что возле станции Удельная. Именно туда привезли по «скорой» Таню, именно туда, предварительно договорившись по телефону, отправился наутро Павел и именно там он, к полному своему удивлению, встретил однофамильца из прокуратуры.

— А вы, Павел Дмитриевич, цените, — продолжал следователь. — Чем тягать вас в управление, мотать нервы всякими там повестками, пропусками, мы являемся прямо туда, куда и вы поспешили явиться.

— Спасибо, — скривив рот, ответил Павел. — Спрашивайте уж поскорее.

— Что ж, к делу так к делу... Согласно протоколу, составленному двенадцатого двенадцатого сего года на месте происшествия, вы опознали в погибших гражданина Зейналова и гражданку Крестовоздвиженскую. Так?

— Простите, не понял, — сказал Павел. — Какого еще Зейналова?

— Да вот же! — Следователь протянул Павлу две фотографии. С одной ослепительно улыбался красавец Якуб, с другой незряче пялилась омерзительная маска, карикатурный двойник того же лица — раздутое, пятнистое, мертвое.

— Да, это Якуб, — сказал Павел. — Фамилии не знаю.

— Зейналов Якуб Зейналович, тысяча девятьсот пятидесятого года рождения, уроженец города Дербента, азербайджанец, образование высшее купленное, две судимости, — поведал Павлу следователь.

— Я знал только, что он Якуб и что азербайджанец, про остальное слышу впервые, — сказал Павел.

— Хорошо. Итак, вы подтверждаете, что это Зейналов. Гражданку Крестовоздвиженскую Анджелу Наримановну смотреть будем?

— Нет, — сказал Павел. — Подтверждаю.

— Вы хорошо знали покойных?

— Почти не знал. Это были друзья жены. У нас с ней разные компании. Особенно последние полтора-два года.

— Значит, совсем не знали?

— Якуба я вообще видел один раз в жизни... точнее, два. Анджелу почаще, но ничего толком о ней не знал. Думал, что она — актриса.

— А узнали, что она кто? — оживился следователь.

— Да я, собственно, ничего не узнал. Так, по повадкам, по намекам предположил... — «Не стану я говорить этому деятелю про то, как в прошлом году Таню разыскивал. Мало ли во что он ее впутает?»

— И что же вы предположили?

— Ну, что она... скорее смахивает на... на особу легкого поведения...

— Интересно. И как вы отнеслись к тому, что ваша жена водит компанию с такой особой?

— Понимаете, я начал... предполагать, только когда мы с женой уже... в общем, мы не жили вместе. Я уже не имел права что-то ей советовать.

— Вот как? Умыли руки?

— Слушайте, я же и подумать не мог...

— Чего не могли подумать?

— Что все так кончится... Это были ее друзья.

— Интересные друзья. Торговец наркотиками и валютная проститутка.

— Что? — Павел надеялся, что удивление в его голосе прозвучит достаточно искренне.

— Да, представьте себе. — Следователь буравил Павла глазами. — Самая подходящая компания для невестки товарища Чернова.

— Когда мы жили вместе, они у нас в доме не бывали, — твердо повторил Павел.

— А этот? — Следователь положил перед Павлом еще одну фотографию. Тощий взъерошенный тип с темными кругами под безумными глазами, одетый в больничную пижаму.

— В первый раз вижу, — Павел пододвинул фотографию обратно следователю.

— Надо же! А вот гражданин Ларин Иван Павлович утверждает, что знаком с вами с самого детства.

— Что?! — На этот раз заботиться об искренности удивления не приходилось. — Дайте-ка еще раз.

Павел вгляделся в фотографию. Теперь, когда ему сказали, что это Ванька Ларин, он узнавал знакомые черты. Но как он жутко изменился за полгода. А такой был толстомордый, гладкий, довольный.

— Узнали? — ехидно осведомился следователь.

— Теперь узнал. Он сильно изменился.

— Наш клиент, — вставил молчавший доселе заведующий отделением, взглянув на фотографию. — Этот наш стопроцентно. Как выражаются в их среде, на колесах завис. Ноксирончик, нембутальчик, еще какой-то секонал заморский. И где только берут?

— И что, за несколько месяцев вот так?.. — Павел показал на фотографию.

— Элементарно. А если еще эту дрянь водочкой запивать... Но этого мы вытянем, лишь бы снова не загудел...

— Семен Витальевич, позвольте я закончу сначала, — прервал врача следователь. — Итак, узнаете Ларина, Павел Дмитриевич?

— Да... Только при чем здесь он?..

— Только при том, что поступил он сюда почти прямиком с того же адреса, что и хозяйка квартиры и трупики ее, как вы выражаетесь, друзей. Пока ломался, много интересного рассказал.

— Ломался? Почему ломался?

— Ну, ломка, абстинентный синдром, — пояснил Семен Витальевич. — Жуткое дело, скажу я вам...

— Вы его на той квартире видели? — спросил следователь Павла.

— Видел. Один раз, летом, когда за журналами заезжал.

— И как вы оценили факт его пребывания в доме вашей жены?

— Никак. Повторяю, мы уже давно не живем вместе, и у меня не было оснований вмешиваться в личную жизнь жены, фактически бывшей...

— Не было, значит... А вот этого гражданина узнаете?

Павел пригляделся. Хамоватое, плохо выбритое лицо, заплывшие поросячьи глазки.

— Да, — сказал он. — Это Воронов. Муж моей сестры... покойной. Но он-то здесь уж точно не при чем.

— Полагаете? А вот мы, когда вели то, предыдущее следствие, очень обстоятельно с гражданином Вороновым переговорили и выяснили нечто довольно любопытное.

— То есть?

— Помните, за несколько дней до гибели вашей сестры он пришел к ней и сказал, что встретил другую женщину и уходит к ней?

— Да, но он потом сам сказал, что женщину эту выдумал, чтобы попытаться вернуть себе любовь Елки... Елены.

— А вот у нас в кабинете он изменил свои показания. Женщина все-таки была. Поиграла с Вороновым денек-другой, а когда он явился к ней с чемоданами, прогнала его самым оскорбительным образом.

— Ну и что это меняет?

— А то, что имя и фамилия этой женщины — Чернова Татьяна Всеволодовна, проживающая на площади Коммунаров, дом...

Павел вскочил.

— Довольно! Я не желаю этому верить!

— Это ваше право, — спокойно сказал следователь. — У нас есть свидетельские показания. Конечно, мы не можем обвинить вашу жену в содействии самоубийству вашей сестры и социальной деградации ее мужа, но... Это, конечно, вопрос совести, а не закона...

— Слушать вас не хочу! — воскликнул Павел. — Женщина при смерти, а вы ее нелюдью какой-то выставляете!

— Нелюдь не нелюдь, но женщина весьма и весьма своеобразная. Уникальная, я сказал бы. От души надеюсь, что она придет в сознание, и с огромным нетерпением жду этого момента. Очень хотелось бы познакомиться лично, побеседовать.

Неожиданно для себя Павел усмехнулся.

— Что это вы? — удивился следователь.

— Извините, это я случайно, — сказал Павел.

Он и вправду не мог понять, откуда в голове его возникла фраза, заставившая его усмехнуться. Как будто Танин голос произнес: «Ох, Порфирий ты наш Петрович, смотри, дождешься!»

Следователь молча посмотрел на него.

— Очень, очень хотелось бы, — повторил он. — Особенно в свете этого вот любопытного документа... Ознакомиться не желаете? Это копия — на всякий случай предупреждаю.

Документ был озаглавлен весьма неприятно: «Протокол обыска».

— Читайте, читайте, — сказал следователь. — Все абсолютно законно. Этот Зейналов давно уже попал в наше поле зрения, только прижучить его, гада, не могли. Скользкий, осторожный... Через него вышли на Крестовоздвиженскую и на, извините, вашу жену и ее квартиру. Дела, судя по всему, там творились интересные. Санкцию на обыск я давно уже просил у прокурора. Он все медлил, говорил, надо брать с поличным, чтобы ни тени сомнений не было... Мне кажется, он побаивался отца вашего, да и тестя тоже.

— Николая Николаевича? — удивленно спросил Павел. — А его-то почему?

— Не скажите. Гражданин Переяславлев — фигура в своем роде влиятельная чрезвычайно. Если бы обыск у его падчерицы не дал желаемых результатов, прокурор, подписавший санкцию, будь то районный или даже городской, недолго бы продержался в своем кресле, не говоря уж о следователе, эту санкцию вытребовавшем. Но я готов был рискнуть, прокурор нет. Вот и доосторожничался. Послушай он меня, имели бы мы всю троицу в Крестах на Арсеналке, зато живых-здоровых. А так имеем два трупа и гражданку Чернову в глубокой коме. Впрочем, мне почему-то кажется, что она скоро оклемается, и уж тогда-то мы с ней наговоримся всласть.

И опять в голове Павла Танин голос отчетливо произнес: «А вот это фиг тебе, Порфирий Петрович!»

— Мне не нравится ваш тон, — сказал Павел, поднялся и, не дочитав протокола, швырнул его на стол перед Черновым-следователем. — И этот обыск, проведенный без санкции прокурора, я считаю незаконным и буду жаловаться. Чего бы вы там ни нашли.

— А я не балерина, чтобы всем нравиться, — спокойно ответил Валерий Михайлович. — А что до законности обыска, то любой мало-мальски грамотный юрист объяснит вам, что при данной картине происшествия обыск в порядке дознания не только законен, но и обязателен... Кстати, до самого интересного вы не дочитали.

— Что там еще? — грубовато спросил Павел.

— Тайничок-с, — совсем уже сливаясь с персонажем из Достоевского, проговорил следователь. — Небольшая такая нишечка, между настоящей и фальшивой задней стенкой шкафа. А в ней два пакетика. В одном героинчика чистого под двести грамм, в другом — денежки. Хорошие денежки, шестнадцать тысяч триста рублей и пятьсот американских долларов... Это вам как?

Павел побледнел.

— Но... Но она могла не знать...

— Хозяйка дома? Не смешите меня, Павел Дмитриевич. Тайничок хитрый, с пружинкой. Мы сами-то, честно говоря, случайно нашли. Кстати, ни у Зейналова, ни у Крестовоздвиженской ключиков от квартиры мы не отыскали, хотя осмотрели не только вещи, бывшие при них на момент смерти, но и их квартиру в Купчино, где, между прочим, они пребывали значительно чаще и дольше, чем на квартире Черновой... Вот еще чемодан с маковой соломкой, найденный под кроватью, мог попасть туда без ведома хозяйки, это я допустить готов, но тайничок? Конечно, говоря теоретически, его мог оборудовать, допустим, Ларин, который прожил там два с половиной месяца и имел свои ключи. Но, согласитесь, Иван Павлович не производит впечатления человека, способного на такое... художество.

— Да уж, — согласился Павел и добавил: — А что, вы начисто исключаете вариант, что это мог сделать я?

— Начисто.

— Что ж, — вздохнул Павел, — спасибо за доверие.

— Дело не в доверии. Просто в некоторых пазах клей не до конца просох. Эксперты определили возраст тайничка месяца в два максимум. А за эти два месяца вы этого сделать никак не могли.

— Не мог, — согласился Павел. — И все же я вам не верю.

— Не обязательно верить мне, — сказал следователь. — Вы фактам поверьте... Впрочем, довольно на сегодня. Вот вам мой телефончик. Позвоните мне денька через три. А нет, так я и сам позвоню, не гордый. А пока — будем ждать.

— Будем, — сказал Павел. — Я все же хотел посмотреть на нее.

— А это как медицина скажет. Что, Семен Витальевич, разрешим?

— Разрешим в виде исключения. Халат только наденьте.

Павел послушно облачился в протянутый ему халат. Заведующий отделением вывел его в длинный серый коридор с множеством дверей.

— Это тут у вас палаты? — спросил Павел. — Нам в которую?

— Да что вы, голубчик? — удивился врач. — Здесь всякие службы, ординаторские, кладовые. Иначе у нас давно бы все больные разбежались. Не все тут такие... смирные, как ваша супруга.

— И все же, что с ней? — спросил Павел. — Я так и не могу понять, что произошло. Все хотел спросить у вас, да следователь этот мешал.

— Случай довольно банальный и в то же время удивительный, — сказал Семен Витальевич, открывая толстым ключом железную дверь в конце коридора. — Наш контингент, точнее, та его часть, которая предпочитает опиаты, использует те или иные производные морфина, зачастую самодельные или украденные из лечебных учреждений. Технологии и дозы устанавливаются, так сказать, эмпирически, и чаще всего летальный исход дают передозировки, примеси, инфекции, занесенные с иглой. В последнее время в город все чаще стал неизвестно откуда проникать чистый героин. Наши клиенты, разжившись этим зельем, вводят его себе привычными дозами, как морфин, забывая при этом, что героин в двадцать пять раз сильнее. Передозировки получаются бешеные, смертность в этих случаях стопроцентная. Но ваша жена — исключение из всех правил. У нее нечеловечески сильный организм. Эксперты исследовали остатки раствора, который они себе ввели, примерно определили дозировку. Каждая доза превышала смертельную как минимум в пятнадцать раз. Ну, допустим, в пять. Выжить после этого практически невозможно. Друзья вашей жены скончались минут через пятнадцать-двадцать после введения препарата. Она же впала в коматозное состояние и находится в нем четвертые или пятые сутки. Это само по себе поразительно, но еще поразительнее то, что происходит здесь, в реанимации. Через два часа после ее поступления мы отключили аппарат искусственного дыхания — за ненадобностью, перестали вводить кардиостимуляторы. Сегодняшний анализ крови просто поразительный — нам бы с вами такую кровь. Пульс ритмичный, наполненный, пятьдесят шесть ударов в минуту, давление — сто двадцать на семьдесят. Ни малейших следов наличия в организме наркотика. Энцефалограмма приличная. Такое, понимаете, впечатление, что у нас лежит здоровый человек и не приходит в сознание только потому, что не хочет, предпочитая отдыхать без ломок и неприятных разговоров — с врачами, со следователем. Про такие случаи я слышал, но своими глазами вижу впервые.

За время этого монолога они поднялись по лестнице, облепленной вертикальными и горизонтальными металлическими сетками, миновали два поста с дюжими санитарами, вошли в еще одну железную дверь, которую Семен Витальевич вновь открыл толстым ключом, и оказались в коридоре, похожем на тот, из которого вышли, только здесь в начале был еще один «санитарный кордон» и сетчатая перегородка во всю стену, а в торце — окно, забранное в толстую решетку.

— Пришли, — сказал Семен Витальевич, отпирая тем же ключом одну из неразличимых дверей. — Интенсивная терапия.

В помещении, куда в сопровождении врача вошел Павел, стоял густой аптечный запах, вдоль стен лепились приборы с датчиками, что напомнило ему бункер на уральском полигоне, только здесь приборов было меньше и почти все они были отключены. Посередине одиноко стояла широкая кровать с белым жестким матрасом, а на ней, прикрытая лишь простынкой, лежала кажущаяся совсем маленькой Таня. На фоне разметавшейся по матрасу копны медных волос лицо ее казалось особенно бледным, но когда Павел подошел поближе, он заметил на щеках легкий румянец. И вообще, она была не бледна, а бела — той особой белизной, которая бывает только у рыжих. Просто Павел уже отвык от этой белоснежности. Рядом с Таней на стуле пристроилась медсестра, которая читала книжку и одновременно следила за капельницей. При виде заведующего медсестра встала.

— Ну как тут? — спросил Семен Витальевич.

— Нормально, — отозвалась медсестра. — Продолжаю вводить глюкозу и физраствор... Семен Витальевич, может, я пойду перекушу, а? С утра ведь ни на шаг.

Состояние-то у больной устойчивое, надо только флаконы менять...

— Идите, идите, — рассеянно сказал заведующий и обратился к Павлу. — Делаем что можем. Остальное может сделать только сам организм. Лично у меня прогноз на этот случай самый оптимистический. Повторяю, организм у вашей жены фантастически сильный. Сознание может вернуться в любую минуту.

Павел подошел к кровати, сел на стул, освобожденный медсестрой, и лишь затем спросил у врача:

— Можно?

— Можно-можно. Только больную не теребите и капельницу не трогайте.

Павел осторожно взялся за Танину руку, свободную от капельницы. Рука была теплая, расслабленная. Он не сводил глаз с Таниного лица, надеясь на этом немом и прекрасном лице прочесть ответы на непростые свои вопросы.

— Таня, — прошептал он. — Танечка, как же так?

— Пять минут, — сказал Семен Витальевич. — Я покурю пока.

Он вышел в коридор и деликатно прикрыл за собой дверь.

Павел сидел и молча гладил безучастную Танину руку, глядя в ее закрытые глаза.

— Я люблю тебя, — через некоторое время произнес он. — Все еще люблю. Но ты не волнуйся, это пройдет, обязательно пройдет. Ты только поправляйся, хорошо? А я... я обещаю забыть тебя. Только знаешь что? И ты отпусти меня. Отпусти, пожалуйста, умоляю. Позволь мне забыть, позволь не любить тебя, помоги мне, прошу... Больше я ни о чем и никогда просить не стану.

Она не шелохнулась. Только грудь ритмично вздымалась под простыней.

— Впрочем, знаешь, я согласен, — продолжил Павел, — я согласен даже всю жизнь мучиться тобой, если это нужно тебе, если это необходимо для того, чтобы ты вот сейчас встала и пошла... Нужно?

Молчание. Павел поднялся и навис над лежащим телом.

— Встань и иди! — неожиданно выкрикнул он.

Она лежала по-прежнему.

Павел отшатнулся от кровати, выпрямился, одернул пиджак и направился к двери.

— Прощай, — не оборачиваясь, сказал он.

В коридоре у самой двери стоял Семен Витальевич с дымящейся папиросой.

— Все? — спросил он.

— Все, — ответил Павел. — Дайте закурить, пожалуйста.

Он дрожащей рукой взял протянутую «беломорину», прикурил от папиросы врача, жадно затянулся.

— Пожалуйста, дайте мне знать, как только она придет в себя. Я оставлю вам домашний телефон, рабочий...

— Всенепременно, — заверил врач. — Вам второму, клянусь.

— Почему второму?

— Сначала следователю. Он так сказал. Гражданский долг, ничего не попишешь.

Оба помолчали.

— С Лариным Иваном Павловичем пообщаться не хотите? — спросил врач. — А то он тут же, двумя этажами ниже.

— Спасибо, не хочу, — ответил Павел.

Семен Витальевич позвонил на следующий день, и на следующий, и на следующий.

Все та же картина. Никаких изменений. Посещения пока не разрешаются.

Следователь Чернов не звонил. У Павла же связываться с ним не было никакой охоты.

На пятый день, примерно в полдень, Семен Витальевич позвонил Павлу прямо на работу. Голос врача звучал растерянно и даже несколько виновато.

— Утром ваша жена пришла в сознание, — сказал он и замолчал.

У Павла дрогнуло в груди.

— И что? — спросил он.

— И ничего. Я не успел ни поговорить с ней, ни даже толком взглянуть. Как только медсестра из ее палаты пришла сообщить мне, в кабинет явилась важная делегация. Представитель Минздрава, республиканской прокуратуры, еще какие-то деятели. Показали удостоверения и предписание о незамедлительном переводе Черновой Татьяны Всеволодовны в подмосковную клинику Четвертого управления. Вы знаете, что такое Четвертое управление?

— Знаю.

— Я, естественно, тут же позвонил следователю, но там никто не брал трубку... Короче, мне ничего не оставалось, как подчиниться предписанию. Я отдал им историю болезни и распорядился подготовить больную к перевозке. У них был свой транспорт. А ваша жена... она как будто ждала их. Сама приняла душ, оделась тоже самостоятельно. — они привезли ей новую одежку, белье... Села с ними и уехала.

— Куда? Они оставили точный адрес?

— В том-то и дело, что не оставили. В предписании сказано только: «В одну из подмосковных клиник Четвертого управления Минздрава». Непонятная история.

— Да уж, — согласился Павел. — Спасибо, что позвонили. Я постараюсь разобраться.

Он повесил трубку, поднялся и подошел к вешалке. Из кармана пальто он достал бумажник, а оттуда — сложенную вдвое бумажку с телефоном следователя. Если кто-то что-то понимал в этой ситуации, это только Валерий Михайлович Чернов.

Павел набирал его номер трижды, с интервалами минут в сорок. Трубку сняли лишь на четвертый раз.

— Городская прокуратура. Старший следователь Никитенко, — сказал незнакомый голос.

— Позовите, пожалуйста, следователя Чернова, Валерия Михайловича.

В трубке надолго замолчали. Потом голос подозрительно спросил:

— А вы, собственно, кто и по какому делу?

— Моя фамилия тоже Чернов. Я по делу жены, Черновой Татьяны Всеволодовны. Его ведет Валерий Михайлович.

— Валерий Михайлович ничего уже не ведет. Все его дела переданы мне. И никакого дела Черновой среди них нет.

— Но как же так? Может, называется по-другому? Ну, в общем, у нее в доме от передозировки наркотиков погибли двое, Зейналов и Крестовоздвиженская, а она...

— А-а, знаю такое дело. Оно закрыто.

— Как закрыто?

— Так и закрыто. За отсутствием состава. Их же никто насильно не колол, не убивал.

— Да, но...

— Вы хотите обжаловать наше решение?

— Нет, но хочу понять... Скажите, а куда делся Чернов?

На том конце опять замолчали. Павел подождал и добавил:

— Может быть, это тайна?

— Да какая там тайна! — с ожесточением ответил преемник Чернова. — Дурацкий случай, нелепый... Чистил Валерий Михайлович табельное оружие и случайно курок спустил. Завтра хороним...

— Простите, — сказал Павел и тихо повесил трубку. Больше звонить было некуда.

Глава шестая

# ЖИЗНЬ ПОСЛЕ ЖИЗНИ
## (27 июня 1995)

*«Ладно, — подумал Люсьен и решительно направился к длинному столу, на котором во вполне приличном ассортименте были выставлены разные напитки и закуски. — Значит, все-таки сафари на динозавра. Охмуреж по высокому классу».*

Он, не присаживаясь, выпил полстакана коньяку, потом сел и принялся закусывать, исподволь оглядывая зал.

Насколько в его теорию вписывалась вся обстановка этого просторного и шикарного номера, настолько же противоречило ей поведение участников мероприятия. Устроители надувательских презентаций не встречают гостей каменными рожами, не опаздывают к началу и явно не ограничиваются всего двумя приглашенными. И, кстати сказать, этот самый второй приглашенный, зевающий у окна над каким-то журналом, уж и вовсе ни в какие ворота! Мятая футболка, джинсы типа «ну, погоди», клочковатая серенькая борода... В прежнее время такие типажи частенько встречались по пивным, разглагольствуя с любым желающим о Мировой Душе и тому подобном. Сейчас то ли экземпляры такие повывелись, вымерев от некачественной водки, то ли пивные, став в большинстве своем заведениями почти элитарными, оказались им не по тощему доцентско-инженерскому карману... В общем, Люсьен таких давненько не видал, и тем более неожиданно было видеть подобного представителя человечества здесь, на фоне панорамы залива, в интерьерах, так сказать... Что-то тут все-таки не то. Ох, не то. Ну да ладно: есть-выпить имеется, а там посмотрим. И Люсьен еще разик приложился к коньяку.

Из прихожей послышались шаги и громкий мужской голос:

— И все же, госпожа Амато, мы с вами явно встречались раньше.

— Не помню, — тем же непроницаемым голосом произнесла японка. — Пройдите, пожалуйста. Миссис Розен будет с минуты на минуту.

## (1980—1982)

### I

Мело-мело по всей земле. Но свеча не горела.

Горели мощные дуговые лампы, даруя иллюзию солнца светолюбивой южной растительности зимнего сада, способствуя фотосинтезу и здоровому росту. Но под раскидистыми листами кокосовой пальмы стоял приятный полумрак, а совсем рядом — лишь руку протяни! — журчали, изливаясь из мраморной стены в мелкий бассейн, прозрачные струи каскада. Шеров доверительно положил руку на Танино колено и заглянул в золотистые глаза.

— Хорошо выглядишь, — заметил он.

— Это только оболочка. Внутри все выгорело. Пусто. Я умерла. Зря ты меня вытащил. Такая я тебе ни к чему.

— Это уж позволь решать мне. Чего ты хочешь?

— Ничего.

— Совсем ничего?

— Обратно хочу.

— В Ленинград? В больницу? Под следствие? — спросил он саркастически.

— В смерть, — серьезно ответила она. — Там хорошо... Знаешь, я очнулась тогда с чувством изведанного счастья, полноты сил и уверенности, что все хорошо. Но это чувство было как остаточек чего-то неизмеримо большего и длилось всего миг. А потом стало скучно... Шеров, прости за лирику, я тебе благодарна, конечно, только отпусти меня, пожалуйста.

Он хмыкнул.

— Вот еще! Настроения твои мне понятны. Результат перенесенного шока. Это пройдет.

— Вряд ли...

— Дай срок. Как говорил один француз в кино, я научу тебя любить жизнь.

Таня улыбнулась.

— Что ж, спасибо за заботу. Ты ведь помнишь, я не люблю быть в долгу. Я отработаю.

— Само собой, — помолчав, сказал Шеров. — Только ты сейчас отдыхай, поправляйся. Ты еще не готова, да и я не готов говорить с тобой о делах.

— Я готова, а ты — как хочешь. Можно и не о делах. Только забери меня отсюда.

Вечером следующего дня они сидели в роскошной гостиной городской квартиры Шерова, любовались видом на раскинувшийся под Воробьевыми горами большой парк и не спеша потягивали крепчайший кофе, приготовленный молчаливым чернокудрым Архимедом, заедая свежей пахлавой с орехами и прихлебывая какую-то алкогольную диковину, похожую одновременно на коньяк и на ликер с легкой мандариновой отдушкой. Тане было спокойно, легко, и никуда не хотелось спешить.

Шеров с улыбкой поглядывал на нее.

— Все-таки не прощу дяде Коке — он знал, что ты жив, и ничего не сказал мне. Правда, я тоже догадывалась, но... — проговорила Таня, поставив бокал.

— Прости его, пожалуйста. Он делал так по моей просьбе.

— Но зачем?

— Во-первых, мне нужно было на некоторое время лечь на дно, и пожар случился очень кстати. Во-вторых, за тобой могли следить люди Афто и через тебя выйти на меня прежде, чем я успел бы выйти на них. А в-третьих, хотелось посмотреть, как у тебя получится без меня.

— В целом неважно, как видишь.

— Я бы так не сказал.

— Шеров, и все-таки зачем ты вытащил меня на этот раз?

— Имею такую слабость — выручать прекрасных дам, попавших в трудное положение.

Таня усмехнулась.

— Это ты мне уже излагал вчера в клинике. А если серьезно?

— Изволь. Я вижу в тебе большой талант, не использовать который считаю неумным.

— Надо же!

— Кроме того, я считаю, что тебе пора возвращаться ко мне.

— Сейчас? Да я ни на что не гожусь. Не то, что раньше.

— Заблуждаешься. Раньше ты была маленькой и умной. Теперь ты умная и большая.

— Шутишь? Я за эти годы превратилась в заурядную гулящую разведенку с сильной наркотической зависимостью.

— Нет. За три года ты очень повзрослела и набралась очень полезного опыта, который никогда бы не получила, если бы осталась со мной.

Таня только фыркнула в ответ.

— Знаешь, в чем заключается этот опыт? — спросил Шеров.

— В чем?

— В том, что ты на своей шкуре поняла, кем никогда не будешь.

— ?

— Ты никогда не будешь ни образцовой женой и матерью, ни той самой заурядной гулящей бабой, про которую только что говорила. Ты таких шишек набила, пытаясь идти по этому пути, что никогда не сможешь снова встать на него. А если такие иллюзии и сидят в твоей голове, то весь твой организм отторг их начисто и не даст им ходу. Я беседовал об этом с доктором Стрюцким, а уж его-то мнению доверять можно.

— Да уж.

Таня поежилась, вспомнив кой-какие процедуры, прописанные этим светилом для избранных.

Он налил по рюмочке и попросил Архимеда приготовить еще кофе. Таня закурила.

— Что ж, раз нельзя быть обыкновенной бабой, буду бабой необыкновенной. Под твоим чутким руководством. Жаль только, что начинать придется с пустого места.

— Зачем же с пустого? Я, знаешь ли, еще на что-то гожусь.

— Я и так слишком многим тебе обязана. К тому же я из тех голодающих, которые предпочитают получить удочку, а не рыбу.

— Так я тебе и предлагаю удочку. А потом ты наловишь мне рыбы. Это будет аванс, как тогда, в первый раз.

— Знаешь, я еще в клинике предполагала, что такой разговор состоится. У меня было время подумать, подготовиться. И я скажу тебе так: я готова работать с тобой. Но я никогда — слышишь, никогда! — не буду слепо действовать по твоей указке. Случай с Афто меня многому научил. Все, что ты сочтешь нужным мне поручить, будет предварительно обсуждаться со мной во всех деталях, включая условия и форму оплаты. Причем я оставляю за собой право отказаться. А за то, что ты уже для меня сделал, я расплачусь, и расплачусь достойно.

Шеров слушал ее с улыбкой.

— Ты действительно повзрослела, — сказал он. — Я постараюсь подбирать для тебя поручения, от которых ты будешь не в силах отказаться. И прислушиваться к твоим соображениям. И приму твою плату — в том виде, в каком ты захочешь ее дать... Теперь ответь мне на более конкретный вопрос: тебе и в самом деле приходится начинать практически с нуля. Подниматься ты хочешь сама, без моих авансов — понимаю и одобряю. Но на первое время я для тебя серьезных дел не планирую, их нет пока. Самодеятельностью же заниматься не советую — при всех твоих талантах сгоришь, не зная обстановки. А нормально жить надо уже сейчас. Я не случайно возил тебя на Кутузовский сегодня. Понравилось?

— Что, квартира? Не то слово. Нисколько не хуже, чем у меня в Питере. Впрочем, ты там не был... Только я и не подозревала, что ты меня туда привез квартиру осматривать. Думала, просто светский визит, с хозяином, Артемом Мордухаевичем познакомить решил...

— Артем Мордухаевич — человек, конечно, немаленький, хоть и говно изрядное. Но знакомство с ним тебе без надобности.

— Почему?

— Он, как нынче выражаются, отъезжант. Срочно отбывает на родину предков.

— Не понимаю. У него же здесь явно все схвачено.

— Более чем. Но и на него все, используя твое сло-
вечко, схвачено. Его в прошлом году ОБХСС крепко за-
цепил. Артем отвертелся, удачно сунул одному верхнему
дядечке. Пришлось свернуть меховой бизнес, и теперь ему
никто здесь обратно развернуться не даст.

— В Израиле зато развернется здорово — зимы там
суровые, меха в цене. — Таня усмехнулась, представив
себе меховое ателье под финиковой пальмой.

— Что-нибудь придумает. Он туда уже приличные деньги перекачал. И еще хочет. Квартиру вот продает.

— А Родина, надо полагать, будет из-под него иметь
комнатушку в Чертаново?

— В Ногатино. Но мыслишь в правильном направлении.

— И сколько он за свой терем хочет?

Шеров назвал сумму. Оч-чень кругленькую сумму.

— И сколько он готов ждать?

— Месяц, не больше. Торопится очень.

— Да, такие денежки быстро не поднимешь... Слушай,
квартира, конечно, роскошная, но, может, ну ее на фиг?
Другая подвернется...

— Это как сказать. Дрянь какая-нибудь, конечно, подвернется. А с хорошим жильем сейчас в Москве напряженно. Начальства больно много развелось. Блочный ширне-
потреб никого уже не устраивает... Такой вариант раз в
десять лет выскакивает, уж ты поверь мне... Ну, какое видишь решение?

По его глазам она поняла: Шеров очень хочет, чтобы
она попросила денег у него. Но хотелось бы без этого
обойтись.

— Дядя Кока сможет продать мою питерскую квартиру с обстановкой. Выгодно — или быстро.

— Оформить развод, выписать мужа с ребенком —
слава Богу, есть куда, — заплатить ему отступного...

— Павел не возьмет, — сказала Таня.

— Ну и дурак. Но предложить все-таки надо, да и на
квартиру надежного покупателя подыскать. На это уйдет
много времени. Я, конечно, не отказываюсь ссудить тебе,
сколько потребуется, но...

— У меня есть дача под Москвой. Правда, оформлена
на брата. Для покупки требовалась московская прописка,
а у него тогда была...

Шеров посмотрел на Таню с некоторым удивлением.

— Надо же, не знал. А думал, что все о тебе знаю. Где дача, какая?

Таня рассказала. Шеров присвистнул.

— Боярская слобода. В этом местечке сейчас даже за времянку тысяч двадцать дадут. Завтра же едем смотреть. Может, сам куплю.

— Посмотреть-то можно. Но для всякой там купли-продажи брата вызывать надо.

Шеров, не вставая, протянул руку назад, снял с беломраморной крышки серванта трубку с кнопками и свисающим вниз кусочком провода и протянул Тане.

— Индукционный аппарат. Последний писк, — пояснил он.

— Ленинград — восемь один два?

Шеров кивнул. Таня принялась нажимать кнопки.

— Адочка? Здравствуй, милая... Да, я, из Москвы. Все хорошо. Как вы?.. Приеду, расскажу. Слушай, Никита дома?.. Что? В Москве? Где, у кого, не знаешь?.. Погоди, сейчас запишу... — Она посмотрела на Шерова и изобразила, будто пишет в воздухе. Он тут же принес бумагу и паркеровскую ручку. — Юрий Огнев? Это который артист? Номер... — Она записала номер телефона Огнева. — Еще как ты сказала? Квасов Николай? Телефона не знаешь? Другие варианты есть? Что? С Лариной созванивался перед отъездом, обещал встретиться в Москве? А ты подслушивала?.. Ладно, шучу. Пока.

Таня нажала кнопку отбоя, положила трубку на стол и откинулась в кресле, заложив руки за голову.

— Брат в Москве, — сказала она. — Хорошо бы отловить его и переговорить.

— Лови, — сказал Шеров. — Мне тоже приятно будет возобновить знакомство. Я и видел-то его один раз.

— Только Ада не знает, где он остановился. Дала три варианта. Начнем с самого простого и самого вероятного. Звоним Огневу.

— Это кто? — спросил Шеров.

— Его любовник, — спокойно ответила Таня и, поймав удивленный взгляд Шерова, пояснила: — Он же у нас пидор.

— М-да, — сказал Шеров. — Общаясь с тобой, узнаешь много неожиданного. А Кока мне говорил, что у него бурный роман с Лариной, артисткой.

— Это для отвода глаз, — сказала Таня. — Хотя он, если захочет, может и с бабой. Это у них называется «белый».

Она вновь взяла трубку и набрала номер Огнева.

— Слушаю! — раздался в трубке нервный, срывающийся голос.

— Будьте добры Юрия Сергеевича, — вежливо попросила Таня.

— Да слушаю я!

— Здравствуйте, Юра. Это говорит Таня, сестра Никиты Захаржевского. Мне он срочно нужен. Я знаю, что он в Москве, я сейчас тоже в Москве.

— Ничего я не знаю! С самого утра укатил на моей машине, сказал, что будет завтра, ничего не объяснил, я места себе не нахожу... Только я не верю, что он будет завтра! Мы поссорились вчера, он нахамил мне, ударил, я видеть его не желаю!

— И вы не догадываетесь, куда он мог поехать?

— Догадываюсь, только вам не скажу! Впрочем, нет, скажу — поехал трахаться с какой-нибудь бабой сисястой!

Таня поняла, что Огнев изрядно пьян.

— И вы не знаете, как бы мне эту самую бабу найти?

— Вы что, издеваетесь?! — взвизгнул Огнев и бросил трубку.

— Вот так, — вздохнув, сказала Таня. — Первый номер пустой. Будем искать Николая Квасова без телефона или Татьяну Ларину без адреса.

— Погоди-ка, — встрепенулся Шеров. — Ты сказала, Николай Квасов? Фигуры типа Огнева меня интересуют мало, а вот Николай Квасов — очень знакомое звукосочетание. Конечно, в Москве Квасовых вагон с прицепом, но посмотрим, вдруг тот?

Шеров пошел в кабинет и поманил за собой Таню. Кабинет напоминал музейный зал — размерами, антикварной мебелью из карельской березы, расписным плафоном и вообще всем, включая монументальный чернильный прибор из четырнадцати предметов. Особенно удивил Таню огромный серый телевизор, к нижней панели которого была зачем-то приделана клавиатура от пишущей машинки.

— Это что? — спросила она Шерова.

— Персональный компьютер, — с гордостью ответил он. Тане это ничего не сказало, и Шеров пояснил: — Гениальное устройство для хранения и обработки информации. Дорогой черт, но в деловых руках окупается мгновенно. Как-нибудь покажу, на что он способен. Ты ахнешь.

Он подошел к большому и красивому, как все здесь, картотечному шкафу, немного подумал и выдвинул один из ящиков.

— Компьютер компьютером, а по старинке ловчее, — сказал он, просовывая вдоль вынутых из ящика карточек вязальную спицу. — Алфавитно-систематический принцип. Помнишь?

Таня кивнула. Шеров аккуратной стопкой выложил оставшиеся на спице карточки, отсчитал с краю несколько дырочек, вновь просунул спицу и резко поднял ее. На ней осталось висеть три карточки.

— Вот, пожалуйста, известные мне Квасовы Николаи, проживающие в Москве. Выбирай.

Квасов, Николай Константинович, 1920 г.р., генерал-полковник, начальник Академии тыла и транспорта.

Квасов, Николай Андреевич, 1954 г.р., референт, Комитет Народного Контроля.

Квасов, Николай Мефодиевич, 1938 г.р., директор, центр техобслуживания ВАЗ.

— Не похоже, — сказала Таня, еще раз просмотрела карточки и все же отложила вторую. — Вот эту, пожалуй, посмотрим. Вот это что значит?

— Выпускник МГИМО 1976 года, — пояснил Шеров.

— Никиткин институт, Никиткин год. Тепло, тепло, — сказала Таня. — А вот тут что за закорючка?

— Склонен к нестандартным сексуальным проявлениям, — бесстрастно произнес Шеров.

— В яблочко! — воскликнула Таня. — Звоним.

— Знаю я этого Кольку Квасова, — сказал Шеров. — На побегушках у моего доброго приятеля Шитова. Шустрый парнишка.

— Рабочий или домашний? — спросила Таня.

— Рабочий, конечно. Это же трудовой чиновник, не то что Огнев.

Таня поспешно набрала указанный номер.

— Комитет Народного Контроля, приемная председателя, — ответил приятный молодой баритон.

— Будьте добры Николая Андреевича Квасова.

— Я у телефона. Чем могу быть полезен?

— Здравствуйте, Николай Андреевич. Я Татьяна, сестра Никиты Захаржевского. Видите ли, мне сказали, что он в Москве, а он мне срочно нужен...

— Ах, вы та самая Танечка? Мне Никита много о вас рассказывал. Да, он здесь, утром заглянул ко мне, попросил взять кое-что... ну, в нашем буфете, вы понимаете. Обещал заехать в шесть часов. На всякий случай оставил номер, по которому его можно застать до шести. Вам дать?

— Да, будьте любезны.

— Записывайте...

Квасов продиктовал номер телефона и очень мило попрощался с Таней, взяв с нее слово непременно позвонить ему в конце недели. Судя по всему, отмеченная склонность Квасова к нестандартным сексуальным проявлениям не исключала, как и у родимого брательника, проявлений стандартных.

Не тратя времени даром, Таня тут же набрала записанный номер. Трубку снял Никита...

## II

— Еще! — хрипло простонала Таня, откинув на подушку голову с мокрыми волосами. — Еще!

— А ты ненасытная, — лениво заметил Никита и стряхнул пепел прямо на ковер у изголовья. — Что ли, так изголодалась при Ваньке, что никак не уймешься?

— Еще, — повторила Таня, словно других слов в русском языке не было.

Никита задумчиво оглядел себя, ее, одеяло, свалившееся на пол, далекий стол, на полированной поверхности которого одиноко стояла бутылка теплой минералки.

— Ладно, — наконец проговорил он, — попробую. Только ты спляши.

Это предложение вывело Таню из забытья.

— Офонарел, да? — со смехом спросила она и, приподнявшись, дернула его за причинное место.

— Кончай, — сказал Никита.

— И хотела бы, да без тебя никак.

— Я не в том смысле. Кончай тягать меня за хобот. Он этого не любит. Еще обидится и объявит лежачую забастовку.

— Не надо!

— Тогда пляши!

— Все тебе припомню, Захаржевский!

Таня перевалилась через него, на четвереньках приземлилась на ковер, встала.

— Что ж ты, танцуй! — потягиваясь, сказал Никита.

— А ты спой тогда! — огрызнулась Таня и показала ему язык.

— Ля-а-а-а-а! — гнусаво взвыл Никита.

— Тиш-ше! — зашипела на него Таня. — Ну точно офонарел!

— Распевка, — сказал Никита, пожимая плечами. — Без нее никак. Ну, поехали, да? Три-шестнадцать... Эх, раз, еще раз... Ты что, заснула? Больше жизни, товарищ Ларина! Интересно, ты и на съемках такая же амеба?

— На съемках так не упахивают, — ответила ему Таня.

— Ах, мы жаловаться? А ведь кто-то только что просил еще...

— Слушай, а без танцев никак нельзя? — взмолилась Таня.

Никита почесал в затылке.

— Вообще-то можно... Только скажи волшебные слова, а потом поцелуй.

Таня навалилась на него, прошептала ему в ухо: «Пожалуйста, Никитушка!» — и чмокнула в нос. Никита тряхнул головой.

— Две ошибки, товарищ Ларина!

— Какие? — осведомилась она и легонько укусила его за ухо.

— Во-первых, слова твои, конечно, волшебные, но не для этих случаев. Тут нужны другие.

— Какие же? Научи.

— Закрой глаза и повторяй за мной. Биби меня...

— Биби меня...

— ...мой сладкий зуй.

— ...мой сладкий зуй.

— Теперь — все вместе, а потом поцеловать, — распорядился Никита.

— Биби меня, мой сладкий зуй! — с выражением продекламировала Таня и впилась Никите в губы. Он довольно быстро отстранился.

— Ты не меня целуй, ты его целуй!

— Кого это его? — спросила Таня.

— Ну, кого просила... Мой сладкий зуй. — Для большей наглядности Никита провел рукой у себя между ног.

— И что, он будет... биби? — недоверчиво спросила Таня.

— Отбибикает за милую душу, — заверил ее Никита. — Только ты тоже к нему с душой...

Таня повторила заклинание и, развернувшись на пятой точке, прильнула, куда было велено.

Это была одна из бесконечных вариаций на заданную тему. А тема была задана в тот летний день, когда она, преисполненная отчаяния и чаяния, позвонила ему с Садовой. Хотя прошло уже больше восьми месяцев, Тане казалось, что это было только вчера. Тогда он опередил ее в гонке до дому, и, когда она отворила дверь, встретил ее в шикарном шелковом халате, намытый, разодеколоненный, и тут же увлек ее в постель, где показал Тане неведомые дотоле чудеса секс-атлетики. Пока она, обалдевшая от таких щедрот природы и вусмерть удовлетворенная, спала, он приготовил роскошный ужин, существенно подкрепивший их силы. С тех пор они на практике изучили всю «Кама-Сутру», за исключением совсем уж акробатических поз, причем Таня, быстро пережив период начального смущения, обнаружила в себе не меньшее, чем у ее любимого, бесстрашие и не отказывала себе и ему в удовольствии в самой разнообразной обстановке. Особо следует отметить заднее сиденье оранжевой огневской «Нивы» и двуспальное купе «Красной стрелы» — всякий раз, когда Таня выезжала в столицу на съемки «Начала большого пути», выяснялось, что у Никиты тоже в Москве срочные дела. Сосредоточению на желаемом немало способствовал ритмичный стук колес и мелькающий в купе свет придорожного фонаря, поставленного освещать черную заоконную природу.

Если не считать этих поездок, о которых обычно было известно заблаговременно, Никита являлся к ней неожиданно, и она всегда была ему рада. Даже после самого утомительного дня — а работы у Тани этой осенью было много, — появление Никиты придавало ей сил и настраивало самым недвусмысленным образом: стоило ей увидеть его, руки сами собой начинали расстегивать пуговицы. У него тоже, по его собственному признанию, осень проходила под тютчевским девизом: «Весь день стоит, как бы хрустальный».

Но осень отдождила положенный срок, и наступила зима, мягкая, снежная, а на двадцать пятый день товарищ Клюквин вызвал всех участников «Начала большого пути» на, как он выразился, «предпремьерный показ». Иначе говоря, на приемку начерно еще смонтированного фильма государственной комиссией. Учитывая статус и тематику фильма, комиссия была назначена архипредставительная, возглавляемая лично заведующим идеологическим отделом ЦК КПСС... фамилию Таня забыла. Дальнейшая судьба киноэпопеи всецело зависела от решения этой комиссии, и хотя ни Клюквин, ни Шундров, ни кто-либо из их многочисленных прихлебателей в благополучном исходе не сомневался, волнение в начальственных рядах все же присутствовало и волнами спускалось вниз, затрагивая всех.

Уже в самом начале съемок Таня поняла, что Анатолий Федорович Клюквин — человек исключительно занятой, масштабный и государственный. Реквизировав под свой грядущий шедевр полдесятка лучших павильонов студии, он начал съемки в пяти местах разом, поставив во главе каждого участка одного из своих молодых помощников — шустрых и крепких парней, похожих то ли на кэгэбэшников, то ли на профессиональных комсомольцев. Раз в день, около полудня, он появлялся на студии, вместе со свитой обходил площадки и удалялся. Через некоторое время к его дублерам прибегал курьер с записочкой, и молодые люди, объявив получасовой перерыв, уходили на инструктаж. Почти все кадры снимались с первого дубля. Здесь, как и во всем, товарищ Клюквин неукоснительно следовал указаниям свыше, а главное на этот год указание звучало так: «Экономика должна быть экономной!» Огромная четырехчасовая картина была практически отснята за три неполных месяца. Что ж, и это было в полном соответствии: разве не был призыв «наращивать темпы» девизом всей пятилетки?

Госприемка прошла на «ура», всех, имевших отношение к фильму, угостили ошеломляющим банкетом и выдали поразительные, по крайней мере для Тани, премиальные — полторы тысячи рублей. За полтора месяца они с Никитой просвистели половину этой суммы в свободное от съемок и «биби» время, а вторую половину Таня положила на книжку. И вот теперь, в феврале, Таня вновь оказалась в Москве, в номере на тринадцатом этаже гостиницы «Россия» (товарищ Клюквин экономил только на пленке и съемочном времени), из окна которого могла разглядеть веселые луковки Василия Блаженного, чуть присыпанные снегом. Никита проводил ее со «Стрелы» до самого номера, а поскольку заехать за ней, чтобы отвезти на официальную премьеру во Дворце Съездов, должны были только в половине шестого, то времени для «сладкого зуя» нашлось с избытком.

В их любви была некоторая странность, недоговоренность, которая, может быть, и придавала ей столько очарования. Никита, нисколько не стеснявшийся на людях демонстрировать свою близость с ней — словами, жестами, поцелуями, — на свидания приходил как бы тайком, никогда не упоминая о них при третьем лице, наотрез отказываясь переехать к ней, предпочитая жить с матерью и отчимом, а в Москве селился не в соседнем с ней номере гостиницы, а у кого-то из своих многочисленных московских друзей, чаще — у Огнева.

Прожив с ним больше полугода, зная каждую родинку, каждую складочку на его теле, она мало что знала о нем, хотя о себе успела выложить все — от рождения на торфоразработках, раннего сиротства, детдома в городе Дно, жизни с Лизаветой и Виктором, вынужденном отъезде в Ленинград и работы прислугой при безумной парализованной старухе. Не остались неизвестными Никите и роман с Женей, и обстоятельства знакомства и последующего брака с Иваном, и прочее, и прочее... Умолчала она лишь об эпизоде с Рафаловичем — но это была уже не только ее, но и чужая тайна.

Естественно, все это выкладывалось от случая к случаю, по той или иной ассоциации. Таня просто не понимала, какие могут быть тайны от любимого человека. Возможно, она и не была бы такой откровенной, но Никита был потрясающим слушателем — внимательным, сочувствующим, понимающим. И нельзя сказать, чтобы он был, в свою очередь, как-то скрытен. Нет, он охотно и увлекательно рассказывал, отвечал на все ее вопросы, отмалчиваясь лишь тогда, когда Таня заводила речь о сестре Никиты и о Павле — ее муже. Только получалось как-то так, что рассказы были не о нем самом, а о чем-то побочном, хотя и интересном, а ответы мало что проясняли. Впрочем, Таня не требовала от него столь же исчерпывающей откровенности — куда важнее было то, что он здесь, рядом. Нежный и внимательный, неожиданный и ловкий. Неспособный наскучить, оказаться в тягость или не к месту.

Тане казалось, что именно такого она ждала всю жизнь. И еще — она знала, что никакими силами не сумеет надолго удержать его. Более того, чем больше станет прикладывать к этому сил, тем быстрее и окончательнее его потеряет. Откуда взялось у нее такое убеждение, она не знала — было, и все.

Так, она знала, что она у него не одна. В этом убеждали ее и синяки от засосов и царапины на его теле, и слабый аромат чужих духов — неприятный, тягучий, неженственный. Она запрещала себе зацикливаться на этом, свое от него она получала сполна, и если у него еще оставались силы на другую — что ж, пускай. Вон у Ваньки за все годы супружеской жизни никого, кроме нее, не было, а толку?

Кстати, у Ваньки с новой его пассией недолго продолжалось. Про это ей от Марины Александровны было доподлинно известно. Возвратился ее юридический муж к родителям, как собака с поджатым хвостом, ободранный, насквозь больной от многомесячного пьянства. Рухнул в беспамятстве прямо на пороге, а когда откачали, родители определили его в лечебницу возле Удельной, закрытую, с решетками на окнах и дверях, с обыском всех посетителей. Была она там, на мужа полюбовалась — ничего хорошего. Отощавший, заросший, глаза дикие. Ее поначалу не узнал, а узнав, начал клянчить водочки или колес. Она убежала тогда, было и жалко его до слез, и тошно...

Впрочем, Таню это волновало недолго. Она была счастлива: у нее был любимый человек, была захватывающая, тяжелая, но невероятно интересная работа. Общение со знаменитыми актерами, постоянное постижение тайн мастерства, разъезды, калейдоскоп впечатлений — были даже такие два месяца, когда она умудрялась сниматься в трех фильмах одновременно. Имя ее уже стало появляться в печати, а в «Советском экране» вышла развернутая и вполне благожелательная статья о ее недолгом еще творческом пути с ее фотографиями в ролях Каролины Собаньской и Александры Коллонтай...

Переливчатый телефонный звонок прервал очередной ритуал пробуждения «сладкого зуя».

— Вот черт! — досадливо сказала Таня. — Не снимай.

— Пожалуй, надо, — сказал Никита. — Не забывай, какой сегодня день. Могут звонить с самых заоблачных высот с последними распоряжениями. Да и мне может один человечек звякнуть.

Он снял трубку.

— Алло!

На лице его Таня увидела не шибко радостное удивление.

— Это ты, надо же... Как узнала? Впрочем, неудивительно... Оттуда звонишь, или снова в седле?.. Понятно... Да? Это окончательно?.. И что?

Он замолчал, слушая, лицо его расплывалось в зловещей, неприятной ухмылке.

— А лысого промежду тут не хочешь ли? По всем документам она моя, и фига ты у меня ее получишь. Если жить негде, так и быть, я же не изверг какой, вот завтра въезжай, только сегодня не смей. Но насчет продать и не думай... Имел я в виду твоих покупателей!.. Ну и что? Да, наслышан. Покойный следователь докладывал. Немалые трудовые сбережения плюс энное количество дури с дрянью... Сочувствую. Кстати, саму-то как отмазали?.. Ах, не мое дело? Конечно, не мое, слава Богу... Ну знаешь, это твои проблемы. У тебя есть шикарная квартира с обстановкой... Долго? Ну, нажми на дядю Коку, на Поля, пусть почешутся. К тому же, как я понимаю, на сцену вновь вышел прежний благодетель с неограниченными возможностями... Молчу, молчу, не дурак... Ах, не хочешь быть в долгу? Очень благородно, только я-то тут при чем? Ах, обещал? Да мало ли что я обещал?.. Нет, нет, я не отказываюсь, но...

Видно, на том конце резко оборвали разговор. Никита в сердцах бросил трубку.

Таня, не понявшая из этого разговора ничего, кроме того, что для Никиты он оказался неприятен, спросила:

— Кто это?

— Да сестричка, не к ночи будь помянута.

— Она же в Ленинграде, в больнице.

— Уже нет, как видишь. В столице обретается.

— Как же она этот номер узнала? И что ты здесь?

— Легко. С ее-то связями...

— И чего ей надо было? — спросила Таня, невольно подхватив неприязненные Никитины интонации.

— Чего-чего! Денег ей надо было, вот чего.

— Слушай, так ведь у меня есть сотни две. И наверняка еще дадут. Может, поможем? Сестра все-таки.

Никита посмотрел на Таню и сокрушенно вздохнул.

— Ох, и простота ты у меня, Татьяна Ларина! Чихать она хотела на твои две сотни. Квартиру она себе тут организует, с пропиской, вот что.

— И у тебя просит таких денег? Откуда?

Никита замялся.

— Да есть кое-какое совместное имущество... Только хренушки она его получит. Пусть и не мылится... Слушай, не знаю, как ты, а я проголодался. Давай-ка немножко причепуримся и совершим налет на здешний буфет. Кстати, рекомендую заправиться поплотнее: чутье мне подсказывает, что сегодня банкетом вас угощать не будут.

Чутье Никиту не подвело. В половине шестого Тане позвонили и попросили спуститься к ожидающей у западного входа черной «Волге». Она была во всеоружии: в ярком, почти сценическом макияже, в вечернем платье из белой парчи, поверх которого накинула каракулевую шубейку — неожиданный, как всегда, подарок от Никиты, — в лакированных туфлях с высоченными каблуками. От последнего она хотела отказаться (еще бы, в них она ростом почти догоняла Никиту, а он был не из лилипутов), но Никита убедил ее:

— Ты не просто роскошная женщина, а актриса, поэтому должна выделяться, бросаться в глаза. Для выхода в свет при твоем росте это самое то.

К «Волге» они спустились вместе. По пути договорились, что часам к десяти-одиннадцати — предполагаемому окончанию мероприятия — он подгонит огневскую «Ниву» поближе к Спасским воротам, встретит ее и отвезет кое-куда, где ни одна сука не помешает ему сделать ей одно важное заявление. На улице он галантно распахнул перед нею дверцу черного автомобиля, порекомендовал шоферу как можно бережнее проехать все пятьсот метров пути до Дворца Съездов и, насвистывая, удалился. Пригласиться на премьеру у него не было никакой возможности: туда были званы лишь участники фильма и делегаты февральского Пленума ЦК, к открытию которого, собственно, и была приурочена премьера.

Снабженный специальным пропуском автомобиль проехал прямо к Дворцу Съездов, миновав несколько постов охраны. На площадке перед Дворцом стояло множество таких же машин. Впрочем, были там и «Чайки», и даже два длиннющих бронированных ЗИЛа с тонированными стеклами. Двое крепких молодых людей в черных смокингах — таких тут было еще больше, чем автомобилей, — раскрыли перед Таней дверцу. Сверившись со списком и фотографией, другой молодой человек, в котором она узнала клюквинского подручного, распорядился впустить ее внутрь. В фойе ее перехватил второй клюквинец с биркой администратора на лацкане черного пиджака и препроводил в зимний сад, где уже собрались многие из участников фильма. Таня узнала главного оператора, Ию Саввину, о чем-то оживленно беседующую с Арменом Джигарханяном, Евстигнеева в замшевой курточке. В общем-то она знала почти всех и тут же вступила в общие разговоры. В зал их долго не приглашали.

Потом на возвышение возле пальмы бодро взгромоздился лично товарищ Клюквин и, трижды хлопнув в ладоши, провозгласил:

— Товарищи, внимание. Программа весьма насыщена, поэтому наше с вами мероприятие разбивается на два дня. Сегодня в рамках работы февральского пленума состоится премьера нашего фильма. Товарищ Зимянин выступит с кратким вступительным словом, потом мы покажемся товарищам делегатам, вместе с ними посмотрим фильм, после чего вас развезут по домам. Завтра в семнадцать ноль-ноль в Центральном Доме Актера состоится торжественный прием по случаю премьеры, ожидается присутствие высоких гостей, торжественный обед, — он подмигнул, — и, может быть, вручение почетных грамот и ценных подарков. Миша и Святослава Петровна раздадут вам пригласительные. А сейчас прошу тихонечко, в колонну по одному, проследовать за мной в левую ложу.

Из-за бархатной портьеры появилась рука, дважды взмахнула, и по этому сигналу приглашенные двинулись вслед за Клюквиным.

Делегаты пленума ЦК — люди важные и занятые, и каждая минута у них на счету. Когда съемочная группа потихоньку заполняла собой полутемную ложу, с высокой трибуны пожилой и невзрачный человек — должно быть, товарищ Зимянин — уже вещал про значимость ленинской темы в советском искусстве и про выдающийся вклад товарищей Шундрова и Клюквина в современную Лениниану.

Усевшись, Таня с несколько нервным любопытством оглядела зал. В полупустом президиуме за спиной докладчика она разглядела лица, знакомые по плакатам и портретам. Она узнала Андропова, Громыко, Устинова в маршальском мундире. Брежнева не было — он с утра читал вступительный доклад, который передавали все радио- и телевизионные станции страны, а потом уехал отдыхать. Старенький все-таки. Знаменитый задник с огромной головой Ленина на фоне красного знамени был уже завешен гладким белым экраном. Таня перевела взгляд на зрительские места. Зал был до отказа заполнен людьми в одинаковых темно-синих костюмах, лишь кое-где мелькали генеральские и адмиральские мундиры и разноцветные, хотя и строгих тонов, костюмы женщин. Это обилие темно-синего неожиданно напомнило Тане зал ПТУ «Коммунара», и даже показалось, что уважаемый докладчик вот-вот начнет нараспев читать про «большие сдвиги в темной психологии детей». Оно конечно, публика здесь совсем не та — чиновная, выдержанная, дисциплинированная. Слушают молча, с достоинством, в нужных местах выдавая надлежащий аплодисмент. Никому и в голову не придет ставить подножки или плеваться жеваной бумагой. Но все-таки...

Таня прикрыла глаза — и открыла их от яркого света прожекторов, направленных прямо в их ложу. Сидящие рядом поспешно вставали, раскланивались, улыбались, щурясь от яркого света. Таня последовала их примеру. Скользнув по ложе, луч прожектора взмыл к потолку и стал гаснуть вместе с общим светом в зале. Негустые аплодисменты мгновенно смолкли. В меркнущем свете Таня увидела, как сидевшие в президиуме руководители страны встают и уходят — некоторые в зал, но большинство за кулисы.

По громадному экрану под героическую музыку побежали титры. Таня сосредоточилась: в смонтированном виде она еще не видела этот фильм, и ей было интересно, что же получилось.

А получилось неплохо — если отключиться от хрестоматийного сюжета и дурацких диалогов. Актеры блистательной игрой вытягивали фильм. На фоне звезд и сама Таня смотрелась неплохо. Особенно удалась ей сцена с Ульяновым-Лениным (Таня про себя улыбнулась нелепому каламбуру). В ней было и напряжение, и убедительно переданная упертость, непримиримость обоих персонажей, готовых идти к светлым своим идеалам через всенародное горе.

Потом она стала уставать и почувствовала голод. Сосед — в темноте она не разглядела, кто именно, — зашуршал шоколадной оберткой. Чуть скрипнули половицы, и в осветившемся проеме она заметила чью-то спину. Это мысль! Выждав для приличия несколько минут, Таня поднялась и, одарив лучезарной улыбкой широкоплечего мальчика в смокинге, охранявшего ложу, выплыла в коридор. Покурила в роскошном дамском туалете, съела в боковом буфетике бутерброд с черной икрой за семнадцать копеек, захотела взять второй, но, поймав на себе бдительный взгляд очередного мальчика, засмущалась, вернулась в ложу и стала досматривать кино...

— Вот ведь петух проколотый! — в сердцах высказалась Таня, эффектно бросив трубку.

Шеров, сидевший в глубоком кресле, поднял на нее насмешливые глаза.

— Что за словечки, а? Юность бурную вспомнила?

— Да ну его, сволочь!

— Не захотел помочь родной сестре? — участливо спросил Шеров.

— Это бы ладно, — сказала Таня. — Я бы, может, тоже не стала ему помогать. Главное, что он не хочет отдать мне мое, хотя и знает, что это мое. И данное слово назад берет. Я такого не прощаю никому.

— И теперь прикидываешь, как его получше прищучить?

— Да, прикидываю.

— Знаешь, — сказал Шеров, — я тут невольно все твои разговоры слушал, и наметился у меня один вариантик, как братца твоего примерно наказать. Только мы его оформим как интеллектуальную игру, вроде теста для тебя. Я дам тебе две наводки, а до остального ты додумаешься сама. Если не додумаешься, я подскажу, только тогда пять тысяч с дачи — мои. Согласна?

У Тани загорелись глаза. Такими штучками она с детства увлекалась.

— Согласна. Но если додумаюсь, то столько же сверх цены — мое.

— Ладно... Наводка первая. Ты звонила в четыре места. В связи с этим ты задашь мне один вопрос, на который я в состоянии дать совершенно точный ответ. Подумай, какой вопрос ты мне задашь. Даю три минуты на размышление. Пойду помогу Архимеду заварить еще кофе, а ты пока думай.

Он вышел, а Таня закурила и сосредоточилась. Так. Она звонила в четыре места. Домой, Огневу, Квасову и... А, собственно, куда? Откуда с ней разговаривал Никита? Пожалуй, это и есть тот самый вопрос. Она встала, потянулась и вышла на кухню. Шеров действительно возился с кофе.

— Ты что тут? — спросил он.

— Вопрос готов, — сказала Таня. — Куда я звонила в четвертый раз? Правильно?

— Умница! — воскликнул Шеров. — Чтобы прищемить зверю хвост, сначала надо узнать, где этот зверь сидит... Теперь ты последи за кофе, а я позвоню одному знакомому и узнаю ответ. Номер ты записала?

— Да. Последний на листочке. Листочек на столе.

— Кстати, можем добавить интересу. Пока я буду узнавать, ты хорошенько вспомни содержание всех разговоров и напиши на бумажке свой вариант ответа. Я приду сюда, и мы поменяемся бумажками. Если совпадет — получишь лишний балл.

— Маловато будет, — усмехнулась Таня.

— Ну, два балла. Только чур, не подслушивать.

Не возвращался он довольно долго. Таня успела выпить чашку кофе, выкурить сигарету, полистать синий томик Мандельштама. И, естественно, написать свой вариант. Появившись на кухне, Шеров сказал:

— Немного затянулось, извини. Пришлось вместо одного звонка сделать три. Давай свою бумажку.

Взамен он отдал ей свою записочку. Таня прочитала: «Гостиница „Россия", № 1352, Ларина Т. В.» — и посмотрела на Шерова.

Он развернул Танину записку. Там было одно слово: «Ларина».

Шеров развел руками.

— Нет слов... А теперь главное. Ты сделала четыре звонка и в каждом случае получила какую-то информацию. Ты восприняла ее как последовательную цепочку: узнав одно, ты узнала другое, вследствие этого узнала третье, и так далее. Теперь представь себе все это не как цепочку, а как кусочки головоломки, которую нужно собрать и получить целостную картину. Когда все, повторяю, все кусочки сложатся в единую картину, нужно будет проанализировать ее и произвести логически вытекающее из нее действие, которое уязвит твоего братца самым неприятным образом и очень тонко, но в то же время убедительно покажет ему всю серьезность наших намерений и при этом не подставит никого из нас под удар. Я ненадолго отлучусь. Ты пока подумай, я тоже подумаю, а потом сопоставим наши решения и выработаем единый план.

Ровно через час Шеров вернулся. Таня сидела на кухне и с аппетитом уплетала яичницу с баночной ветчиной.

— Придумала? — спросил Шеров.

Таня кивнула.

— Кому звоним, что говорим?

Она придвинула ему лежащий на столе листок бумаги с коротким текстом: «Юрий Сергеевич! Приезжайте сегодня вечером на дачу Захаржевского. Вас ждет незабываемое зрелище. Кто говорит? Ваш искренний поклонник и доброжелатель».

— Так, — моргнув, сказал Шеров. — Вообще-то я имел в виду не совсем это. Кстати, откуда ты взяла, что там будет зрелище?

— Как ты учил, сопоставила факты. Братец приехал в Москву с Лариной и торчит у нее в гостинице — это раз. Послал на фиг своего Огнева — это два. Взвился как ошпаренный, когда я о даче заговорила, — это три. Заказал продукты в Народном Контроле, хотя к его услугам если не лучшие, то очень неплохие столичные рестораций — это четыре. Из этого можно предположить, что братец мой задумал вечерок типа «гранд-интим», с эротической кухней и прочими ништяками. Это в его духе. А где такой вечерок устраивать, как не на даче? Ведь не в номере же, заперешись, пайку ведомственную хавать — это как-то совсем уж не комильфо... Хотелось бы, чтобы в разгар веселья явился Огнев и закатил что-нибудь этакое... Приятный сюрприз для братца, и для Лариной тоже. Как я полагаю, Никитушка не откровенничал с нею о своих астических наклонностях... Но даже если я что-то не так вычислила и товарищ Огнев поцелует замок у пустой дачи, большой беды не будет. Еще что-нибудь придумаем.

— С тобой на пару мы покорим весь мир! — воскликнул Шеров. — Теперь давай немного подредактируем текст и...

— У-же! — сказала Таня, качая головой.

— Что? — не понял Шеров.

— Звоночек уже имел место.

— Зачем же ты сама? Он ведь мог узнать тебя по голосу.

— А кто сказал, что я сама? Архимеда попросила.

— Отсюда?

— Зачем отсюда? Снабдила двушками и отправила к автомату на углу...

Через полчаса Шеров вошел в гостиную, где Таня, лежа на диване, смотрела по видику какой-то боевик с мордобоем.

— Интересно? — спросил он.

— Не-а, — ответила Таня, посмотрела на него и ахнула.

Он был одет в драный ватник, из-под которого выглядывала тельняшка.

— Ты что, Папик?

— Да вот, тряхнуть стариной захотелось, — смущенно сказал он и протянул ей байковые бабские панталоны.

После сеанса, завершившегося усталыми и недолгими аплодисментами, киношников вывели через боковой вход. Таня не стала дожидаться назначенного ей автомобиля, а пешком прошла через ворота и очутилась на Красной Площади. По пути никто не остановил ее — видимо, охрана интересовалась только входящими.

Сразу же за коротким мостиком ее обнял и, подняв с земли, закружил Никита.

— Ну что, комиссарша, как оно?

— Волнительно, — усмехнулась она. — Но с чувством глубокого удовлетворения.

Никита подозрительно глянул на нее.

— И с кем же ты успела столь глубоко удовлетвориться? Неужто с «сосисками сраными»?

— Нет, Лелика не было. Зато присутствовали все прочие члены.

— Ну, и как члены?

— Члены как члены. Твой куда интереснее.

— Еще бы. Угощений и раздачи слонов, как я понимаю, не было?

— Перенесли на завтра. В Дом Актера. Кстати, я тебя приглашаю.

— Спасибо. Ответное приглашение принято.

— Как это — «ответное»?

— Сегодня же я тебя приглашаю. Ты что, забыла?

— Ой! Точно, забыла. Слушай, а может, отложим? Поздно уже, я устала, проголодалась...

— Не отложим, — решительно сказал Никита. — Колесница ждет, горячее стынет, холодное тает.

— А куда мы?

— Для начала — в переулочек за ГУМом. Ближе поставить негде было.

Езда по зимнему ночному шоссе обошлась без приключений. Никита вел осторожно, объезжая заносы и блестящую в свете фонарей наледь. Таня сидела рядом, поджав ноги, и смотрела в ночную даль. Автомагнитола оглашала салон сладкими мелодиями Демиса Руссоса.

— Долго еще? — потягиваясь, спросила Таня. — Есть хочу, спать хочу.

— Нет, — напряженно ответил Никита. — Потерпи. Скоро и поешь, и отоспишься вволю.

— А зачем было тащиться в такую даль?

— Потому что мне так надо. Особое событие требует особой обстановки.

— Какое еще особое событие? — спросила Таня.

— На месте узнаешь, — сказал Никита и замолчал.

Оставалось только догадываться. Впрочем, кое-какие соображения у Тани на этот счет были. Любитель эффектных сцен и интерьеров явно не случайно вез ее в даль, хоть, может, и не светлую, но все же... Неужели решился наконец? Ну что ж, Татьяна Захаржевская — звучит совсем неплохо. Хотя для экрана придется оставить прежнюю фамилию — уже как псевдоним. Да... С другой стороны, а не размечталась ли она понапрасну? Не исключено, что путешествие это закончится дачной пьянкой в компании московских папенькиных сынков, а особое событие окажется вручением очередного эпохального сценария или дегустацией нового вида подкурки, к которой Никита безуспешно приучал ее. К табаку, правда, приохотил, но больше — ни-ни... Да, лучше настроиться именно на такой вариант: если не хочешь разочарований, не надо очаровываться.

— Приехали, — сказал Никита, остановив машину возле ворот в высоком кирпичном заборе. — Пше прашем бардзо... Ты пока подыши, а я тачку в гараж отгоню, тут недалеко, и вернусь.

Таня вышла, с удовольствием размяла ноги, вдохнула полной грудью свежий полуоттепельный воздух, осмотрелась. Благодать! Прямая как стрела, освещенная редкими фонарями белая, безмолвная улица, по бокам — затейливые заборчики, над которыми нависают присыпанные мягким серебристым снежком еловые ветки. А дышится как! Особенно после города — загазованного, людного и потного, суетливого и суетного. Всюду тишина, и по ту сторону забора тоже. Стало быть, вариант с компанией золотой молодежи отпадает. Хотелось бы надеяться. Сегодня она уже некоммуникабельная. Никому-никому. Только Никите. Ему-то она всегда кабельная!

Усмехнувшись бородатой шуточке, она достала из сумочки сигареты и блаженно затянулась.

Через пару минут незаметно подошел Никита. Она даже вздрогнула, услышав совсем рядом его нарочито грубый голос:

— Балдеешь, падла?

— Господи, ну и шуточки у тебя! Так и в обморок грохнуться недолго.

— Погоди грохаться. Этот номер у нас во втором отделении.

Он отпер ворота, широко распахнул их и, сделав шажок в сторону, поклонился:

— Прошу вас, мадам!

Она ответила реверансом и гордо ступила в распахнутые ворота.

Прямая расчищенная дорожка вела к сверкающему разноцветными окнами чудо-домику, двухэтажному, обшитому золотистыми ровными досочками. Над высоким крыльцом призывно горел висячий фигурный фонарь.

— Что за черт?! — услышала она за спиной и удивленно обернулась. Никита широкими шагами догонял ее. Лицо его было встревоженным.

— Что случилось? — спросила она. Сердце екнуло от дурного предчувствия.

— Я же вроде тут электричество погасил везде. Только фонарь оставил... Или все-таки забыл...

Он, уже не обращая на нее внимания, стремительно зашагал к дому. Она еле поспевала за ним.

— Ну, если Танька-сука решила мне подлянку устроить... — бормотал он на ходу.

— Никита, постой, я не...

Она не успела договорить. Никита одним прыжком взмыл на крыльцо, рванул на себя незапертую дверь и исчез в доме. Таня побежала следом за ним.

На паркете красивой, обшитой темным деревом прихожей, посреди толстых осколков, видимо, зеркала валялась сорванная с петель резная вешалка. Хозяйственный шкаф был распахнут настежь, все находящиеся в нем банки и пакеты были опрокинуты, разбиты, распороты. С потолка на стены непристойно сползала большая фиолетовая клякса.

Вонь была нестерпимая — несло керосином, фекалиями, краской, скипидаром, дихлофосом и еще непонятно чем. Пробивавшийся сквозь миазмы слабый аромат цветов и яств придавал запаху особенную омерзительность. Зажав нос, Таня вслед за Никитой шагнула из прихожей в гостиную.

Здесь царил полный разгром — не просто варварский, а глумливый, извращенный. Кресла и диваны располосованы ножом, со шкафов сорваны двери, ковер усыпан осколками стекла. Все, что не было сломано, оказалось залито, затоптано, загажено. И лишь безупречно сервированный на двоих овальный стол и высокая люстра остались нетронутыми. Впрочем, приблизившись к Никите, застывшему возле стола, Таня, с трудом удерживая рвоту, увидела, что каждое блюдо на столе аккуратно посыпано хозяйственными и садовыми химикатами, окроплено керосином, скипидаром, санитарной жидкостью или попросту мочой. Посреди стола на пустом блюде возвышалась кучка экскрементов, в которую было воткнуто золотое кольцо камнем наружу и две алые розы. На белоснежной поверхности торта было коряво выведено: «Х.. вам!», вдоль бороздок надписи тянулись коричневые полоски — видимо, перед тем как оставить свой автограф, автор обмазал палец тем, в чем торчало кольцо.

— Что... что это? — давясь, прошептала Таня.

Никита обернулся к ней. Губы его кривились в дикой ухмылке, в глазах плясали безумные искры.

— Это? — протянул он, бесшумно приближаясь к ней. — Это, надо полагать, подарочек моей обожаемой сестры. Подарочек к нашему празднику.

Он все надвигался на Таню. Она невольно отступила, каблуком хрустнув по осколку.

— К... к какому празднику? — пролепетала она.

— К нашей помолвке. Она высказала свое неодобрение...

— Но, Никита... ты же мне ни слова не сказал. О помолвке.

— Да? Возможно. Вот.

Он наклонился над омерзительным столом, запустил пальцы в кучу дерьма, извлек колечко с камнем и, не обтерев, ткнул им Тане в грудь.

— Получай, невеста неневестная, — сказал он. — Это твое. Рада?

Таня отбросила от себя его руку с кольцом. Хотела что-то сказать, но не могла.

— Ах, не рада? — с глумливым сочувствием проговорил Никита. — Или перепачкаться боимся?

Он мазнул кольцом по щеке Тани и отшвырнул его в угол. Она покраснела и схватилась за щеку. Потом, зажмурив глаза, размахнулась и отвесила Никите душевную оплеуху. Он откинул голову и, продолжая то же движение, повернулся к ней спиной и медленно пошел вдоль стола. Таня ждала неизвестно чего, не в силах пошевелиться.

— Впрочем, нет, — бормотал Никита, словно забыв о ее присутствии. — Вряд ли Танька, вряд ли... Слишком простодушно, не по-нашему. Она бы напакостила изящнее, тоньше, подлее... Тут... тут другое что-то...

Бубня себе под нос и осторожно ступая между осколками и пятнами грязи, он направился в угол, к деревянной лестнице.

— А что там? Там-то что? — слышала Таня его хриплый полушепот.

Он миновал короткий пролет и скрылся за поворотом лестницы. Как только он исчез из виду, оцепенение моментально схлынуло с нее. Невольно копируя кошачьи движения Никиты, она направилась к дверям. Переступила через поваленную кадку с пальмой, вышла в прихожую, пошла по зеркальным осколкам, взялась за ручку...

Тишину прорезал жуткий, звериный крик. Таня вздрогнула и замерла, держась за ручку. Крик сверху повторился.

— Что ж ты? — пробормотала Таня себе самой. — Беги, дура! Беги отсюда!

Но ноги не слушались ее. Она промчалась через гостиную и взлетела по лестнице. На площадочке второго этажа перед распахнутой дверью чернела густая лужа. Кровь...

Таня привалилась к косяку и тихо сползла на пол, в эту самую черную лужу.

Кровь была везде: залила весь пол, запятнала стены, размашистой дугой пересекла потолок, стекала на коврик со свисающей с кровати руки. Она видела спину Никиты, опустившегося на колени и навалившегося всем телом на кровать, закрывая собой лежащего.

На кровати, оскалив зубы и устремив вверх огромные глаза, лежал Огнев.

Эхо криков еще звучало в ушах Тани, но теперь она услышала тихий, монотонный, перемежаемый влажными вздохами шепот Никиты:

— ...только тебя, только тебя одного... Только ты мог понять меня, простить мне Ольгу — ты понимал, что так надо, что без престижной жены мне ничего не светит. И гаденыша Сайянта ты простил... когда из-за этого шоколадного провокатора меня вытурили из Вены. Тогда все отвернулись от меня, я потерял работу, семью, доброе имя. И только ты принял меня, поддержал... И потом в трудную минуту ты всегда был рядом, а я... Я отталкивал тебя, унижал, оскорблял, помнишь? Прости меня, прости... Я недостоин прощения, я понимаю. Помнишь, как я лгал тебе, уверяя, что Татьяна нужна мне как ширма... Ты говорил, что эта ведьма околдовала меня, крадет меня у тебя. Ты плакал, молил. И тогда я ударил тебя. В первый раз. А потом бил еще и еще... Прости, прости меня, Юрочка, милый, единственный мой...

Таня сидела в луже крови, не шелохнувшись, окаменев изнутри — душа отказывалась принимать этот ужас.

Никита вновь уронил голову на бездыханное тело Огнева и забормотал что-то, сначала невнятно, потом все отчетливей и громче, чуть ли не срываясь в крик:

— ...Я отдам свою кровь вместо твоей — хочешь? Возьми мою кровь и встань, воскресни!

Он стремительно вскочил с колен и занес над собой какой-то длинный, сверкающий предмет.

Таня дико закричала. Никита резко обернулся, выронив бритву.

— Ты! — крикнул он. — Ведьма! Сгинь!

Он подбежал к ней и с размаху ударил ногой в живот. Таня охнула, сложилась пополам и откатилась на площадку. Никита рванулся в глубь спальни...

Таня мячиком скатилась по ступеням и помчалась из дому вон...

Выбежав на ведущую к воротам дорожку, она оступилась, подвернув лодыжку, упала, мгновенно поднялась, отшвырнула во тьму туфли и, чуть припадая на ногу, выбежала на улицу.

Вокруг никого не было. Лишь у дальнего фонаря, раскачиваясь, обнимал столб мужик в ватнике.

— Станция! — крикнула она. — Где станция?

Мужик посмотрел на нее, икнул и перекрестился.

— Где станция, я спрашиваю?! Ну!

Мужик ошалело махнул рукой туда, откуда она прибежала.

— Там?! Точно там?!

Мужик судорожно закивал головой, не переставая креститься...

В деревянном павильончике станции грелись, дожидаясь последней электрички на Москву, человек пять. Кассирша, гремя ключами, запирала свое хозяйство. И тут что-то ударило в дверь павильончика снаружи, та с треском распахнулась и на пороге появилась Таня — босая, растрепанная, без шапки, в расстегнутой шубейке, за ней волочился потяжелевший от крови подол блестящего парчового платья. Ожидающие поезда вскочили. Окинув безумным взором комнатку, она рванулась к светящемуся окошечку.

— Господи!

— Да это же Ларина, артистка!

— Батюшки, вся в крови!

Не слыша этих восклицаний, Таня наклонилась к окошечку и прошептала прямо в белое лицо кассирши:

— Касса, милая, скорее...

Тут ноги ее подкосились, и она рухнула на дощатый пол.

## III

...Сырой брезент шатра провисал под непрекращающимся, вечным мелким дождем, почти касаясь склоненных голов, покрытых серыми капюшонами. Фигуры в бесформенных балахонах сидели вокруг горизонтально поставленного и медленно вращающегося колеса. На поверхности колеса от одной сгорбленной фигуры к другой перемещались предметы, и каждая фигура, исполнив с одним предметом определенную операцию, бралась за другой. К Тане эти предметы попадали в виде черных дисков величиной примерно в половину ладони. Она снимала с колеса подъехавший диск, опускала тряпку в едкий белесый порошок и принималась натирать верхнюю поверхность диска, пока она не начинала тускло блестеть и на ней не проступали непонятные слова: «SCRIVNUS REX IMPERAVIT». Тогда она клала диск на колесо и бралась за следующий. Она не знала, как и когда попала в это запредельно унылое место, не знала, что это за место и кто окружает ее. Изредка, подняв голову, она осматривалась, но видела лишь колесо, склоненные головы, скрытые капюшонами, да низкий ветхий брезент, с которого капали просочившиеся капли. Одно она знала твердо: надо выполнять работу, не отвлекаться, не задумываться, не выпадать из общего тягучего ритма, ибо наказание будет неминуемым и страшным. Ей было... ей было никак. Не было никаких чувств, кроме смиренной тоски и всеподавляющего чувства страха перед тем, что произойдет с ней, если она допустит малейший сбой. Да еще неприятное, колючее ощущение грубой ткани балахона, надетого прямо на голое тело. Вот заблестел под ее огрубевшими руками еще один диск, значит, пора брать другой. Иногда она принималась считать начищенные ею диски, но очень скоро сбивалась со счета, да и смысла в нем не было, потому что дискам не было конца и потому что она не знала, что будет, когда она досчитает до какого-нибудь заветного числа, и боялась того, что будет, потому что здесь все изменения могли быть только к худшему.

Колесо остановилось. В центре его образовалась круглая дыра, из которой медленно поднималась стройная и неярко светящаяся фигура воина. Сначала показался высокий шлем, гордая голова, плечи, прикрытые металлическими наплечниками, круглый щит... Последними — мускулистые ноги в высоких сандалиях. Над колесом во всей красе возвышался центурион, в котором Таня с дрожью узнала Никиту. Одна рука его держала щит, а другую он поднял высоко над головой. В поднятой руке появилось ослепительно голубое копье и стремительно завращалось, оставляя в полумраке огненный круг. Вращение ослабевало, и вот копье замерло в руке центуриона. Его наконечник указывал на Таню.

— Ты, — сказал центурион, едва разжимая тонкие губы. — Пойдешь со мной.

Таня сползла со скамьи и плюхнулась коленями на склизкий холодный пол.

— Пощади, господин мой! Я всегда работала старательно, не ошибалась, не получила ни одного нарекания...

Губы центуриона тронула надменная усмешка.

— Поднимись с колен, девка. Безграничнее твоей глупости лишь милость Божественного Цезаря Скривнуса, Повелителя Первого Круга... Так и быть, пусть его копье выберет другую. Ты увидишь, что это ничего не изменит.

В его поднятой руке вновь завращалось голубое копье — и замерло, указывая острием на другой край шатра, на одну из сгорбленных фигур в балахоне.

— Ты, — сказал центурион. — Пойдешь со мной.

Таня подняла голову. Пронзительный голубой свет чуть не ослепил ее. Копье указывало на нее.

— Но... но... — пролепетала она. — Как же так?

— Глупая девка, очень глупая, — процедил центурион. — Смотри. Эй, вы! — крикнул он, и фигуры послушно подняли головы. — Капюшоны снять!

Фигуры дружно обнажили головы и открыли покорные, бесстрастные лица. В каждом лице Таня узнала саму себя.

— Вот так, глупая девка, — сказал центурион и, с легкостью пройдя сквозь плотный обод колеса, взял ее за руку. — Идем со мной. Божественный Скривнус, Повелитель Первого Круга, приглашает тебя на обед.

Не выпуская ее руки, он вывел ее из шатра прямо сквозь брезентовую стену. Они оказались в бескрайней волнистой глиняной пустыне, под серым дождливым небом.

— Идем, — повторил центурион и четким шагом направился к горизонту, волоча ее за собой.

Его сандалии были снабжены шипами, а ее босые ноги скользили по мокрой глине. Она падала чуть ли не на каждом шагу. Центурион терпеливо дожидался, когда она встанет, потом снова брал ее за руку и вел дальше.

Впереди показалась гладкая черная поверхность, от которой даже на таком расстоянии веяло жутью.

— Что там? — дрожащим голосом спросила она.

— *Маре Тенебрарум,* — сказал центурион. — Море Мрака. Там ждет тебя Черный корабль Божественного Скривнуса, Повелителя Первого Круга. Смотри.

Он показал на черную точку в том месте, где серая глина сливалась с черной водой. Точка стала расти, обретать форму, и Таня разглядела в ней высокий трехмачтовый корабль с черными парусами. На грот-мачте развевался черно-алый флаг, при взгляде на который ее обдало нестерпимым холодом.

— Я не пойду туда, — сказала она и уселась прямо на мокрую глину.

Центурион посмотрел на нее презрительно и чуть сочувственно.

— Поразительно глупая девка, — сказал он. — Пойми же ты, что Божественный Скривнус всемогущ и может, в пределах Первого Круга, пребывать одновременно везде — и в своем дворце, и в императорской каюте Черного корабля, и в сером небе, и во мне, и в тебе, и в этом вот щите.

Он выставил перед ней щит, тут же замерцавший меднокрасным. Таня завороженно смотрела на полированную поверхность щита. По обводу щита проступили хорошо знакомые ей буквы «SCRIVNUS REX IMPERAVIT», а в самом центре появилась мертвая голова с огромными незрячими глазами и плотно сжатыми губами.

— Хе-хе, а вот и я! — сказала голова, не разжимая губ, и Таня с диким ужасом поняла, что голова разговаривает перерезанным горлом. — Мы, Божественный Скривнус, и прочая, и прочая, ждем тебя на обед. Надеюсь, ты сумеешь доставить наслаждение нашему божественному желудку. Хе-хе-хе!

Таня сжалась.

— Нет!!! — крикнула она. — Не дамся тебе, Огнев!

Голова исчезла в щите.

— Сестра! — вдруг каким-то бабьим голосом заверещал центурион. — Сестра!

Серое небо треснуло, как оберточная бумага, и в разрыве показалась громадная рука. Пальцы расширяли брешь, в которую бил яркий белый свет. Крохотный центурион поднял игрушечные ручки, закрываясь от света, глинистый берег таял, как во сне, а рука опускалась все ниже и ниже, пока не коснулась Таниного лба.

И Таня открыла глаза.

Над ней стояла женщина в белом халате и держала руку у нее на лбу. А над женщиной плыл белый, в трещинках, потолок.

— Где я? — прошептала Таня.

— А в больничке, милая, — сказала медсестра. — Склифосовского знаешь? Ну вот там.

— А этот... Божественный Скривнус?.. Он хотел сожрать меня...

— Это, милая, наркоз у тебя отходит. После операции.

— Какой еще операции?

Таня попыталась сесть, но слабость отбросила ее голову на подушку.

— Не надо, милая, капельницу собьешь еще... А про операцию тебе завтра доктор расскажет. Сегодня поздно уже, домой пошел он.

Таня застонала.

— Слушайте, — сказала она. — Мне нужно рассказать. Срочно. Произошло ужасное. Позвоните в милицию, пусть пришлют кого-нибудь.

— Так были уже. И из милиции, и из прокуратуры. Телефончик в ординаторской оставили. Просили позвонить, как ты в сознание придешь.

— Звоните, — сказала Таня.

Медсестра с сомнением посмотрела на нее.

— А не торопишься? Может, до завтра погодим.

— Нет. Мне надо срочно... Только вот...

— Что, милая?

— Водички бы. И покурить.

Медсестра улыбнулась и достала из кармана пачку «Столичных».

— Специально для послеоперационных держим, — сказала она, вставляя сигарету Тане в рот и зажигая спичку. — Раньше с этим строго было — нельзя, и все тут. Только много больных, которые курящие были, через этот запрет после операции концы отдавали. И вышел новый указ: курящим курить давать.

Таня с наслаждением затянулась.

— Сколько я здесь?

— Не знаю, миленькая. Только сегодня заступила. А в прошлое мое дежурство тебя еще не было. Так что, может, вчера, а может, позавчера... Впрочем, погоди, оперировали тебя под утро, значит, скорее всего, ночью привезли — и сразу под нож. У нас профиль такой — час промедлишь, и можно больного на девятое отделение переводить.

— Девятое отделение — это что?

— Морг, милая.

Таня передернулась.

— Пожалуйста, позвоните им. Скажите, что я готова говорить.

Ночью Таня не могла заснуть, металась. Болел низ живота и особенно левая лодыжка. Таня исхитрилась поднять больную ногу и в свете ночника разглядела, что лодыжка опухла и потемнела. В метаниях своих Таня случайно вырвала из себя катетер и намочила кровать. К счастью, поверх простыни была положена клеенка, так что белье менять не пришлось. Пришла медсестра, поцокала языком, вправила трубочку обратно и вкатила Тане мощный успокаивающий укол. Он подействовал не сразу, и Таня только под утро забылась тяжелым черным сном.

Утром обещал приехать следователь, которому накануне по просьбе Тани позвонила медсестра. Но сначала у нее был очень неприятный разговор с лечащим врачом.

— Поздравляю вас, Татьяна Валентиновна, — жизнерадостно начал врач.

— С чем? — озадаченно спросила Таня.

— Со вторым рождением, — сказал врач. — Ведь мы вас с того света вытянули. Еще каких-нибудь полчаса — и все.

— Я не понимаю, — сказала Таня. — Что со мной было?

— Кровотечение. Сильнейшее. На данный момент своей крови в вас не более двадцати процентов.

— Но я ничего не заметила. То есть, конечно, я была вся в крови, но это чужая кровь, не моя...

— И ваша тоже... Понимаете, то ли от нервного потрясения, то ли от травмы у вас произошел выкидыш, вызвавший кровотечение...

— Погодите, какой выкидыш? — Таня приподняла голову и взглянула в глаза врачу. — Вы хотите сказать, что я?..

— Да, примерно пять-шесть недель, — сказал врач. — Странно, что вы не заметили... К сожалению, такого рода случаи без последствий не обходятся. Пришлось делать срочную операцию и...

Врач замолчал.

— И что? — встревоженно спросила Таня. — Говорите же!

— И... Ну, в общем, теперь вы не сможете иметь детей...

— Как?!

— Видите ли, пришлось перекрыть трубы и удалить придатки практически целиком.

Таня заплакала. Врач положил ей руку на плечо.

— Ну, не убивайтесь так... Матку мы вам сохранили, а вы еще молодая. Бог даст, доживете до тех дней, когда придумают что-нибудь... по части искусственного оплодотворения. Теоретически у вас еще есть шанс...

Он еще что-то говорил ей, но Таня не слушала. Все. Теперь она — пустоцвет до конца дней своих... И никогда не придется ей... Господи, за что? За что?

Дура, надо было рожать! Хоть от Ваньки, а лучше того еще раньше — от Жени. Ну, помаялась бы, помыкалась молодой матерью-одиночкой, зато теперь не было бы этого холодного ужаса, этой черной пустоты внутри. Ведь никогда уже, никогда...

Разговор со следователем, приехавшим через четыре часа, когда Таня уже немного успокоилась, радости не прибавил. Следователь оказался (оказалась) некрасивой плоскогрудой брюнеткой, постарше Тани от силы года на два. Говорила она строго протокольным тоном, а в глазах сверкали нехорошие огоньки. Она уселась на табурет, разложила на тумбочке бланк протокола и принялась задавать вопросы в строгом соответствии с обозначенными пунктами: фамилия, имя, отчество, год и место рождения, род занятий, пол — последний вопрос следователь задала серьезно. Далее она потребовала от Тани изложить все обстоятельства дела и проворно записывала каждое ее слово, изредка прерываясь на вопросы и замечания типа:

— Ну и тумбочки тут у вас. Невозможно записывать!

При этом так смотрела на Таню, будто именно она повинна в неудобности больничных тумбочек. Вопросы были въедливые, с неприятным подтекстом — следователь словно пыталась уличить Таню во лжи и с каким-то подчеркнутым удовлетворением вносила в протокол те моменты, когда Таня отвечала с неуверенностью или вообще затруднялась с ответом: точный адрес дачи, где было обнаружено тело Огнева, точное время прибытия, название станции, на которую прибежала Таня, номер автомобиля, на котором они туда приехали, и тому подобное. Потом она вслух прочитала Тане ее показания и велела написать внизу: «С моих слов записано верно» и расписаться.

Вторая фаза снятия показаний была намного противнее первой — следователь Девлеткильдеева (Таня узнала её фамилию, когда читала протокол) приступила к установлению мотивов происшествия. Вопросы приняли совсем уже неприличный характер:

— В каких отношениях вы состояли с погибшим?

— В деловых, — ответила Таня. — Мы несколько раз снимались вместе.

— Общались ли вы вне съёмок?

— Редко. Иногда бывали в одной и той же компании, на банкетах.

— Состояли ли вы в интимной связи?

— С кем? С Огневым?

— Я, кажется, задала понятный вопрос.

— Нет, — с раздражением ответила Таня. — Не состояла и состоять не могла.

— Как это — не могла?

— Ну... Он вообще не водился с женщинами.

— Это вы на что намекаете?

— Да ни на что я не намекаю! Огнев был гомосексуалистом. Это все знают.

У Девлеткильдеевой был такой вид, будто Таня только что залепила ей пощёчину.

— Как вы смеете клеветать на знаменитого артиста! Его любили миллионы...

— Я не клевещу. Все знают, что это так. Вы спросите на студии, у друзей, у соседей...

— А вы мне не указывайте, кого о чём спрашивать! — взвилась Девлеткильдеева. — Это надо же — такое сказать про порядочного человека! Будто он подонок какой, уголовник с зоны!

Таня молчала — ей не хотелось спорить.

— Себя выгораживаете, гражданка Ларина! — не унималась Девлеткильдеева.

Таня недоуменно посмотрела на неё.

— О чём это вы?

— О том это я, что вся трагедия произошла именно из-за вас. Убеждена, что Огнев был влюблён в вас, вы вскружили ему голову, играли с его чувством, а сами в это время крутили роман с Захаржевским!

— Это только ваши домыслы!

— Ничего не домыслы! Свидетелей вашей связи с Захаржевским сколько угодно!

— Этого я как раз не отрицаю. Мы с Никитой любили друг друга, собирались пожениться...

— Но вы же замужем, насколько мне известно.

— Мы с Лариным не живем вместе. Я давно собиралась подавать на развод.

— Но не подавали. Везучая вы, Ларина, женщина — мужья, любовники...

«А вот ты, видно, невезучая», — подумала Таня, глядя на лошадиное, унылое даже во гневе лицо Девлеткильдеевой.

— Почему вы говорите во множественном числе? — спросила она. — У меня один муж, чисто юридический, и один... любовник.

Девлеткильдеева озлобленно махнула рукой — дескать, рассказывай! — и вновь уперлась в свои записи.

— Итак, вы не отрицаете, что состояли в интимной связи с гражданином Захаржевским?

— Не отрицаю.

— А аналогичную связь с гражданином Огневым, стало быть, отрицаете?

— Отрицаю категорически.

— Так и запишем... Ладно, на этом пока закончим. Вот здесь распишитесь.

Таня перечитала протянутую бумажку, расписалась.

— И еще напишите: «Об ответственности за дачу ложных показаний предупреждена».

Таня написала и с облегчением откинулась на подушку — сидеть ей было очень тяжело.

— Предупреждены, стало быть, — сказала Девлеткильдеева, укладывая бумаги в папку. — Это хорошо. Значит, не умрете от удивления, когда вас арестовывать придут.

— Что вы такое говорите?! Я правду сказала!

— Правду? Ну, это как посмотреть... Я лично убеждена, что вы намеренно исказили некоторые факты, чтобы представить себя в самом лучшем свете, а главное — выгородить своего дружка Захаржевского...

Таня, ничего не понимая, смотрела на следователя. На лице Девлеткильдеевой впервые за все время разговора появилась улыбка. В этой улыбке не было ничего хорошего.

— Только зря старались, Ларина, — с плохо сдерживаемым торжеством произнесла Девлеткильдеева. — Ваш любовник, гражданин Захаржевский, полностью сознался в убийстве гражданина Огнева Юрия Сергеевича!

Таня глотнула воздуху — и застыла, не в силах сказать ни слова.

— Так что поправляйтесь, Ларина, и подумайте хорошенько — у вас есть еще время изменить свои показания и действительно рассказать правду. Это зачтется. Готовьтесь, Ларина, — в следующий раз разговор у нас будет серьезный и в другом месте.

Девлеткильдеева встала с табуретки и направилась к дверям.

— Стойте! — крикнула Таня. — Погодите!

Следователь остановилась и повернулась к ней.

— Будем сознаваться? Дозрели? Хвалю.

— Да не в чем мне сознаваться, — досадливо сказала Таня. — Я про Никиту сказать хотела. Не убивал он, не мог! Они с Огневым друзьями были... Если он в чем и признался — так это на него помрачение нашло, когда он Юру мертвого увидел, да еще в крови...

В своем рассказе она скрыла от следователя всего две вещи — безумный монолог Никиты над телом Огнева и то, как он ударил ее в живот и грозился убить себя и ее.

— Убивал, не убивал — это мы выясним. На то поставлены, — сказала Девлеткильдеева.

— Я должна его видеть! — заявила Таня.

— Очную ставку мы вам организуем, — пообещала Девлеткильдеева. — Вот выпишут вас — и организуем.

Она хлопнула дверью. И тут же в палату вошла пожилая медсестра со шприцем.

— Ты уж прости, милая, у меня пост под самой твоей дверью. Слышала я кое-что... Уж не знаю, как там все было, только грешно этой басурманке больного человека мучить. Вон, совсем с лица спала... Дай-ка я тебе укольчик сделаю, мой, особенный. Проснешься — полегче тебе будет. Тогда и подумаешь, что дальше делать...

Первым тревогу поднял сторож привилегированного дачного поселка. Обходя ранним утром вверенную ему территорию, он увидел, что ворота дачи номер 186, записанной на имя Захаржевского Никиты Всеволодовича, распахнуты настежь, а в самой даче, несмотря на ранний, неурочный час, горит свет во всех окнах. Сторож вошел на участок, открыл незапертую дверь, увидел картину жуткого разгрома и помчался вызывать милицию. Прибывший на место милицейский наряд подвергся нападению со стороны гражданина Захаржевского, который, выкрикивая нецензурные слова, нанес удар в лицо сержанту Ивантееву, после чего силами рядовых Тучкина и Макарова, а также самого сержанта Ивантеева и пришедшего на подмогу сторожа был обезврежен, лишен свободы передвижения посредством наручников, закрепленных другим концом к батарее центрального отопления, после чего обезврежен дополнительно. Затем сержант Ивантеев произвел осмотр дома и, обнаружив в помещении второго этажа труп, в котором предположительно опознал известного артиста кино Юрия Огнева, вызвал по имеющемуся на соседней даче телефону следственную группу Одинцовского райотдела. Прибывшей на место происшествия группе во главе со следователем районной прокуратуры Девлеткильдеевой пришедший к тому времени в сознание Захаржевский признался, что вчера поздно вечером, после совместного распития спиртных напитков, поспорил, а потом и подрался со своим другом, артистом Огневым, и в ходе драки, находясь в состоянии умопомрачения, перерезал ему горло опасной бритвой. Эта версия и легла в основу начавшегося расследования.

Были незамедлительно опрошены имевшиеся на данный момент соседи по участку. Один из соседей, академик Ельмеев, показал, что вчера, между одиннадцатью и половиной двенадцатого ночи, прогуливая своего бассет-хаунда Джосселина, видел возле открытых ворот дома Захаржевских автомобиль, из которого выходила хорошо одетая стройная женщина высокого роста. Лица он в темноте не заметил. Автомобиль же опознал однозначно — оранжевого цвета «Нива», на которой Захаржевский несколько раз приезжал на дачу. «Нива» была найдена в боксе коммунального гаража, и по документам, обнаруженным в бардачке, было установлено, что машина принадлежит покойному Огневу, а Захаржевский пользовался ею по доверенности владельца.

К десяти часам утра возле дачи собралась толпа любопытствующих. Некто Семенов, местный житель, показал, что вчера ночью видел на улице высокую окровавленную женщину, которая допытывалась у него, как пройти на станцию. Девлеткильдеева тут же связалась с линейным отделом железнодорожной милиции, где ей сообщили, что в ноль двадцать пять в помещение ближайшей станции вбежала босая женщина в каракулевой шубе и залитом кровью парчовом платье, в которой присутствующие опознали киноактрису Татьяну Ларину. Вбежав в помещение, Ларина тут же потеряла сознание. Была немедленно вызвана постоянная бригада врачей из дачного поселка и после оказания на месте первой помощи Ларина была по «скорой» госпитализирована в больницу Склифосовского в сопровождении младшего лейтенанта линейного отдела Захарченко. Дело по факту этого происшествия возбуждено, протокол имеется.

Оставив досмотр места происшествия на лейтенанта Симакова и судмедэксперта Глухова, Девлеткильдеева ближайшей электричкой выехала в Москву. Уже в поезде у нее окончательно сложилась версия преступления, основанная, увы, не на реальных уликах, а на показаниях избитого и обезумевшего Захаржевского и на психологических портретах двух других участников драмы. Эти портреты следователь построила исключительно на кинотипажах, созданных этими актерами. Она не сомневалась, что Захаржевский привез Ларину на свою дачу с тем, чтобы предаться с ней разврату, но тут явился обуреваемый праведным гневом благородный Огнев, обольщенный коварной Лариной. Происходит выяснение отношений, перешедшее в драку с ломкой мебели, в ходе которой Захаржевский — явный прохвост, поскольку ничем не знаменит, а вон какую дачу имеет! — убивает Огнева опасной бритвой. Перепуганная и перепачканная кровью Огнева Ларина сбегает с места преступления, а Захаржевский, раскаявшись, сдается властям, при этом выгораживая Ларину, вскружившую голову и ему тоже. Бронебойная версия — прямо хоть фильм по ней ставь!.. Возможен, конечно, и такой вариант, что Ларина сама зарезала Огнева, но это маловероятно. Такие женщины убивают чужими руками, как миледи в «Трех мушкетерах» убила герцога Бэкингэма.

Остается послушать, что скажет эта роковая сучка, так ловко бухнувшаяся в обморок на станции и намеренная теперь перележать скандал на больничной коечке. Девлеткильдеева, ни разу не видевшая Ларину вживе, уже ненавидела ее, эту избалованную стерву, наделенную всем, что может пожелать душа, — красотой, славой, материальным положением, поклонниками, любовниками... Наверняка имевшую безбедное детство и юность — с высокопоставленными родителями, дорогими нарядами, красивыми мальчиками, лучшими репетиторами, престижным театральным институтом... Привыкшую обольщать мужчин и помыкать ими, привыкшую позволять им резать из-за нее друг другу глотки. Только бы сразу не сорваться, не выложить все, что она об этой твари думает...

В Танину палату следователь Девлеткильдеева поднималась в довольно взвинченном состоянии. Спускалась же вполне не довольная собой. «Ничего, сучка, — шептала она. — Добью тебя на втором допросе». Но второго допроса не было.

Аниса Низаметдиновна Девлеткильдеева так и не узнала, что ее блестящая версия, возникшая из первых показаний Захаржевского, начала лопаться уже в тот момент, когда она садилась в электричку до Москвы. Лейтенант Симаков, оставленный досматривать место происшествия, в свое время попал в школу милиции, начитавшись Конан-Дойля, и был большим поклонником дедуктивного метода. Он первым обратил внимание на то, что характер повреждений, нанесенных обстановке дачи, однозначно свидетельствует о том, что они не могли быть следствием пьяной или даже трезвой драки. Скорее здесь имел место продуманный, целенаправленный и извращенный вандализм. В этой связи он особо выделил стол в гостиной, нетронутые блюда, намеренно сделанные несъедобными в результате добавления явно непригодных в пищу ингредиентов, как то стиральный порошок, керосин, фекалии и прочее. Вчера вечером за этим столом ничего не ели и не пили.

Вторым фактом, опровергающим версию убийства Огнева вследствие драки, было почти полное отсутствие следов крови в гостиной, где якобы выясняли отношения Огнев и Захаржевский, — они имелись только на отпечатках подошв, — при чрезвычайно большом количестве крови в спальне на втором этаже, куда, по словам Захаржевского, он отнес убитого им Огнева. В сочетании с этим обстоятельством характер резаной раны на горле убитого свидетельствовал, что Огнев мог быть зарезан только в спальне, где никаких других следов насилия обнаружено не было. Симаков поделился своими соображениями с экспертом Глуховым, и старик, повидавший на своем веку больше трупов, чем полных стаканов с водкой, полностью подтвердил их правоту. Более того, внимательно рассмотрев рану, зияющую на горле Огнева, опытный Глухов высказал предположение, что она могла быть нанесена только самим Огневым либо другим лицом, которое просунуло правую руку с бритвой Огневу под мышку. На указательном пальце покойного были обнаружены следы крема от торта, на котором была сделана надпись непристойного содержания.

Все это, наряду с другими любопытными мелочами, было занесено в протокол, подписанный Симаковым, Глуховым и двумя понятыми. Новые факты, по идее, требовали повторного допроса подозреваемого Захаржевского, но тот по указанию Девлеткильдеевой был препровожден в КПЗ при Одинцовском райотделе; ехать же туда и допрашивать Захаржевского в отсутствие следователя было бы нарушением субординации. Оставалось ждать до утра — Девлеткильдеева так или иначе не успевала вернуться в Одинцово до конца рабочего дня, а предпринимать что-то без нее нельзя. Разве что сдать вещдоки на экспертизу — возможно, к утру появятся первые результаты.

Но утром все пошло по неожиданному сценарию. В райотдел на черной «Волге» прикатил важный московский чин в сопровождении двух дюжих молодцов, затребовал все материалы по делу, изучил составленный Симаковым протокол, ознакомился с показаниями Лариной, выслушал романтическую версию Девлеткильдеевой, после чего, не стесняясь присутствия Симакова с Глуховым, произнес довольно ехидный монолог, в котором не оставил от версии одинцовского следователя живого места, отстранил ее от следствия и потребовал передать все материалы ему. Под конец разговора Девлеткильдеева разрыдалась, швырнула папку с делом в лицо московского гостя и убежала из кабинета со словами:

— Бесчувственный чинодрал!

Москвич только усмехнулся, вложил в папку выпавшие листочки и укатил, прихватив с собой вызванного по его приказу Захаржевского.

То, что расследованием этого дела занялась Москва, было вполне логично: гибель известного артиста неминуемо вызовет большой резонанс, вот-вот поползут самые невероятные слухи как среди рядовых обывателей, так и среди артистической общественности, а главное — среди начальства. На обывателя можно было начхать — вокруг даже самой что ни на есть естественной смерти любой знаменитости этот самый обыватель, отрешенный от достоверной информации, неизбежно будет строить самые нелепые домыслы, и пресечь их нет никакой возможности, да и надобности тоже — пусть себе тешатся, судачат возле очередного некролога в «Вечерке». Но вот господа артисты непременно потребуют самого тщательного и скорейшего расследования, да и начальство, прислушивающееся к ним, начнет давить и требовать результатов на гора. И эти результаты придется оперативно дать — убедительные и, по возможности, соответствующие действительности.

Наряду с протоколами, составленными Симаковым и Девлеткильдеевой, показаниями Лариной и других свидетелей, письменным признанием Захаржевского в распоряжение следствия уже поступили первые результаты экспертизы: дактилоскопический анализ показал, что погром на даче Захаржевского был устроен Огневым единолично. Вообще же на даче свежих пальчиков, помимо принадлежащих Огневу, Захаржевскому и Лариной — последние имелись только на перилах лестницы и на косяке двери в спальню — не обнаружилось. Не считая, естественно, отпечатков, оставленных сторожем на ручке входной двери. На рукоятке бритвы, которой было перерезано горло Огнева, имелись отпечатки пальцев как Захаржевского, так и самого Огнева, причем последним бритву держал в руках Захаржевский, и было это в то время, когда кровь на ней уже успела запечься. Вкупе с анализом самого ранения получалось, с вероятностью процентов девяносто пять, что сам Огнев перерезал себе горло, после чего прожил не более полутора-двух минут. Время смерти предварительно устанавливалось в пределах двадцати одного — двадцати одного тридцати, то есть тогда, когда, по показаниям Лариной, она находилась во Дворце Съездов на торжественной премьере фильма, а Захаржевский ожидал ее на Красной Площади. Алиби Лариной было железным, даже если и не очень важным для следствия, поскольку основания подозревать ее могли быть чисто умозрительными — в момент смерти Огнева она находилась на глазах множества свидетелей, причем *каких* свидетелей!

В принципе если показания Лариной правдивы, то без труда устанавливалось и алиби Захаржевского: ведь в таком случае он должен был достаточно долго болтаться в районе Спасских ворот и наверняка кто-то — в первую очередь кремлевская охрана — не могла не обратить на него внимание. Сотрудник прокуратуры уже выехал в Кремль с фотографией и описанием внешности Захаржевского. Иванов, следователь по особо важным делам, которому главный прокурор Москвы лично поручил возглавить расследование, нисколько не сомневался, что Захаржевский будет опознан кем-нибудь из тамошних блюстителей. Это будет известно через час-другой, а пока неплохо было бы еще разок пообщаться с Захаржевским.

Иванов позвонил дежурному, чтобы подавал машину, а сам подошел к окну и, глядя на заснеженную улицу, закурил. Откуда ему так знакома эта фамилия — Захаржевский? Да мало ли? Фамилия хоть и не частая, но не такая уж редкая... Должно быть, был среди многочисленных «крестников» Иванова какой-нибудь однофамилец Никиты Всеволодовича.

Первый опыт общения с гражданином Захаржевским, в автомобиле по пути в Москву, оказался малопродуктивным. Растрепанный, в дубленке, накинутой на тренировочный костюм, в который его заставили переодеться, забрав его окровавленную одежду на экспертизу, весь в ссадинах и кровоподтеках — местные менты, как всегда, переусердствовали с «сопротивлением при задержании» и, между прочим, уничтожили гипотетические следы якобы имевшей место драки, — Никита Всеволодович производил впечатление человека невменяемого. Упорно глядя в одну точку воспаленными глазами, он всю дорогу тупо бубнил: «Это я... я убил Юру. Требую высшей меры». Налюбовавшись на подозреваемого, Иванов от вопросов воздержался. На своем следовательском веку Иванов повидал немало психов — и самых что ни на есть доподлинных, и «косящих под вольтанутого», и «филонов чистых». Опыт подсказывал ему, что в данном случае невменяемость определенно не симулируемая, носит не органический, а, скорее, ситуативный характер, вызванный шоком от пережитого. В самое ближайшее время будет ясно, возникнет ли потребность в полноценной психиатрической экспертизе. Пока же надо поместить подозреваемого в обстановку, наиболее полезную для следствия.

Иванов немного пораскинул мозгами и, не заезжая в прокуратуру, созвонился с кем надо из ближайшего отделения милиции. Место для Захаржевского он нашел: на сегодня вторая коечка у Гуса была свободна.

Гусиков Наум Елисеевич (не из евреев, а из староверов), он же Гус, крепкий башковитый рецидивист, специализирующийся на музейных и церковных кражах, отбывал десятилетний срок в «Матросской тишине» — и невероятно успешно совмещал отсидку с работой в органах. Гус оказался лучшей «наседкой» Москвы, если не всей страны.

Ссучился Наум Елисеевич по четвертой ходке, когда его прихватили с горячим товаром, взятым по заказу одного широко известного в узких кругах «искусствоведа». На этого деятеля Гусиков работал года четыре, давно уже просек всю цепочку, по которой большинство добытого им и его коллегами оказывалось в частных собраниях американских и израильских коллекционеров или на престижных лондонских аукционах. И всю эту цепочку чрезвычайно грамотно заложил следствию, уходя от реально светившей вышки. Ни один из его подельников — а среди них были директор музея, таможенники в больших чинах, сотрудник нашего посольства в Лондоне и даже майор КГБ — так и не понял, какую роль в их судьбе сыграл Наум Елисеевич. Более того, те из них, кому гуманный советский суд сохранил жизнь и отправил в дальние края морошку есть, порой вспоминали душевного парня Гусикова с теплотой и даже сочувствием: десять лет крытки не шутка!

Органы правопорядка оценили талант Гусикова по достоинству. Он был устроен по-царски в угловой двухместной камере со всеми удобствами, включая персональный толкан, раковину с краном, библиотечку и цветной телевизор. Последний, впрочем, убирался перед подселением очередного соседа, чтобы не подставить Наума Елисеевича под глухой форшмак. Питался он преимущественно домашним харчом, а на зарплату, выплачиваемую ему из особого фонда МВД, мог заказать прямо «на дом» все, что душе угодно, — от водки и папирос до обеда из «Метрополя» и гладкой бабы или мальчика на ночь. Каждый сентябрь он в компании «кумовьев» выезжал на спецмашине в какой-нибудь укромный лесочек Подмосковья собирать грибки, до которых был большой охотник.

Эти привилегии он отрабатывал с лихвой, раскалывая подследственных покруче любого профессионала. Арсенал его средств был огромен — от жесточайшего террора и насилия, физического и психологического, когда в обмен на перевод в другую камеру его жертва была готова на любые добровольные признания, до такого дружеского участия и помощи, что обольщенные сокамерники раскрывали ему душу, а потом писали ему из лагерей, куда попадали не без его помощи, самые теплые письма. Работал он без осечек — достаточно сказать, что последним его уловом был легендарный Сема Фишман, директор «Океана», отладивший поставку за бугор нашей черной икорки в баночках для селедки. Органы безуспешно кололи Сему полгода, а Гус справился с этим за две недели, за что получил неплохие премиальные.

Относительно Захаржевского Гусу были даны указания: фраера не обижать, признания не давить — и так уже в убийстве сознался, — а культурно закорешиться, обласкать, успокоить и не спеша раскрутить на откровенный и задушевный разговор. Про жизнь, про папу с мамой... про Танечку, про Юрочку. По мере готовности доложить.

Получив показания кремлевского курсанта, дежурившего в тот вечер у Спасских ворот и успевшего вдосталь поглазеть на гражданина Захаржевского, маявшегося возле его поста с половины десятого до пяти минут одиннадцатого, а потом удалившегося с шикарной дамой в каракуле, вышедшей из Кремля, Иванов полностью утвердился в убеждении, что Огнев демонстративно покончил с собой на даче Захаржевского, предварительно устроив там погром. Теперь главной задачей стало установить мотив, хотя, строго говоря, в случае самоубийства мотив — вопрос не столько юридический, сколько психологический, если угодно, нравственный. А здесь, судя по характеру самоубийства, — и психиатрический тоже. Надо бы получше разобраться, что за личность был этот Огнев, отследить его действия за последнее время, особенно в последний день жизни, определить, что толкнуло его на самоубийство, да еще такое дикое. Месть? Ревность? А что толкнуло Захаржевского на не менее дикое признание? Ведь, не будь дело «резонансным», окажись покойничек не всесоюзно известным артистом, а рядовым, скажем, инженером, рутинное следствие вполне могло бы, особо не вдаваясь, ухватиться за это признание для облегчения себе жизни — и схлопотал бы гражданин Захаржевский лет восемь по бытовухе. Зачем ему это надо? И какова во всем этом роль Лариной?

Опять-таки, не будь погибший столь известной фигурой, во все эти материи можно было бы и не вникать. Закрыть дело с формулировкой «покончил с собой в состоянии аффекта» — данных за аффект выше головы, достаточно взглянуть, что он сделал с дачей. Но вникать придется. Хотя бы для объяснений с начальством, с творческой, будь она неладна, интеллигенцией...

Иванов вздохнул и, услышав звонок, снял трубку. Звонил сотрудник, посланный на Белорусский вокзал. Огнева видели у касс, на перроне, садящимся в электричку семнадцать двадцать на Можайск. Установлено также, что он сошел где-то до Одинцово. Что же, все как и должно быть.

А теперь неплохо бы познакомиться с Татьяной Валентиновной Лариной. Похоже, из всех участников этой кровавой драмы она одна могла сказать что-то вразумительное.


Звякнули ключи, и дверь в камеру отворилась. Наум Елисеевич лениво поднял голову. Ничего особенного, просто дубак привел Шоколадку с очередного толковища с сычом. Запустив Шоколадку, цирик не ушел, а остался торчать в полуоткрытых дверях и лыбиться.

Шоколадка подошел к койке, раскрыл тумбочку, стал поспешно запихивать бебехи в пластиковый мешок.

— Что, сладенькая моя, в Кащенку намылили? — ласково осведомился Наум Елисеевич.

— Хрена тебе в Кащенку! — весело отозвался Шоколадка. — Все, подчистую выхожу. Воля, Гус, воля!

14*

Даже не оглянувшись на надзирателя, он подбежал к койке Гуса и крепко поцеловал его — сначала в лысину, потом в усатые губы.

— Ты, дунька, давай там поживее, мне сменяться пора! — для порядку прикрикнул с порога контролер.

— Не дунька, а Люська, с вашего позволения! — гордо ответил Шоколадка. — А вам и вовсе «товарищ Захаржевский».

— Прошмандовка тебе товарищ, — отозвался надзиратель.

— Ладно, Васенька, не бухти, — добродушно заметил Наум Елисеевич. — Дай с корешем попрощаться... Ну, бывай здоров, Шоколадка, нажрись там за меня до усрачки.

— Ходку кончишь — вместе нажремся... Я буду ждать тебя, Гус.

Они еще раз крепко поцеловались.

— Ну вы, бля, во-още, — недовольно пробурчал надзиратель. — С утра не жрамши.

Наум Елисеевич похлопал кореша по спине.

— Ну, давай, Шоколадка, топай, не обижай сержанта.

Через пятнадцать минут Никита Захаржевский, а ныне Люсьен Шоколадов, выйдя из ворот, впервые за три недели вдохнул воздух свободы. Перейдя улицу, он повернулся, посмотрел на покинутое им унылое здание за высокой и толстой стеной, перекрестился и трижды поклонился ему.

— Спасибо тебе, Тишина-матушка, спасибо тебе, Гус-батюшка, — прошептал он. — Исцелили вы безумие мое, очистили душу мою...

Он смахнул слезу, отвернулся и решительно зашагал по безлюдной улице. Вскоре он вышел к Сокольникам, выпил у палатки кружечку пивка, пообщался немного с мужиками, от второй отказался, зашел в телефонную будку, набрал номер, перекинулся с кем-то парой фраз, вышел и направился к станции метро, где затерялся в толпе пассажиров.

А у рыжей Тани жизнь развивалась по своей схеме.

Наутро после «вечера длинных звонков», еще не зная о развернувшейся на даче кровавой драме, Таня села вместе с Шеровым в поданную к подъезду черную «Волгу» и отправилась на свое новое место работы — в постоянное представительство Украинской Советской Социалистической республики, где, как она с немалым удивлением узнала накануне, Вадим Ахметович долго и плодотворно трудился в должности заместителя постпреда по торговле. Впрочем, по зрелом размышлении Таня удивляться перестала: в стране, где любое предпринимательство уголовно наказуемо, каждому деловому человеку необходимо прикрытие в виде надежной государственной службы. А служба Вадима Ахметовича была в этом плане идеальной — место и ответственное, оправдывающее определенный стиль и уровень жизни, разъезды и прочее, и при том не слишком руководящее, избавленное от тотального взаимного рентгена, неотъемлемого атрибута любой высокой должности. Опять-таки, место работы — Москва, а каналы отчетности — в Киеве. В общем, если бы не было такого местечка, его следовало бы изобрести. Кстати, а кто сказал, что его не изобрели?

Случайных людей, как сразу заметила Таня, в постпредстве не держали. Два номенклатурщика, бровастых и бравых, внешне не сильно схожих меж собой, но удивительным образом напоминавших молодого Леонида Ильича. Одного, собственно постпреда, звали Иван Иванович Рубанчук, второго, его зама, — Иван Соломонович Рубинчик. В приемной, куда выходили двери их шикарных кабинетов, восседала монументальная секретарша с простым хохляцким именем Лиана Авессаломовна. Познакомилась Таня и с Валерией Романовной, директором расположенной в постпредстве гостиницы, и с громадным, бритым наголо шофером Илларионом, откликающимся на имя Ларик. С Архимедом ее знакомить было не надо. Оказалось, что и он тут подъедается в должности делопроизводителя, а по совместительству — мужа бойкой Валерии Романовны.

— Ну вот, — сказал он, приложив фиолетовый штамп к Таниному заявлению о приеме на работу в должности экспедитора с окладом сто пять рублей, скрепленному подписями Рубанчука и Рубинчика. — Поздравляю. Трудовую давай.

— Да вот как-то... — замялась Таня.

Скорее всего, ее трудовая книжка благополучно покоится в недрах областного Управления культуры. Прокол! Ну да всего не упомнишь.

— Ладно, — успокоил ее Архимед. — Не проблема.

Остальные проблемы тоже разрешились без труда. Через пару недель отпустили, во всем разобравшись, из следственного изолятора дурака Никиту, который первым делом позвонил ей (телефончик, по просьбе Шерова, передал Никите следователь) и выразил готовность немедленно решить вопрос с дачей. Пришел он какой-то странный, тихий, пришибленный, глазки так и бегают. Таня приготовила ему душистую ванну, накормила, напоила, попыталась разговорить на известные темы, но он упорно отмалчивался.

Дача, естественно, требовала ремонта и частичной замены обстановки, так что Шеров дал за нее несколько меньше, чем рассчитывала получить Таня. Добрав разницу у Николая Николаевича под залог будущей реализации ленинградского жилья, она вручила деньги Артему Мордухаевичу и уже в апреле въехала в свеженькую, сверкающую квартирку напротив Бородинской панорамы. Вскоре подоспели и денежки от Николая Николаевича, и Таня смогла обставить ее по своему вкусу. С Павлом, как она и предполагала, никаких проблем не возникло — из их имущества он не захотел ничего и выдвинул одно требование: чтобы Таня оставила ребенка ему, фактически и юридически. Что-то побудило ее передать ему записку: «Я отпускаю тебя, Большой Брат». Ей очень хотелось присовокупить к записке голубой алмаз, подаренный ей Павлом еще до свадьбы. Но золотой медальончик с алмазом куда-то делся — не было его ни в ленинградской квартире, ни среди вещей, переправленных в Москву.

За организационными хлопотами как-то незаметно прошла весна. Таня устраивалась в новой жизни, а Шеров развернул полномасштабную реконструкцию дачи — возводил третий этаж, копал бассейн.

Жизнь ее обрела постепенно размеренность и своеобразный московский шик: ванны с шампанским вместо пенки, еженедельные театральные премьеры и абонемент в Большой, наряды из ателье для дипкорпуса, сауны, массажи, спецмагазины со спецтоваром, спецбуфеты со спецпродуктами, поездки на закрытую конноспортивную базу, где в ее распоряжение был выделен вороной ахалтекинец-семилетка — именно верхом на Агате ее запечатлел модный художник Илья Омлетов... Чистую радость от роскоши отравляло какое-то жалкое, противное восприятие этих благ со стороны этого круга: радовались они не столько самим вещам, сколько принципиальной недоступности этих вещей для простых смертных. Самым важным для них было не то, что вещи эти вкусны, удобны, красивы, даже не то, что они дороги, а то, что они *дефицитны*. Таня не могла взять в толк — неужели наслаждение хорошим, скажем, коньяком уменьшится, если этот коньяк свободно продавать в Елисеевском, чтобы каждый, имея деньги, мог позволить себе аналогичное удовольствие? Оказывается, еще как. Уж не это ли одна из причин, по которым в лавках так голо — и с каждым годом становится все голей?

Летом Таня съездила на болгарские Золотые Пески, а на обратном пути Шеров встретил ее в Ужгороде, снял с поезда и отвез в горную курортную деревеньку. Места, которые они проезжали, представлялись Тане прямо-таки райскими. Вскоре брусчатую дорожку, круто вьющуюся меж отвесных стен и пропастей, за километр до въезда перегородил толстый полосатый шлагбаум. Шофер бибикнул, и из будочки неспешно вышел разъевшийся, исполненный непрошибаемого достоинства гаишник. Впрочем, разглядев в подъехавшей «Волге» Вадима Ахметовича, блюститель весьма шустро откозырял и дал отмашку. Шлагбаум стремительно взмыл в безоблачное небо.

В непростой этой деревеньке погостили они недолго, дней десять, наслаждаясь чистейшим воздухом, ходили по горным тропам стрелять куропаток, собирали опят, полазали по руинам средневекового замка, ловили в прудах зеркальных карпов. Попутно встречались с разными людьми, значительными и не очень, решали всякие вопросы. Здесь было хорошо, вольготно, пребывание омрачилось лишь одним пустячным эпизодом, как досадным, так и смешным.

С утра к Шерову с официальным визитом прибыл пузатый и надутый дяденька, распираемый от ощущения собственной важности. Они надолго уединились. Таня погуляла по холмам, вернулась — а мужчины все болтали. Ей стало скучно, и она решила съездить в соседнее село и отведать в тамошнем ресторанчике копченой оленины, которая накануне очень ей понравилась.

В ресторанчике было пусто. Вчерашний курносый официант поспешно принес ее заказ — зелень, порцию оленины, бутылку воды и...

— Шампанского я не заказывала, — сказала Таня, но чуть-чуть опоздала: официант уже откупорил бутылку и наливал в высокий бокал.

— Это от меня, уж не откажи, красавица, — бухнул откуда-то сбоку пропитой голос с непонятным, явно не украинским акцентом, и на соседний стул шумно приземлился грузный краснорожий мужичок. — Одну здесь уговорим, пару с собой возьмем... Олешка любишь? — Он чуть не носом ткнул в ее тарелку. — И олешка завернем, хошь целый оковалок, и айда на Латорицу!

Удивленная и раздосадованная таким хамским натиском, Таня в упор посмотрела на непрошеного кавалера. Редкие пегие волосешки, близко посаженные глаза неопределенного цвета, нос остренький — на вид типичный комсомольский вожак из сельских выдвиженцев, который много лет обжирался галушками и салом, щедро запивая горилкой.

— Не знаю, что такое Латорица, — холодно сказала она, — но меня туда что-то не тянет. Особенно с незнакомыми.

— Так познакомимся, — заявил пегий, обдавая Таню сложным букетом ароматов — водка, табак, «Шипр», гнилые зубы. — Яне Поп.

— Хоть и не поп, а шел бы отсюда, — с усмешкой посоветовала Таня.

Он что-то хрюкнул, налил себе шампанского, залпом осушил бокал и придвинулся совсем близко.

— Поехали, ну! — настойчиво прогудел он. — Искупнемся, позагораем, ну и прочее разное...

Он положил толстую потную лапу ей на плечо. Этого Таня уже не выдержала.

— Здесь искупаешься, клоп липучий! — отрезала она и вылила шампанское из бутылки ему на голову.

Он вскочил, сверкая глазами, и двинулся на нее. Она спокойно ждала, сжимая в руке вилку, нацеленную ему в харю. Он остановился, пошарил в кармане, поднес к губам свисток и пронзительно засвистел. От входа к ним направился швейцар, бармен вышел из-за стойки, у дверей на кухню показался повар. Особой решительности в их лицах Таня не усмотрела.

— Да я тебя... — захрипел незадачливый кавалер, утирая морду рукавом расшитой рубахи. — Да я здесь участковый... Нападение на сотрудника...

Таня вилку не опускала. К мокрому правоохранителю подскочил официант, что-то зашептал в ухо.

— В таком случае, гражданин участковый, составляйте протокол происшествия. Дайте-ка ему карандаш, — обратилась она к официанту. — Записывайте: Захаржевская Татьяна Всеволодовна, местный адрес — Соколяны, коттедж номер три...

Участковый смачно плюнул на пол, буркнул что-то вроде «Предупреждать надо!» и вышел.

— Вы уж извините, — нагнулся к Тане официант. — Пересядьте за тот столик, будь ласка. А я тут скатерочку поменяю.

— Спасибо, не надо. Что-то аппетит пропал. Счет, пожалуйста.

Дома рассказала Шерову. Оба похихикали над злополучным околоточным, и вылетел из головы этот нелепый случай.


# IV


— Сапоги я, так и быть, беру за восемьдесят, а за пиджачок, уж извини, больше ста двадцати не дам, — сказала Нинка и отложила замшевый Танин пиджачок в кучку налево.

— Нинка, — устало сказала Таня. — Побойся Бога.

— Не хочешь — не надо, — бросила Нинка. — Больше-то все равно никто не даст. Немодное.

Она по-хозяйски развалилась в кресле в Таниной гостиной и стреляла глазами по сторонам — чего бы еще урвать по дешевке, раз уж такой случай подвернулся.

— Я бы еще вон тот хрусталек взяла, за тридцать, — сказала она, показывая на вазу, стоящую на серванте.

— Хватит, наверное, пока, — остановила ее Таня. — В другой раз.

— И то верно, — согласилась Нинка, — а то с тобой тут все сбережения профуфыришь... Но ты все-таки подумай, может, отдашь каракуль за триста. Больше ей-ей не могу.

— И я не могу. В комиссионке пятьсот пятьдесят дают.

Речь шла о той самой шубейке, в которой Таня бежала той жуткой февральской ночью на станцию и которая теперь, побывав в химчистке, мирно висела на вешалке в шкафу.

— Ну ладно! — Нинка вздохнула. — Ты, если что еще продавать надумаешь, мне первой скажи, а? Чай, подруги старые все же. Если бы я тебя тогда на халтурку не сагитировала, что б теперь было с тобой?

Таня молча пожала плечами.

— То-то, — удовлетворенно сказала Нинка и стала заталкивать отобранные вещи в предусмотрительно захваченную с собой приемистую сумку. — Эх-ма, на триста семьдесят рубликов раскрутила ты меня, подруга.

— На четыреста сорок, — тихо поправила Таня.

— Да где ж четыреста сорок, голуба моя?

Вынули вещи, стали пересчитывать, пересматривать. Оказалось, что Таня права.

— Ну, извини, — пробормотала Нинка, пряча глаза. — Ошиблась маненько, бывает.

Она достала из сумки поменьше пухлый бумажник и принялась дрожащими пальцами отсчитывать десятки. При пересчете выяснилось, что она обмахнулась на двадцать рублей — и снова в свою пользу. Уличенная в этом Таней, она безропотно выложила недостающие десятки и облегченно вздохнула.

— Так, с делами все, — сказала она и извлекла из сумки бутылку «Столичной». — Теперь давай, девка, покупочку спрыснем, про дела наши бабьи побалакаем.

— Лучше на кухне, — сказала Таня, пряча деньги в шкатулку. — Там и покурить можно, и закуска под боком.

Нинка, прихватив бутылку, отправилась на кухню. Таня достала из серванта две рюмки и последовала за Нинкой. Та уже уселась за стол и закурила. Таня достала из холодильника колбасу, огурцы, нарезала хлеба, разложила на тарелки. Нинка помочь не порывалась, только с бутылки пробку свинтила.

— Ух-х, хорошо пошла, хоть и теплая! — хрустя огурцом, заявила она после первой. — Ну, давай, подруга, рассказывай, как дошла до жизни такой.

Ее хитрые глазки так и буравили Таню. Еще бы — вся общага полтора года так и гудела от слухов о знаменитой артистке Лариной, родным коллективом, можно сказать, вскормленной. Слухи были один другого нелепее — Таню успели выдать за нашего посла во Франции, за шведского миллионера, за артиста Огнева, за артиста Костолевского и даже за Вячеслава Тихонова, трижды погубить в автокатастрофе, один раз — в крушении поезда, умертвить от рака груди, наделить ее миллионами, бриллиантами, виллой в Крыму, любовником из ЦК, внебрачным сыном от внука самого Брежнева и дочерью от американского певца-коммуниста Дина Рида. В том, что Огнев зарезался из-за нее, практически не сомневался никто. Ожесточенные споры велись лишь по вопросу «кто виноват?». Большинство, надо сказать, взяли сторону Тани — сказался местный патриотизм. Судили, рядили, иной раз дело чуть не до драки доходило. А тут на тебе — сама на вахту позвонила, позвала не кого-нибудь, а Нинку, прийти пригласила, к вещичкам прицениться. Поиздержалась, видать, артистка-то, просадила миллионы — или и вовсе их не было, и разговоры все — брехня. И теперь все это Нинка узнает из первых рук — и про миллионы, и про любовников, и про Огнева. Месяц теперь героиней ходить будет, не меньше.

Таня, однако, не спешила удовлетворять ее любопытство. Выпив свою рюмку, она поморщилась, не спеша закусила, зажгла сигарету, пустила дым в потолок и сказала лениво:

— Сначала ты про себя расскажи. Сколько уж не виделись.

— Да что я-то? Рассказывать нечего. В бригадирах теперь хожу, получаю неплохо. На личном фронте без перемен. Два мужика постоянных, один старый, другой молодой. Старого я дою, молодой меня доит. И знаю, что гад, а что поделать — красавчик, куколка, как глянет — я уже кончаю... Ты-то как?

— Я...

Раздался телефонный звонок. Нинка с досады аж плюнула. Таня вышла в комнату, взяла трубку. Нинка тихонько встала с табуретки и приоткрыла дверь — вдруг что интересное. Танин голос отсюда был слышен хорошо.

— Да, я... Здравствуйте, Юлия Юльевна... Опять ничего?.. А эпизоды?.. Четыре дня массовки? Взятие Ораниенбаума, отход Юденича?.. Спасибо, пожалуй нет, каждый день туда-сюда мотаться. Больше проездишь, чем заработаешь... Знаете, я ближайший месяц-полтора массовок брать не буду... Да, кое-что... Но если будет эпизод или вдруг роль, вы уж не забывайте, я в долгу не останусь... И вам спасибо большое.

Нинка, ничего не понявшая из разговора, первым делом спросила возвратившуюся Таню:

— Ну что там?

— Да так, пустяки всякие предлагают...

— Ну, а вообще?

— Вообще? Вообще, как сама видишь, на мели я, Нинка... Наливай по второй, что ли...

В Склифосовского Таня пролежала до середины марта. Выписалась, забрала вещички из гостиничной камеры хранения, съездила на студию, получила причитающийся ей остаток за «В начале большого пути», двести с копейками, — мимо жирных подарков, обещанных Клюквиным каждому участнику фильма, она пролетела, как фанера над Парижем. Позвонила следователю Иванову — попрощаться и узнать, как же решилось дело с Никитой, который обезумел вконец и наклепал сам на себя, будто бы он зарезал Огнева. Следователь сообщил ей, что Захаржевский от самооговора отказался, из-под стражи выпущен и где он в данный момент — неизвестно. Что ж, неизвестно так неизвестно, разыскивать его она не собиралась. В Москве делать ей было нечего, и она вернулась в Ленинград.

Остаток весны Таня понемногу приходила в себя — поначалу жила как в тумане, автоматически, душевный ландшафт ее мало чем отличался от царства Божественного Скривнуса: промозглая и серая глинистая пустыня, без кустика, без травинки — но уже без сырых шатров, центурионов, без внушающих ужас черных парусов, без пасти Владыки, вырастающей прямо из перерезанного горла. Ей ни до кого не было дела — и никому не было дела до нее. Телефон молчал, безмолвствовал и дверной звонок, на улице, куда она выходила по возможности редко, никто не провожал ее взглядом, не перешептывался за ее спиной — или она всего этого не замечала. И на том спасибо.

Когда она вернулась домой, соседка молча передала ей два полиэтиленовых пакета, забитых письмами. Прежде Таня назвала бы их письмами от поклонников, но теперь, перебрав конверты и посмотрев на даты, увидела, что подавляющее большинство писем было отправлено на другой день после того, как в печати появились некрологи Огневу (в «Вечерке» написали «трагически погиб», а «Советская культура» обтекаемо сообщила: «ушел из жизни»). Отложив в сторону письмо Лизаветы, извещение о задолженности по коммунальным платежам и официальное уведомление из института о том, что студентка Ларина Т. В. за систематические пропуски занятий отчислена, Таня сложила остальные письма обратно в мешки и снесла на помойку. После этого всплеска поток писем иссяк, приходило два-три в неделю. Таня, от нечего делать, стала прочитывать их перед тем, как выбросить. Они были скучны и однообразны.

«Таких, как вы, надо изолировать от общества нормальных людей. Своим коварством и развратом вы убили замечательного артиста, а скольких неопытных молодых людей морально убивают с экранов ваши „героини“, такие же безнравственные, как и вы сами. Позор и безобразие!»

Вариация на тему Девлеткильдеевой. Глас народа № 1.

«Мы, нижеподписавшиеся, осужденные учреждением 14/219-Б, не верим, чтобы Вы, уважаемая Татьяна Ларина, были в этой мокрухе замешаны, и каждому, кто против Вас что вякнет, рога пообломаем. Мы все вас любим, и Ваша фотка в каждом бараке у нас висит на почетном месте».

Глас народа № 2.

«Уважаемая Татьяна Ларина! Мне четырнадцать лет, и я восхищаюсь Вами. Моя мечта — когда вырасту, быть похожей на Вас, чтобы из-за меня мужики тоже горло себе резали! Пожалуйста, пришлите мне Вашу фотографию с автографом».

Глас народа № 3.

Ближе к лету онемение стало проходить, а чувства — оживать. Ответила на встревоженное письмо Лизаветы. Заплатила в сберкассе за квартиру. Снесла в стирку гору белья и сдала в чистку каракулевую шубейку. Позвонила на студию, напомнила о себе — обещали дать знать, если что будет. Сходила прогуляться на залив, подышала свежим ветерком. Вечером купила полбанки, выжрала в одиночку и отрубилась. Назавтра весь день ревела. Потом помылась от души, обернула мокрую голову полотенцем, села на кухне, заварила кофе покрепче, положила перед собой чистый лист бумаги и стала думать, как жить дальше.

С работой пока что пауза. Возможно, и долгая. Чем такая пауза вызвана, отгадать несложно: Глас народа № 1. Ругательные письма, разумеется, шли не только ей, но и по начальству. А начальство — оно, конечно, в курсе, но не начнешь же народу разъяснять, как оно все на самом деле было: ведь официально-то у нас в стране никакого гомосексуализма нет, как нет наркомании, проституции, добрачных и внебрачных связей...

Из института ее выперли. Правильно, между прочим, сделали — она и дорогу туда забыла. Однако же теперь недолго осталось ждать, что и с квартиры ее попросят. Фактически она давно уже живет здесь незаконно, потому что к стройтресту, которому принадлежит этот дом, ее работа никакого отношения не имеет. Теперь же исчезла и последняя формальная зацепка — Таня перестала быть студенткой-целевичкой. Может, какое-то время, из уважения к былой славе, ей и дадут пожить здесь. Но в любом случае, надо настроиться на то, что придется теперь мыкаться по углам. Или возвращаться в трест, куда-нибудь в плановый отдел или бухгалтерию. Ведь среднее специальное у нее все же имеется.

Но как не тянет за конторский стол после света рампы! Нет, по крайней мере полгода форы она себе дает. Не получится с кино — в театр какой-нибудь устроится, в варьете. А квартира — да Бог с ней, с квартирой. Она теперь свободна, одинока, найдет себе какую комнатушку — и ладно. Не впервой. Из города-то ее никто не вытурит, пока она с ленинградским мужем расписана.

Деньги кончаются, и новых не предвидится. Опять же, есть два пути — либо залезть в сберкнижку, у нее там на срочном вкладе от актерских барышей тысяча с небольшим имеется, либо начать распродавать барахло, которого за это времечко тоже изрядно накопилось. Одежка лишняя, всякие там фарфоры, хрустали и побрякушки, без которых прекрасно можно жить, а таскать за собой по квартирам — одна обуза. Деньги — они и в Африке деньги. И карман не тянут. Нет, при таких ближайших перспективах — лучше налегке, но при своих.

И она позвонила Нинке. А теперь вот про все это дело ей же за бутылочкой рассказывает.

— Ой, да не про то ты, подруга! — бурчала Нинка, разливая по четвертой. — Ты лучше про кино расскажи, про актеров... — Набрала воздуху побольше и выпалила, наконец, тот вопрос, который давно уже покою не давал ни ей, ни всей общаге: — Правду говорят, что Огнев из-за тебя зарезался?

Неизвестно, как отреагировала бы Таня на этот проклятущий вопрос, только вышло так, что она недослышала его: позвонили в дверь, и она бросилась открывать, а Нинка, не сразу отреагировав, задала этот самый вопрос пустой табуретке.

— Га-а! — заорал с порога Белозеров, врываясь в прихожую и целуя остолбеневшую Таню в щеку. — Я ж говорил: дома она, в тоске и томлении. А ты все — в Москве, в Москве! Заходи давай!

И на шею Тане бросилась визжащая от радости Анечка Шпет.

— Вы... откуда вы? — вымолвила Таня, вконец теряя голову от такого напора.

— Да вот, последний день на плезире отработали, теперь вот отмечать это дело едем, решили крюка дать да тебя, буку, с собой прихватить, — ответил Белозеров. — Мы же не то, что некоторые, старых друзей не забываем.

— Но, Сережа, — смущенно сказала Таня, — ты же знаешь...

— Знаю-знаю... Только все равно, это не повод. Могла бы позвонить, мы ж волнуемся.

— Вы тоже могли позвонить.

— Ох, все полеты, полеты... — Белозеров заглянул на кухню, увидел присмиревшую Нинку. — Здрасьте, девушка... Тань, ты тут, я погляжу, тоже не грустишь. Вон и бутылочку приговорили с подружкой.

— Пойду я... — поводя плечами, сказала Нинка и отправилась в комнату за сумками. Отговаривать ее никто не стал.

— Собирайся, мать, — сказал Белозеров авторитетно. — Надо тебе встряхнуться, это я как врач говорю.

Действительно, в театральный он поступил, уйдя с третьего курса медицинского.

— Да я не в том виде...

— Ничего, ничего, скоро будешь в самом том виде, гарантирую... Компания узкая, дружеская, выпендриваться не перед кем.

— А кто? — спросила Таня.

— Вилька за Анечкой заехал, а я примазался. С тобой четверо будет.

«Бабы не хватило», — поняла Таня, но мысль эту оставила при себе. Отчего бы не встряхнуться, коли зовут?

Она скоренько распрощалась с Нинкой, закрыла за ней дверь, натянула пестрый джемперок и вельветовые брючки и вновь предстала перед Белозеровым и Анечкой.

У подъезда ждал довольно подолбанный «Москвич». С водительского места Тане широко улыбался скульптор Вильям Шпет.

— Ну что, седоки, на фатеру или на хазу? — спросил он, когда все расселись по местам. Таня не поняла вопроса, но Анечка с Белозеровым дружно отозвались:

— На хазу!

— К Вильке в мастерскую, — пояснил Белозеров Тане. — Поближе к природе. Летом там благодать!

По дороге все развлекали Таню новостями из студийной и светской жизни и деликатно воздерживались от вопросов. Впрочем, киношники прекрасно знали суть происшедшего с Таней, Огневым и Захаржевским, сочувствовали Тане, негодовали на Огнева, даже из смерти своей умудрившегося устроить гнусный спектакль, и дивились на Захаржевского, которого до той поры считали нормальным мужиком. Интересовало их, пожалуй, только одно — куда после всей этой истории подевался сам Захаржевский. На студии он не появился ни разу. Заявление об увольнении по собственному желанию получили от него заказным письмом с московским штемпелем.

В мастерской Вильяма Шпета ничего не изменилось, зато изменилось все вокруг. Лужайка перед домом заросла густой, высокой травой, вдоль забора зеленела акация, а над крышей шумели тополя. Пахло природой, зеленью, волей. Этот запах пробивал всегдашнюю глиняно-скипидарно-масляную вонь мастерской.

Шпет усадил Таню на знакомый ей продавленный диванчик, Анечка занялась закуской, сам хозяин отправился за магнитофоном, а Белозеров, откупорив бутылки, взялся за гитару.

— Споем? — предложил он, перебирая струны.

— Давай сегодня без меня, а? Не до песен что-то.

— Понимаю. — Помолчав, он добавил: — И берусь исправить положение.

Он взял аккорд и запел:

— Эх, Танюша, нам ли жить в печали...

Таня невольно улыбнулась.

Первые полстакана хорошо легли на уже принятое сегодня. Потом было еще. И еще. Она смеялась, пела, что-то рассказывала, изображала в лицах, танцевала...

Проснулась она от того, что прямо в лицо ей ударил солнечный луч. Таня отвернулась, но было поздно: глаза раскрылись сами собой. Она увидела, что лежит на широкой кровати, а рядом, уставив в потолок усатое лицо, похрапывает Белозеров.

— О Господи! — прошептала Таня. И как ее угораздило? Что было вчера? То есть чем закончилось — это понятно, но почему так получилось?

Она осторожно выпростала ногу из-под ноги Белозерова, пошатываясь, встала и наткнулась на стол. На столе булькнул чайник. Страшно захотелось пить. Таня взяла чайник и, запрокинув голову, стала с наслаждением тянуть из горлышка прохладную кипяченую воду.

— Привет! — сказал сзади Белозеров. — Ты так прекрасна!

Таня пискнула, выронила чайник, забежала за стол и присела.

— Ты что? — сказала она, краснея. — Не смотри.

— Не смотрю, — покорно сказал Белозеров, вздохнул, отвернулся к стенке и добавил: — А жаль.

Таня увидела на стуле свою одежку, откопала трусики, натянула, потом застегнула лифчик, влезла в брюки и джемперок, выпрямилась, одернула джемпер и сказала:

— Теперь можно.

Белозеров повернул к ней улыбающееся лицо.

— Танечка... — начал он и замолчал, не зная, что еще сказать.

Она молча ждала. Пауза затягивалась. Теперь уже начал краснеть Белозеров.

В дверь постучали.

— Да, да, войдите! — с облегчением воскликнули оба, посмотрели друг на друга и рассмеялись. В дверь просунулась кудлатая голова Шпета.

— Не спите, голубки? — прохрипел он. — Вот и славненько. Пошли пить чай с вареньем. А потом — на озера.

В мастерской был накрыт чайный стол: баранки, вазочки с вареньем, вафли, конфеты. Посередине пыхтел самовар.

— Прошу, — сказал Шпет, простирая руку к дивану, где уже сидела с чашкой в руках бледная, но веселая Анечка. — Опохмелиться не предлагаю. Сам этим делом не балуюсь, потому и не спился до сих пор.

— Рассказывай! — махнула рукой Анечка. — А кто всего неделю назад у Томских?..

— Это так, малозначительный эпизод, — прервал ее Шпет, опустив глаза, и тут же сменил тему: — Ладно, быстренько чаевничаем — и по коням. Погодушка аховая, надо ловить момент.

Купальник Таня одолжила у Анечки.

Шпет отвез компанию на Шуваловское озеро, где они, погревшись немного на бережочке, с удовольствием выкупались в коричневой и мутной, но, по заверению Шпета, экологически чистой воде. Таню купание освежило чрезвычайно. Отплыв от берега шагов на двадцать, она закрыла глаза — и на короткий миг вновь стала пятнадцатилетней девчонкой, плывущей по темной глади родного Хмелицкого озера... С берега ее окликнули, и иллюзия пропала. Но все равно на берег она вышла другим человеком — серое царство Скривнуса утонуло в глубинах подсознания. Голубое, чуть запыленное небо летнего Питера улыбнулось ей.

— Таня, Танечка...

Это говорил Белозеров, пристроившийся рядом, как только она прилегла на расстеленное пикейное одеяло.

— Ты уж извини меня... за вчерашнее. Ты не подумай только, что я... ну, воспользовался твоим состоянием. Я ведь и сам был бухой, дальше некуда.

— Да ладно тебе, Белозеров! Ну, было — и было. Я ведь теперь женщина одинокая, свободная...

Белозеров мгновенно вскинулся, перешел на привычный для себя тон:

— Могу ли я считать ваши, сударыня, слова приглашением?

Таня медленно повернула голову, оглядела его лежащую фигуру с головы до ног. Он смело и чуть насмешливо смотрел ей в глаза.

— А ты будешь себя хорошо вести?

Сережка Белозеров был актером средним, а человеком ветреным и пустоватым, но добродушным и совершенно безвредным. В компании он был намного интереснее, чем на экране, а на экране — намного интереснее, чем в интимном общении. В последнем Таня убедилась, прожив с ним недельку-другую. Жили они у нее, потому что Белозеров, бросивший двух жен, оставил каждой по ребенку и по квартире, а сам ютился в восьмиметровой комнатушке при кухне огромной коммунальной квартиры на Пушкинской и приглашать туда Таню стеснялся.

За это время Таня узнала его с новой и немного неожиданной стороны. Выяснилось, что этот фатоватый красавец-гусар в домашней обстановке более всего склонен сутками валяться на диване с каким угодно журнальчиком и смотреть по телевизору все подряд, особенно футбол. Хотя он давно жил холостяком, никаких хозяйственных навыков Таня за ним не заметила, разве что брюки погладить. Более того, выяснилось, что у Сережки хронический гастрит на грани перехода в язву, вызванный нерегулярным столовским питанием, и что ему требуется особая диета. У Тани эти нюансы ее нового друга никаких неприятных эмоций не вызывали. Напротив, она даже стосковалась по роли заботливой супруги, которую ей после Ваньки играть не доводилось — рукастый Никита все делал сам.

Помимо непрошибаемого добродушия у Сережки имелась еще одна положительная черта, опять-таки неожиданная для Тани. Он умел молчать. Да, Иван, бывало, тоже замолкал и молчал неделями, но его молчание было туго-туго заряжено разными отрицательными эмоциями — обидой, раздраженностью, недовольством, скукой. Молчание Ивана означало протест. Молчание Белозерова, легкое, безмятежное, означало просто молчание, отсутствие весомого повода для сотрясения воздуха. Тане полюбилось сидеть с ним вечерами в одной комнате, заниматься чтением, шитьем или еще чем-то под тихий шумок телевизора — и молчать.

Предложение руки и сердца от него поступило на третий день совместного проживания. Таня восприняла его спокойно.

— Сережка, милый, — сказала она. — Мне кажется, ты вбил себе в голову, что «как порядочный человек обязан» и все прочее. Только я не кисейная барышня, и мне не надо от тебя такой жертвы. Живем — и живем. Надоест — разбежимся в разные стороны. К тому же ты не годишься в мужья, да и я вряд ли гожусь в жены.

То ли ей показалось, то ли Белозеров действительно вздохнул с облегчением.

Потом у него началась работа в новом фильме, он стал приходить поздно или вовсе оставался ночевать на Пушкинской, всякий раз ставя ее об этом в известность. Потом стал появляться через день, потом через два. Доброхотка Ира, которая повадилась захаживать к Тане то вместе с Анечкой и Любочкой, а то и одна, благо жила всего в двух остановках, не преминула поведать ей, что Белозерова видели целующимся с какой-то статисточкой в укромном уголке студийного коридора. Таня только пожала плечами. Лишь бы дурную болезнь не подцепил, а так — не все ли равно?

В начале августа явилась суровая комендантша и вручила Тане то, чего она давно уже ждала, — предписание в месячный срок освободить служебную жилплощадь. Расписываясь в получении, Таня невольно поймала себя на мысли. вот если бы была не комендантша, а комендант, нестарый к тому же...

За ужином она рассказала об этом Белозерову — может, поспрошает, нет ли у кого свободной комнатки на примете. Реакция его была неожиданной для Тани.

— Нет проблем, — улыбаясь, сказал он. — Так уж вышло, что моя родная и любимая тетушка работает управдомом в старом квартале, где валом нежилого фонда и всяких там служебных площадей. Сейчас я позвоню ей, а послезавтра сходим, потолкуем. Завтра не могу — весь день у станка.

Тетушка Белозерова, полная, несколько надменная дама, долго изучала Танин паспорт, трудовую книжку, которую она месяц назад забрала из института и по совету Белозерова захватила с собой. (На студии трудовая не требовалась — ее заменяла актерская карточка). Потом попросила Таню на минуточку выйти в коридор и о чем-то беседовала с племянником за закрытыми дверьми с табличкой «ЖЭК-17. НАЧАЛЬНИК». Таня посидела немного, потом встала, изучила план эвакуации здания при пожаре, инструкцию по начислению пеней за неуплату... Наконец дверь в кабинет тетушки приоткрылась.

— Заходи, — сказал Белозеров. Голос его звучал весело, но несколько напряженно.

— Присаживайтесь, Татьяна... — Управдом заглянула в Танин паспорт. — Татьяна Валентиновна. Мы тут посовещались и решили попробовать один вариант. Скажите, образование у вас какое?

— Среднее экономическое, — мгновенно ответила Таня. — Там написано. — Она показала на трудовую книжку.

— Да-да, я помню... Видите ли, хозяйство у меня большое, по штатному расписанию я могу иметь двух бухгалтеров, а работает только один...

— Но я... — начала Таня.

— Погодите, дослушайте до конца. Екатерина Аркадьевна — это наш бухгалтер — вполне справляется с работой и одна, но часто вынуждена работать сверхурочно, с перегрузкой, а я не имею возможности поощрить ее материально. Если, допустим, мы оформим вас на работу вторым бухгалтером, я смогу на законном основании бесплатно выделить вам комнату со служебной пропиской, а за это попрошу вас два раза в месяц приходить ко мне и расписываться в ведомости на получение зарплаты. Вас такой вариант устроил бы?

— Конечно, — с ходу ответила Таня. — Только комнату надо бы посмотреть.

— Хорошая комната, хорошая, — заверила ее управдом. — В трехкомнатной квартире. Седьмой этаж, правда, последний, но лестница с лифтом, а над вами — сухой теплый чердак... Значит, если согласны, прошу завтра с утра ко мне, с дипломом и трудовой. Заявление я вам продиктую.

— Все же мне бы хоть одним глазком глянуть...

— Да пожалуйста. — Управдом залезла в ящик стола, пошуршала там, извлекла медный французский ключик с картонной бирочкой «42» и протянула Тане. — Дом двадцать два, это как выйдете отсюда, третий налево по той стороне. Во двор зайдете, вторая парадная слева. Садитесь в лифт до шестого этажа, последнего, а потом еще на полэтажа подниметесь. Квартира сорок два. Она одна на площадке, не ошибетесь. Это ключ от комнаты, а квартиру вам откроют и комнату покажут.

— А вдруг нет никого? — спросил Белозеров.

— Там всегда кто-то есть, — ответила тетушка. — Это служебная квартира, там живут дворник и истопник с супругами.

Таня вздрогнула. Управдом, заметив это, улыбнулась.

— Да вы не бойтесь. Это люди особенные, молодые, интересные. Вам там понравится... Только, прошу вас, наша договоренность остается строго между нами. Для всех вы с завтрашнего дня — бухгалтер ЖЭК-17 Ленинского района. Понятно?

— Понятно, — вздохнула Таня.

— Тогда до завтра. Не опаздывайте — я принимаю до двенадцати.

— Спасибо. До свидания.

Таня и Белозеров вышли на улицу и двинулись к дому двадцать два.

Дверь им отворила экзотическая особа — высокая, тонкая как жердь девица монгольского типа в черном атласном пончо с бахромой до полу, расшитом синими глазами и белыми башенками. Взгляд у нее был отсутствующий, губы накрашены ярко-коричневой помадой, длинные черные волосы подхвачены голубой шелковой лентой.

— Да? — процедила она без всякого интереса или любопытства и посторонилась, давая им войти.

— Здравствуйте, я Ларина, ваш новый бухгалтер и, скорее всего, соседка. Мне вот ключ от комнаты в домоуправлении дали, — она показала девице ключ, на который та и не глянула. — Мне бы на комнатку посмотреть.

— Смотрите, — сказала девица и, отвернувшись, пошла прочь. Таня переглянулась с Белозеровым — она не поняла, надо ли следовать за странной девицей или самостоятельно отправиться на поиски комнаты.

— Сюда, — сказала из коридора особа в пончо, указав длинным пальцем на первую же дверь, и поплыла дальше.

Таня вставила ключ в скважину на обшарпанной двери и повернула. Из открывшейся двери на нее пахнуло затхлым воздухом давно не проветриваемого и не обитаемого жилья. Она вошла первой.

Комната была длинной, узкой и пустой, не считая вдвинутого в торцовую стену древнего и громадного черного шкафа. Белозеров щелкнул выключателем, и в потолке загорелась голая пыльная лампочка.

— М-да, обстановка вполне пещерная, — высказался он, осторожно ступая по половицам. Как ни странно, они не скрипели. — И шкафчик типа «квазимодо» тут вполне уместен.

В Тане же вид пустого, необустроенного помещения тут же пробудил давно дремавшие профессиональные инстинкты. Она уже прикидывала объем работ, сроки, стоимость материалов, варианты отделки.

— Неужели ты согласишься жить здесь? — спросил Белозеров.

— Штукатурных работ почти не надо, только если проводку утопить. Обоев тринадцать кусков, если по десять пятьдесят... — сказала Таня.

— Не понял. — Белозеров озадаченно уставился на нее.

Таня поймала на себе этот взгляд и вернулась в настоящий момент.

— Прости, я задумалась. Ты что-то спросил?

— Я спросил, согласна ли ты жить в этакой халупе?

— А что? Комната как комната. — Видел бы он старухину комнату на Карла Маркса! — Запущенная. Ну ничего. Время у меня есть, силы тоже. Наведу здесь марафет, потом и въеду. Из нее за четыре дня конфетку сделать можно. — Она подошла к окну, пощупала раму, потрогала шпингалет, открыла, выглянула на крышу соседнего дома. — Столярка в порядке, пол только отциклевать, электрики чуть-чуть, а остальное — веники.

— Ну ты дае-ешь! — протянул удивленный Белозеров. — Тут же материалу надо сколько, мастеров...

— Сколько надо материалу, я уже знаю, где достать — тоже идеи имеются, а мастеров хватит и одного — меня, в смысле.

Белозеров присвистнул.

— Не пялься, — сказала Таня. — Я маляр-штукатур шестого разряда, бригадир отделочной бригады. Пошли места общего пользования смотреть.

— Ни фига себе! — только и нашелся что сказать Белозеров, выходя из комнаты вслед за ней.

Коридор, санузел и ванную Таня тоже нашла запущенными, но в основе своей добротными. На паях с соседями вполне можно подновить. На относительно просторной кухне стояла грузная и со спины пожилая женщина, помешивая что-то в кастрюле на плите.

— Здравствуйте, — сказала Таня. — Я ваша новая соседка.

Женщина обернулась, и на Таню глянули большие серые глаза на совсем юном, широком лице. Лягушачий рот расплылся в изумленной восторженной улыбке. Звякнула ложка, ударившись о каменный пол.

— Мама! — сказала юная соседка. — Вы же Ларина, Татьяна Ларина, артистка знаменитая. В моем альбоме ваших фотографий пять штук! И что, вы у нас теперь жить будете? Вот это да! Только почему, ведь вы же актриса, а у нас коммуналка... Слушайте, а можно я до вас дотронусь — просто глазам не верю!

Не дожидаясь Таниного разрешения и судорожно вытирая руки о передник, соседка подбежала к Тане и робко дотронулась до ее плеча. Над отнюдь не низкорослой Таней она возвышалась больше чем на полголовы; глаза ее смотрели преданно, по-собачьи.

— Ой! — вскрикнула соседка прямо в ухо Тане. — А это же с вами Белозеров, да? У меня и ваши фотографии есть. Вы тоже здесь жить будете?

— Наездами-с, — с легким поклоном ответствовал Белозеров и шаркнул ножкой. Восторженная публика — это была его стихия, и он почувствовал себя на коне.

— Вы только не уходите, я сейчас! — крикнула соседка и пулей вылетела из кухни. Из коридора послышался топот ее нелегких ножек, стук пудовых ручек в двери и звонкий, восторженный голосок:

— Олежка, Галка, выдьте на кухню, не пожалеете! Тут такое, такое!

— Кавалерист-девица, — заметил Белозеров. — Интересно, она дворник, истопник или супруга?

Исполинская девушка вновь появилась на кухне, таща одной рукой уже известную Тане экзотическую даму в пончо, а другой — растрепанного рыжебородого мужчину лет сорока в майке и тренировочных штанах.

— Вот! — выдохнула она. — Знакомьтесь, ребята. Это Ларина и Белозеров, артисты знаменитые, они у нас жить будут, представляете, в Козлихиной комнате!

— Однако, — разводя руками, сказал бородач. — Прямо феноменология духа!

Дама в пончо приблизилась к Тане и протянула узкую ладошку.

— Галина Шапиро, — представилась она все тем же индифферентным тоном.

— Татьяна Ларина, — сказала Таня в ответ. — Зовите меня просто Таней.

— Сергей Белозеров, — в пандан ей представился Белозеров, пожимая руку бородачу. — Для друзей — просто Серж.

— Олег Пятаков, — назвался бородач и обхватил объемистую талию громадной девицы. — А это Светлана, моя жена.

— Вы дворник или истопник? — поинтересовался Белозеров.

— Я русский религиозный философ, — с гордостью ответил бородач. — Истопником у нас Светка работает.

— А еще, как мне сказали, здесь дворник проживает, — продолжил Белозеров, выжидательно глядя на даму в пончо. Та лишь томно повела плечами.

— Варлама нет сейчас, — ответила за нее Светлана. — Он в ресторане лабает. Группа «Ночной улет».

— Варлам — музыкант, — пояснила молчавшая доселе Галина Шапиро. — Работает в стиле «хард-рок». А ресторан — это так, деньги нужны на аппаратуру и вообще на жизнь. К тому же ребята отрабатывают технику, сыгрываются. А под занавес, когда посетители уже все пьяные и им все равно, дают две-три своих вещи.

— Надо же, — сказал Белозеров. — Как он только все успевает. И своя группа, и ресторан, и двор подметать.

— Дворником он только числится, для прописки, — снисходительно пояснила Галина Шапиро. — Нас с Варламом выжили из Улан-Удэ самым возмутительным образом. Он такой же дворник, как Татьяна Ларина бухгалтер.

«Ишь ты, запомнила, — подумала Таня. — С ней надо ухо востро».

— В нашей кодле друг от друга секретов нет, — словно прочел ее мысли Олег Пятаков. — Все в открытую. За Варлама работает и его зарплату получает некая Козлиха, вреднющая и жадная баба. Она раньше здесь жила, но, на радость всем нам, выбила у управдомши привратницкую и отъехала туда.

— А вот и чай! — крикнула Света. — Идемте чай пить.

Пока они разговаривали, она успела выдвинуть на центр кухни стол, расставить стулья и табуретки, накрыть новой клеенкой, поставить чашки, сахар, варенье.

— Шустрая она у нас, — ласково заметил Олег. — Пойдемте, действительно. Что стоя-то беседовать? Сюда бы еще покрепче чего...

Он выразительно посмотрел на жену. Света резко тряхнула головой. Тогда он перенес взор на мадам Шапиро. Та пожала плечами и удалилась.

— Вот я лично уволен с философского факультета за философию, — продолжил Олег, усевшись за стол и усадив по обе руки от себя Таню и Белозерова. — Бывшей женою изгнан из семьи. Работал в паровой котельной, где и познакомился со Светочкой. Оттуда меня тоже изгнали.

— И тоже за философию? — поинтересовался Белозеров.

— За пьянку его изгнали, — звонко ответила Света. — А я, дура, подобрала.

Пятаков укоризненно посмотрел на жену.

— Так вы, стало быть, диссидент? — полюбопытствовал Белозеров.

— Прямой критикой режима я не занимаюсь, — охотно пояснил Пятаков. — Однако же мои труды неопровержимо доказывают как несостоятельность марксизма, а тем более ленинизма, так и полную неорганичность коммунистической идеи и коммунистического способа правления для русского менталитета, а следовательно их обреченность...

— Ну вот, опять завел шарманку, — поморщилась Света. — Дай людям спокойно чайку попить.

Бесшумно появилась Галина и вручила Пятакову непочатую бутылку с золотистой этикеткой. Он по-хозяйски подбросил ее в руке, содрал фольгу и ногтем ловко отковырнул пробку.

— «Кани», — сказал он удовлетворенно. — Золотой кубинский ром. Гадость, между нами говоря, но приход дает. Светуля, нам бы стопочки.

Света молча полезла в буфет и достала несколько красноватых пластмассовых стаканчиков.

— Ну-с, со знакомством! — сказал Пятаков, разливая ром. Себе он налил полную, Галине тоже, Свете половину и выжидательно посмотрел на Белозерова с Таней.

— Мне половинку, — сказал Белозеров.

— И мне, — сказала Таня.

— Ладно, нам больше достанется. Эх, понеслась!

Он залпом выглушил стопку. Остальные пригубили и поставили. Галина продолжала держать свой стаканчик в руках, прихлебывая мелкими глоточками.

— А может, чего солененького под это дело, а? — спросил Пятаков, глядя на Таню.

— Нет, спасибо, — сказала она.

Но Света уже доставала из холодильника колбасу, какие-то банки, шуршала оберточной бумагой, звякала тарелками, ножами. Вторая пошла уже под соответственную закусочку, и сделалось тепло и весело. Откуда-то взялась гитара, еще одна бутылка... Заполночь явился Варлам Шапиро — кудрявый, с тонкими чертами лица, похожий на Иисуса Христа и немножечко на верблюда. С собой он притащил большую хозяйственную сумку — сегодняшний гонорар музыкантам заплатили натурой. Света отправилась спать, а остальные перекочевали в комнату Шапиро, заклеенную плакатами с изображениями рок-звезд и завешанную восточными ткаными картинками, которые Галина называла тханками, и совсем уже непонятными Тане изображениями, которые именовались мандалами и махамудрами. В сени махамудр увеселение продолжалось еще какое-то время, но Таня и Белозеров давно уже потеряли всякий счет времени.

Очнулись они почти одновременно — на широком надувном матрасе в пустой длинной комнате, прикрытые какими-то не то скатертями, не то портьерами. Сцена отчасти напоминала сцену их совместного пробуждения у Шпетов, но ее драматургическое наполнение было совсем иным. Поднимаясь, Белозеров толкнул Таню в бок, разбудил ее и вместо извинения хрипло спросил:

— Который час?

Таня разлепила глаза и поднесла к ним запястье, с которого, по счастью, забыла накануне снять часы.

— Полдесятого.

Белозеров вскрикнул и схватился за голову.

— Да что такое? — обеспокоенно спросила Таня.

— Ничего! — злобно прошипел он. — У меня в двенадцать проба, а я по твоей милости валяюсь черт знает где, черт знает в каком виде...

— Ты забыл сказать — черт знает с кем, — вставила Таня. — Что ж ты меня не предупредил вчера?

Белозеров махнул рукой, вскочил и забегал по комнате в одних трусах, махая руками и приговаривая:

— Что делать? Что делать?

Тане сразу стало скучно. Она поднялась, надела лежавший рядом на полу джемперок, пригладила руками брюки, чтобы не казались слишком мятыми, надела их и пошла в ванную. Вернувшись, она застала Белозерова по-прежнему в трусах перед тусклым зеркалом, оказавшимся на внутренней стороне створки древнего шкафа. Он разглядывал свою физиономию, которая, по мнению Тани, нисколько со вчерашнего дня не изменилась, и причитал:

— Куда ж я такой пойду? Куда?

Таня чуть было не ответила со всей пролетарской искренностью, куда именно ему следует идти, но сдержалась и посоветовала:

— Оденься, сходи умойся, потом попей чайку и иди на студию пешком — проветришься.

Белозеров посмотрел на нее дикими глазами.

— Ну что ты несешь, а? На студию — в таком виде? Мне надо побриться, переодеться...

Таня отвернулась, подняла с полу сумочку, достала из кошелька червонец и не глядя протянула Белозерову.

— Вот тебе на такси, катись домой, брейся, переодевайся и вообще делай что хочешь.

Белозеров дрожащей рукой взял десятку, машинально сунул было ее в карман брюк, но попал в трусы. Тане

…ало совсем тошно, она пошла на кухню, без спроса по-
…авила на газ чей-то чайник и закурила, глядя во двор
…рез немытое окно. Вышла Галина — это оказался ее
…айник, и она как раз собиралась его ставить, — они вдво-
…м покурили, помолчали и пошли в их с Варламом ком-
…ату пить кофе. Варлама уже не было — с утра умчался
…о делам. После кофе Таня вернулась в свое будущее
…илище и еще раз прикинула, сколько чего понадобится
…ля легкого ремонта. Белозеров, слава Богу, уже смылся.

На другой день, ближе к вечеру, во двор въехал гру-
…овичок, из которого вылезли Таня и лысый прораб Вла-
…имир Николаевич. Они на лифте подняли на последний
…таж мел, обои, краску, клей, ведро с кистями, моток
…ровода и циклевочную машинку, которая, в отличие от
…сего остального, была одолжена на стройке во временное
…ользование и подлежала возврату через два-три дня. Вы-
…рузив все это хозяйство в пустой комнате, они уехали, а
…тром Таня вернулась уже одна, с кошелкой, из которой
…звлекла какое-то тряпье, переоделась и, закрыв газетами
…каф, принялась за дело.

Через четыре дня комнатка преобразилась и засверка-
…а. Пятаковы и Шапиро приходили в нее любоваться,
…зумленно качали головами, а Галина принялась с непри-
…ычным для себя воодушевлением давать ценные советы
…о части оформления интерьера. Совместными усилиями
…ни развернули древний шкаф боком и поставили его по-
…ерек комнаты, разделив ее на спальню без окна и гости-
…ую. Таня раскрасила его в веселенький голубой цвет, а
…алина разрисовала мандалами, ступами и цветочными ор-
…аментами. В воскресенье, когда запах краски немного
…ыветрился, Таня с помощью того же Владимира Никола-
…евича перевезла сюда с Гавани свои вещи и всю ту мебель,
…оторая не была встроенной и на которой не стояло ин-
…вентарного номера семейного общежития. За выездом бди-
…ельно следила ухмыляющаяся комендантша, которая про-
…извела-таки на Таню начет в семь рублей за сломанную
…абуретку. Таня расплатилась — скандалить было себе до-
…оже — и обязалась завтра же явиться с паспортом и вы-
…исаться по всей форме.

Напоследок Таня немного посидела одна в полупус-
…ой квартире, которую покидала навсегда. Что ни говори,

а почти пять лет здесь прожито. Разные это были годы, пестрые. А какие ждут впереди — как знать?

Числу к десятому сентября Таня решилась — оставил соседушке Варламу номер телефона хмелицкой почты, н случай, если ей позвонят со студии, и рванула на Валдай - помогать сестре убрать картошку, походить по клюкву и п грибочки. Тем более что дни стояли прекрасные, а отпуск у нее давненько не было — правда, и работы тоже.

Вернулась она через две недели, веселая, окрепшая, мешком картошки, другим мешком, набитым банками с со леньями и вареньями, двумя ведрами клюквы и большим пакетом сушеных грибов. Со студии, как сообщил Варлам никто так и не позвонил. Пару раз звонила Анечка Шпет один раз Белозеров и еще раз кто-то очень пьяный и н пожелавший представиться. За день до нее вернулись и отпуска Пятаковы, ездившие на Светкину родину, под Са мару, а еще через день прилетела из Улан-Удэ Галина, гос тившая у матери. По случаю сбора кодлы был устроен не слабый сабантуй, в ходе которого получился разговор имевший важные для Тани последствия.

— Администрация халдейская совсем охренела, — жа ловался, чуть подпив, Варлам: у него это было обычно состояние, означавшее первую стадию опьянения. — Ско ро того и гляди станут требовать, чтобы мы свои тексты литовали.

— А что случилось-то? Цензура? — спросил Пятаков

— Цензура не цензура, а какой-то хрен с горы разо слал по всем увеселительным заведениям циркуляр, что бы, значит, репертуар музыкальных коллективов, обслу живающих по договорам такие заведения, включал в себя не менее шестидесяти процентов продукции на русском языке...

— Это правильно, — перебил Пятаков. — А то сплош ное «би май бэби» везде.

— А ты что понимаешь? — взвился Варлам. — Дума ешь, им это для подъема отечественной культуры надо? Для цензуры это надо, и еще чтобы перед начальством отчитаться о проделанной работе. А почему, как ты дума ешь, мы почти сплошняком Англию гоняем? Потому что «Дип пёпл», «Ху» или даже Маккартни нам играть по

етно, это классики! А отечественное говно нам не то что
грать — слушать противно!

— Все у вас так — как отечественное, так обязательно
овно! — завелся Пятаков.

— А ты много слушал? — ехидно спросил Шапиро. —
Не спорю, есть много потрясных вещей, мы и сами, между
рочим, не по-китайски поем, только хрена с два нам
озволят кайфовые вещи играть. Мы и свое-то бацаем,
олько когда все уже упьются, чтобы не дай Бог не при-
шили идеологическую диверсию. Потому что с одной сто-
оны есть установка начальства, а с другой — пьяная
ублика, которой подавай или иностранный хит, или «Папа, подари мне куклу!». А вот про куклу или про дяди
Ванины вишни мы петь не станем под страхом смертной
казни, равно как и комсомольскую попсу... Короче, нужен
ормальный русский репертуар — номеров шесть-восемь,
тобы и не позорно было, и публике нравилось — или нас
из стекляшки под жопу каблуком!

— Ну и что? В заправдашние дворники пойдете, —
казал Пятаков.

— А ты сам-то что в дворники не идешь?

— Я? Я философ...

— И Светка тебя всегда накормит, — закончил за него Шапиро. — А вот нам, представь себе, самим надо жен
кормить, а кое-кому еще и детей. Вон у Биг-Бена трое...
И еще, понимаешь, мы играть хотим! Тебе-то хорошо —
взял бумажку, ручку, сел, задумался. А нам инструменты
нужны, аппаратура! Вон, Клэптону надо «галошу» ставить, квакер, другие примочки. Да и мне давно пора
выкинуть к свиньям собачьим свою ионику паршивую и
завести что-нибудь приличное, скажем, «ямаху»... А тут
отовсюду обломы!

— Варламчик, зря ты переживаешь, по-моему, — робко
вмешалась в их разговор Света. Спорщики скептически
переглянулись.

— Вы играйте Танины песни — они хорошие, душевные.
Шапиро посмотрел на нее, как на больную.

— Это, что ли, я буду петь про хризантемы и воротник
малиновый? Скажешь тоже!

— А зачем тебе петь? Вы Таню попросите.
Все посмотрели на Таню.

— Ну, не знаю, — с сомнением проговорил Варлам. Уж больно у нас стиль разный. Да она и не согласится.

— А может, и соглашусь, — сказала вдруг Таня. Я уже полгода без работы сижу, так отчего бы не попр бовать.

Варлам призадумался.

— Попытка не пытка, — сказал он наконец. — Завт сходим в наш бункер, посмотришь, послушаешь, а ребя на тебя посмотрят. Может, и получится что-нибудь.

«Бункер» находился в подвале нового кооперативно дома на Софийской улице, первый этаж которого заним ло правление. Председатель, в свое время изгнанный институтa за джаз, был неравнодушен к альтернативно музыке, да к тому же получал от коллектива «Ночно улета» некоторую арендную плату.

В большом низком помещении с голыми кирпичным стенами и усеянном окурками бетонным полом стояли гр мадные допотопные динамики, провода от которых тяну лись к не менее страхолюдным усилителям. Когда Варла с Таней спустились сюда, трое «ночных улетчиков» был уже на месте, настраивались, разогревались. Шапиро пред ставил их Тане — огромного усатого ударника звали Би Бен, настоящих же имени и фамилии его никто Тане н назвал; длинноволосый, меланхоличный и отрешенный о мира басист откликался, хотя и не сразу, на имя Кост Соло-гитарист Саня Клепиков, маленький, взъерошенны и нервный, носил естественную при такой фамилии кличк Клэптон, хотя тут же признался Тане, что его кумиро является отнюдь не глубоко уважаемый им Эрик Клэптон а Джонни Роттен из «Секс Пистолз» — группы, основав шей прогрессивное направление, именуемое «панк-рок».

Из них Таню узнал только Биг-Бен.

— Вы послушать нас пришли? — спросил он густы басом.

— Нет, — ответил за нее Шапиро. — Отныне Таня бу дет работать с нами.

— Ты что, Шэп, совсем сдвинулся? — поинтересовал ся Клэптон. — Я-то думал, он телку привел, а он... Н фига нам это надо?

— Клэптон, ты, конечно, классный музыкант, но иди от, каких мало. Объясняю — во-первых, так мы удовле творим известное тебе требование дирекции нашей тошниловки, во-вторых, создадим себе клевую рекламу...

— Это как это? — спросил озадаченный Клэптон.

— Ты что, не знаешь, кто такая Татьяна Ларина?

— Которая из Пушкина, что ли? — вдруг ожил басист Костя.

— Сам ты из Пушкина, хипан зависающий! Из кино.

— И она будет наши тексты петь? — сквасив рожу, спросил Клэптон. — Сумнительно мне чтой-то...

— Ну, если только в подпевке, бэк-вокалом, — пояснил Шапиро. — Она ведь с нами только лабать в харчевне будет, вперебивочку — пара-тройка наших номеров, пара-тройка ее, с папой Шэпом у рояля. А на сэшэнах — это мы потом посмотрим, как будем въезжать друг в друга, да и захотим ли? Все же стиль совсем разный.

— Да уж, — буркнул Клэптон.

— Давайте начинать, — сказал Биг-Бен. — А то мне в два Ирку к зубному вести.

— Ты присядь пока, — сказал Шапиро Тане, подводя ее к старинному ободранному креслу, притулившемуся в самом уголке.

Музыка «Ночного улета» показалась Тане резкой, неприятно-агрессивной, а тексты — бессмысленными. Впрочем, насколько это можно было оценить при такой манере исполнения, работали ребята достаточно мастеровито, за исключением басиста Кости, постоянно сбивавшегося с ритма и обругиваемого за это последними словами, что, судя по всему, было ему до фонаря. Основной вокал вел Шапиро, подпевку басом делал Биг-Бен, а визжачую — Клэптон, который в промежутках между куплетами давал длинные виртуозные запилы на своей красно-серебристой гитаре. Сегодня разучивали новый шедевр, созданный Варламом, видимо, с лютого бодуна:

По полям,
По лесам
Ходит-бродит
Черная смерть.
Черная смерть, черная смерть
Стучит в мой дом, стучит в мой дом.
Черная смерть, черная смерть
Хочет съесть моих детей!

Припев и вовсе поразил Таню:

> Не ешьте вы меня, не ешьте!
> Как хорошо нам в Будапеште!

Отыграв это творение три раза, при этом вдрызг переругавшись и тут же помирившись, «Ночной улет» принялся, как бы специально для Тани, исполнять наиболее лирические номера своей программы. Одна из песен была даже посвящена ее тезке:

> Симпатичная девочка Таня
> Побывать захотела в Ботсване.
> Ее негры поймали, юбку кверху задрали
> И пустили гулять по саванне...

Прочее было в том же духе. Работать с таким репертуаром ей не хотелось даже на подпевке. Однако потом, когда Шапиро объявил перерыв, а Биг-Бен деловито достал из необъятного портфеля термос с кофе и кулек с пирожками и все принялись перекусывать, Варлам пояснил ей, что этого от нее и не потребуется. Отыграв две-три вещицы из западного рока и кое-что из своего, побезобиднее, ребята уступят сцену ей, он пересядет с синтезатора за рояль, и они врежут что-нибудь салонное, душещипательное, с белогвардейским душком — а это будет если не в стиле самой Тани, то вполне в стиле ее экранного образа, и среди ресторанной публики пройдет на ура.

Тут же и попробовали. Хотя в бункере не было рояля, Шапиро выжал нечто сходное из синтезатора. Таня спела, что вспомнила, — хризантемы, белой акации гроздья душистые, русское поле, и, конечно же, воротник малиновый. Для первого раза получилось неплохо. Понравилось даже Клэптону, который примерно с третьей Таниной песни тихонько взял в руки гитару и стал подыгрывать, неплохо попадая в строй. Будущее Таниного симбиоза с «Ночным улетом» показалось ей не совсем безнадежным.

Того же мнения оказался и администратор новой «стекляшки» в Купчино, спортивного типа мужчина средних лет, который вытаращил глаза, когда Варлам привел в его кабинет саму Татьяну Ларину, благосклонно выслушал его предложение и с ходу предложил Тане самую высокую ставку — пятнадцать рублей за выход при четырех выхо-

дах в неделю, на трешку меньше, чем получали все «улет-
чики», вместе взятые. К работе было предложено присту-
пать хоть завтра.

Для репетиций они на паях с Варламом взяли напрокат
пианино и поставили его в Таниной комнате.

Жизнь налаживалась снова, но вряд ли это была та
жизнь, о которой мечталось Тане.

Да, материально дела ее шли хорошо, как никогда. Помимо ставки, аккуратно выплачиваемой за каждое выступление, Тане нередко перепадали богатые продуктовые на-
боры, которыми она прикармливала вечно голодных и без-
денежных Пятаковых, бесплатные ужины с вином — за
счет заведения, а потом, случалось, и за счет приглянув-
шихся ей посетителей. Подгулявшие гости нередко заказы-
вали песню или романс и щедро кидали за это червонцы и
четвертные. Танин репертуар расширился в соответствую-
щую сторону: «Пара гнедых», «Ямщик, не гони лошадей»,
«Дорогой длинною», «Господа офицеры», «Черная Мол-
ли». Шапиро где-то надыбал старинные ноты с песнями
известной петербургской дивы начала века Изы Крамер, в
том числе и известное всем по цитатам в «Золотом теленке»
«Последнее танго» — душераздирающую историю танцов-
щицы Кло, увезенной с крошечной аргентинской эстрады в
блистательный Париж, и ее бывшего партнера Джо, который пробирается за ней в Европу и, оттанцевав с ней про-
щальное танго, втыкает в несчастную Кло кинжал на глазах
изумленного бомонда. А еще были «Черный Том», «Мо-
дель от Пакэна»...

У Тани появилась своя устойчивая аудитория, постепенно выкристаллизовывался круг поклонников — деляг
районного масштаба, фарцовщиков из тех, что посолиднее,
офицеров из близлежащих военных учреждений, иногородних снабженцев, постоянно мотающихся в Питер по
нуждам своих хозяйств... Поначалу Таня лишь принимала
их заказы на песни, потом букеты, потом стала откликать-
ся на их приглашения и подсаживаться к столикам. Впервые она сделала это после долгой внутренней борьбы, по-
жалев постоянно одинокого интеллигентного вида клиен-
та, худощавого, в очках и неброском костюме. Он ужинал
в «стекляшке» едва ли не каждый вечер и регулярно подходил к Тане после выступления, подносил букет, целовал

руку и, глядя на нее печальными глазами, приглашал разделить с ним трапезу. Оказалось, что это — директор торговой базы. Он кормил ее ужинами и рассказами о своей несчастной семейной жизни и сволочной работе недели три, и Таня уже с трепетом начала думать, что вот-вот придет пора расплачиваться за эти ужины. Но потом директор исчез. Может, погорел на своей базе, может, еще что. Сам по себе этот человек был Тане малоинтересен, но мужское внимание льстило ей. И не только льстило. С тех пор как летом удрал из ее пустой комнаты Белозеров, едва не забыв надеть штаны, у нее никого не было. И оттого внутри разливалась противная пустота...

Потом был жестянщик со станции техобслуживания, мужик веселый, разбитной, компанейский. Он подкупил Таню тем, что в дни ее выступлений в «стекляшке» подгонял прямо к ее дому базовскую «Волгу», а поздним вечером, после выступления и ужина в его компании, лично подвозил ее обратно. Ездить в не вполне трезвом виде он ничуть не боялся — все гаишники были ему друзья, а машиной он правил, как бог. И вот однажды он остался у нее на ночь. Это была прекрасная, божественная ночь, но утром он сам все испортил — уходя, оставил на столе сторублевку. Таня догнала его на лестнице, швырнула купюру в его удивленное лицо и велела забыть сюда дорогу.

Потом был штурман дальнего плаванья. Этот прожил у Тани целый месяц, после чего отправился бороздить северные моря на своем ледоколе. От него у Тани остались два подарка — роскошная беличья шуба и гонорея.

Тане повезло — она зацепила болезнь в самом начале: после операции в Склифосовского она внимательно следила за своими женскими делами и, заметив неполадки, моментально помчалась к гинекологу в клинику для театральных работников, куда пока еще имела право обращаться. Диагноз, поставленный весьма деликатно, но однозначно, привел ее в шок. Она разревелась прямо в кабинете, и врач, прежде чем назначить ей курс соответствующих уколов и процедур, напоила ее валидолом.

Танино целомудрие, поначалу вынужденное, а потом и полудобровольное, порожденное стыдом и страхом, длилось аж до мая месяца. А в июне она поехала отдыхать в Сухуми не с кем-нибудь, а с тем самым администратором ресторана, который принимал ее на работу. Никодим Леопольдович гостил в доме своего абхазского коллеги и еще в самолете предупредил Таню, что семья, в которую они едут, отличается строгостью и патриархальностью нравов, а потому пусть она не удивляется, что он представит ее своей женой и будет звать Мариной. Особой патриархальности в этой семье, каждый мужчина которой — от тестя хозяина дома до его внучатого племянника — безуспешно к ней клеился, она не ощутила. Мариной же она пробыла до того дня, когда, как снег на голову, свалилась настоящая Марина и устроила дикий скандал с битьем мужа и чужой посуды. Таня чудом избежала побоев и в тот же день улетела в Ленинград, уцепив из кассы только что сданный билет за двадцать минут до отлета. Но Марина на этом не успокоилась и продолжила скандалить в Ленинграде. Она явилась к директору ресторана, непосредственному начальнику Никодима Леопольдовича, и потребовала, чтобы он немедленно уволил эту развратницу Ларину. Но директор, стреляный воробей, имевший с Лариной неплохой навар, поступил мудрее и уволил Никодима Леопольдовича. Во избежание. На студию она давно перестала звонить, старым друзьям и знакомым — тоже.

Таня усиленно прикармливала огромную Светку, а заодно и Пятакова. Они с удовольствием и благодарностью принимали от нее деликатесы, но Таня замечала, как в Светкиных чистых глазах к благодарности примешивается грусть. Таня чувствовала, что вызвана эта грусть ежедневным зрелищем падения былого кумира. «Господи, в кого я превращаюсь?» — думала она, глядя в окно своей комнаты на соседние тусклые крыши.

«Ночной улет» развалился. Сначала загремел в наркологическую лечебницу басист Костя. Весной плюнул на музыку и подался в какой-то Новый Уренгой на заработки Биг-Бен. На их места в срочном порядке взяли двух «пассажиров» из самодеятельности. Клэптон недолго терпел это безобразие и после крупного разговора с Варламом подстригся, надел галстук и ушел в ансамбль комсомольской песни. Варлам распродал оставшуюся аппаратуру, сдал ключи от бункера прогрессивному председателю кооператива, на вырученные деньги купил себе самую дешевую «ямаху» и, найдя Тане нового аккомпаниатора, пожилого лысенького дядю по фамилии Брандис, открыл, на основе себя и своей «ямахи», новое направление в роке, названное им «сиротский панк».

## V

Московская Танина служба в принципе мало отличалась от работы в Отрадном, только масштабы были совсем другие. Она стала основной «хозяйкой» Шерова. Ее уютная квартира постепенно превратилась в некое подобие салона, где встречались и деловые, и светские знакомцы Шерова; многих он приводил к ней на смотрины. После милых бесед и развлечений с очаровательной хозяйкой гости уходили довольные, а Шеров оставался и выяснял у проницательной Тани ее мнение... Здесь встречались люди, которых немыслимо было бы видеть вместе в какой-либо другой обстановке. Полковник из ОБХСС деловито обсуждал перспективы частных капиталовложений с начснабом «Ростсельмаша». Главный московский раввин Менахем Плоткин пил на брудершафт с кэгэбэшным журналистом Кислюком. Полуопальный режиссер Началовский мило беседовал с начальником зарубежного отдела Главпура генералом философских наук Кошкохватовым, известным общественности по периодическим статьям о низком политико-моральном состоянии армий блока НАТО, а лауреат Ленинской премии драматург Шундров делился творческими планами с очаровательной Шурочкой Колчак-Пепеляевой из парижской газеты «Монд».

Все это было очень мило, но быстро приелось, и Таня с радостью ухватилась за предложение Шерова отправиться в компании Архимеда и малознакомого ей толстого бодрячка по фамилии Сосновский с инспекционной поездкой на некоторые точки его обширного хозяйства. Никакой особой миссии на Таню не возлагалось, но по возвращении Шеров ожидал от нее кое-какого конфиденциального доклада по итогам ревизии. Об этом знал только Архимед, для всей же местной публики она должна была оставаться скучающей московской барышней из окружения «хозяина».

Поездка началась с орденоносного колхоза на Кавказе, промышлявшего чаем, специями, но основной доход получавшего с конопляного поля и цеха по производству мешковины... Спустя много лет Тане принесли любопытную русскую книжку. В английском переводе она называлась «The Place of Skull», что примерно означало «лобное место». Имя автора — Чингиз Айтматов — было ей хорошо знакомо, равно как и тематика первой части этого романа, который она нашла многословным и претенциозным. Она еще сильно хохотала над страстями по поводу добычи конопляного зелья: там герои мотались по диким степям, бегали от ментов, срывались с подножек товарняков, попадая под колеса... Господи, зачем, когда все можно вполне законно, тихо-мирно? В ту поездку, пока мужчины сидели в правлении и шуршали бумажками, Таня погуляла по окрестностям, посмотрела... Трактор после работы в поле тряпочкой обтереть, пыль собрать аккуратненько — вот тебе готовый «пластилин» высшего качества. А уж с цветочками и вершками матерки и вовсе просто — идет за отход, списывается по акту, а чаще так. С транспортировкой тоже несложно: катит отсюда дурь по всей стране в баночках якобы с аджикой, перцами, томатной пастой. Кому надо, разберутся. В свое время ее немного просветил покойный Якуб, но воочию работу всей машины она увидела только сейчас. В одном из местных бригадиров, носатом, в полувоенном френче, она чуть было не признала легендарного Гамлета Колхозовича, с которым общалась пару раз. Впрочем, вряд ли это был он — тот, скорее всего, рулит у себя в Азербайджане, а здесь Дагестан, другие люди, хотя без поллитры не разберешься...

Понятно, движением такого товара Вадим Ахметович впрямую не занимался — слишком стремно, несмотря на фантастические доходы. А вот с умом распорядиться образовавшейся наличкой помогал. В умелых руках Шерова и компании денежки проходили длинный цикл перерождений и возвращались владельцам не только с приличным приростом, но и начисто отмытыми... Будучи вхож практически во все нужные кабинеты, где, между прочим, тоже живые люди сидят и кушать хотят, Вадим Ахметович умело сцеплял экономические интересы самой разной публики, несхожей по сфере деятельности, по местоположению, по уровню, и создавал себе почти неограниченные возможности игры на разнице между налом и безналом, между государственными и реальными ценами, на прочих несуразностях экономики развитого социализма. Недовольных не было. Те же конопляные колхозы процветали и получали ордена, приварок же, полученный Вадимом Ахметовичем, был ему одному ведом.

Потом московская троица посетила еще несколько интересных местечек, в том числе феерический полуостров Таймыр, размером в полторы Франции. Чистейшие речки, кишащие идущей на нерест семгой, сосны на пригорках, утопающих в серебристом кустарнике, — и только подойдя совсем близко, поймешь, что все это игрушечное, карликовое, и кусты — не кусты, а полярный мох. А полыхающее северное сияние, аврора бореалис... Таня наблюдала за переливами небес с небывалым сладким томлением в груди. Куда-то рвалась душа. Она отошла шагов на полсотни от спутников, немножко всплакнула, сидя на седом от лишайника валуне, и возвратилась посвежевшая и бодрая.

А потом был золоторудный комбинат, расположенный на одном из притоков Вилюя. Туда, пересев с ЯК-40 на затерянном в тайге аэродроме, добирались вертолетом. Везли долгожданные предложения по весьма щекотливому вопросу — так называемой «неучтенке». Шеров изыскал для комбината возможность гарантированно реализовать неучтенные излишки продукции по рыночному курсу, причем более чем законно — в смысле, с ведома и одобрения такого лица, чье слово по значимости перевешивало все законы государства Советского. Естественно, что принимали их здесь по высшему разряду.

Поселок поразил Таню ухоженностью, чистотой и полным отсутствием индустриальности в пейзаже — веселенькие коттеджи в один-два этажа, дорожки, присыпанные красноватым песком, клумбы с георгинами, лиственные аллеи. В отведенной комнате приятно удивил толстый пушистый ковер, штофная зеленая ткань на стенах, большой цветной телевизор, красивая мебель светлого дерева, словно попавшая сюда из богатой усадьбы прошлого века, но при этом совершенно новая. Ванная выложена ярким желтым кафелем, латунные ручки и краны блестят ослепительно. Махровые полотенца, стерильная мочалка, запаянная в целлофан, даже пипифакс. С горячей водой, как поспешила убедиться пропылившаяся в дороге Таня, тоже проблем не было.

— У вас, Игнат Сергеевич, не комбинат, а прямо дом отдыха какой-то, — поделилась она своими впечатлениями с директором, не преминувшим пригласить высоких московских гостей на ужин.

— Так тут у нас центральная контора, а производство в шести километрах. Там такого великолепия нет, — охотно пояснил седой и широконосый Игнат Сергеевич, подкладывая ей на тарелку кусок прозрачного заливного хариуса. — Вот еще бруснички моченой отведайте, кабанятинки, рябчика. Все свое, не покупное, и сметана, и хлеб, и картошечка, даже хрен — и тот с подсобного хозяйства. Только вот бананы — те привозные. И можжевеловку сами гоним, ничем не хуже ихнего хваленого джина. Чистая, как слеза.

Он разлил ароматную светлую жидкость по хрустальным рюмочкам.

— Слеза комсомолки, — уточнила Таня, вспомнив современную классику.

Игнат Сергеевич принял ее литературную ассоциацию за топографическую и отозвался с удивлением:

— Не, зачем? Комсомольские у нас же и берут.

Выяснилось, что Комсомолкой называется один из четырех приисков, входящих в хозяйство Игната Сергеевича, а еще есть Хожалый, Шикша и Измаил, последний, правда, практически иссяк и в эксплуатации нерентабелен. Слова про Измаил хозяин почему-то произнес скороговоркой и поспешил сменить тему.

Смысл недомолвки директора стал Тане ясен через два дня, когда они с Архимедом (Сосновский остался на комбинате разбираться с организационными деталями) отправились осматривать прииски. Ехали врозь, на здоровенных оранжевых «магирусах», изготовленных в Западной Германии специально для сибирских условий. Шофер Тане попался молодой, вихрастый, разговорчивый. В беседе с ним Таня узнала много интересного. Оказывается, золото в этих краях разрабатывается давно и с размахом. Прииски оснащенные, золотишко стране давали по плану и даже с избытком. Но лет десять назад башковитые местные начальники стакнулись с начальниками московскими, и пошла двойная бухгалтерия. Добыча плавно, но устойчиво пошла вниз, а наверх полетели унылые реляции, что залежи катастрофически истощаются. Заинтересованные лица в Москве потихонечку внедряли в начальнические умы идею, что комбинат, мол, на одном только Хожалом и держится, а остальные участки только в убыток работают и пора признать их некондиционными... После соответствующего постановления на комбинат ускоренными темпами потекли живые денежки для расчета с артельщиками, быстренько слетевшимися на лакомую некондицию. Вместе с деньгами стали прирастать и возможности всяких комбинаций. Дальше — больше. Комбинатское начальство, и без того не бедное, окончательно жаба задушила. Уже и старатели из фавора вышли — дескать, много им, рвачам, отдавать приходится. И тогда самый богатый прииск, Измаил называется, вывели из-под артельщиков, вроде бы закрыли окончательно. Колючкой обнесли, охрану выставили, сплошь из уйгур, которые сначала стреляют из берданок своих, а потом только орут: «Стой, кто идет?» Якобы чтобы всякие-разные туда не шастали, в отвалах не копались, законсервированные матценности не разворовывали. Жила-то там глубоко под землей идет, и мантулит там в штольнях за харчи и винцо самый пропащий контингент — бичи, бродяги беспаспортные, алкаши, откинувшиеся бездомные зэки... Документами там особо не интересуются, да и зачем? Кто туда попал — тому уж обратно ходу нет, только в земельку-матушку. Кое-кто, правда, в бугры выбивается, в учетчики, в обслугу, а самые волчары — в охрану внутреннюю, своих же шмонать да на работы конвоировать. Спецов на Измаиле, почитай, и нету, механик на движке, и еще начальник, крепко пьющий мужчина из инженеров. Ну, а на крайние случаи имеется на комбинате специальная выездная бригада из людей нетрепливых... Тут шофер закашлялся смущенно, замолчал.

Последний час шли под фарами и в Шикшу прибыли, когда артельщики уже отужинали. В столовке, чистенькой, со свежими цветами и белыми салфетками на каждом столике, было пусто, только доедали два припозднившихся старателя и хлопотала у бачков повариха. Завидев гостей, она всплеснула пухлыми руками, тут же навалила им полный таз салата с помидорами и по глубокой тарелке плова... Пришел председатель, больше, по мнению Тани, похожий на молодого доктора физико-математических наук, за ним потянулись рабочие — все как на подбор ладные мускулистые ребята. Чувствовалось, что они здорово умотались за день, но нашли в себе силы вернуться сюда, чтобы посмотреть на гостей. Главным образом, надо полагать, на Таню. То ли по причине позднего часа, то ли из-за присутствия рабочих о делах не говорили. Появилась гитара. Тане было здесь вольготно и как-то надежно, будто знала этих ребят с детства. Невольно вспомнился Павел. А ведь он из того же теста. И еще подумалось: сложилась бы жизнь по-другому... Стало грустно. Председатель заметил это и, истолковав по-своему, предложил отправиться на боковую. Беседа моментально смолкла, гитару зачехлили...

В отведенной ей крохотной комнатушке, смежной с председательским кабинетом, Таня спала крепко, без сновидений. Разбудил ее луч солнца, упавший на лицо сквозь окошко, и громкие, возбужденные голоса из соседнего помещения:

— Спасибо, что предупредил. Двоих в охрану на карьере поставлю, одного — в поселке. Ну, и сам, конечно.

— Людей дашь?

— Людей не дам, лишних нет. Оружия тоже не дам — на всю артель один карабин, один револьвер и дробовиков пара-тройка...

— Этого добра у самих навалом. Транспорт дай.

— Нет у меня транспорта. Оба «магируса» на рассвете с рудой ушли, «газон» самому нужен.

— Ну и жмоты вы, артельщики, одно слово, капиталисты. Это ж Ким, убийца, пойми ты! А ну как на прииск выйдет?

— Выйдет — встретим. Комсомольских я по рации предупрежу, а дальше ему не забраться. Смотри — вот здесь река, здесь топь. Верхами не пройдет, там пропасть. Комсомольские пару человек у моста выставят. А вы на своем конце дорогу перекройте. И обязательно у поймы и на зимовье брошенном...

— Да уж это-то Поручик сообразит, хоть и дурак.

— Он, что ли, погоней командует?

— Больше некому.

— Охо-хо...

И как раз на сокрушенном вздохе председателя из своей светелки вышла Таня, одетая и причесанная. Председатель кивнул ей, как старой знакомой, а его собеседник — сутулый, морщинистый, в потрепанном офицерском кителе без погон — ошалело вытаращил подслеповатые глазки.

— Что случилось? — спросила Таня.

— Да вот ЧП у соседей, — пояснил председатель. — Работничек у них в тайгу подался.

— Уйгура зарезал под утро и ушел, — добавил второй. — А людей не хватает катастрофически. Контингент ведь тоже без охраны не оставишь: все разграбят и разбегутся.

— Вы с Измаила, — догадалась Таня. В голове ее в очередной раз прозвенел знакомый звоночек. Пульс участился, сузились зрачки. «От меня не уйдет», — подумала она — или кто-то другой, четкий, безошибочный и беспощадный, кому она добровольно делегировала управление собственной персоной.

Человек без погон подозрительно посмотрел на нее, а председатель поспешно сказал:

— Это московского хозяина человек. Она в курсе.

— А давайте-ка мы с Архимедом поможем, — вызвалась Таня. — А после наши вопросы решать будем. Это ведь не срочно.

— Все вопросы мы с утра уже решили, и Архимед на комбинат с «магирусами» отбыл. А вас будить пожалел. Я же все равно туда после обеда собирался, вместе бы и поехали. Только теперь уж, видно, не поеду, пока беглого не поймают.

— Это ж сколько я проспала?

— Порядочно. Скоро полдень.

— Дайте мне ствол какой-нибудь, — распорядилась Таня. — Я с ним поеду.

— Ствол не дам и ехать не советую, — ответил председатель.

— Я взрослый человек и решения принимаю сама, — отрезала Таня, а беспогонный тут же закивал, как китайский болванчик:

— Ты, Михал Семеныч, не беспокойся, как накроем голубчика, я твою барышню самолично доставлю, хошь сюда, хошь на комбинат.

— Я не его барышня, — тем же резким тоном проговорила Таня. — И мне нужно оружие.

— Будет вам оружие, милая, непременно будет. Поделимся с радостью.

— А, поступайте как знаете.

Председатель пожал плечами и отвернулся.

Трясясь в «газике» на узкой лесной дорожке, человек в кителе представился — Петр Денисович Чинский, начальник прииска Измаил — и несколько подробнее обрисовал сложившуюся ситуацию:

— Этот Ким в апреле к нам прибился. Прямо из лесу, тощий, завшивленный весь, как доходяга последний, но, по всему видать, мужик самостоятельный. Документов при нем никаких, говорит, украли по пьянке — ну да наша публика, почитай, вся такая. Короче, кайло дали, к делу приставили. Работал крепко, остервенело. Ни с кем дружбы не водил, не разговаривал. Так только, буркнет что-то, если кто очень уж досаждает, и посмотрит этак исподлобья. Аж мороз по коже проберет. Но не пил, не буянил. Мы уж думали бригаду ему давать, а тут вон какая история...

Держась одной рукой за баранку, второй он слазал во внутренний карман кителя, извлек оттуда плоскую фляжку и приложился к ней. За этими манипуляциями не заметил очередной колдобины, лихо на ней подпрыгнул, поперхнулся, закашлялся и наскочил на следующую. «Газик» тряхануло основательно.

— Дайте-ка я поведу, — предложила Таня.

— Дороги не знаешь, — приосанившись, ответил Чинский.

Таня промолчала. Насколько ей было известно, других дорог в радиусе полусотни километров здесь не имелось.

Дорога резко вильнула вправо, и совсем неожиданно показались ворота. Не ворота, а три мощные горизонтальные доски, концами закрепленные на двух столбах. Пространство между досками было густо пересечено кругами колючей проволоки. Проволока тянулась дальше, по обе стороны дороги.

461

Из будки у ворот навстречу «газику» бежал человек и на ходу орал:

— Здоров, начальник! Артельные подмогу дали?

— Ни хера не дали! — крикнул Чинский, высунувшись через открытое боковое стекло. — Вот только и привез... охотницу. Из Москвы.

Бегущий хрипло выматерился и, добежав, прислонился к дверце. Дышал он тяжело, с присвистом, колыхая отвислым животом. Явно не в лучшей форме.

— Как обстановка, Поручик? — спросил Чинский.

— Что обстановка-то! — огрызнулся тот. — Шестеро уйгур с бригаденфюрерами тайгу прочесывают, Хикматов в караулке, остальные трое быдло стерегут, я всех распорядился в бараки согнать. Сам вот тут дежурю, вас дожидаюсь.

— Работяг стеречь и двоих хватит, — рассудил Чинский. — Я тебя подменю, а ты сходи к баракам, возьмешь там кого порасторопней и сюда. По пути к Хикматову забегите, прихватите вон для барышни ствол поизящнее. С вами пойдет.

Поручик повернулся, открыл рот, желая, видимо, сказать что-то язвительное, но, посмотрев на Таню, только впустую щелкнул хлебалом и отправился выполнять распоряжение начальника.

— Почему Поручик-то? — спросила Таня. — Из военных, что ли? Вид у него не особенно бравый.

— Да какой военный? — досадливо махнул рукой Чинский. — В ментовке на курорте отъедался в чине старшего лейтенанта, да поперли его оттуда, а кто-то умный присоветовал на наш комбинат завербоваться, в вохру. Только он и там не удержался, по пьянке главному технологу рыло начистил, вот его ко мне и списали, в помощники по режиму. А по простому говоря, народишко в страхе держать. Это, скажем прямо, умеет. Прямо эсэсовец какой-то... — Чинский замолчал. Видимо, разговор на эту тему был ему неприятен.

Через несколько минут подошел Поручик, а следом за ним семенил маленький и кривоногий азиат в застиранной солдатской гимнастерке, волоча чуть не по земле длинную винтовку. Поручик молча протянул Тане «макарова» в кобуре, которую она тут же защелкнула на ремне, а сам повернулся к Чинскому.

— Мы тогда на зимовье двинем, в засаду. Все равно ведь где-то здесь кружит, далеко уйти не мог. Если через плавни проскочит, мимо не пройдет. Тропка там одна.

— Валяйте. Эх, не порешил бы он Эфиопа, пса нашего, давно бы уж взяли гада, — Чинский устало махнул рукой и обратился к Тане. — Вы как, не передумали? Там вброд через камыши надо. Долго и утомительно.

— Не страшно, я привычная.

От Таниной улыбки Чинский смутился.

— А ты смотри, если что с гостьей нашей случится, головой ответишь, — сурово сказал он Поручику.

— А как же, — невразумительно отозвался тот. — Вы готовы? Тогда пошли. Айвас, не отставай давай.

Шли долго, то продираясь сквозь буреломы, то перескакивая, как белки, с ветки на ветку по стланику, которым густо поросли сбегающие к ручью склоны холмов. Первым, пыхтя как паровоз, двигался Поручик. Он шел не оборачиваясь, ему было не до разговоров, на спине синей куртки проступило жирное пятно пота. Только под горой возле камышовых зарослей остановился, закурил, поглядел на Таню поверх руки, прикрывавшей огонек папиросы.

— Теперь вброд. Кое-где по пояс будет. Так что спички там и все, что мокнуть не должно, повыше переложите. Оружие тоже воды не любит.

— Понятно, — коротко ответила Таня.

Подождали отставшего Айваса и углубились в камыши. Теплая стоячая вода припахивала тиной, заливала в сапоги. Илистая взвесь противно чавкала, но дно было твердое, нога не проваливалась. Продвигались медленно, сильно досаждали слепни, слетевшиеся на дармовое угощение. Как-то неожиданно камыши кончились, открылся склон, заваленный нагромождениями камней. Из-за одной такой кучи выглядывала покосившаяся печная труба.

— Прибыли, — с облегчением сказал Поручик, уселся на траву и принялся стягивать мокрый сапог.

— А этот Ким раньше нас проскочить не мог? — спросила Таня. — С ночи ведь бегает.

— Не мог, — убежденно заявил Поручик. — Наши вход в плавни сразу перекрыли.

— Что-то я никаких «наших» там не приметила.

— Так они издалека увидели, что это мы идем, ну и не стали высовываться... Айвас, давай-ка по такому случаю костерок разведи, посушимся.

Тот прислонил винтовку к валуну и послушно отправился за хворостом. Таня осмотрелась, выбрала подходящую груду камней, из-за которой хорошо просматривались камыши, и пошла туда, на ходу расстегивая кобуру, извлеченную из-за пазухи. В сапогах хлюпало. Потом переобуемся, когда костер разгорится.

— Вы зачем? — лениво спросил Поручик.

— В дозор, пока вы костром занимаетесь. Говорите, он может только оттуда появиться?

— Больше неоткуда.

— Как узнать его, отличить от ваших?

— Он в черной робе, здоровый, как медведь. А уйгуры все в гимнастерках, малорослые. Да вы не беспокойтесь, загодя увидим, если что.

Спереди тихо колыхались камыши, сзади возился Айвас. Затрещал костер — и в это же мгновение в камышах раздался выстрел. Таня повернулась к мужчинам.

— Стреляли, — подражая Саиду из «Белого солнца пустыни», сообщила она.

— Слыхали, — столь же лаконично ответил Поручик. — Айвас, сходи туда, посмотри. А вы, пожалуйста, оставайтесь на посту.

Айвас молча подхватил винтовку и спустился к плавням. Таня смотрела, как в зарослях исчезла его макушка. Больше не стреляли...

— Ну что, лярва, поговорим?

Таня резко развернулась. В руках у нее плясал пистолет. Такой же пистолет в руках Поручика был нацелен ей в живот. Поручик надвигался на нее с кривой ухмылкой.

— Назад! — прошипела Таня. — Еще шаг, и стреляю.

— Попробуй, — сказал Поручик и сделал два шага.

Опустив большим пальцем левой руки рычажок предохранителя, Таня дважды дернула спусковой крючок и тут же отпрыгнула в сторону, приземлившись на бок. Еще в полете она поняла, что сработала впустую — вместо выстрела раздался лишь металлический щелк.

А Поручик стоял метрах в полутора, глядя гордым победителем, и пистолет не опускал.

— Обойму-то тебе я пустую вставил. На всякий случай.

Таня села и буднично, устало спросила:

— Ну, и на фига тебе все это надо?

— А ну, смотри на меня, сука! — рявкнул Поручик. — Внимательно смотри! Узнала? Я-то тебя сразу признал.

— А я вот не припоминаю.

— Конечно, такая фря простых людей не замечает. Напомню. Карпаты, прошлое лето...

— Участковый, что ли? Который не Поп?

— Бывший участковый, по твоей, паскуда, милости. А Яне Поп — это мое имя. На всю жизнь запомни.

— А много ты мне жизни-то намерял, поп ментовский? — Таня усмехнулась, и это взбеленило Поручика.

— Будешь выеживаться — пристрелю, как собаку!

— А труп мой как по начальству предъявлять будешь? Тебе ведь сказано — головой ответишь.

— На Кима спишем. Он так и так не жилец.

— А я жилец?

Лицо Поручика расплылось в безумной улыбке.

— Будешь слушаться — подумаю... Ну-ка, пушку бросай. Вон туда.

Наклоном головы он показал на кустик, растущий в нескольких шагах. Таня перехватила бесполезный «макаров» за ствол и зашвырнула в кусты.

— Так-то лучше, — откомментировал Поп. — А теперь — на колени, сука, и рот раскрой пошире! И без фокусов — башку прострелю!

Таня покорно поднялась на колени.

Махая пистолетом, Поручик пошел на нее. Свободной рукой он нашаривал ширинку своих офицерских брюк.

— На меня смотри! — прохрипел он, нависая над ней. В висок ей уткнулось пистолетное дуло, в нос — другое дуло, горячее и темное. — Ну, что возишься там?

Танина голова поднырнула под руку с пистолетом, правая рука взметнулась вверх. Поручик качнулся вперед, выронил пистолет, схватился обеими руками за живот.

— Что ж ты... — выдохнул он и начал заваливаться.

Еще на Таймыре она привыкла держать за голенищем широкий рыбацкий нож, чтобы без лишних задержек потрошить свежий улов и еще — чтобы в темпе рубить леску,

465

если особенно большая рыбина потянет удочку вместе с рыбаком в студеную воду. Вот и здесь пригодился.

Яне Поп лежал ничком и тихо, жалобно стонал. Под туловищем растекалась черная лужа. Судя по всему, нож вошел чуть выше причинного места — очень кстати бывший участковый расстегнул штаны — и поехал вверх, распоров толстый живот. Таня сидела не шевелясь и не сводя с него глаз. Через десяток-другой секунд по лежащему телу пробежала конвульсия, потом он затих.

— Погиб поручик от дамских ручек, — пробормотала Таня.

Перед ней встала та же проблема, которой она минуту назад озадачила неудавшегося мстителя. Как предъявить имеющийся труп по начальству. Разумеется, самозащита в чистом виде, но свидетели-то где? Чинский вроде не в восторге от навязанного ему помощника, но это еще не значит, что он спокойно воспримет героическую гибель последнего. Может, воспользоваться рацпредложением покойничка и списать инцидент на Кима, если его, конечно, самого еще не замочили, скажем, тем одиночным выстрелом.

Таня подобрала валяющийся у ног пистолет Поручика, отщелкнула обойму, проверила — этот при патронах. Но сразу на свой наблюдательный пункт не пошла, а свернула к костру, умирающему без топлива, подбросила сучьев и, наконец, разулась, выставив сапоги голенищами к пламени. Рядом положила мокрые носки. Хорошо бы поесть — позавтракать сегодня не успела. Поручик, разумеется, попёрся сюда налегке, а вот у Айваса был вещмешок. Вот, кстати, и он...

Таня насторожилась — снизу, из камышей, донеслось громкое сопение, хлюп и шорох, словно ломился какой-то крупный зверь. Она глянула на неохватный старый кедр, заползла за мощный ствол и там залегла.

На склон, отдуваясь, выкатился человек. Громадный, в рваной черной спецовке и насквозь мокрых штанах, на плече — короткоствольный кавалерийский карабин. Огляделся, будто затравленный зверь, остановился взглядом на костре, заметил сапоги, сразу как-то сжался, сорвал карабин с плеча. Выждал. Таня, затаив дыхание, следила за ним из-за кедра. Рука с пистолетом лежала на моховом ковре. Чтобы правильно прицелиться, нужно немного выползти из-за ствола...

Ким походил на помесь Шварценеггера с гориллой. Мощные челюсти, надбровные дуги, под которыми прятались еле видимые глазки, узкий, несуществующий лоб, длинные руки с неправдоподобно большими ладонями... Он, должно быть, увидел труп своего заклятого врага. Неслышно, на цыпочках, подошел, застыл над телом Поручика, повернувшись к Тане мощной, сутулой спиной.

Почти не таясь, она вышла из-за кедра, прицелилась, держа пистолет обеими руками, — и всадила в эту спину всю обойму. Будто в кино, на черной ткани спецовки эффектными брызгами взметывались дырочки. Ким грузно рухнул на колени и повалился прямо на Поручика.

У Тани закружилась голова — так было всякий раз, когда ее сознание покидал «охотник». Она присела, нетвердой рукой достала из мятой пачки сигарету. Теперь оставалось только ждать.

— Я сама не понимаю, как все произошло, — говорила она, прихлебывая горячий чернущий чай из эмалированной кружки. — Мы с Яне дежурили у камней попеременно. Я, должно быть, задремала возле костра и очнулась от крика Яне. Увидела, что он лежит, а над ним стоит этот, спиной ко мне. И тогда я выхватила пистолет...

— Успокойтесь, милая, все хорошо. Вы поступили отважно и правильно. И не переживайте, что человека убили. Ким был не человек, а бешеный волк. На его совести здесь, на прииске, три убийства и Бог весть сколько прежде.

Говорил Чинский, а всего в конторе сидели четверо — он, Таня, Архимед и еще средних лет человек, крепкий, с суровым лицом. Начальник охраны комбината. Получив от председателя артели радиосообщение о происшествии на соседнем прииске и о том, что в преследовании беглеца принимает участие Таня, он немедленно поднял вертолет с десятком отборных вохровцев и парой обученных овчарок и полетел на Измаил. Пока около зимовья происходила конфронтация Поручика и Тани, собаки уже взяли след Кима. Он, как выяснилось, отсиживался в глухом буераке, днем рискнул выбраться, возле брода зарезал второго уйгура и отобрал карабин. Тот выстрел, что слышала Таня, произвел товарищ погибшего, обнаружив труп. Он стрелял в воздух, вызывая подмогу. И вышло так, что первым на месте гибели Яне Попа и Кима оказался Архимед. Это сняло многие проблемы...

— Что Ким не стал стрелять, а предпочел завалить Попа ножом, это как раз понятно, — словно разговаривая с самим собой, произнес начальник охраны. — Непонятно другое. Как Поп, все же милиционер бывший, подпустил его так близко и дал себя угробить, а главное, почему у него штаны спущены оказались.

— Отлить, наверное, собрался. Вот и бдительность утратил, — тем же тоном откликнулся Архимед, а Чинский добавил:

— Да он вообще был вояка никакой, только понты колотил да на работягах безответных отрывался. Вон, даже пушку свою не зарядил.

— Хорошо еще, что про вашу не забыл, — обратился начальник охраны к Тане и поднялся. — Думаю, товарищи, что это происшествие предавать огласке нецелесообразно. Пойду проинструктирую своих орлов.

В Москве жизнь текла прежним порядком. Ничего принципиально нового не было месяца три, а потом Шеров пригласил Таню к себе домой, сообщив, что в гостях у него человек, которому он очень хочет ее представить. Он встретил ее в прихожей, но вместо гостиной провел в спальню.

— Закрой глаза, — сказал он и застегнул ей на шее какую-то цепочку.

Таня открыла глаза и посмотрела в большое зеркало на трюмо. Ее старая цепочка с медальоном, в котором — голубой алмаз, когда-то подаренный Павлом.

— Гад же ты все-таки, Шеров. Я-то обыскалась. Почему не сказал, что он у тебя?

— Чтобы ты возвратила его своему благоверному? Извини, это не входило в мои планы.

— А теперь входит?

— Увидишь. Пойдем в гостиную.

Там, за журнальным столиком, разложив перед собой кожаную папочку, сидел отдаленно знакомый ей пожилой пижонишко Лимонтьев, которого Шеров несколько лет назад неизвестно зачем сделал директором какого-то скучного института. Завидев Таню, он поспешно вскочил, поцеловал руку, сказал пару затрепанных комплиментов, после чего продолжил беседу с Шеровым. Со второй его фразы Таня напряглась — речь шла о тех самых голубых алмазах, которыми когда-то с таким энтузиазмом занимался Павел. В институт приехала американская ученая дама со смешной фамилией Кайф и шибко интересуется алмазами и, в частности, давнишними разработками Павла. Ох, не случайно Шеров возвратил ей медальон именно сегодня. Он ничего не делает случайно. Таня слушала их мудрый разговор и понимала, что у Вадима Ахметовича возник на тему алмазов шкурный интерес, и сделалось как-то не по себе.

— Оно? — обратился к ней Шеров.

Таня кивнула — нелепо было отрицать очевидное.

— Покажи.

Не хотелось, но пришлось предъявить алмаз Лимонтьеву, у которого глазки разгорелись самым непристойным образом, и пригласить его к себе, уже с американкой.

После ухода Лимонтьева у Тани был серьезный разговор с Шеровым. В ее жизни существовало два человека, которые в ее сознании никак не совмещались, пребывая в разных, несоединимых мирах. Сближение этих миров чревато гибелью для менее жизнеспособного из них, сколь бы прекрасен и чист он ни был. И Таня без обиняков заявила Шерову, что категорически запрещает ему каким-либо образом вмешивать Павла в свои делишки. Вадим Ахметович был на редкость терпелив и смирен, подробно и убедительно растолковал, что намеченный альянс законен и результаты его будут для Павла Чернова положительны во всех смыслах. Человек получит возможность вернуться к любимому делу, начнет наконец зарабатывать, воспарит духовно. Шеров клятвенно пообещал Тане ни к каким комбинациям Павла не подключать, ограничить его участие в проекте чистой наукой и при первой же возможности отпустить с миром. Таня не столько поверила тогда Шерову, сколько согласилась с его логикой. Потому что очень хотелось с ней согласиться: изредка общаясь с Адой по телефону, она знала, насколько хреновы у Павла дела.

И дала себя убедить. Правда, напоследок не удержалась и впервые позволила себе угрозу в адрес шефа.

— Смотри у меня, кобелина, — заявила она своим «эротическим» тоном. — Ежели с моим чего по твоей милости случится!..

— Да ты чё, лапушка! — под стать ей ответил Шеров. — Падла буду, век воли не видать!

Но оба понимали, что реплики их шутливы только по форме.

Тридцатого сентября «стекляшка» закрылась на спецмероприятие — отмечали золотой «полтинник» товароведа Смирнова. Этот скромный труженик оказался человеком с широкой душой: гостей собралось человек восемьдесят, вино лилось рекой. Не было числа пьяным целованиям, трогательным признаниям типа: «Я тебя уважаю!» В начале вечера Таня пела с эстрады, потом, уступив свое место цыганам, оказалась во главе длинного стола по левую руку от юбиляра, который подливал ей вина и заплетающимся языком шептал на ухо всякие любезности, опасливо косясь направо, где восседала его монументальная жена. Таня танцевала до упаду, смеялась громко и звонко... Дальше все помнилось урывками: вот она, уединившись с кем-то в уголочке, что-то излагает, дергая за пуговицу; вот, убежав на кухню, сладко рыдает там, обнявшись с посудомойкой; вот снова выплясывает, теперь уже на столе, опрокидывая бутылки босыми ногами...

Она проснулась дома, разбитая, с больной головой. Заставила себя встать, добралась до стола, налила себе воды из чайника, кинула туда две шипучие таблетки заграничного средства как раз от таких случаев. Называется «Алка-Зельцер», подарок фарцовщика Гриши... Морщась, выпила, потом села, закурила и стала ждать, когда полегчает. За окном светило чахоточное осеннее солнце, и на сердце было муторно — не только от похмелья.

Преодолевая маету, Таня встала под душ — горячий, потом холодный. Вернувшись в комнату, села возле трюмо и стала привычно приводить себя в порядок, а для начала включила фен, чтобы высушить и уложить волосы. Фен зажужжал, и Таня услышала у себя за спиной скрип кровати и хриплый стон. Она обернулась — на кровати сидел незнакомый мужик, голый, весь в тугих бараньих кудряшках и с выражением тупого изумления на помятой физиономии. Господи, откуда он взялся, такой? Неужели вчера подцепила? И только сейчас заметила.

Кудрявый стыдливо прикрылся простынкой и скорбно проблеял:

— Где это я? Где?

Таня ответила лаконично и в рифму. Он вылупил на нее мутные глаза, предварительно протерев их.

— А ты кто?

— Конь в пальто! — опять в рифму ответила Таня и неприязненно добавила: — А вы сами, гражданин, кто такой?

— Я? — трясясь всем телом, переспросил мужик. — Я Потыктуев.

Таня взглядом отыскала его одежку, неприглядной кучей валявшуюся у стены, поднялась, брезгливо подняла всю кучу и бросила на кровать.

— Вот что, Потыктуев, катись-ка ты отсюда, — устало и беззлобно сказала она, ушла за шкаф и встала возле окна.

Судя по сопению, доносившемуся из-за шкафа, ночной ее кавалер одевался, хотя и не без труда. У Тани не было ни малейшего желания помогать ему. Вскоре сопение стихло.

— Ну что там? Собрался? — крикнула Таня.

— Похмелиться бы... — жалобно проблеял Потыктуев.

— Еще чего?! Давай, мотай по-быстрому, дома похмелишься.

Из-за шкафа выплыл одетый, покорный и понурый Потыктуев.

— Ну, я пошел... — робко сказал он.

— Иди... Стой, карманы проверь, кошелек. А то припрешься потом, начнешь выступать, что тебя здесь обокрали...

Потыктуев послушно обхлопал карманы.

— Не, вроде все на месте.

— Тогда вали. Дорогу сам найдешь.

Скрипнула дверь в комнату, потом входная. Таня смотрела в окно. Через две-три минуты через улицу проплелся Потыктуев. Таня присела на подоконник. Было очень хреново. Похоже, критическая точка. Дальше-то что?

Таня вздохнула и пошла на кухню. Пока она ставила на плиту чайник, выполз Пятаков в трусах и тельняшке. Он открыл кран и, подставив под струю пересохшие губы, принялся жадно лакать прохладную воду.

— Ну что, философ, плохо?

— Ох, плохо! — сказал Пятаков, глядя на Таню красными глазами.

— И мне нехорошо. Подлечиться не хочешь?

Пятаков ничего не ответил, только кивнул поспешно и посмотрел на Таню с невыразимой благодарностью.

— Тогда одевайся и в магазин. Я финансирую. Только не дрянь какую-нибудь...

Пятаков снова кивнул.

— И Светку предупреди, чтобы не ругалась потом.

— Она на работе! — радостно сказал Пятаков и помчался одеваться.

Философ расстарался и приволок марочного «Аштарака». Таня знала это густое, золотистое, чуть припахивающее плесенью вино, и оно нравилось ей. Первый стакан они выпили молча, степенно. В голове у Тани заметно прояснилось, и она почувствовала, что зверски голодна. Но готовкой заниматься не хотелось ни в какую — легче застрелиться. Значит, бутерброды. Она заглянула в холодильник. Там было все, нужное для хорошего бутерброда, — финское масло, семга, копченая колбаса, даже икорка. Недоставало лишь одного ингредиента — хлеба. Ни крошки.

— Философ, у тебя хлеб есть?

Пятаков оторвался от второго стакана и виновато покачал головой.

В хлебнице Шапиро тоже было пусто.

— Ладно, схожу в булочную. Проветрюсь заодно. А потом покушаем. Ты только смотри, не надирайся без меня тут.

Пятаков кивнул — дескать, понял, ну о чем речь?

И, конечно же, надрался. Надрался и отрубился, пока Таня в булочную ходила. Вернулась она со свежей буханкой, позвонила в дверь, и никто ей не открыл. А она, как назло, ключи забыла. Ладно, можно полчасика посидеть во дворике, отдышаться, может, пройдет мимо Светка, Варлам либо Галина, или философ очухается. Спешить-то сегодня все равно некуда...

Таня спустилась, села на скамеечку во дворе, лицом к парадной, закурила.

— Дай-ка, девка, папиросочку...

Таня подняла голову. У скамейки стояла не то чтобы старуха, но женщина в возрасте — в дорогом, но сильно поношенном пальто, с жесткой рыжей химией на голове. Лицо красное, в морщинах.

Таня знала эту женщину — она жила в том же подъезде, только двумя этажами ниже, одна, без детей, без мужа, на грошовую пенсию, подрабатывала гардеробщицей в доме культуры и была не дура выпить. Имени соседки Таня, разумеется, не знала.

Она не глядя протянула женщине пачку «Кента». Та взяла ее в руки, повертела, вытащила сигарету, понюхала, сказала: «Ишь ты!» — сунула в рот, вернула пачку Тане и плюхнулась рядом с ней.

— Все блядуешь, девка? — спросила она, выпуская дым.

— Да пошла ты!.. — огрызнулась Таня. Тоже мне, блюстительница выискалась!

— Ты погоди кипятиться-то, я ведь не в осуждение... Сама в твои годы ох бедовая была! Я тех, которые мохнатку свою берегут, никогда понять не могла... Ну, берегут — и доберегутся, когда она никому уж на хрен не нужна. И что — много тогда радости от целомудрия-то? То-то... Ты из сорок второй будешь?

Таня рассеянно кивнула. Монолог полупьяной бабки интересовал ее минимально, но идти пока что было некуда.

— Та комната, где Козлиха раньше проживала, твоя теперь?

— Да.

— Веселенькая комнатка! Там все больше такие оторвы жили — нам с тобой и не угнаться! Ну, про Козлиху я не говорю, та просто стерва, вся на говно изошла... А вот до нее жила там Муська, тоже дворничиха, так такой дым коромыслом стоял — Боженьки! Каждый день у нее праздник. Одно время ко мне бегать повадилась. Надежда, дескать, Никаноровна, выручи трешку до получки! Первое время выручала, а потом надоело — все равно ведь не отдаст, зараза пьяная! С милицией выселяли, Муську-то, вот так! А еще прежде того была та комната за Галеевой, кото рая еще пивом на Розенштейна торговала. Тоже, скажу тебе, штучка была, мужики табунами вокруг нее ходили.

Таня, скучая, слушала соседку.

— До Галеевой, значит, пустовала твоя комнатка не сколько лет. А перед этим жил в ней милиционер, толь ко недолго, женился, в квартиру отдельную переехал До милиционера жила там Валька Приблудова, так т вообще...

— Стойте! — вскрикнула Таня. — Как вы сказали Валька Приблудова?

— Ну да, Валька, — удивленно отозвалась Надежд Никаноровна. — В УРСе работала, сначала продавщицей потом уборщицей.

— Расскажите мне про нее! — взволнованно попроси ла Таня.

— Да на что тебе? — Соседка смотрела с явным лю бопытством.

— Ну... ну, в общем, была у меня знакомая такая Приблудова Валентина... Думаю, не та ли самая?

— Это вряд ли, — авторитетно заявила бабка. — Т Приблудова невесть куда сгинула, когда тебя еще и н свете не было. Ты с какого года?

— С пятьдесят шестого, — сказала Таня.

— А ту в пятьдесят пятом из города выслали...

У Тани перехватило дыхание. Неужели это правда, не ужели она живет в той же комнате, где жила когда-то ее непутевая мать?

— А вы не помните, дети у нее были? — спросил она.

— Нет... Хотя, погоди, была вроде дочка, так Валька ее матери в деревню сбагрила... Да, точно, еще фото по казывала — страшненькая такая, вылитая чукча!

О Господи!

— А за что ж ее выслали? — спросила она, стараяс сохранять спокойствие.

— Ой, девка, тут такое было! Весь дом гудел... Бух галтера одного у нее на квартире по пьянке прирезали.

— Кто? Она?

— Да нет, полюбовник ее последний, музыкант. При резал, а когда его арестовывать пришли, из окошка вы-

474

бросился... А с виду вроде интеллигентный такой мужчина, видный из себя, чернявый, вроде как ты...

У Тани в груди бешено заколотилось сердце.

— Алексеем звали, — продолжила соседка. — Фамилию не вспомню, но заковыристая такая... Он сюда из лагерей пришел, по реабилитации, политический был, а Эдик, дружок мой, его к себе в оркестр пристроил. В доме культуры играли, по танцплощадкам, ресторанам...

Таня вздрогнула. Вспомнилось, как Никита рассказывал ей, что такое карма рода. Кусочки судьбы родителей передаются детям, как внешность, характер... Они как бы заново переживают жизнь в своих детях...

— А фамилию того Алексея так и не вспомните? — спросила она.

— Что-то не пойму я, девка, с чего это ты вдруг? — Надежда Никаноровна с подозрением посмотрела на нее. — Коли любопытно, постараюсь... Хотя столько лет прошло! Заходи ко мне как-нибудь, квартира восемнадцать, спросишь Поликарпову. За бутылочкой-то, может, и припомню...

— Приду, — пообещала Таня и встала со скамейки — в арке, ведущей на улицу, показалась Галина.

Попав домой, она не стала есть — аппетит пропал, — а вновь подошла к окну, тому самому, из которого, по словам Поликарповой, выбросился ее отец... Она повернула шпингалет, не без труда отодвинула неподатливую раму, ею же самой приведенную в порядок всего год назад, высунулась в окно... У нее закружилась голова... Боже мой, как манит далекий серый асфальт!.. Это не больно. С такой высоты — не больно. Раз — и все! Здравствуй и прощай, Татьяна Алексеевна!

Она резко попятилась от окна, опрокинув стул. Что, жизнь проиграна вчистую? Это в двадцать-то пять? Ну нет, мы еще повоюем, черт возьми! Все еще тысячу раз переменится. Да-да! Сегодня же вот и переменится!

Таня гордо выпрямилась, захлопнула окно и направилась к трюмо. Есть хотелось зверски — но сначала надо привести себя в порядок, нельзя же выходить на люди, даже на коммунальную кухню, такой лахудрой. Отныне никто, даже ближайшие друзья и соседи, не увидит ее распустехой, неряхой...

Ощущение, что критическая точка позади, не покидало Таню ни в этот день, ни назавтра, хотя никаких внешних перемен не произошло. После полудня она заглянула к Никаноровне, прикупив перед визитом бутылочку того же «Аштарака». Бутылочка, впрочем, не понадобилась — бабка была и так изрядно пьяна и молола всякую чушь. Таня скоро поняла, что ничего путного от Надежды Никаноровны не услышит.

В тот вечер она была в голосе, и ни пьяный гвалт, ни выходки подгулявших гостей не раздражали ее ничуть. Часам к одиннадцати, когда в зале сделалось потише, Таня почти отпела свою программу и собиралась спуститься поужинать, к эстраде широким трезвым шагом подошел крепыш в военно-морской форме. Он положил на крышку рояля сотенную и сказал не принимающим возражений голосом:

— Сейчас вы лично для меня споете «Воротник», а потом придете за мой столик. Нам есть о чем поговорить.

Таня, слегка опешив, пригляделась к столь решительному клиенту. С освещенной сцены трудно было что-то разглядеть в полумраке зала, но когда моряк поднял глаза и без улыбки посмотрел на нее, она вздрогнула.

Это был Рафалович.

# 27 июня 1995

В раскрывшуюся дверь шагнул лысоватый полный мужчина в черном смокинге с атласными манжетами и лацканами. В дверях он развернулся, желая продолжить разговор, но японка закрыла двери и удалилась, и новому гостю осталось только обратить взгляд в комнату. Он чуть кивнул Люсьену, прошел мимо длинного стола и уселся в мягкое кресло возле левой стены. В отличие от бородача, похрапывающего у окошка, мужчина в смокинге имел вид ухоженный и не по-нашему холеный. От него так и несло массажами, соляриями, саунами, заморскими курортами, дорогими лосьонами. Однако, заглянув в его жесткие, холодные глаза, Люсьен окончательно разуверился в мысли, что попал на какую-то подозрительную презентацию: люди с таким взглядом в клиенты на подобные мероприятия не попадают, а если устраивают их, то сами никогда не показываются, препоручая все приспешникам.

— А наш сокамерник прав, — сказал мужчина, ни к кому не обращаясь. — Пять минут полного покоя перед важной встречей — что может быть лучше.

Он потянулся и закрыл глаза.

Люсьен чуть закашлялся, хлебнув не в то горло, а потом спросил:

— Встреча важная, да? Вы что-то знаете?

— Кое о чем догадываюсь, уважаемый господин Шоколадов... — произнес мужчина, не раскрывая глаз.

Люсьен подскочил:

— Как, вы меня знаете?

— Доводилось. Хотя и под другой фамилией.
— Но откуда? Вы кто?
— Не бойтесь, не из полиции нравов.
— Но объясните...
— Тс-с. Слышите голоса в прихожей? Сейчас на. с вами все объяснят.

# ОГЛАВЛЕНИЕ

**Дмитрий Вересов**

**ПОЛЕТ ВОРОНА**

Сериал «Черный ворон»

**Книга вторая**

*Серия «Огни большого города»*

Ответственные за выпуск
*А. И. Бабушкин, Я. Ю. Матвеева*

Корректор
*О. П. Васильева*

Верстка
*А. Н. Соколова*

Лицензия ИД № 02040 от 13.06.00
Лицензия ИД № 05759 от 04.09.01

Подписано в печать 15.03.02.
Формат 84 × 108 1/32. Печать офсетная.
Бумага газетная. Гарнитура «Кудряшевская».
Уч.-изд. л. 24,53. Усл. печ. л. 25,2.
Изд. № 01-3390-ОБГ. Доп. тираж 30 000 экз. Заказ № 3743.

«Издательский Дом „НЕВА"»
199155, Санкт-Петербург, ул. Одоевского, 29

Издательство «ОЛМА-ПРЕСС Звездный мир»
129075, Москва, Звездный бульвар, 23А, стр. 10

Оформление обложки и цветоделение
ООО «Русская коллекция СПб»,
дизайнер Инна Плотникова

Отпечатано с готовых диапозитивов
в полиграфической фирме «КРАСНЫЙ ПРОЛЕТАРИЙ»
103473, Москва, Краснопролетарская, 16